READINGS IN CHINESE COMMUNIST IDEOLOGY

READINGS IN

Chinese Communist Ideology

A Manual for Students of the Chinese Language

WEN-SHUN CHI

1968

UNIVERSITY OF CALIFORNIA PRESS
BERKELEY AND LOS ANGELES

University of California Press

Berkeley and Los Angeles, California

Cambridge University Press

London, England

Library of Congress Catalog Card Number: 67-11201

Printed in the United States of America

PREFACE

This is a sequel to my *Readings in Chinese Communist Documents*. Both books seek to help American students of Chinese —— and especially of Chinese Communism —— in developing a command of the Chinese language adequate for firsthand understanding of Chinese Communist materials as a basis for research in their own fields of special interest. The present book, however, differs from the first in two principal ways:

(a) In the first book, the material was presented chronologically and related to the major events of the first ten years of Communist rule (1949-1959). Here the material, by arrangement and selection, is intended to exemplify the major expressions of Chinese Communist ideology in various important aspects: politics, economics, philosophy, law and so forth.

(b) The first book was limited to the first decade of Communist rule. This new book deals with the development of Chinese Communist ideology, beginning with 1930 during the period of the Kiangsi Soviet and going up to the philosophical polemic still continuing on the mainland.

Lesson I is an attempt, by carefully selected excerpts and texts, to give a comprehensive summary of the basic "thought of Mao Tse-tung." This lesson, consisting of 12 selections, is much longer than the other lessons; Mao's ideology is accorded more attention and space in view of his dominant role in China today. The material in the other lessons relates to: the nature of the Chinese Communist Party, its relationship to international communism, the Constitution of the People's Republic of China, Chinese Communist civil and criminal law, the reinterpretation of China's history, economic planning, the Sino-Soviet dispute, and the philosophical debate on "one dividing into two."

Each lesson has an explanatory introduction in English and is followed by an extensive vocabulary list of the important terms and expressions —— particularly those involving Communist jargon —— which are met with for the first time in the reading. These lists give the Chinese characters, their romanization according to the Wade-Giles system, and an English translation. The vocabulary list entries are repeated in two comprehensive glossaries in the back of the book: one in romanized alphabetical order, the other by Chinese radical. Also included is a romanization conversion table for the Wade-Giles, Yale, National Romanization, and the *P'in-yin* system now used in Communist China. Finally, there is a comprehensive tabulation of the officially adopted simplified characters arranged by: (a) *P'in-yin* system; (b) number of strokes in the simplified characters; and (c) number of strokes in the conventional characters.

A few more words about the vocabulary lists may be helpful:

(a) The vocabulary lists contain mostly compounds rather than single characters. The reason for this is that single characters can be easily found in a dictionary, and from many years of experience of teaching Chinese to American students, I have found that one of their greatest difficulties is in identifying the compounds. They spend endless time searching for nonexistent compounds, either because they incorrectly combine the characters to form a compound or because they divide the characters of an established compound. The difficulty is further intensified by the fact that newly coined Communist jargonisms and old expressions given new meanings by Communist usage cannot be found in an ordinary dictionary, and some of them not even in a Communist dictionary. The few exceptions of including single characters are limited to those which I have found give my students most difficulty.

(b) Where characters appear in the simplified form (*chien-t'i*) in the text, these are retained in the vocabulary but replaced by their complicated form (*fan-t'i*) in the glossaries. Where characters appear in the text in their vulgar form (*su-t'i*), these are likewise retained in the vocabulary but replaced by their conventional form (*cheng-t'i*) in the glossaries.

(c) One pronunciation is given for each character; alternate pronunciations for the same character are not given.

(d) Tone-sandhi changes are not indicated. 一(*i*), 八(*pa*), and 不(*pu*) are invariably marked as tone one. Compulsory neutral tones are denoted by the absence of a tone mark for the particular syllable concerned.

(e) Only one English translation for each term is normally given. As an aid to the student, this is intended to fit the particular context in which the term first occurs. It has been my experience that the student, having once mastered this, quickly develops the ability to sense modifications of the translation which may be required by altered contexts and the stylistic demands of polished translation. However, occasionally more than one translation is given when deemed necessary. In such instances, if they are synonyms for the particular context, they are set off by commas;

if the second translation differs in meaning from the first in application elsewhere, it is set off by semicolons.

(f) In Chinese, a word or compound can be used as different parts of speech without change of form. For instance, the term 革命 (*ko-ming*) is basically a noun meaning "revolution;" but as a component of the phrase 革命戰爭 (*ko-ming chan-cheng*) it becomes an adjective meaning "revolutionary." In the vocabulary, *ko-ming* appears merely as "revolution." The student will find it necessary, therefore, to choose the grammatically correct parts of English speech to fit the context.

(g) The word 的 (*te*), used as an adjectival suffix, and the word 地 (*te*), used as an adverbial suffix, are omitted from the vocabulary lists. Students should observe the forms used as a guide in translation.

My deep gratitude goes to Professor S. H. Chen for his guidance and assistance. I owe a word of sincere thanks to Miss Frances Li for helping in the preparation of the vocabulary lists.

W. S. C.

University of California
Berkeley

CONTENTS

課文目錄

LESSON I

The Thought of Mao Tse-Tung

The first official definition of "the thought of Mao Tse-tung" was in the Constitution of the Chinese Communist party which was adopted by the party's Seventh Congress on June 11, 1945. Liu Shao-ch'i, in his "Report on the Revision of the Constitution" (made to the Seventh Congress on May 14, 1945), discussed at some length the basic role of Mao's thought. The pertinent section of the Constitution itself merely stated: "The Chinese Communist party takes the thought of the unity of the theory of Marxism-Leninism and the practice of China's revolution — the thought of Mao Tse-tung — as its guide to action, and opposes all dogmatic or empirical deviations."

Interestingly, this specific reference to the thought of Mao Tse-tung was deleted when the Constitution was revised by the Eighth Congress in 1956. No explicit reason for this was given. However, the official Report on the Revision of the Constitution (which was made to the Congress by Teng Hsiao-p'ing, General Secretary of the Central Committee, on September 16, 1956) had this comment: "The 20th Congress of the Communist Party of the Soviet Union has thrown a searching light on the profound significance of adhering to the principle of collective leadership and combating the cult of the individual, and this illuminating lesson has produced a tremendous effect not only on the Communist Party of the Soviet Union but also on the Communist Parties of all other countries throughout the world."

This passage leads us to speculate that the deletion may have been due to a Chinese feeling at that time that it was desirable to show at least formal compliance with the post-Stalin attack on personality cults in the Soviet Union.

Certainly, this de-emphasis did not last. By 1964, when the Sino-Soviet dispute was acute, the ***People's Daily*** (Peking, March 26, 1964) was editorializing: "Comrade Mao Tse-tung is a great contemporary Marxist-Leninist. The thought of Mao Tse-tung has creatively developed Marxism-Leninism by concretely unifying the universal truth of Marxism-Leninism and China's revolution and construction during the great revolutionary struggle of the

Chinese people at an era when imperialism is marching toward collapse and socialism is marching toward victory. The thought of Mao Tse-tung is a guide to the carrying out of revolution and socialist construction, and is a powerful ideological weapon against imperialism and modern revisionism."

In actual practice, the thought of Mao Tse-tung is taken to be the guide to every action in Communist China and is given the credit for almost all accomplishments, large or small. For example, the victory won by the Chinese Table Tennis team at the Twenty-eighth World Championship, as well as the successful testing of China's several atomic bombs, have been attributed to adherence to and described as victories for the thought of Mao Tse-tung.

Mao's "thought" is mainly contained in the official edition of *Selected Works of Mao Tse-tung* (*Mao Tse-tung Hsüan-chi*). In this lesson, twelve topics have been selected, but due to lack of space, ten are represented by excerpts. They cover the writings of Mao from 1930 to 1957. Selections 1-K and 1-L were allegedly written in 1930 and 1957 respectively, but were not made public until 1964. These two selections are reproduced here in full from the pamphlets published by the People's Press (Jen-min Ch'u-pan She) in 1964. They can also be found in *Selected Readings of Mao Tse-tung* (*Mao Tse-tung Hsüan-tu*).

The *Selected Works* which we use is the version edited by the Committee for the Publication of Mao's Selected Works of the Central Committee of the Chinese Communist party in 1951, containing Mao's writings from 1926 to 1949. It is stated in the preface that some of the articles in this version have been revised by the author with certain changes in the text and even in the content. Therefore, one may find variations between this and previous versions under the same title. There are four volumes in the *Selected Works*, first published in 1951, 1952, 1953, and 1960 respectively.

Selected Readings, covering Mao's writings from 1926 to 1963, has two sets, set *Chia* (A) and set *I* (B). The former is for the education of general cadres; the latter for workers and peasant youth and the masses. These two sets of readings, published in 1964, are edited by the Committee for the Publication of Mao's Selected Readings of the Central Committee of the Chinese Communist party.

In our selections, 1-A to 1-D are concerned with Mao's military writings. Mao has engaged in military activities since he first organized his army at Ching-kang Mountains in 1927. He organized a revolution and occupied all of mainland China through "the seizure of power by armed force." It is, therefore, impossible to understand thoroughly Mao's thought without understanding his military views. Moreover, his guerrilla warfare tactics have become a guide for waging Communist revolutionary warfare in underdeveloped and emergent areas throughout the world. 1-E and 1-F, "On Practice" and "On Contradiction", contain his philosophical views. 1-G is his doctrine of literature and art, which has been followed as the orthodox line of literary and artistic work on mainland China. 1-H, "On New Democracy," gives Mao's political, economic, and cultural policies for China in a transitional period before socialism and communism. The four articles, 1-I to 1-L, contain his attitude on the discipline of party members, with special emphasis on their work style and approach to problems.

第 一 課 (A)

中國革命戰爭的戰略問題*

（一九三六年十二月）

第一章　如何研究戰爭

第一節　戰爭規律是發展的

戰爭的規律——這是任何指導戰爭的人不能不研究和不能不解決的問題。

革命戰爭的規律——這是任何指導革命戰爭的人不能不研究和不能不解決的問題。

中國革命戰爭的規律——這是任何指導中國革命戰爭的人不能不研究和不能不解決的問題。

我們現在是從事戰爭，我們的戰爭是革命戰爭，我們的革命戰爭是在中國這個半殖民地的半封建的國度裏進行的。因此，我們不但要研究一般戰爭的規律，還要研究特殊的革命戰爭的規律，還要研究更加特殊的中國革命戰爭的規律。

大家明白，不論做什麽事，不懂得那件事的情形，它的性質，它和它以外的事情的關聯，就不知道那件事的規律，就不知道如何去做，就不能做好那件事。

戰爭——從有私有財產和有階級以來就開始了的、用以解決階級和階級、民族和民族、國家和國家、政治集團和政治集團之間、在一定發展階段上的矛盾的一種最高的鬥爭形式。不懂得它的情形，它的性質，它和它以外事情的關聯，就不知道戰爭的規律，就不知道如何指導戰爭，就不能打勝仗。

---

* 毛澤東同志的這部著作，是爲着總結第二次國內革命戰爭的經驗而寫的，當時曾在建立在陝北的紅軍大學作過講演。據著者說，本書只完成五章，尚有戰略進攻、政治工作及其他問題，因爲西安事變發生，沒有工夫再寫，就擱筆了。這是第二次國內革命戰爭時期黨內在軍事問題上的一場大爭論的結果，是表示一個路綫反對另一個路綫的意見。對於這個路綫上的爭論，一九三五年一月黨中央的遵義會議作出了結論，肯定了毛澤東同志的意見，而否定了錯誤路綫的意見。在一九三五年十月中央移到陝北以後，毛澤東同志隨即在十二月作了「論反對日本帝國主義的策略」的講演，系統地解決了第二次國內革命戰爭時期黨的政治路綫上的問題。第二年，即一九三六年，毛澤東同志又寫了本書，系統地說明了有關中國革命戰爭戰略方面的諸問題。

革命戰爭——革命的階級戰爭和革命的民族戰爭，在一般戰爭的情形和性質之外，有它的特殊的情形和性質。因此，在一般的戰爭規律之外，有它的一些特殊的規律。不懂得這些特殊的情形和性質，不懂得它的特殊的規律，就不能指導革命戰爭，就不能在革命戰爭中打勝仗。

中國革命戰爭——不論是國內戰爭或民族戰爭，是在中國的特殊環境之內進行的，比較一般的戰爭，一般的革命戰爭，又有它的特殊的情形和特殊的性質。因此，在一般戰爭和一般革命戰爭的規律之外，又有它的一些特殊的規律。如果不懂得這些，就不能在中國革命戰爭中打勝仗。

所以，我們應該研究一般戰爭的規律；也應該研究革命戰爭的規律；最後，我們還應該研究中國革命戰爭的規律。

有一種人的意見是不對的，我們早已批駁了這種意見了；他們說：只要研究一般戰爭的規律就得了，具體地說，只要照着反動的中國政府或反動的中國軍事學校出版的那些軍事條令去做就得了。他們不知道：這些條令僅僅是一般戰爭的規律，並且全是抄了外國的，如果我們一模一樣地照抄來用，絲毫也不變更其形式和內容，就一定是削足適履，要打敗仗。他們的理由是：過去流過血得來的東西，爲什麽要不得？他們不知道：我們固然應該尊重過去流血的經驗，但是還應該尊重自己流血的經驗。

又有一種人的意見也是不對的，我們也早已批駁了這種意見了；他們說：只要研究俄國革命戰爭的經驗就得了，具體地說，只要照着蘇聯內戰的指導規律和蘇聯軍事機關頒佈的軍事條令去做就得了。他們不知道：蘇聯的規律和條令，包含着蘇聯內戰和蘇聯紅軍的特殊性，如果我們一模一樣地抄了來用，不允許任何的變更，也同樣是削足適履，要打敗仗。這些人的理由是：蘇聯的戰爭是革命的戰爭，我們的戰爭也是革命的戰爭，而且蘇聯是勝利了，爲什麽還有取捨的餘地？他們不知道：我們固然應該特別尊重蘇聯的戰爭經驗，因爲它是最近代的革命戰爭的經驗，是在列寧、斯大林指導之下獲得的；但是我們還應該尊重中國革命戰爭的經驗，因爲中國革命和中國紅軍又有許多特殊的情況。（下略）

第二節　戰爭的目的在於消滅戰爭

戰爭——這個人類互相殘殺的怪物，人類社會的發展終久要把它消滅的，而且就在不遠的將來會要把它消滅的。但是消滅它的方法只有一個，就是用戰爭反對戰爭，用革命戰爭反對反革命戰爭，用民族革命戰爭反對民族反革命戰爭，用階級革命戰爭反對階級反革命戰爭。歷史上的戰爭，只有正義的和非正義的兩類。我們是擁護正義戰爭反對非正義戰爭的。一切反革命戰爭都是非正義的，一切革命戰爭都是正義的。人類的戰爭生活時代將要由我們之手而結束，我們所進行的戰爭，毫無疑義地是屬於最後戰爭的一部分。但是我們所面臨的戰爭，毫無疑義又是最大的和最殘酷的戰爭的一部分。最大的和最殘酷的非正義的反革命的戰爭，迫臨在我們的頭上，我們如果不打起正義戰爭的旗幟，人類的大多數就要遭受摧殘。人類正義戰爭的旗幟是拯救人類的旗幟，中國正義戰爭的旗幟是拯救中國的旗幟。人類的大多數和中國人的大多數所舉行的戰爭，毫無疑義地是正義的戰爭，是拯救人類拯救中國的至高無上的榮譽的事業，是把全世界歷史轉到新時代的橋樑。人類社會進步到消滅了階級，消滅了國家，到了那時，什麽戰爭也沒有了，反革命戰爭沒有了，革命戰爭也沒有了，非正義戰爭沒有了，正義戰爭也沒有了，這就是人類的永久和平的時代。我們研究革命戰爭的規律，出發於我們要求消滅一切戰爭的志願，這是區別我們共產黨人和一切剝削階級的界綫。

第三節　戰略問題是研究戰爭全局的規律的東西

只要有戰爭，就有戰爭的全局。世界可以是戰爭的一全局，一國可以是戰爭的一全局，一個獨立的游擊區、一個大的獨立的作戰方面，也可以是戰爭的一全局。凡屬帶有要照顧各方面和各階段的性質的，都是戰爭的全局。

研究帶全局性的戰爭指導規律，是戰略學的任務。研究帶局部性的戰爭指導規律，是戰役學和戰術學的任務。

要求戰役指揮員和戰術指揮員了解某種程度的戰略上的規律，何以成爲必要呢？因爲懂得了全局性的東西，就更會使用局部性的東西，因爲局部性的東西是隸屬於全局性的東西的。說戰略勝利取決於戰術勝利的這種意見是錯誤的，因爲這種意見沒有看見戰爭的勝敗的主要和首先的問題，是對於全局和各階段的關照得好或關照得不好。如果全局和各階段的關照有了重要的缺點或錯誤，那個戰爭是一定要失敗的。說『一着不慎，滿盤皆輸』，乃是說的帶全局性的，卽對全局有決定意義的一着，而不是那種帶局部性的卽對全局無決定意義的一着。下棋如此，戰爭也是如此。（下略）

第二章　中國共產黨和中國革命戰爭

自一九二四年開始的中國革命戰爭，已經過去了兩個階段，卽一九二四年至一九二七年的階段和一九二七年至一九三六年的階段；今後則是抗日民族革命戰爭的階段。這三個階段的革命戰爭，都是中國無產階級及其政黨中國共產黨所領導的。中國革命戰爭的主要敵人，是帝國主義和封建勢力。中國資產階級雖然在某種歷史時機可以參加革命戰爭，然而由於它的自私自利性和政治上經濟上的缺乏獨立性，不願意也不能領導中國革命戰爭走上澈底勝利的道路。中國農民羣衆和城市小資產階級羣衆，是願意積極地參加革命戰爭，並願意使戰爭得到澈底勝利的。他們是革命戰爭的主力軍；然而他們的小生產的特點，使他們的政治眼光受到限制（一部分失業羣衆則具有無政府思想），所以他們不能成爲戰爭的正確的領導者。因此，在無產階級已經走上政治舞台的時代，中國革命戰爭的領導責任，就不得不落到中國共產黨的肩上。在這種時候，任何的革命戰爭如果沒有或違背無產階級和共產黨的領導，那個戰爭是一定要失敗的。因爲半殖民地的中國的社會各階層和各種政治集團中，只有無產階級和共產黨，才最沒有狹隘性和自私自利性，最有遠大的政治眼光和最有組織性，而且也最能虛心地接受世界上先進的無產階級及其政黨的經驗而用之於自己的事業。因此，只有無產階級和共產黨能够領導農民、城市小資產階級和資產階級，克服農民和小資產階級的狹隘性，克服失業者羣的破壞性，並且還能够克服資產階級的動搖和不澈底性（如果共產黨的政策不犯錯誤的話），而使革命和戰爭走上勝利的道路。

一九二四年至一九二七年的革命戰爭，基本地說，是在國際無產階級和中國無產階級及其政黨對於中國民族資產階級及其政黨的政治影響和政治合作之下進行的。然而當着革命和戰爭的緊急關頭，首先由於大資產階級的叛變，同時也由於革命隊伍中機會主義者的自動地放棄革命領導權，這次革命戰爭就失敗了。

一九二七年至現在的土地革命戰爭，是在新的情況之下進行的。戰爭的敵人不但是帝國主義，而且是大資產階級和大地主的聯盟。民族資產階級則做了大資產階級的尾巴。領導這個革命戰爭的惟有共產黨，共產黨已經形成了對於革命戰爭的絕對的領導權。共產黨的這種絕對的領導權，是使革命戰爭堅持到底的最主要的條件。沒有共產黨的這種絕對的領導，是不能設想革命戰爭能有這樣的堅持性的。（下略）

第三章　中國革命戰爭的特點

第三節　由此產生我們的戰略戰術

經過了一次大革命的政治經濟不平衡的半殖民地的大國，強大的敵人，弱小的紅軍，土地革命——這是中國革命戰爭四個主要的特點。這些特點，規定了中國革命戰爭的指導路綫及其許多戰略戰術的原則。第一個特點和第四個特點，規定了中國紅軍的可能發展和可能戰勝其敵人。第二個特點和第三個特點，規定了中國紅軍的不可能很快發展和不可能很快戰勝其敵人，即是規定了戰爭的持久，而且如果弄得不好的話，還可能失敗。

這就是中國革命戰爭的兩方面。這兩方面同時存在着，即是說，既有順利的條件，又有困難的條件。這是中國革命戰爭的根本規律，許多規律都是從這個根本的規律發生出來的。我們的十年戰爭史證明了這個規律的正確性。誰要是睜眼看不見這些根本性質的規律，誰就不能指導中國的革命戰爭，誰就不能使紅軍打勝仗。

很明顯的，正確地規定戰略方向，進攻時反對冒險主義，防禦時反對保守主義，轉移時反對逃跑主義；反對紅軍的游擊主義，却又承認紅軍的游擊性；反對戰役的持久戰和戰略的速决戰，承認戰略的持久戰和戰役的速决戰；反對固定的作戰綫和陣地戰，承認非固定的作戰綫和運動戰；反對擊潰戰，承認殲滅戰；反對戰略方向的兩個拳頭主義，承認一個拳頭主義；反對大後方制度，承認小後方制度；反對絕對的集中指揮，承認相對的集中指揮；反對單純軍事觀點和流寇主義〔一二〕，承認紅軍是中國革命的宣傳者和組織者；反對土匪主義〔一三〕，承認嚴肅的政治紀律；反對軍閥主義，承認有限制的民主生活和有威權的軍事紀律；反對不正確的宗派主義的幹部政策，承認正確的幹部政策；反對孤立政策，承認爭取一切可能的同盟者；最後，反對把紅軍停頓於舊階段，爭取紅軍發展到新階段——所有這些原則問題，都要求正確的解决。我們現在要講的戰略問題，就是要就中國革命戰爭的十年血戰史的經驗，好好地說明這些問題。（下略）

【註　釋】

〔一二〕見『關於糾正黨內的錯誤思想』註二和註三。

〔二〕黃巢是唐朝末年農民起義的領袖，曹州寃句（今平原省菏澤縣）人。公元八七五年，卽唐僖宗乾符二年，黃巢聚衆響應王仙芝領導的起義。王仙芝被殺後，黃巢收集王的餘部，號『衝天大將軍』。黃巢帶領的起義隊伍曾經兩次出山東流動作戰。第一次由山東到河南，轉入安徽和湖北，由湖北回到山東。第二次又由山東到河南，轉到江西，經浙東到福建及廣東，轉廣西經湖南到湖北，再由湖北東進安徽浙江等地，然後渡淮入河南，克洛陽，攻破潼關，據有長安。黃巢入長安後建立齊國，稱皇帝。後因內部分裂（大將朱溫降唐），又被沙陀族酋長李克用的軍隊進攻，黃巢失長安，又入河南，由河南回到山東，終於失敗自殺。黃巢的戰爭繼續了十年，是中國歷史上有名的農民戰爭之一。舊統治階級的史書稱：當時『民之困於重斂者爭歸之』。但他只是簡單地進行流動的戰爭，沒有建立過比較穩固的根據地，所以被稱爲『流寇』。

〔三〕李闖卽李自成，是明朝末年農民起義的領袖，陝西米脂人。公元一六二八年，卽明思宗崇禎元年，陝西北部農民形成起義的潮流。李自成參加高迎祥的起義隊伍，曾經由陝西入河南，到安徽，折回陝西。一六三六年高迎祥死，李自成被推爲闖王。李自成在羣衆中的主要口號是『迎闖王，不納糧』。他約束隊伍的紀律，曾有『殺一人如殺我父、淫一婦如淫我母』的口號。因此，擁護他的人很多，成爲當時農民起義的主流。但他也沒有建立過比較穩固的根據地，總是東流西竄。他於被推爲闖王後，率部入川，折回陝南，經湖北又入河南，旋佔湖北襄陽，再經河南攻陝佔西安，於一六四四年經山西攻入北京。不久爲明將吳三桂勾引清兵聯合進攻而失敗。

〔一三〕『土匪主義』，指無紀律，無組織，無明確的政治目標的搶掠行爲。

VOCABULARY: 1-A

Problems of Strategy in China's Revolutionary War

				P.	L.
1.	革命	*kó-mìng*	revolution	4	2
2.	戰爭	*chàn-chēng*	war	4	2
3.	戰略	*chàn-lüeh*	strategy	4	2
4.	問題	*wèn-t'í*	problem	4	2
5.	如何	*jú-hó*	how to	4	4
6.	研究	*yén-chīu*	to do research — to study	4	4
7.	規律	*kūei-lü*	law	4	5
8.	發展	*fā-chăn*	development	4	5
9.	任何	*jèn-hó*	any	4	6
10.	指導	*chĭh-tăo*	to direct	4	6
11.	解決	*chĭeh-chüeh*	to solve	4	6
12.	從事	*ts'úng-shìh*	to engage in	4	12
13.	殖民地	*chíh-mín tì*	colony	4	13
14.	封建	*fēng-chìen*	feudal	4	13
15.	國度	*kúo-tù*	country	4	13
16.	進行	*chìn-hsíng*	to carry on — to wage (a war)	4	13
17.	因此	*yīn-tz'ŭ*	therefore	4	13
18.	一般	*ī-pān*	general	4	13
19.	特殊	*t'è-shū*	particular	4	14
20.	更加	*kèng-chīa*	even more	4	14
21.	不論	*pū-lùn*	irrespective	4	16
22.	情形	*ch'íng-hsíng*	circumstances	4	16
23.	性質	*hsìng-chíh*	nature	4	16
24.	關聯	*kūan-líen*	relation	4	17
25.	私有	*szū-yŭ*	private	4	19
26.	財產	*ts'ái-ch'ăn*	property	4	19
27.	階級	*chīeh-chí*	class	4	19
28.	以來	*ĭ-lái*	since (preceded by 從 or 自)	4	19
29.	開始	*k'āi-shĭh*	to begin	4	19
30.	民族	*mín-tsú*	nation	4	20
31.	國家	*kúo-chīa*	state	4	20
32.	政治	*chèng-chìh*	political	4	20
33.	集團	*chí-t'úan*	group	4	20
34.	一定	*ī-tìng*	a certain	4	20

				P.	L.
35.	階段	*chieh-tùan*	stage	4	20
36.	矛盾	*máo-tùn*	contradiction	4	21
37.	鬥爭	*tòu-chēng*	struggle	4	21
38.	形式	*hsíng-shìh*	form	4	21
39.	國內戰爭	*kúo-nèi chàn-chēng*	war inside the country — civil war	5	5
40.	環境	*húan-chìng*	environment	5	5
41.	比較	*pǐ-chiao*	to compare with	5	6
42.	意見	*ì-chìen*	view	5	11
43.	批駁	*p'i-pó*	to refute	5	11
44.	具體	*chǜ-t'ǐ*	concretely	5	12
45.	反動	*fǎn-tùng*	reactionary	5	12
46.	政府	*chèng-fǔ*	government	5	12
47.	軍事	*chǖn-shìh*	military	5	13
48.	出版	*ch'ū-pǎn*	to publish	5	13
49.	條令	*t'iao-lìng*	manual	5	13
50.	僅僅	*chǐn-chǐn*	merely	5	14
51.	一模一樣	*ī-mó ī-yàng*	exactly in the same form	5	14
52.	照抄	*chào-ch'āo*	to copy from an original	5	14
53.	絲毫	*szū-háo*	the slightest	5	15
54.	變更	*pìen-kēng*	change	5	15
55.	內容	*nèi-júng*	content	5	15
56.	削足適履	*hsüeh-tsú shìh-lǚ*	cutting the feet to fit the shoes (from *Han-fei Tzu*)	5	15
57.	理由	*lǐ-yú*	reason	5	16
58.	固然	*kù-ján*	of course	5	17
59.	尊重	*tsūn-chùng*	to respect	5	17
60.	經驗	*chīng-yèn*	experience	5	17
61.	俄國	*Ó-kúo*	Russia	5	19
62.	蘇聯	*Sū-lien*	contraction of 蘇維埃社會主義共和國聯盟 U. S. S. R.	5	19
63.	內戰	*nèi-chàn*	civil war	5	19
64.	機關	*chī-kūan*	organization	5	20
65.	頒佈	*pān-pù*	to promulgate	5	20
66.	包含	*pāo-hán*	to contain	5	21
67.	紅軍	*Húng-chǖn*	Red Army	5	21
68.	性	*hsìng*	nature, often used to form abstract nouns, e. g., 特殊性 particularity 可能性 possibility	5	21

				P.	L.
69.	允許	*yŭn-hsŭ*	to allow	5	22
70.	同樣	*t'úng-yàng*	in the same way — also	5	22
71.	勝利	*shèng-lì*	victory	5	24
72.	取捨	*ch'ŭ-shĕ*	either to take or to leave — alternative	5	24
73.	餘地	*yú-tì*	room	5	24
74.	特別	*t'è-píeh*	especially	5	24
75.	近代	*chìn-tài*	modern	5	25
76.	列寧	*Lìeh-níng*	Lenin (1870–1924)	5	25
77.	斯大林	*Szū-tà-lín*	Stalin (1879–1953)	5	25
78.	獲得	*hùo-té*	to acquire	5	26
79.	情況	*ch'íng-k'ùang*	condition	5	27
80.	目的	*mù-tì*	aim	5	28
81.	在於	*tsài-yú*	to lie in	5	28
82.	消滅	*hsīao-mìeh*	to eliminate	5	28
83.	人類	*jén-lèi*	mankind	5	29
84.	互相	*hù-hsīang*	mutual	5	29
85.	殘殺	*ts'án-shā*	slaughter	5	29
86.	怪物	*kùai-wù*	monster	5	29
87.	社會	*shè-hùi*	society	5	29
88.	終久	*chūng-chĭu*	finally	5	29
89.	反對	*făn-tùi*	to oppose	5	31
90.	反革命	*făn kó-mìng*	counter-revolutionary	5	31
91.	歷史	*lì-shĭh*	history	5	32
92.	正義	*chèng-ì*	just	5	33
93.	非	*fēi*	in- or un-	5	33
94.	擁護	*yūng-hù*	to support	5	33
95.	一切	*ī-ch'ìeh*	all	5	33
96.	生活	*shēng-húo*	life	5	34
97.	時代	*shíh-tài*	era	5	34
98.	結束	*chíeh-shù*	to put to an end	5	35
99.	毫無	*háo-wú*	not the slightest	5	35
100.	疑義	*í-ì*	doubt	5	35
101.	屬於	*shŭ-yú*	to belong to	5	35
102.	部分	*pù-fen*	part	6	1
103.	面臨	*mìen-lín*	to confront with	6	1
104.	殘酷	*ts'án-k'ù*	ruthless	6	1
105.	迫臨	*p'ò-lín*	to press on	6	2
106.	旗幟	*ch'í-chìh*	banner	6	3
107.	大多數	*tà tō-shù*	overwhelming majority	6	3

				P.	L.
107a.	多數	*tō-shù*	majority	6	3
108.	遭受	*tsāo-shòu*	to suffer	6	3
109.	摧殘	*ts'ūi-ts'án*	destruction	6	3
110.	拯救	*chěng-chìu*	salvation	6	4
111.	舉行	*chǚ-hsíng*	to hold — to wage	6	5
112.	至高	*chìh-kāo*	the highest	6	6
113.	無上	*wú-shàng*	nothing higher — unsurpassable	6	6
114.	榮譽	*júng-yǜ*	honorable	6	6
115.	事業	*shìh-yèh*	cause	6	6
116.	世界	*shìh-chìeh*	world	6	6
117.	橋樑	*ch'íao-líang*	bridge	6	7
118.	進步	*chìn-pù*	to advance	6	7
119.	永久	*yǔng-chǐu*	everlasting	6	9
120.	和平	*hó-p'íng*	peace	6	9
121.	出發	*ch'ū-fā*	to start	6	10
122.	要求	*yāo-ch'íu*	demand	6	10
123.	志願	*chìh-yǜan*	will	6	10
124.	區別	*ch'ǖ-píeh*	to distinguish	6	10
125.	共產黨人	*Kùng-ch'ǎn Tǎng jén*	Communist	6	10
125a.	共產黨	*Kùng-ch'ǎn Tǎng*	Communist party	6	10
126.	剝削	*pō-hsǜeh*	exploiting	6	11
127.	界線	*chìeh-hsìen*	dividing line	6	11
128.	全局	*ch'üan-chǘ*	whole situation	6	12
129.	獨立	*tú-lì*	independent	6	14
130.	游擊	*yú-chī*	guerilla	6	14
131.	作戰	*tsò-chàn*	to wage war — operation	6	14
132.	凡屬	*fán-shǔ*	all	6	15
133.	照顧	*chào-kù*	to take into consideration	6	15
134.	任務	*jèn-wù*	task	6	17
135.	局部	*chǘ-pù*	partial	6	17
136.	戰役學	*chàn-ì hsǘeh*	science of campaigns	6	18
136a.	戰役	*chàn-ì*	campaign	6	18
137.	戰術學	*chàn-shù hsǘeh*	science of tactics	6	18
137a.	戰術	*chàn-shù*	tactics	6	18
138.	指揮員	*chǐh-hūi yǘan*	commander (synonymous with officer in Communist usage)	6	19
138a.	指揮	*chǐh-hūi*	to command	6	19

				P.	L.
139.	了解	*lĭao-chĭeh*	to understand	6	19
140.	某種	*mŏu-chŭng*	certain kind — some	6	19
141.	程度	*ch'éng-tù*	degree	6	19
142.	何以	*hó-ĭ*	why	6	19
143.	必要	*pì-yào*	necessary	6	20
144.	使用	*shĭh-yùng*	to handle	6	20
145.	隸屬	*lì-shŭ*	subordinate to	6	21
146.	取决	*ch'ü̆-chǘeh*	followed by 於 to be determined by	6	21
147.	錯誤	*ts'ò-wù*	wrong	6	22
148.	勝敗	*shèng-pài*	victory or defeat — outcome of war	6	22
149.	主要	*chŭ-yào*	chief	6	22
150.	首先	*shŏu-hsĭen*	foremost	6	22
151.	對於	*tùi-yǘ*	with regard to	6	23
152.	關照	*kūan-chào*	to take into consideration	6	23
153.	重要	*chùng-yào*	important — serious	6	24
154.	缺點	*ch'ṻeh-tĭen*	defect	6	24
155.	失敗	*shīh-pài*	lost	6	24
156.	一着不愼	*ī-chāo pū-shèn*	a careless move	6	24
157.	滿盤皆輸	*măn-p'án chīeh-shū*	the entire board (chess game) is all lost	6	24
158.	决定	*chǘeh-tìng*	decisive	6	25
159.	意義	*ì-ì*	significance	6	25
160.	下棋	*hsìa-ch'í*	to play chess	6	26
161.	如此	*jú-tz'ŭ*	like this	6	26
162.	今後	*chīn-hòu*	henceforth	6	30
163.	抗日	*k'àng-Jìh*	to resist Japan	6	30
164.	無產階級	*wú-ch'ăn chīeh-chí*	no property class — the proletariat	6	31
165.	政黨	*chèng-tăng*	political party	6	32
166.	領導	*lĭng-tăo*	leadership	6	32
167.	敵人	*tí-jén*	enemy	6	32
168.	帝國主義	*tì-kúo chŭ-ì*	imperialism; imperialist	6	32
168a.	主義	*chŭ-ì*	-ism	6	32
169.	勢力	*shìh-lì*	forces	6	33
170.	資產階級	*tzū-ch'ăn chīeh-chí*	property class — the bourgeoisie	6	33
171.	時機	*shíh-chī*	occasion	6	33
172.	參加	*ts'ān-chīa*	to participate	6	33

				P.	L.
173.	由於	*yú-yǘ*	due to	6	33
174.	自私	*tzù-szū*	selfish	6	34
175.	自利	*tzù-lì*	synonymous with *tzu-szu*	6	34
176.	經濟	*chīng-chì*	economic	6	34
177.	缺乏	*ch'ǖeh-fá*	lack of	6	34
178.	願意	*yǜan-ì*	willing	6	34
179.	澈底	*ch'è-tǐ*	complete	7	1
180.	道路	*tào-lù*	road	7	1
181.	農民	*núng-mín*	peasant	7	1
182.	羣衆	*ch'ǘn-chùng*	the masses	7	1
183.	城市	*ch'éng-shìh*	urban	7	1
184.	小資產階級	*hsǐao tzū-ch'ǎn chīeh-chí*	the petty bourgeoisie	7	1
185.	積極	*chī-chí*	actively	7	2
186.	主力軍	*chǔ-lì chǖn*	main force	7	3
187.	小生產	*hsǐao shēng-ch'ǎn*	small-scale producer	7	3
187a.	生產	*shēng-ch'ǎn*	production	7	3
188.	特點	*t'è-tǐen*	characteristic	7	3
189.	眼光	*yěn-kūang*	vision	7	3
190.	限制	*hsìen-chìh*	limitation	7	3
191.	失業	*shīh-yèh*	unemployed	7	4
192.	具有	*chǜ-yǔ*	to possess	7	4
193.	無政府	*wú chèng-fǔ*	anarchist	7	4
194.	正確	*chèng-ch'ǜeh*	correct	7	4
195.	舞台	*wǔ-t'ái*	stage	7	5
196.	責任	*tsé-jèn*	responsibility	7	5
197.	肩上	*chīen-shang*	on the shoulder	7	6
198.	違背	*wéi-pèi*	to run counter to	7	7
199.	階層	*chīeh-ts'éng*	stratum	7	8
200.	狹隘	*hsía-ài*	narrow-minded	7	9
201.	遠大	*yǚan-tà*	far-sighted	7	9
202.	組織	*tsǔ-chīh*	organization 最有組織性 best organized	7	9
203.	虛心	*hsǖ-hsīn*	modestly	7	10
204.	接受	*chīeh-shòu*	to accept	7	10
205.	先進	*hsīen-chìn*	advanced	7	10
206.	克服	*k'ò-fú*	to overcome	7	12
207.	破壞	*p'ò-hùai*	destructive	7	12
208.	動搖	*tùng-yáo*	vacillation	7	13
209.	政策	*chèng-ts'è*	policy	7	13

				P.	L.
210.	基本	*chī-pĕn*	basically	7	15
211.	國際	*kúo-chì*	international	7	15
212.	民族資產階級	*mín-tsú tzū-ch'ăn chīeh-chí*	national bourgeoisie	7	16
213.	影響	*yĭng-hsĭang*	influence	7	16
214.	合作	*hó-tsò*	cooperation	7	17
215.	緊急	*chĭn-chí*	critical	7	17
216.	關頭	*kūan-t'óu*	moment	7	17
217.	叛變	*p'àn-pìen*	betrayal	7	18
218.	同時	*t'úng-shíh*	at the same time — simultaneously	7	18
219.	隊伍	*tùi-wŭ*	ranks	7	18
220.	機會主義	*chī-hùi chŭ-ì*	opportunism	7	18
220a.	機會	*chī-hùi*	opportunity	7	18
221.	自動	*tzù-tùng*	voluntarily	7	18
222.	放棄	*fàng-ch'ì*	to give up — surrender	7	18
223.	土地	*t'ŭ-tì*	land	7	20
224.	地主	*tì-chŭ*	landlord	7	21
225.	聯盟	*líen-méng*	alliance	7	21
226.	尾巴	*wĕi-pa*	tail	7	22
227.	惟有	*wéi-yŭ*	there is only — alone	7	22
228.	形成	*hsíng-ch'éng*	to establish	7	23
229.	絕對	*chüeh-tùi*	absolute	7	23
230.	堅持	*chīen-ch'íh*	to persist	7	24
231.	到底	*tào-tĭ*	to the end	7	24
232.	條件	*t'íao-chìen*	condition	7	24
233.	設想	*shè-hsĭang*	to conceive	7	25
234.	產生	*ch'ăn-shēng*	to ensue	7	27
235.	平衡	*p'íng-héng*	evenly (developed)	7	28
236.	强大	*ch'íang-tà*	strong and large — powerful	7	28
237.	弱小	*jò-hsĭao*	weak and small	7	29
238.	規定	*kūei-tìng*	to determine	7	30
239.	路綫	*lù-hsìen*	line	7	30
240.	原則	*yüan-tsé*	principle	7	30
241.	可能	*k'ŏ-néng*	possible	7	31
242.	戰勝	*chàn-shèng*	to defeat	7	31
243.	持久	*ch'íh-chĭu*	protraction	7	33
244.	存在	*ts'ún-tsài*	to exist	7	34
245.	旣有...又有	*chì-yŭ...yù-yŭ*	there are both...and	7	34
246.	順利	*shùn-lì*	favorable	8	1

				P.	L.
247.	困難	*k'ùn-nán*	difficult	8	1
248.	根本	*kēn-pěn*	fundamental	8	1
249.	發生	*fā-shēng*	to ensue	8	2
250.	證明	*chèng-míng*	to prove	8	2
251.	明顯	*míng-hsĭen*	obvious	8	5
252.	方向	*fāng-hsìang*	direction	8	5
253.	進攻	*chìn-kūng*	offensive	8	5
254.	冒險主義	*mào-hsĭen chŭ-ì*	adventurism	8	5
255.	防禦	*fáng-yǜ*	defensive	8	5
256.	保守主義	*păo-shŏu chŭ-ì*	conservatism	8	6
256a.	保守	*păo-shŏu*	conservative	8	6
257.	轉移	*chŭan-í*	to shift forces from one place to another (euphemism for retreat)	8	6
258.	逃跑主義	*t'áo-p'ăo chŭ-ì*	flightism	8	6
259.	承認	*ch'éng-jèn*	to recognize	8	6
260.	持久戰	*ch'íh-chĭu chàn*	war of protraction	8	7
261.	速决戰	*sù-chüéh chàn*	war of quick decision	8	7
262.	固定	*kù-tìng*	fixed	8	8
263.	作戰綫	*tsò-chàn hsìen*	operational front	8	8
264.	陣地戰	*chèn-tì chàn*	positional warfare	8	8
265.	運動戰	*yǜn-tùng chàn*	mobile warfare	8	8
266.	擊潰戰	*chī-k'ùei chàn*	fighting to rout the enemy	8	9
267.	殲滅戰	*chīen-mìeh chàn*	fighting to annihilate the enemy	8	9
268.	兩個拳頭主義	*lĭang-kò ch'üán-t'ou chŭ-ì*	striking with two fists in two directions at the same time —"two fist-ism"	8	9
269.	後方	*hòu-fāng*	rear area	8	10
270.	制度	*chìh-tù*	system	8	10
271.	集中	*chí-chūng*	centralized	8	10
272.	相對	*hsīang-tùi*	relatively	8	10
273.	單純	*tān ch'ún*	purely	8	11
274.	觀點	*kūan-tĭen*	viewpoint	8	11
275.	流寇	*líu-k'òu*	roving bandit	8	11
276.	宣傳者	*hsüān-ch'úan chě*	propagandist	8	11
276a.	宣傳	*hsüān-ch'úan*	to propagandize	8	11
277.	土匪	*t'ŭ-fĕi*	bandit	8	12
278.	嚴肅	*yén-sù*	strict	8	12
279.	紀律	*chì-lǜ*	discipline	8	12

				P.	L.
280.	軍閥	*chün-fá*	warlord	8	12
281.	民主	*mín-chŭ*	democratic	8	13
282.	威權	*wēi-ch'üan*	authority 有威權的 authoritative	8	13
283.	宗派主義	*tsūng-p'ài chŭ-ì*	sectarianism	8	13
284.	幹部	*kàn-pù*	cadre	8	13
285.	孤立	*kū-lì*	isolation	8	14
286.	爭取	*chēng-ch'ü*	to win over	8	14
287.	同盟者	*t'úng-méng chĕ*	ally	8	14
287a.	同盟	*t'úng-méng*	alliance	8	14
288.	停頓	*t'íng-tùn*	to hold up at	8	15
289.	就	*chìu*	in the light of	8	16
290.	血戰	*hsüeh-chàn*	bloody war	8	17
291.	說明	*shūo-míng*	to elucidate	8	17

第一課(B)

抗日游擊戰爭的戰略問題*

（一九三八年五月）

（上略）

第二章　戰爭的基本原則是保存自己消滅敵人

在具體地說到游擊戰爭的戰略問題之先，還要說一說戰爭的基本問題。

一切軍事行動的指導原則，都根據於一個基本的原則，就是：盡可能地保存自己的力量，消滅敵人的力量。這個原則，在革命戰爭中是直接地和基本的政治原則聯繫着的。例如中國抗日戰爭的基本政治原則卽政治目的，是驅逐日本帝國主義，建立獨立自由幸福的新中國。在軍事上實行起來，就是以軍事力量保衞祖國，驅逐日寇。爲達到這個目的，在軍隊本身的行動上，就表現爲：一方面，盡可能地保存自己的力量；另一方面，盡可能地消滅敵人的力量。何以解釋戰爭中提倡勇敢犧牲呢？每一戰爭都須支付代價，有時是極大的代價，豈非和『保存自己』相矛盾？其實一點也不矛盾，正確點說，是相反相成的。因爲這種犧牲，不但是爲了消滅敵人的必要，也是爲了保存自己的必要——部分的暫時的『不保存』（犧牲或支付），是爲了全體的永久的保存所必需的。在這個基本的原則上，發生了指導整個軍事行動的一系列的所謂原則，從射擊原則（蔭蔽身體，發揚火力，前者爲了保存自己，後者爲了消滅敵人）起，到戰略原則止，都貫澈這個基本原則的精神。一切技術的、戰術的、戰役的、戰略的原則，都是執行這個基本原則時的條件。保存自己消滅敵人的原則，是一切軍事原則的根據。

第三章　抗日游擊戰爭的六個具體戰略問題

現在我們來看，抗日游擊戰爭的軍事行動，應該採取些什麽方針或原

---

* 抗日戰爭初期，黨內外都有許多人輕視游擊戰爭的重大戰略作用，而只把自己的希望寄託於正規戰爭，特別是國民黨軍隊的作戰。毛澤東同志批駁了這種觀點，同時寫了這篇文章，指出抗日游擊戰爭發展的正確道路。其結果，在抗日時期內，在一九三七年只有四萬餘人的八路軍和新四軍，到一九四五年日本投降時就發展成爲一百萬人的大軍，並創建了許多革命根據地，在抗日戰爭中起了偉大的作用，使蔣介石在抗日時期既不敢投降日本，又不敢發動全國規模的內戰，而到一九四六年發動全國規模的內戰時，由八路軍新四軍編成的人民解放軍就有力量對付蔣介石的進攻了。

則才能達到保存自己消滅敵人的目的呢？因為抗日戰爭中（乃至一切革命戰爭中）的游擊隊一般是從無到有、從小到大的，故在保存自己之外，還須加上一個發展自己。所以問題是：應該採取些什麼方針或原則才能達到保存或發展自己和消滅敵人的目的呢？

總的說來，主要的方針有下列各項：（一）主動地、靈活地、有計劃地執行防禦戰中的進攻戰，持久戰中的速决戰和內綫作戰中的外綫作戰；（二）和正規戰爭相配合；（三）建立根據地；（四）戰略防禦和戰略進攻；（五）向運動戰發展；（六）正確的指揮關係。這六項，是全部抗日游擊戰爭的戰略綱領，是達到保存和發展自己，消滅和驅逐敵人，配合正規戰爭，爭取最後勝利的必要途徑。

第四章　主動地靈活地有計劃地執行防禦戰中的進攻戰、持久戰中的速决戰、內綫作戰中的外綫作戰

這裏又可以分為四點來說：（一）防禦和進攻，持久和速决，內綫和外綫的關係；（二）一切行動立於主動地位；（三）靈活地使用兵力；（四）一切行動的計劃性。

先說第一點。

整個的抗日戰爭，由於日寇是强國，是進攻的，我們是弱國，是防禦的，因而决定了我們是戰略上的防禦戰和持久戰。拿作戰綫來說，敵人是外綫作戰，我們是內綫作戰。這是一方面的情形。但是在又一方面，則適得其反。敵軍雖强（武器和人員的某些素質，某些條件），但是數量不多，我軍雖弱（同樣，僅是武器和人員的某些素質，某些條件），但是數量甚多，加上敵人是異民族侵入我國，我們是在本國反抗異民族侵入這個條件，這樣就决定了下列的戰略方針：能够而且必須在戰略的防禦戰之中採取戰役和戰鬥的進攻戰，在戰略的持久戰之中採取戰役和戰鬥的速决戰，在戰略的內綫作戰之中採取戰役和戰鬥的外綫作戰。這是整個抗日戰爭應該採取的戰略方針。正規戰爭是如此，游擊戰爭也是如此。游擊戰爭所不同的，只是程度上或表現形式上的問題。游擊戰爭是一般地用襲擊的形式表現其進攻的。正規戰爭雖然也應該而且能够採用襲擊戰，但是其出敵不意的程度比較小一些。在游擊戰，速决性的要求是很大的，戰役和戰鬥中包圍敵人的外綫圈則很小。這些都是和正規戰不同的地方。（下略）

現在來說游擊戰爭的主動性、靈活性、計劃性的問題。

游擊戰爭的主動性是什麼呢？

一切戰爭的敵我雙方，都力爭在戰場、戰地、戰區以至整個戰爭中的主動權，這種主動權即是軍隊的自由權。軍隊失掉了主動權，被逼處於被

動地位，這個軍隊就不自由，就有被消滅或被打敗的危險。本來戰略的防禦戰和內綫作戰，爭取主動較爲困難些，而進攻的外綫作戰，爭取主動較爲容易些。但是日本帝國主義有兩個基本的弱點，卽是兵力不足和異國作戰。並且因其對中國力量的估計不足和日本軍閥的內部矛盾，產生了許多指揮的錯誤，例如逐漸增加兵力，缺乏戰略的協同，某種時期沒有主攻方向，某些作戰失去時機和有包圍無殲滅等等，可以說是他的第三個弱點。這樣，兵力不足（包括小國、寡民、資源不足和他是封建的帝國主義等等），異國作戰（包括戰爭的帝國主義性和野蠻性等等），指揮笨拙，使得日本軍閥雖然處在進攻戰和外綫作戰的有利地位，但其主動權却日益減弱下去。日本目前還不願也不能結束戰爭，它的戰略進攻也還沒有停止，但是大勢所趨，它的進攻是有一定限度的，這是三個弱點所產生的必然結果，無限止地吞滅全中國是不可能的。會有一天日本要處於完全的被動地位，這種情況現在就可以開始看出來。中國方面，開始時戰爭頗處於被動，現在因有了經驗，正在改取新的運動戰的方針，卽戰役和戰鬥的進攻戰、速決戰和外綫作戰的方針，加上普遍發展游擊戰的方針，所以主動地位正在日益建立起來。（下略）

已經因爲估計和處置錯誤，或者因爲不可抗的壓力，被迫處於被動地位了的時候，這時的任務就是努力脫出這種被動。如何脫出法，須依情況而定。在許多情況下，『走』是必須的。游擊隊的會走，正是其特點。走是脫離被動恢復主動的主要的方法。但是不限於這一方法。往往在敵人十分起勁自己十分困難的時候，正是敵人開始不利，自己開始有利的時候。往往有這種情形，有利的情況和主動的恢復，產生於『再堅持一下』的努力之中。

現在來說靈活性。

靈活性就是具體地表現主動性的東西。靈活地使用兵力，是游擊戰爭比較正規戰爭更加需要的。

必須使游擊戰爭的指導者明白，靈活地使用兵力，是轉變敵我形勢爭取主動地位的最重要的手段。根據游擊戰爭的特性，兵力的使用必須按照任務和敵情、地形、居民等條件作靈活的變動，主要的方法是分散使用、集中使用和轉移兵力。游擊戰爭的領導者對於使用游擊隊，好像漁人打網一樣，要散得開，又要收得攏。當漁人把網散開時，要看淸水的深淺、流的速度和那裏有無障礙，游擊隊分散使用時，也須注意不要因情況不明、行動錯誤而受損失。漁人爲了收得攏，就要握住網的繩頭，使用部隊也要保持通訊聯絡，並保持相當主力在自己手中。打魚要時常變換地點，游擊隊也要時常變換位置。分散、集中和變換，是游擊戰爭靈活使用兵力的三個方法。（下略）

分散、集中和轉移的靈活性，都是游擊戰爭具體地表現主動性的東西；死板、呆滯，必至陷入被動地位，遭受不必要的損失。但領導者的聰明不在懂得靈活使用兵力的重要，而在按照具體情況善於及時地實行分散、集中和轉移兵力。這種善觀風色和善擇時機的聰明是不容易的，惟有虛心研究，勤於考察和思索的人們可以獲得。爲使靈活不變爲妄動，愼重地考慮情況是必要的。

最後說到計劃性問題。

游擊戰爭要取得勝利，是不能離開它的計劃性的。亂幹一場的想法，只是玩弄游擊戰爭，或者是游擊戰爭的外行。不論是整個游擊區的行動或是單個游擊部隊或游擊兵團的行動，事先都應有盡可能的嚴密的計劃，這就是一切行動的預先準備工作。情況的了解，任務的確定，兵力的部署，軍事和政治教育的實施，給養的籌劃，裝備的整理，民衆條件的配合等等，都要包括在領導者們的過細考慮、切實執行和檢查執行程度的工作之中。沒有這個條件，甚麼主動、靈活、進攻等事，都是不能實現的。固然正規戰爭的計劃性更大些，游擊戰爭的條件不容許很大的計劃性，如果企圖在游擊戰爭中實行高度的嚴密的計劃工作，那是錯誤的；但依照客觀條件允許的程度，採取盡可能的嚴密的計劃，則是必要的，須知同敵人鬥爭是一件不能開玩笑的事情。

上面所說的各點，說明了游擊戰爭戰略原則的第一個問題——主動地、靈活地、有計劃地執行防禦中的進攻戰，持久中的速決戰，內綫作戰中的外綫作戰。這是游擊戰爭戰略原則的最中心的問題。解决了這個問題，游擊戰爭的勝利就有了軍事指導上的重要的保證。（下略）

這個原則，正規戰爭和游擊戰爭是基本上同一的，只在表現形式上有程度的不同。但在游擊戰爭中注意這個不同是重要的和必要的。正是因爲這個不同的表現形式，所以使游擊戰爭的作戰方法區別於正規戰爭的作戰方法；混淆了這個不同的表現形式，游擊戰爭是不能勝利的。（下略）

VOCABULARY: 1-B

Problems of Strategy in Guerrilla War against Japan

				P.	L.
1.	保存	*pǎo-ts'ún*	to preserve	18	5
2.	行動	*hsíng-tùng*	operation	18	7
3.	根據	*kēn-chǜ*	to base	18	7
4.	力量	*lì-lìang*	strength	18	8
5.	直接	*chíh-chīeh*	directly	18	8
6.	聯繫	*líen-hsì*	to link with	18	9
7.	例如	*lì-jú*	for instance	18	9
8.	驅逐	*ch'ǖ-chú*	to drive out	18	10
9.	日本	*Jìh-pěn*	Japan	18	10
10.	建立	*chìen-lì*	to establish	18	10
11.	自由	*tzù-yú*	free	18	10
12.	幸福	*hsìng-fú*	happy	18	10
13.	實行	*shíh-hsíng*	to put into effect	18	10
14.	保衛	*pǎo-wèi*	to defend	18	11
15.	祖國	*tsǔ-kúo*	fatherland	18	11
16.	日寇	*Jìh-k'òu*	Japanese bandits	18	11
17.	達到	*tá-tào*	to attain	18	11
18.	軍隊	*chǖn-tùi*	armed units	18	11
19.	本身	*pěn-shēn*	itself or themselves, as the case may be	18	11
20.	表現	*pǐao-hsìen*	to take the form of	18	12
21.	解釋	*chǐeh-shìh*	to explain — to justify	18	13
22.	提倡	*t'í-ch'àng*	advocacy	18	13
23.	勇敢	*yǔng-kǎn*	heroic	18	13
24.	犧牲	*hsī-shēng*	sacrifice	18	13
25.	支付	*chīh-fù*	to pay	18	14
26.	代價	*tài-chìa*	price	18	14
27.	豈非	*ch'ǐ-fēi*	Is this not......?	18	14
28.	其實	*ch'í-shíh*	in fact	18	14
29.	相反相成	*hsīang-fǎn hsīang-ch'éng*	opposite and complementary to each other	18	15
30.	暫時	*chàn-shíh*	temporary	18	16
31.	全體	*ch'üán-t'ǐ*	whole	18	17
32.	必需	*pì-hsǖ*	necessary	18	17
33.	整個	*chěng-kò*	whole	18	18
34.	系列	*hsì-lìeh*	series	18	18

				P.	L.
35.	所謂	*sŏ-wèi*	so-called	18	18
36.	射擊	*shè-chī*	shooting	18	18
37.	蔭蔽身體	*yìn-pì shēn-t'ĭ*	to take cover to preserve oneself	18	18
37a.	身體	*shēn-t'ĭ*	body — oneself	18	18
38.	發揚	*fā-yáng*	to make full use of	18	18
39.	火力	*hŭo-lì*	fire-power	18	19
40.	前者	*ch'íen-chĕ*	the former	18	19
41.	後者	*hòu-chĕ*	the latter	18	19
42.	貫澈	*kùan-ch'è*	to permeate	18	19
43.	精神	*chīng-shén*	spirit	18	20
44.	技術	*chì-shù*	technical	18	20
45.	執行	*chíh-hsíng*	to apply	18	21
46.	採取	*ts'ăi-ch'ŭ̈*	to adopt	18	24
47.	方針	*fāng-chēn*	policy	18	24
48.	乃至	*năi-chìh*	even as in	19	1
49.	下列	*hsìa-lìeh*	listed below—the following	19	5
50.	各項	*kò-hsìang*	various items	19	5
51.	主動	*chŭ-tùng*	initiatively	19	5
52.	靈活	*líng-húo*	flexibly	19	5
53.	計劃	*chì-hùa*	plan 有計劃的 in a planned way	19	5
54.	內綫	*nèi-hsìen*	interior-line	19	6
55.	外綫	*wài-hsìen*	exterior-line	19	6
56.	正規	*chèng-kūei*	regular	19	7
57.	配合	*p'èi-hó*	coordination	19	7
58.	根據地	*kēn-chù tì*	base area	19	7
59.	關係	*kūan-hsi*	relationship	19	8
60.	全部	*ch'ǘan-pù*	whole	19	8
61.	綱領	*kāng-lĭng*	program	19	9
62.	途徑	*t'ú-chìng*	road	19	10
63.	地位	*tì-wèi*	position	19	15
64.	兵力	*pīng-lì*	military forces	19	15
65.	適得其反	*shìh té ch'í făn*	just the reverse	19	20
66.	敵軍	*tí-chǖn*	enemy forces	19	21
67.	武器	*wŭ-ch'ì*	arms	19	21
68.	人員	*jén-yǘan*	men	19	21
69.	某些	*mŏu-hsīeh*	a number of certain......	19	21
70.	素質	*sù-chíh*	quality	19	21
71.	數量	*shù-lìang*	quantity	19	21

P.	L.
72.	我軍	wǒ-chǖn	our forces	19	22
73.	異民族	ì mín-tsú	alien nation	19	23
74.	侵入	ch'īn-jù	to invade	19	23
75.	本國	pěn-kúo	our own country	19	23
76.	反抗	fǎn-k'àng	to resist	19	23
77.	必須	pì-hsǖ	must	19	24
78.	戰鬥	chàn-tòu	to fight battles	19	25
79.	不同	pū-t'úng	different	19	28
80.	襲擊	hsí-chī	surprise attack	19	28
81.	出敵不意	ch'ū tí pū-ì	not within enemy's expectation — surprise	19	29
82.	包圍	pāo-wéi	encirclement	19	31
83.	外綫圈	wài-hsìen ch'ǖan	exterior-line ring	19	31
84.	敵我	tí-wǒ	the enemy and ourselves	19	34
85.	力爭	lì-chēng	to contend for	19	34
86.	戰場	chàn-ch'ǎng	battlefield	19	34
87.	戰地	chàn-tì	battle-area	19	34
88.	戰區	chàn-ch'ǖ	war zone	19	34
89.	以至	ǐ-chìh	up to	19	34
90.	失掉	shīh-tìao	to lose	19	35
91.	被逼	pèi-pī	to be forced to	19	35
92.	處於	ch'ǔ-yǘ	to be situated in	19	35
93.	被動	pèi-tùng	passive	19	35
94.	危險	wéi-hsīen	danger	20	1
95.	本來	pěn-lái	in fact	20	1
96.	弱點	jò-tīen	weak point	20	3
97.	不足	pū-tsú	not enough — shortage	20	3
98.	異國	ì-kúo	foreign country	20	3
99.	估計	kū-chì	estimation	20	4
100.	內部	nèi-pù	internal	20	4
101.	逐漸	chú-chìen	gradual — piecemeal	20	5
102.	增加	tsēng-chīa	to increase — reinforcement	20	5
103.	協同	hsíeh-t'úng	coordination	20	5
104.	時期	shíh-ch'ī	period	20	5
105.	主攻	chǔ-kūng	main direction for attack	20	5
106.	失去	shīh-ch'ǜ	to lose — to fail	20	6
107.	包括	pāo-k'ùo	to include	20	7
108.	寡民	kǔa-mín	small population	20	7
109.	資源	tzū-yǘan	resoures	20	7
110.	野蠻	yěh-mán	barbarous	20	8

				P.	L.
111.	笨拙	*pèn-chó*	stupidity	20	8
112.	有利	*yŭ-lì*	advantageous	20	9
113.	日益	*jìh-ì*	to become more and more day by bay	20	9
114.	減弱	*chĭen-jò*	to reduce and weaken — to lose	20	9
115.	目前	*mù-ch'ien*	at present	20	10
116.	停止	*t'íng-chĭh*	to stop	20	10
117.	大勢所趨	*tà-shìh sŏ ch'ü̆*	as the general trend goes	20	11
118.	限度	*hsìen-tù*	limit	20	11
119.	必然	*pì-ján*	inevitable	20	11
120.	結果	*chíeh-kŭo*	consequence	20	11
121.	無限止	*wú hsìen-chĭh*	no limit and no stop — indefinitely	20	12
122.	吞滅	*t'ūn-mìeh*	to swallow	20	12
123.	完全	*wán-ch'üan*	complete	20	12
124.	改取	*kăi-ch'ü̆*	to turn to	20	14
125.	普遍	*p'ŭ-pìen*	universal — widespread	20	15
126.	處置	*ch'ŭ-chìh*	disposition	20	17
127.	不可抗	*pū k'ŏ-k'àng*	irresistible	20	17
128.	壓力	*yā-lì*	pressure	20	17
129.	努力	*nŭ-lì*	to strive to	20	18
130.	脫出	*t'ō-ch'ū*	to extricate oneself from	20	18
131.	脫離	*t'ō-lí*	to get out of	20	20
132.	恢復	*hūi-fù*	to regain	20	20
133.	限於	*hsìen-yǘ*	to limit to	20	20
134.	往往	*wăng-wăng*	often	20	20
135.	十分	*shíh-fēn*	one hundred percent — most	20	20
136.	起勁	*ch'ĭ-chìn*	energetic	20	21
137.	不利	*pū-lì*	disadvantageous	20	21
138.	需要	*hsǖ-yào*	essential	20	26
139.	轉變	*chŭan-pìen*	to change	20	27
140.	形勢	*hsíng-shìh*	situation	20	27
141.	手段	*shŏu-tùan*	means	20	28
142.	特性	*t'è-hsìng*	special nature	20	28
143.	按照	*àn-chào*	in accordance with	20	28
144.	敵情	*tí-ch'íng*	state of the enemy	20	29
145.	地形	*tì-hsíng*	terrain	20	29
146.	居民	*chǖ-mín*	inhabitant	20	29

				P.	L.
147.	變動	*pìen-tùng*	change	20	29
148.	分散	*fēn-sàn*	dispersal	20	29
149.	漁人	*yǘ-jén*	fisherman	20	30
150.	打網	*tă-wăng*	to cast a net	20	30
151.	散開	*sàn-k'āi*	to spread out	20	31
152.	收攏	*shōu-lŭng*	to draw in	20	31
153.	深淺	*shēn-ch'ĭen*	deep or shallow — depth	20	31
154.	速度	*sù-tù*	speed	20	32
155.	障礙	*chàng-ài*	obstruction	20	32
156.	注意	*chù-ì*	to pay attention — to take care	20	32
157.	不明	*pū-míng*	not clear	20	32
158.	損失	*sŭn-shīh*	loss	20	33
159.	繩頭	*shéng-t'óu*	cord	20	33
160.	部隊	*pù-tùi*	military unit	20	33
161.	保持	*pǎo-ch'íh*	to maintain	20	34
162.	通訊	*t'ūng-hsǜn*	communication	20	34
163.	聯絡	*líen-lò*	liaison	20	34
164.	相當	*hsīang-tāng*	a fair amount of	20	34
165.	打魚	*tă-yǘ*	fishing	20	34
166.	時常	*shíh-ch'áng*	frequent	20	34
167.	變換	*pìen-hùan*	to shift	20	34
168.	地點	*tì-tĭen*	place	20	34
169.	位置	*wèi-chìh*	position	20	35
170.	死板	*szŭ-păn*	rigidity	21	2
171.	呆滯	*tāi-chìh*	inertia	21	2
172.	必至	*pì-chìh*	inevitably	21	2
173.	陷入	*hsìen-jù*	to fall into	21	2
174.	聰明	*ts'ūng-ming*	wisdom	21	3
175.	善於	*shàn-yǘ*	skill in	21	3
176.	及時	*chí-shíh*	in good time	21	3
177.	善觀風色	*shàn-kūan fēng-sè*	skill in finding out how the wind blows — skill in sensing changes	21	4
178.	善擇時機	*shàn-tsé shíh-chī*	skill in choosing the right moment	21	4
179.	勤於	*ch'ín-yǘ*	diligent in	21	5
180.	考察	*k'ăo-ch'á*	to investigate	21	5
181.	思索	*szū-sŏ*	to ponder	21	5
182.	妄動	*wàng-tùng*	impulsive action	21	5
183.	愼重	*shèn-chùng*	prudently	21	5

				P.	L.
184.	考慮	*k'ăo-lǜ*	to consider	21	6
185.	取得	*ch'ǚ-té*	to obtain	21	8
186.	離開	*lí-k'āi*	to depart from	21	8
187.	亂幹	*lùan-kàn*	to do haphazardly	21	8
188.	一場	*ī-ch'ăng*	*ch'ang* is a classifier for an action	21	8
189.	想法	*hsĭang-fă*	way of thinking — idea	21	8
190.	玩弄	*wán-nùng*	to play at	21	9
191.	外行	*wài-háng*	a layman	21	9
192.	單個	*tān-kò*	single	21	10
193.	兵團	*pīng-t'úan*	formation	21	10
194.	事先	*shìh-hsīen*	in advance	21	10
195.	嚴密	*yén-mì*	thorough	21	10
196.	預先	*yǜ-hsīen*	in advance	21	11
197.	準備	*chŭn-pèi*	preparation	21	11
198.	確定	*ch'ǜeh-tìng*	determination	21	11
199.	部署	*pù-shŭ*	disposition	21	11
200.	教育	*chìao-yǜ*	education	21	12
201.	實施	*shíh-shīh*	carrying out	21	12
202.	給養	*chĭ-yăng*	supplies	21	12
203.	籌劃	*ch'óu-hùa*	procurement	21	12
204.	裝備	*chūang-pèi*	equipment	21	12
205.	整理	*chĕng-lĭ*	putting into good order	21	12
206.	民衆	*mín-chùng*	people	21	12
207.	過細	*kuò-hsì*	carefully	21	13
208.	切實	*ch'ìeh-shíh*	conscientiously	21	13
209.	檢查	*chĭen-ch'á*	to check up	21	13
210.	實現	*shíh-hsìen*	to realize	21	14
211.	容許	*júng-hsǚ*	to allow	21	15
212.	企圖	*ch'ì-t'ú*	to attempt	21	15
213.	高度	*kāo-tù*	high degree	21	16
214.	依照	*ī-chào*	according to	21	16
215.	客觀	*k'ò-kūan*	objective	21	16
216.	須知	*hsǖ-chīh*	It should be understood that......	21	17
217.	開玩笑	*k'āi wán-hsìao*	to joke	21	18
218.	中心	*chūng-hsīn*	central	21	21
219.	保證	*păo-chèng*	guarantee	21	22
220.	同一	*t'úng-ī*	same	21	23
221.	混淆	*hŭn-yáo*	to confuse	21	26

第一課（C）

論持久戰*

（一九三八年五月）

（上略）

戰爭和政治

（六三）『戰爭是政治的繼續』，在這點上說，戰爭就是政治，戰爭本身就是政治性質的行動，從古以來沒有不帶政治性的戰爭。抗日戰爭是全民族的革命戰爭，它的勝利，離不開戰爭的政治目的——驅逐日本帝國主義、建立自由平等的新中國，離不開堅持抗戰和堅持統一戰綫的總方針，離不開全國人民的動員，離不開官兵一致、軍民一致和瓦解敵軍等項政治原則，離不開統一戰綫政策的良好執行，離不開文化的動員，離不開爭取國際力量和敵國人民援助的努力。一句話，戰爭一刻也離不了政治。抗日軍人中，如有輕視政治的傾向，把戰爭孤立起來，變爲戰爭絕對主義者，那是錯誤的，應加糾正。

（六四）但是戰爭有其特殊性，在這點上說，戰爭不卽等於一般的政治。『戰爭是政治的特殊手段的繼續』〔一四〕。政治發展到一定的階段，再也不能照舊前進，於是爆發了戰爭，用以掃除政治道路上的障礙。例如中國的半獨立地位，是日本帝國主義政治發展的障礙，日本要掃除它，所以發動了侵略戰爭。中國呢？帝國主義壓迫，早就是中國資產階級民主革命的障礙，所以有了很多次的解放戰爭，企圖掃除這個障礙。日本現在用戰爭來壓迫，要完全斷絕中國革命的進路，所以不得不舉行抗日戰爭，决心要掃除這個障礙。障礙既除，政治的目的達到，戰爭結束。障礙沒有掃除得乾淨，戰爭仍須繼續進行，以求貫徹。例如抗日的任務未完，有想求妥協的，必不成功；因爲卽使因某種緣故妥協了，但是戰爭仍要起來，廣大人民必定不服，必要繼續戰爭，貫徹戰爭的政治目的。因此可以說，政治是不流血的戰爭，戰爭是流血的政治。

（六五）基於戰爭的特殊性，就有戰爭的一套特殊組織，一套特殊方法，一種特殊過程。這組織，就是軍隊及其附隨的一切東西。這方法，就是指導戰爭的戰略戰術。這過程，就是敵對的軍隊互相使用有利於己不利於敵的戰略戰術從事攻擊或防禦的一種特殊的社會活動形態。因此，戰爭

* 這是毛澤東同志一九三八年五月二十六日至六月三日在延安抗日戰爭研究會上的講演。

的經驗是特殊的。一切參加戰爭的人們，必須脫出尋常習慣，而習慣於戰爭，方能爭取戰爭的勝利。（下略）

結　　論

（一一九）結論是什麽呢？結論就是：『在什麽條件下，中國能戰勝並消滅日本帝國主義的實力呢？要有三個條件：第一是中國抗日統一戰綫的完成；第二是國際抗日統一戰綫的完成；第三是日本國內人民和日本殖民地人民的革命運動的興起。就中國人民的立場來說，三個條件中，中國人民的大聯合是主要的。』『這個戰爭要延長多久呢？要看中國抗日統一戰綫的實力和中日兩國其他許多決定的因素如何而定。』『如果這些條件不能很快實現，戰爭就要延長。但結果還是一樣，日本必敗，中國必勝。只是犧牲會大，要經過一個很痛苦的時期。』『我們的戰略方針，應該是使用我們的主力在很長的變動不定的戰綫上作戰。中國軍隊要勝利，必須在廣闊的戰場上進行高度的運動戰。』『除了調動有訓練的軍隊進行運動戰之外，還要在農民中組織很多的游擊隊。』『在戰爭的過程中……使中國軍隊的裝備逐漸加强起來。因此，中國能够在戰爭的後期從事陣地戰，對於日本的佔領地進行陣地的攻擊。這樣，日本在中國抗戰的長期消耗下，它的經濟行將崩潰；在無數戰爭的消磨中，它的士氣行將頹靡。中國方面，則抗戰的潛伏力一天一天地奔騰高漲，大批的革命民衆不斷地傾注到前綫去，爲自由而戰爭。所有這些因素和其他的因素配合起來，就使我們能够對日本佔領地的堡壘和根據地，作最後的致命的攻擊，驅逐日本侵略軍出中國。』（一九三六年七月與斯諾談話）『中國的政治形勢從此開始了一個新階段，……這一階段的最中心的任務是：動員一切力量爭取抗戰的勝利。』『爭取抗戰勝利的中心關鍵，在使已經發動的抗戰發展爲全面的全民族的抗戰。只有這種全面的全民族的抗戰，才能使抗戰得到最後的勝利。』『由於當前的抗戰還存在着嚴重的弱點，所以在今後的抗戰過程中，可能發生許多挫敗、退却，內部的分化、叛變，暫時和局部的妥協等不利的情況。因此，應該看到這一抗戰是艱苦的持久戰。但我們相信，已經發動的抗戰，必將因爲我黨和全國人民的努力，衝破一切障礙物而繼續地前進和發展。』（一九三七年八月『中共中央關於目前形勢與黨的任務的決定』）這些就是結論。亡國論者看敵人如神物，看自己如草芥，速勝論者看敵人如草芥，看自己如神物，這些都是錯誤的。我們的意見相反：抗日戰爭是持久戰，最後勝利是中國的——這就是我們的結論。（下略）

【註　釋】

〔一四〕參看列寧的『社會主義與戰爭』第一章和列寧的『第二國際的破產』第三節。

VOCABULARY: 1-C

On Protracted War

				P.	L.
1.	繼續	*chì-hsǜ*	continuation	28	6
2.	平等	*p'íng-těng*	equality	28	9
3.	抗戰	*K'àng-chàn*	contraction of 抗日戰爭 War of Resistance against Japan (1937–1945)	28	9
4.	統一戰綫	*t'ŭng-ī chàn-hsìen*	united front	28	9
4a.	統一	*t'ŭng-ī*	united; unity	28	9
4b.	戰綫	*chàn-hsìen*	front; battle line	28	9
5.	全國	*ch'ǘan-kúo*	whole nation	28	10
6.	人民	*jén-mín*	people	28	10
7.	動員	*tùng-yǘan*	mobilization	28	10
8.	官兵	*kūan-pīng*	officers and men	28	10
9.	一致	*ī-chìh*	unity	28	10
10.	軍民	*chǖn-mín*	army and people	28	10
11.	瓦解	*wǎ-chǐeh*	disintegration	28	10
12.	良好	*líang-hǎo*	excellent	28	11
13.	文化	*wén-hùa*	culture	28	11
14.	敵國	*tí-kúo*	enemy country	28	12
15.	援助	*yǘan-chù*	support	28	12
16.	一刻	*ī-k'ò*	a single moment	28	12
17.	軍人	*chǖn-jén*	military man	28	13
18.	輕視	*ch'īng-shìh*	to regard lightly—to belittle	28	13
19.	傾向	*ch'īng-hsìang*	tendency	28	13
20.	糾正	*chīu-chèng*	to correct	28	14
21.	等於	*těng-yǘ*	to equate with	28	15
22.	照舊	*chào-chìu*	according to the usual way	28	17
23.	前進	*ch'íen-chìn*	to proceed	28	17
24.	於是	*yü-shìh*	thereupon	28	17
25.	爆發	*pào-fā*	to break out	28	17
26.	掃除	*sǎo-ch'ú*	to sweep away	28	17
27.	發動	*fā-tùng*	to start	28	18
28.	侵略	*ch'īn-lǜeh*	aggression	28	19
29.	壓迫	*yā-p'ò*	oppression	28	19
30.	解放	*chǐeh-fàng*	liberation	28	20
31.	斷絕	*tùan-chǘeh*	to block	28	21
32.	進路	*chìn-lù*	road of advance	28	21

				P.	L.
33.	决心	*chüeh-hsīn*	to make a determination	28	21
34.	妥協	*t'ŏ-hsíeh*	compromise	28	23
35.	成功	*ch'éng-kūng*	to succeed	28	24
36.	卽使	*chí-shĭh*	even if	28	24
37.	緣故	*yüan-kù*	reason	28	24
38.	廣大	*kŭang-tà*	broad	28	24
39.	不服	*pū-fú*	not to submit	28	25
40.	基於	*chī-yǘ*	to base on	28	27
41.	一套	*ī-t'ào*	a set	28	27
42.	過程	*kùo-ch'éng*	process	28	28
43.	附隨	*fù-súi*	to go with	28	28
44.	敵對	*tí-tùi*	opposing	28	29
45.	攻擊	*kūng-chī*	attack	28	30
46.	活動	*húo-tùng*	activity	28	30
47.	形態	*hsíng-t'ài*	form	28	30
48.	尋常	*hsǘn-ch'áng*	customary	29	1
49.	習慣	*hsí-kùan*	habit	29	1
50.	結論	*chíeh-lùn*	conclusion	29	3
51.	實力	*shíh-lì*	forces	29	5
52.	完成	*wán-ch'éng*	completion	29	6
53.	運動	*yǜn-tùng*	movement	29	7
54.	興起	*hsīng-ch'ĭ*	rise	29	7
55.	立場	*lì-ch'ăng*	standpoint	29	7
56.	聯合	*líen-hó*	union	29	8
57.	延長	*yén-ch'áng*	to last	29	8
58.	其他	*ch'í-t'ā*	other	29	9
59.	因素	*yīn-sù*	factor	29	9
60.	痛苦	*t'ùng-k'ŭ*	painful	29	11
61.	不定	*pū-tìng*	indefinite	29	12
62.	廣闊	*kŭang-k'ùo*	extended	29	13
63.	調動	*tìao-tùng*	to employ	29	13
64.	訓練	*hsǜn-lìen*	training 有訓練的 trained	29	13
65.	加强	*chīa-ch'íang*	to strengthen	29	15
66.	後期	*hòu-ch'ī*	later period	29	15
67.	佔領地	*chàn-lĭng tì*	occupied areas	29	16
67a.	佔領	*chàn-lĭng*	to occupy	29	16
68.	長期	*ch'áng-ch'ī*	long period	29	16
69.	消耗	*hsīao-hào*	attrition	29	16
70.	行將	*hsíng-chīang*	going to	29	17
71.	崩潰	*pēng-k'ùei*	to collapse	29	17

				P.	L.
72.	無數	*wú-shù*	innumerable	29	17
73.	消磨	*hsīao-mó*	wearing away	29	17
74.	士氣	*shìh-ch'ì*	morale	29	17
75.	頹靡	*t'úi-mí*	to dilapidate and to fall — to break down	29	17
76.	潛伏力	*ch'íen-fú lì*	latent strength	29	18
77.	奔騰	*pēn-t'éng*	to run and to jump (as a horse) — to leap	29	18
78.	高漲	*kāo-chàng*	to surge up	29	18
79.	大批	*tà-p'ī*	a large batch	29	18
80.	不斷	*pū-tùan*	unceasingly	29	18
81.	傾注	*ch'īng-chù*	to pour forth	29	18
82.	前綫	*ch'ien-hsìen*	front line	29	19
83.	堡壘	*păo-lĕi*	fortification	29	20
84.	致命	*chìh-mìng*	fatal	29	20
85.	斯諾	*Szū-nò*	(Edgar) Snow	29	21
86.	從此	*ts'úng-tz'ŭ*	from now on	29	21
87.	關鍵	*kūan-chìen*	key	29	23
88.	全面	*ch'űan-mìen*	total	29	23
89.	當前	*tāng-ch'íen*	present	29	25
90.	嚴重	*yén-chùng*	serious	29	25
91.	挫敗	*ts'ò-pài*	setback	29	26
92.	退却	*t'ùi-ch'ǜeh*	retreat	29	26
93.	分化	*fēn-hùa*	split	29	26
94.	艱苦	*chīen-k'ŭ*	bitterly hard	29	27
95.	相信	*hsīang-hsìn*	to believe	29	27
96.	我黨	*wŏ-tăng*	our party	29	28
97.	衝破	*ch'ūng-p'ò*	to break through	29	28
98.	中共	*Chūng-kùng*	contraction of 中國共產黨 the Chinese Communist party	29	29
99.	中央	*Chūng-yāng*	contraction of 中央委員會 Central Committee	29	29
100.	關於	*kūan-yű*	with regard to	29	29
101.	亡國論者	*wáng-kúo lùn chĕ*	one who advocates that China is doomed to perish	29	30
102.	神物	*shén-wù*	supernatural being	29	30
103.	草芥	*ts'ăo-chìeh*	grass — trash	29	30
104.	速勝論者	*sù-shèng lùn chĕ*	one who advocates quick victory	29	30

第一課(D)

戰爭和戰略問題*

（一九三八年十一月六日）

一　中國的特點和革命戰爭

革命的中心任務和最高形式是武裝奪取政權，是戰爭解決問題。這個馬克思列寧主義的革命原則是普遍地對的，不論在中國在外國，一概都是對的。

但是在同一個原則下，就無產階級政黨在各種條件下執行這個原則的表現說來，則基於條件的不同而不一致。在資本主義各國，在沒有法西斯和沒有戰爭的時期內，那裏的條件是國家內部沒有了封建制度，有的是資產階級的民主制度；外部沒有民族壓迫，有的是自己民族壓迫别的民族。基於這些特點，資本主義各國的無產階級政黨的任務，在於經過長期的合法鬥爭，教育工人，生息力量，準備最後地推翻資本主義。在那裏，是長期的合法鬥爭，是利用議會講壇，是經濟的和政治的罷工，是組織工會和教育工人。那裏的組織形式是合法的，鬥爭形式是不流血的(非戰爭的)。在戰爭問題上，那裏的共產黨是反對自己國家的帝國主義戰爭；如果這種戰爭發生了，黨的政策是使本國反動政府敗北。自己所要的戰爭只是準備中的國內戰爭[一]。但是這種戰爭，不到資產階級處於眞正無能之時，不到無產階級的大多數有了武裝起義和進行戰爭的決心之時，不到農民羣衆已經自願援助無產階級之時，起義和戰爭是不應該舉行的。到了起義和戰爭的時候，又是首先佔領城市，然後進攻鄉村，而不是與此相反。所有這些，都是資本主義國家的共產黨所曾經這樣做，而在俄國的十月革命中證實了的。

中國則不同。中國的特點是：不是一個獨立的民主的國家，而是一個半殖民地的半封建的國家；在內部沒有民主制度，而受封建制度壓迫；在

---

* 這是毛澤東同志在黨的第六屆中央委員會第六次全體會議上所作的結論的一部分。毛澤東同志在『抗日游擊戰爭的戰略問題』和『論持久戰』兩書中，已經解決了黨領導抗日戰爭的問題。犯右傾機會主義錯誤的同志否認統一戰綫中的獨立自主，因此對於黨在戰爭和戰略問題上的方針，也採取了懷疑和反對的態度。爲着克服黨內這種右傾機會主義，而使全黨更明確地了解戰爭和戰略問題在中國革命問題上的首要地位，並動員全黨認眞地從事這項工作，毛澤東同志在六屆六中全會上又從中國政治鬥爭的歷史方面着重地說明這個問題，同時說明我們的軍事工作的發展和戰略方針的具體變化的道路，從而取得了全黨在領導思想上和工作上的一致。

外部沒有民族獨立，而受帝國主義壓迫。因此，無議會可以利用，無組織工人舉行罷工的合法權利。在這裏，共產黨的任務，基本地不是經過長期合法鬥爭以進入起義和戰爭，也不是先佔城市後取鄉村，而是走相反的道路。

對於中國共產黨，在帝國主義沒有武裝進攻的時候，或者是和資產階級一道，進行反對軍閥（帝國主義的走狗）的國內戰爭，例如一九二四年至一九二七年的廣東戰爭〔二〕和北伐戰爭；或者是聯合農民和城市小資產階級，進行反對地主階級和買辦資產階級（同樣是帝國主義的走狗）的國內戰爭，例如一九二七年至一九三六年的土地革命戰爭。在帝國主義舉行武裝進攻的時候，則是聯合國內一切反對外國侵略者的階級和階層，進行對外的民族戰爭，例如現在的抗日戰爭。

所有這些，表示了中國和資本主義國家的不同。在中國，主要的鬥爭形式是戰爭，而主要的組織形式是軍隊。其他一切，例如民衆的組織和民衆的鬥爭等等，都是非常重要的，都是一定不可少，一定不可忽視，但都是爲着戰爭的。在戰爭爆發以前的一切組織和鬥爭，是爲了準備戰爭的，例如五四運動（一九一九年）至五卅運動（一九二五年）那一時期。在戰爭爆發以後的一切組織和鬥爭，則是直接或間接地配合戰爭的，例如北伐戰爭時期，革命軍後方的一切組織和鬥爭是直接地配合戰爭的，北洋軍閥統治區域內的一切組織和鬥爭是間接地配合戰爭的。又如土地革命戰爭時期，紅色區域內部的一切組織和鬥爭是直接地配合戰爭的，紅色區域外部的一切組織和鬥爭是間接地配合戰爭的。再如現在抗日戰爭時期，抗日軍後方的和敵軍佔領地的一切組織和鬥爭，也同樣是直接或間接地配合戰爭的。

『在中國，是武裝的革命反對武裝的反革命。這是中國革命的特點之一，也是中國革命的優點之一。』〔三〕斯大林同志的這一論斷是完全正確的；無論是對於北伐戰爭說來，對於土地革命戰爭說來，對於今天的抗日戰爭說來，都是正確的。這些戰爭都是革命戰爭，戰爭所反對的對象都是反革命，參加戰爭的主要成份都是革命的人民；不同的只在或者是國內戰爭，或者是民族戰爭；或者是共產黨單獨進行的戰爭，或者是國共兩黨聯合進行的戰爭。當然，這些區別是重要的。這些表示了戰爭主體有廣狹的區別（工農聯合，或工農資產階級聯合），戰爭對象有內外的區別（反對國內敵人，或反對國外敵人；國內敵人又分北洋軍閥或國民黨），表示了中國革命戰爭在其歷史進程的各個時期中有不相同的內容。然而都是武裝的革命反對武裝的反革命，都是革命戰爭，都表示了中國革命的特點和優點。革命戰爭『是中國革命的特點之一，也是中國革命的優點之一』，這一論斷，完全適合於中國的情況。中國無產階級政黨的主要的和差不多開始就面對着的任務，是聯合盡可能多的同盟軍，組織武裝鬥爭，依照情況，反對內部的或外部的武裝的反革命，爲爭取民族的和社會的解放而鬥爭。在中國，離開了武裝鬥爭，就沒有無產階級和共產黨的地位，就不能完成任何的革命任務。（下略）

【註　釋】

〔一〕參看列寧『戰爭與俄國社會民主黨』、『俄國社會民主工黨國外各支部代表會議』、『論本國政府在帝國主義戰爭中的失敗』、『俄國的失敗與革命的危機』等著作。列寧這些著作是在一九一四年至一九一五年間針對着當時的帝國主義戰爭而寫的。並參看『蘇聯共產黨（布）歷史簡要讀本』第六章第三節『布爾塞維克黨在戰爭、和平及革命問題上的理論與策略』。

〔二〕一九二四年孫中山和共產黨及革命工農聯合，打敗了那時勾結英帝國主義而在廣州內部進行反革命活動的買辦豪紳武裝——『商團』。一九二五年初，國共合作的革命軍從廣州出發東征，得到農民的援助，打敗了軍閥陳炯明的軍隊，隨又回師廣州，消滅了盤踞廣州的滇桂軍閥。同年秋天國共合作的革命軍舉行了第二次東征，最後地消滅了陳炯明的軍隊。共產黨員和共產主義青年團員在這些戰役中都英勇地站在戰鬥的最前面。這些戰役造成了當時廣東的統一局面，建立了北伐戰爭的基礎。

〔三〕引自斯大林『論中國革命的前途』。

VOCABULARY: 1-D

Problems of War and Strategy

				P.	L.
1.	武裝	*wŭ-chūang*	armed force	33	5
2.	奪取	*tó-ch'ǚ*	seizure	33	5
3.	政權	*chèng-ch'ǘan*	political power; regime; government	33	5
4.	馬克思	*Mă-k'ò-szū*	Marx (1818–1883)	33	6
5.	一概	*ī-kài*	generally	33	6
6.	資本主義	*tzū-pĕn chŭ-ì*	capitalism	33	9
7.	法西斯	*fă-hsī-szū*	fascist	33	9
8.	外部	*wài-pù*	externally	33	11
9.	合法	*hó-fă*	legal	33	12
10.	工人	*kūng-jén*	worker	33	13
11.	生息	*shēng-hsí*	to build up	33	13
12.	推翻	*t'ūi-fān*	to overthrow	33	13
13.	利用	*lì-yùng*	to utilize	33	14
14.	議會	*ì-hùi*	parliament	33	14
15.	講壇	*chĭang-t'án*	platform	33	14
16.	罷工	*pà-kūng*	strike	33	14
17.	工會	*kūng-hùi*	labor union	33	14
18.	敗北	*pài-pĕi*	defeat	33	17
19.	眞正	*chēn-chèng*	really	33	18
20.	無能	*wú-néng*	without ability — helpless	33	18
21.	起義	*ch'ĭ-ì*	to start a righteous, armed revolt — insurrection	33	19
22.	自願	*tzù-yǜan*	voluntarily	33	20
23.	鄉村	*hsīang-ts'ūn*	rural village	33	21
24.	與此相反	*yǚ tz'ŭ hsīang-făn*	opposite to this	33	21
25.	曾經	*ts'éng-chīng*	has been......	33	22
26.	證實	*chèng-shíh*	to verify	33	22
27.	權利	*ch'ǘan-lì*	right	34	2
28.	進入	*chìn-jù*	to enter into	34	3
29.	一道	*ī-tào*	together	34	6
30.	走狗	*tsŏu-kŏu*	running dog	34	6
31.	廣東	*Kŭang-tūng*	Kwangtung Province	34	7
32.	北伐	*Pĕi-fá*	Northern Expedition (1926–1928)	34	7
33.	買辦	*măi-pàn*	comprador	34	8

				P.	L.
34.	表示	*piao-shìh*	to show	34	12
35.	非常	*fēi-ch'áng*	extraordinarily	34	14
36.	不可少	*pū k'ǒ-shǎo*	indispensable	34	14
37.	忽視	*hū-shìh*	to overlook	34	14
38.	五四	*Wǔ-szù*	May 4th	34	16
39.	五卅	*Wǔ-sà*	May 30th	34	16
40.	間接	*chìen-chīeh*	indirectly	34	17
41.	北洋	*Pěi-yáng*	Northern (referring to the coastal provinces from Shantung northward)	34	18
42.	統治	*t'ǔng-chìh*	to control	34	19
43.	區域	*ch'ǖ-yǜ*	area	34	19
44.	紅色區域	*Húng-sè ch'ǖ-yǜ*	Red areas	34	20
45.	再如	*tsài-jú*	another example	34	21
46.	優點	*yū-tien*	good point	34	25
47.	同志	*t'úng-chìh*	comrade	34	25
48.	論斷	*lùn-tùan*	assertion	34	25
49.	無論	*wú-lùn*	no matter......	34	26
50.	對象	*tùi-hsiang*	target	34	27
51.	成份	*ch'éng-fèn*	element	34	28
52.	單獨	*tān-tú*	alone	34	29
53.	國共	*Kúo-Kùng*	Nationalist party (Koumintang) and Communist party (Kungch'antang)	34	29
54.	當然	*tāng-ján*	of course	34	30
55.	主體	*chǔ-t'ǐ*	main body	34	30
56.	廣狹	*kǔang-hsía*	broad or narrow — breadth	34	30
57.	工農	*kūng-núng*	workers and peasants	34	31
58.	內外	*nèi-wài*	internal or external	34	31
59.	國民黨	*Kúo-mín Tǎng*	Kuomintang, or the Nationalist party	34	32
59a.	國民	*kúo-mín*	national	34	32
60.	進程	*chìn-ch'éng*	course	34	33
61.	相同	*hsiang-t'úng*	same	34	33
62.	適合	*shìh-hó*	to fit	34	36
63.	面對	*mìen-tùi*	to confront	35	1

第一課 (E)

實踐論*

論認識和實踐的關係——知和行的關係

（一九三七年七月）

馬克思以前的唯物論，離開人的社會性，離開人的歷史發展，去觀察認識問題，因此不能了解認識對社會實踐的依賴關係，即認識對生產和階級鬥爭的依賴關係。

首先，馬克思主義者認爲人類的生產活動是最基本的實踐活動，是決定其他一切活動的東西。人的認識，主要地依賴於物質的生產活動，逐漸地了解自然的現象、自然的性質、自然的規律性、人和自然的關係；而且經過生產活動，也在各種不同程度上逐漸地認識了人和人的一定的相互關係。一切這些知識，離開生產活動是不能得到的。在沒有階級的社會中，每個人以社會一員的資格，同其他社會成員協力，結成一定的生產關係，從事生產活動，以解決人類物質生活問題。在各種階級的社會中，各階級的社會成員，則又以各種不同的方式，結成一定的生產關係，從事生產活動，以解決人類物質生活問題。這是人的認識發展的基本來源。

人的社會實踐，不限於生產活動一種形式，還有多種其他的形式，階級鬥爭，政治生活，科學和藝術的活動，總之社會實際生活的一切領域都是社會的人所參加的。因此，人的認識，在物質生活以外，還從政治生活文化生活中（與物質生活密切聯繫），在各種不同程度上，知道人和人的各種關係。其中，尤以各種形式的階級鬥爭，給予人的認識發展以深刻的影響。在階級社會中，每一個人都在一定的階級地位中生活，各種思想無不打上階級的烙印。（下略）

* 在我們黨內，曾經有一部分教條主義的同志長期拒絕中國革命的經驗，否認『馬克思主義不是教條而是行動的指南』這個眞理，而只生吞活剝馬克思主義書籍中的隻言片語，去嚇唬人們。還有另一部分經驗主義的同志長期拘守於自身的片斷經驗，不了解理論對於革命實踐的重要性，看不見革命的全局，雖然也是辛苦地——但却是盲目地在工作。這兩類同志的錯誤思想，特別是教條主義思想，曾經在一九三一年至一九三四年使得中國革命受了極大的損失，而教條主義者却是披着馬克思主義的外衣迷惑了廣大的同志。毛澤東同志的『實踐論』，是爲着用馬克思主義的認識論觀點去揭露黨內的教條主義和經驗主義——特別是教條主義這些主觀主義的錯誤而寫的。因爲重點是揭露看輕實踐的教條主義這種主觀主義，故題爲『實踐論』。毛澤東同志曾以這篇論文的觀點在延安的抗日軍事政治大學作過講演。

然而人的認識究竟怎樣從實踐發生，而又服務於實踐呢？這只要看一看認識的發展過程就會明瞭的。

原來人在實踐過程中，開始只是看到過程中各個事物的現象方面，看到各個事物的片面，看到各個事物之間的外部聯繫。例如有些外面的人們到延安來考察，頭一二天，他們看到了延安的地形、街道、屋宇，接觸了許多的人，參加了宴會、晚會和羣衆大會，聽到了各種說話，看到了各種文件，這些就是事物的現象，事物的各個片面以及這些事物的外部聯繫。這叫做認識的感性階段，就是感覺和印象的階段。也就是延安這些各別的事物作用於考察團先生們的感官，引起了他們的感覺，在他們的腦子中生起了許多的印象，以及這些印象間的大概的外部的聯繫，這是認識的第一個階段。在這個階段中，人們還不能造成深刻的概念，作出合乎論理（卽合乎邏輯）的結論。

社會實踐的繼續，使人們在實踐中引起感覺和印象的東西反覆了多次，於是在人們的腦子裏生起了一個認識過程中的突變（卽飛躍），產生了概念。概念這種東西已經不是事物的現象，不是事物的各個片面，不是它們的外部聯繫，而是抓着了事物的本質，事物的全體，事物的內部聯繫了。概念同感覺，不但是數量上的差別，而且有了性質上的差別。循此繼進，使用判斷和推理的方法，就可產生出合乎論理的結論來。（下略）

爲了明瞭基於變革現實的實踐而產生的辯證唯物論的認識運動——認識的逐漸深化的運動，下面再舉出幾個具體的例子。

無產階級對於資本主義社會的認識，在其實踐的初期——破壞機器和自發鬥爭時期，他們還只在感性認識的階段，只認識資本主義各個現象的片面及其外部的聯繫。這時，他們還是一個所謂『自在的階級』。但是到了他們實踐的第二個時期——有意識有組織的經濟鬥爭和政治鬥爭的時期，由於實踐，由於長期鬥爭的經驗，經過馬克思、恩格斯用科學的方法把這種種經驗總結起來，產生了馬克思主義的理論，用以教育無產階級，這樣就使無產階級理解了資本主義社會的本質，理解了社會階級的剝削關係，理解了無產階級的歷史任務，這時他們就變成了一個『自爲的階級』。

中國人民對於帝國主義的認識也是這樣。第一階段是表面的感性的認識階段，表現在太平天國運動和義和團運動等籠統的排外主義的鬥爭上。第二階段才進到理性的認識階段，看出了帝國主義內部和外部的各種矛盾，並看出了帝國主義聯合中國買辦階級和封建階級以壓榨中國人民大衆的實質，這種認識是從一九一九年五四運動前後才開始的。（下略）

由此看來，認識的過程，第一步，是開始接觸外界事情，屬於感覺的階段。第二步，是綜合感覺的材料加以整理和改造，屬於概念、判斷和推理的階段。只有感覺的材料十分豐富（不是零碎不全）和合於實際（不是

錯覺），才能根據這樣的材料造出正確的概念和論理來。（下略）

理性認識依賴於感性認識，感性認識有待於發展到理性認識，這就是辯證唯物論的認識論。哲學上的『唯理論』和『經驗論』都不懂得認識的歷史性或辯證性，雖然各有片面的眞理（對於唯物的唯理論和經驗論而言，非指唯心的唯理論和經驗論），但在認識論的全體上則都是錯誤的。由感性到理性之辯證唯物論的認識運動，對於一個小的認識過程（例如對於一個事物或一件工作的認識）是如此，對於一個大的認識過程（例如對於一個社會或一個革命的認識）也是如此。

然而認識運動至此還沒有完結。辯證唯物論的認識運動，如果只到理性認識爲止，那末還只說到問題的一半。而且對於馬克思主義的哲學說來，還只說到非十分重要的那一半。馬克思主義的哲學認爲十分重要的問題，不在於懂得了客觀世界的規律性，因而能够解釋世界，而在於拿了這種對於客觀規律性的認識去能動地改造世界。在馬克思主義看來，理論是重要的，它的重要性充分地表現在列寧說過的一句話：『沒有革命的理論，就不會有革命的運動。』〔六〕然而馬克思主義看重理論，正是，也僅僅是，因爲它能够指導行動。如果有了正確的理論，只是把它空談一陣，束之高閣，並不實行，那末，這種理論再好也是沒有意義的。認識從實踐始，經過實踐得到了理論的認識，還須再回到實踐去。認識的能動作用，不但表現於從感性的認識到理性的認識之能動的飛躍，更重要的還須表現於從理性的認識到革命的實踐這一個飛躍。抓着了世界的規律性的認識，必須把它再回到改造世界的實踐中去，再用到生產的實踐、革命的階級鬥爭和民族鬥爭的實踐以及科學實驗的實踐中去。這就是檢驗理論和發展理論的過程，是整個認識過程的繼續。理論的東西之是否符合於客觀眞理性這個問題，在前面說的由感性到理性之認識運動中是沒有完全解決的，也不能完全解决的。要完全地解决這個問題，只有把理性的認識再回到社會實踐中去，應用理論於實踐，看它是否能够達到預想的目的。許多自然科學理論之所以被稱爲眞理，不但在於自然科學家們創立這些學說的時候，而且在於爲爾後的科學實踐所證實的時候。馬克思列寧主義之所以被稱爲眞理，也不但在於馬克思、恩格斯、列寧、斯大林等人科學地構成這些學說的時候，而且在於爲爾後革命的階級鬥爭和民族鬥爭的實踐所證實的時候。辯證唯物論之所以爲普遍眞理，在於經過無論什麽人的實踐都不能逃出它的範圍。人類認識的歷史告訴我們，許多理論的眞理性是不完全的，經過實踐的檢驗而糾正了它們的不完全性。許多理論是錯誤的，經過實踐的檢驗而糾正其錯誤。所謂實踐是眞理的標準，所謂『生活、實踐底觀點，應該是認識論底首先的和基本的觀點』〔七〕，理由就在這個地方。斯大林說得好：『理論若不和革命實踐聯繫起來，就會變成無對象的理論，同

樣，實踐若不以革命理論爲指南，就會變成盲目的實踐。』〔八〕(下略)

社會的發展到了今天的時代，正確地認識世界和改造世界的責任，已經歷史地落在無產階級及其政黨的肩上。這種根據科學認識而定下來的改造世界的實踐過程，在世界、在中國均已到達了一個歷史的時節——自有歷史以來未曾有過的重大時節，這就是整個兒地推翻世界和中國的黑暗面，把它們轉變過來成爲前所未有的光明世界。無產階級和革命人民改造世界的鬥爭，包括實現下述的任務：改造客觀世界，也改造自己的主觀世界——改造自己的認識能力，改造主觀世界同客觀世界的關係。地球上已經有一部分實行了這種改造，這就是蘇聯。他們還正在促進這種改造過程。中國人民和世界人民也都正在或將要通過這樣的改造過程。所謂被改造的客觀世界，其中包括了一切反對改造的人們，他們的被改造，須要通過强迫的階段，然後才能進入自覺的階段。世界到了全人類都自覺地改造自己和改造世界的時候，那就是世界的共產主義時代。

通過實踐而發現眞理，又通過實踐而證實眞理和發展眞理。從感性認識而能動地發展到理性認識，又從理性認識而能動地指導革命實踐，改造主觀世界和客觀世界。實踐、認識、再實踐、再認識，這種形式，循環往復以至無窮，而實踐和認識之每一循環的內容，都比較地進到了高一級的程度。這就是辯證唯物論的全部認識論，這就是辯證唯物論的知行統一觀。

【註 釋】

〔六〕引自列寧『做什麼？』第一章第四節。

〔七〕引自列寧『唯物論與經驗批判論』。參看該書第二章第六節。

〔八〕引自斯大林『論列寧主義基礎』。參看該書第三部分。

VOCABULARY: 1-E

On Practice

				P.	L.
1.	實踐	*shíh-chìen*	practice	38	2
2.	認識	*jèn-shìh*	knowledge	38	3
3.	知和行	*chīh hó hsíng*	knowing and doing	38	3
4.	唯物論	*wéi-wù lùn*	materialism	38	5
5.	觀察	*kūan-ch'á*	to examine	38	5
6.	依賴	*ī-lài*	to depend on	38	6
7.	物質	*wù-chíh*	material	38	9
8.	自然	*tzù-ján*	nature	38	10
9.	現象	*hsìen-hsìang*	phenomenon	38	10
10.	相互	*hsīang-hù*	mutual	38	11
11.	知識	*chīh-shìh*	knowledge	38	12
12.	一員	*ī-yǘan*	a member	38	13
13.	資格	*tzū-kó*	capacity	38	13
14.	成員	*ch'éng-yǘan*	member	38	13
15.	協力	*hsíeh-lì*	to join in effort	38	13
16.	結成	*chíeh-ch'éng*	to enter into	38	13
17.	生產關係	*shēng-ch'ǎn kūan-hsi*	relations of production	38	13
18.	方式	*fāng-shìh*	way	38	15
19.	來源	*lái-yǘan*	source	38	16
20.	科學	*k'ō-hsǘeh*	science	38	18
21.	藝術	*ì-shù*	art	38	18
22.	總之	*tsǔng-chīh*	in sum	38	18
23.	實際	*shíh-chì*	practical	38	18
24.	領域	*lǐng-yǜ*	territory — sphere	38	18
25.	密切	*mì-ch'ìeh*	closely	38	20
26.	其中	*ch'í-chūng*	among these	38	21
27.	深刻	*shēn-k'ò*	profound	38	21
28.	無不	*wú-pū*	no one which is not — everyone is	38	22
29.	烙印	*lào-yìn*	mark made by a hot iron	38	23
30.	究竟	*chīu-chìng*	in the last analysis	39	1
31.	服務	*fú-wù*	to serve	39	1
32.	明瞭	*míng-lǐao*	clear	39	2
33.	原來	*yǘan-lái*	in fact	39	3
34.	事物	*shìh-wù*	thing	39	3
35.	片面	*p'ìen-mìen*	separate aspect	39	4

				P.	L.
36.	延安	*Yén-ān*	Yenan	39	5
37.	街道	*chīeh-tào*	street	39	5
38.	屋宇	*wū-yǔ*	house	39	5
39.	接觸	*chīeh-ch'ù*	to contact	39	5
40.	宴會	*yèn-hùi*	banquet	39	6
41.	晚會	*wăn-hùi*	evening party	39	6
42.	羣衆大會	*ch'ǘn-chùng tà-hùi*	mass meeting	39	6
42a.	大會	*tà-hùi*	general meeting; congress	39	6
43.	文件	*wén-chìen*	document	39	7
44.	感性	*kăn-hsìng*	perceptual	39	8
45.	感覺	*kăn-chǘeh*	perception	39	8
46.	印象	*yìn-hsìang*	impression	39	8
47.	各別	*kò-píeh*	various	39	8
48.	作用	*tsò-yùng*	to affect	39	9
49.	感官	*kăn-kūan*	sense organ	39	9
50.	引起	*yĭn-ch'ĭ*	to give rise to	39	9
51.	腦子	*năo-tzu*	mind	39	9
52.	大概	*tà-kài*	general	39	10
53.	造成	*tsào-ch'éng*	to form	39	11
54.	概念	*kài-nìen*	concept	39	11
55.	合乎	*hó-hū*	in accordance with	39	11
56.	論理	*lùn-lĭ*	logic	39	11
57.	邏輯	*ló-chì*	logic (transliteration)	39	12
58.	反覆	*făn-fù*	to repeat	39	13
59.	突變	*t'ú-pìen*	sudden change	39	14
60.	飛躍	*fēi-yǜeh*	leap	39	14
61.	本質	*pĕn-chíh*	essence	39	16
62.	差別	*ch'ā-píeh*	difference	39	17
63.	循此繼進	*hsǘn-tz'ŭ chì-chìn*	to follow this (line) and proceed further	39	17
64.	判斷	*p'àn-tùan*	judgment	39	18
65.	推理	*t'ūi-lĭ*	inference	39	18
66.	變革	*pìen-kó*	to change	39	19
67.	現實	*hsìen-shíh*	reality	39	19
68.	辯證	*pìen-chèng*	dialectical	39	19
69.	深化	*shēn-hùa*	deepening	39	20
70.	例子	*lì-tzu*	example	39	20
71.	初期	*ch'ū-ch'ī*	first period	39	21
72.	機器	*chī-ch'ì*	machine	39	21
73.	自發	*tzù-fā*	spontaneous	39	22

				P.	L.
74.	自在的階級	*tzù-tsài te chīeh-chí*	class in itself	39	23
75.	意識	*ì-shìh*	consciousness 有意識的 conscious	39	24
76.	恩格斯	*Ēn-kó-szū*	Engels (1820–1895)	39	25
77.	總結	*tsŭng-chíeh*	to sum up	39	26
78.	理論	*lĭ-lùn*	theory	39	26
79.	理解	*lĭ-chĭeh*	to comprehend	39	27
80.	自爲的階級	*tzù-wèi te chīeh-chí*	class for itself	39	28
81.	表面	*pĭao-mìen*	superficial	39	29
82.	太平天國	*T'ài-p'íng T'īen-kúo*	T'aip'ing Heavenly Kingdom (1851–1864)	39	30
83.	義和團	*I-hó T'úan*	Righteous and Harmonious Society, known in the West as the Boxers	39	30
84.	籠統	*lŭng-t'ŭng*	indiscriminate	39	30
85.	排外主義	*p'ái-wài chŭ-ì*	anti-foreignism	39	30
85a.	排外	*p'ái-wài*	anti-foreign	39	30
86.	理性	*lĭ-hsìng*	rational	39	31
87.	壓搾	*yā-chā*	oppression and exploitation	39	32
88.	大衆	*tà-chùng*	the masses	39	32
89.	實質	*shíh-chíh*	essence	39	33
90.	前後	*ch'íen-hòu*	before and after — about the time of	39	33
91.	綜合	*tsùng-hó*	to synthesize	39	35
92.	材料	*ts'ái-lìao*	materials — data	39	35
93.	改造	*kăi-tsào*	reconstruction	39	35
94.	豐富	*fēng-fù*	ample	39	36
95.	零碎	*líng-sùi*	fragmentary	39	36
96.	錯覺	*ts'ò-chǘeh*	illusion	40	1
97.	有待	*yŭ-tài*	to depend on	40	2
98.	認識論	*jèn-shìh lùn*	theory of knowledge	40	3
99.	哲學	*ché-hsǘeh*	philosophy	40	3
100.	唯理論	*wéi-lĭ lùn*	rationalism	40	3
101.	經驗論	*chīng-yèn lùn*	empiricism	40	3
102.	眞理	*chēn-lĭ*	truth	40	4
103.	唯心	*wéi-hsīn*	idealistic	40	5
104.	完結	*wán-chíeh*	to end	40	9
105.	爲止	*wéi-chĭh*	to stop at	40	10
106.	能動	*néng-tùng*	actively	40	13
107.	充分	*ch'ūng-fèn*	fully	40	14

				P.	L.
108.	看重	*k'àn-chùng*	to emphasize	40	15
109.	空談	*k'ūng-t'án*	empty talk	40	16
110.	一陣	*ī-chèn*	*chen* is a classifier for talk	40	16
111.	束之高閣	*shù chīh kāo-kŏ*	to tie up and put it in a high pavilion — to lay aside	40	16
112.	實驗	*shíh-yèn*	experimentation	40	22
113.	檢驗	*chĭen-yèn*	testing	40	22
114.	是否	*shìh-fŏu*	is or is not — whether or not	40	23
115.	符合	*fú-hó*	to correspond to	40	23
116.	應用	*yīng-yùng*	to apply	40	26
117.	預想	*yǜ-hsĭang*	anticipated	40	26
118.	創立	*ch'ùang-lì*	to originate	40	27
119.	學說	*hsǘeh-shūo*	theory	40	27
120.	爾後	*ĕrh-hòu*	subsequent	40	28
121.	構成	*kòu-ch'éng*	to formulate	40	29
122.	範圍	*fàn-wéi*	sphere	40	32
123.	標準	*pīao-chŭn*	criterion	40	34
124.	指南	*chĭh-nán*	guide	41	1
125.	盲目	*máng-mù*	blind	41	1
126.	時節	*shíh-chíeh*	moment	41	4
127.	重大	*chùng-tà*	of the utmost importance	41	5
128.	黑暗	*hēi-àn*	dark	41	5
129.	前所未有	*ch'íen sŏ wèi-yŭ*	never happened before	41	6
130.	光明	*kūang-míng*	light	41	6
131.	下述	*hsìa-shù*	mentioned below — the following	41	7
132.	主觀	*chŭ-kūan*	subjective	41	7
133.	能力	*néng-lì*	faculty	41	8
134.	地球	*tì-ch'íu*	globe	41	8
135.	促進	*ts'ù-chìn*	to push forward	41	9
136.	通過	*t'ūng-kùo*	to pass through	41	10
137.	强廹	*ch'ĭang-p'ò*	compulsory	41	12
138.	自覺	*tzù-chǘeh*	voluntary	41	12
139.	共產主義	*kùng-ch'ăn chŭ-ì*	communism	41	13
140.	發現	*fā-hsìen*	to discover	41	14
141.	循環	*hsǘn-húan*	cyclical	41	16
142.	往覆	*wăng-fù*	repetition	41	16
143.	無窮	*wú-ch'íung*	infinity	41	17
144.	統一觀	*t'ŭng-ī kūan*	theory of unity	41	18

第一課（F）

矛盾論*

（一九三七年八月）

事物的矛盾法則，即對立統一的法則，是唯物辯證法的最根本的法則。列寧說：『就本來的意義講，辯證法是研究對象的本質自身中的矛盾。』〔一〕列寧常稱這個法則爲辯證法的本質，又稱之爲辯證法的核心〔二〕。因此，我們在研究這個法則時，不得不涉及廣泛的方面，不得不涉及許多的哲學問題。如果我們將這些問題都弄清楚了，我們就在根本上懂得了唯物辯證法。這些問題是：兩種宇宙觀；矛盾的普遍性；矛盾的特殊性；主要的矛盾和主要的矛盾方面；矛盾諸方面的同一性和鬥爭性；對抗在矛盾中的地位。（下略）

一　兩種宇宙觀

在人類的認識史中，從來就有關於宇宙發展法則的兩種見解，一種是形而上學的見解，一種是辯證法的見解，形成了互相對立的兩種宇宙觀。列寧說：『對於發展（進化）所持的兩種基本的（或兩種可能的？或兩種在歷史上常見的？）觀點是：（一）認爲發展是減少和增加，是重複；（二）認爲發展是對立的統一（統一物分成爲兩個互相排斥的對立，而兩個對立又互相關聯着）。』〔三〕列寧說的就是這兩種不同的宇宙觀。

形而上學，亦稱玄學。這種思想，無論在中國，在歐洲，在一個很長的歷史時間內，是屬於唯心論的宇宙觀，並在人們的思想中佔了統治的地位。在歐洲，資產階級初期的唯物論，也是形而上學的。由於歐洲許多國家的社會經濟情況進到了資本主義高度發展的階段，生產力、階級鬥爭和科學均發展到了歷史上未有過的水平，工業無產階級成爲歷史發展的最偉大的動力，因而產生了馬克思主義的唯物辯證法的宇宙觀。於是，在資產階級那裏，除了公開的極端露骨的反動的唯心論之外，還出現了庸俗的進化論，出來對抗唯物辯證法。（下略）

二　矛盾的普遍性

矛盾的普遍性或絕對性這個問題有兩方面的意義。其一是說，矛盾存

---

* 這篇哲學論文，是毛澤東同志繼『實踐論』之後，爲了同一的目的，即爲了克服存在於黨內的嚴重的教條主義思想而寫的，曾在延安的抗日軍事政治大學作過講演。在收入本書的時候，作者作了部分的補充、刪節和修改。

在於一切事物的發展過程中；其二是說，每一事物的發展過程中存在着自始至終的矛盾運動。

恩格斯說：『運動本身就是矛盾。』〔五〕列寧對於對立統一法則所下的定義，說它就是『承認（發現）自然界（精神和社會兩者也在內）的一切現象和過程都含有互相矛盾、互相排斥、互相對立的趨向』〔六〕。這些意見是對的嗎？是對的。一切事物中包含的矛盾方面的相互依賴和相互鬥爭，決定一切事物的生命，推動一切事物的發展。沒有什麽事物是不包含矛盾的，沒有矛盾就沒有世界。

矛盾是簡單的運動形式（例如機械性的運動）的基礎，更是複雜的運動形式的基礎。（下略）

三　矛盾的特殊性

矛盾存在於一切事物發展的過程中，矛盾貫串於每一事物發展過程的始終，這是矛盾的普遍性和絕對性，前面已經說過了。現在來說矛盾的特殊性和相對性。

這個問題，應從幾種情形中去研究。

首先是各種物質運動形式中的矛盾，都帶特殊性。人的認識物質，就是認識物質的運動形式，因爲除了運動的物質以外，世界上什麽也沒有，而物質的運動則必取一定的形式。對於物質的每一種運動形式，必須注意它和其他各種運動形式的共同點。但是，尤其重要的，成爲我們認識事物的基礎的東西，則是必須注意它的特殊點，就是說，注意它和其他運動形式的質的區別。只有注意了這一點，才有可能區別事物。任何運動形式，其內部都包含着本身特殊的矛盾。這種特殊的矛盾，就構成一事物區別於他事物的特殊的本質。這就是世界上諸種事物所以有千差萬別的內在的原因，或者叫做根據。自然界存在着許多的運動形式，機械運動、發聲、發光、發熱、電流、化分、化合等等都是。所有這些物質的運動形式，都是互相依存的，又是本質上互相區別的。每一物質的運動形式所具有的特殊的本質，爲它自己的特殊的矛盾所規定。這種情形，不但在自然界中存在着，在社會現象和思想現象中也是同樣地存在着。每一種社會形式和思想形式，都有它的特殊的矛盾和特殊的本質。（下略）

矛盾的普遍性和矛盾的特殊性的關係，就是矛盾的共性和個性的關係。其共性是矛盾存在於一切過程中，並貫串於一切過程的始終，矛盾卽是運動，卽是事物，卽是過程，也卽是思想。否認事物的矛盾就是否認了一切。這是共通的道理，古今中外，概莫能外。所以它是共性，是絕對性。然而這種共性，卽包含於一切個性之中，無個性卽無共性。假如除去一切個性，還有什麽共性呢？因爲矛盾的各各特殊，所以造成了個性。一切個性都是有條件地暫時地存在的，所以是相對的。

這一共性個性、絕對相對的道理，是關於事物矛盾的問題的精髓，不懂得它，就等於抛棄了辯證法。

四　主要的矛盾和主要的矛盾方面

在矛盾特殊性的問題中，還有兩種情形必須特別地提出來加以分析，這就是主要的矛盾和主要的矛盾方面。

在複雜的事物的發展過程中，有許多的矛盾存在，其中必有一種是主要的矛盾，由於它的存在和發展，規定或影響着其他矛盾的存在和發展。（下略）

不能把過程中所有的矛盾平均看待，必須把它們區別爲主要的和次要的兩類，着重於捉住主要的矛盾，已如上述。但是在各種矛盾之中，不論是主要的或次要的，矛盾着的兩個方面，又是否可以平均看待呢？也是不可以的。無論什麽矛盾，矛盾的諸方面，其發展是不平衡的。有時候似乎勢均力敵，然而這只是暫時的和相對的情形，基本的形態則是不平衡。矛盾着的兩方面中，必有一方面是主要的，他方面是次要的。其主要的方面，即所謂矛盾起主導作用的方面。事物的性質，主要地是由取得支配地位的矛盾的主要方面所規定的。（下略）

五　矛盾諸方面的同一性和鬥爭性

原來矛盾着的各方面，不能孤立地存在。假如沒有和它作對的矛盾的一方，它自己這一方就失去了存在的條件。試想一切矛盾着的事物或人們心中矛盾着的概念，任何一方面能夠獨立地存在嗎？沒有生，死就不見；沒有死，生也不見。沒有上，無所謂下；沒有下，也無所謂上。沒有禍，無所謂福；沒有福，也無所謂禍。沒有順利，無所謂困難；沒有困難，也無所謂順利。沒有地主，就沒有佃農；沒有佃農，也就沒有地主。沒有資產階級，就沒有無產階級；沒有無產階級，也就沒有資產階級。沒有帝國主義的民族壓迫，就沒有殖民地和半殖民地；沒有殖民地和半殖民地，也就沒有帝國主義的民族壓迫。一切對立的成份都是這樣，因一定的條件，一面互相對立，一面又互相聯結、互相貫通、互相滲透、互相依賴，這種性質，叫做同一性。一切矛盾着的方面都因一定條件具備着不同一性，所以稱爲矛盾。然而又具備着同一性，所以互相聯結。列寧所謂辯證法研究『對立怎樣能夠是同一的』，就是說的這種情形。怎樣能夠呢？因爲互爲存在的條件。這是同一性的第一種意義。

然而單說了矛盾雙方互爲存在的條件，雙方之間有同一性，因而能夠共處於一個統一體中，這樣就夠了嗎？還不够。事情不是矛盾雙方互相依存就完了，更重要的，還在於矛盾着的事物的互相轉化。這就是說，事物內部矛盾着的兩方面，因爲一定的條件而各向着和自己相反的方面轉化了

去，向着它的對立方面所處的地位轉化了去。這就是矛盾的同一性的第二種意義。（下略）

前面我們曾經說，兩個相反的東西中間有同一性，所以二者能夠共處於一個統一體中，又能夠互相轉化，這是說的條件性，即是說在一定條件之下，矛盾的東西能夠統一起來，又能夠互相轉化；無此一定條件，就不能成爲矛盾，不能共居，也不能轉化。由於一定的條件才構成了矛盾的同一性，所以說同一性是有條件的、相對的。這裏我們又說，矛盾的鬥爭貫串於過程的始終，並使一過程向着他過程轉化，矛盾的鬥爭無所不在，所以說矛盾的鬥爭性是無條件的、絕對的。

有條件的相對的同一性和無條件的絕對的鬥爭性相結合，構成了一切事物的矛盾運動。（下略）

七 結 論

說到這裏，我們可以總起來說幾句。事物矛盾的法則，即對立統一的法則，是自然和社會的根本法則，因而也是思維的根本法則。它是和形而上學的宇宙觀相反的。它對於人類的認識史是一個大革命。按照辯證唯物論的觀點看來，矛盾存在於一切客觀事物和主觀思維的過程中，矛盾貫串於一切過程的始終，這是矛盾的普遍性和絕對性。矛盾着的事物及其每一個側面各有其特點，這是矛盾的特殊性和相對性。矛盾着的事物依一定的條件有同一性，因此能夠共居於一個統一體中，又能夠互相轉化到相反的方面去，這又是矛盾的特殊性和相對性。然而矛盾的鬥爭則是不斷的，不管在它們共居的時候，或者在它們互相轉化的時候，都有鬥爭的存在，尤其是在它們互相轉化的時候，鬥爭的表現更爲顯著，這又是矛盾的普遍性和絕對性。當着我們研究矛盾的特殊性和相對性的時候，要注意矛盾和矛盾方面的主要的和非主要的區別；當着我們研究矛盾的普遍性和鬥爭性的時候，要注意矛盾的各種不同的鬥爭形式的區別；否則就要犯錯誤。如果我們經過研究眞正懂得了上述這些要點，我們就能夠擊破違反馬克思列寧主義基本原則的不利於我們的革命事業的那些教條主義的思想；也能夠使有經驗的同志們整理自己的經驗，使之帶上原則性，而避免重複經驗主義的錯誤。這些，就是我們研究矛盾法則的一些簡單的結論。

【註 釋】

〔一〕引自列寧『哲學筆記』：『黑格爾「哲學史」第一卷「伊里亞學派的哲學」一節摘要』。

〔二〕見列寧『關於辯證法問題』：『統一物之分而爲二以及我們對其各矛盾部分的認識，是辯證法的本質。』又見列寧『黑格爾「邏輯學」一書摘要』：『可以把辯證法簡要地規定爲關於對立的統一的學說。這樣一來，辯證法的核心就被抓住，可是這需要解釋和發揮。』

〔三〕引自列寧『關於辯證法問題』。

〔五〕見恩格斯『反杜林論』第一編第十二節『辯證法。量與質』。

〔六〕見列寧『關於辯證法問題』。

VOCABULARY: 1-F

On Contradiction

				P.	L.
1.	法則	*fă-tsé*	law	46	4
2.	對立統一	*tùi-lì t'ŭng-ī*	unity of opposites	46	4
2a.	對立	*tùi-lì*	to oppose	46	4
3.	辯證法	*pìen-chèng fă*	dialectics	46	4
4.	自身	*tzù-shēn*	itself	46	5
5.	核心	*hó-hsīn*	kernel	46	6
6.	涉及	*shè-chí*	to touch upon	46	7
7.	廣泛	*kŭang-fàn*	broad	46	7
8.	宇宙觀	*yǚ-chòu kūan*	world outlook	46	9
8a.	宇宙	*yǚ-chòu*	world; universe	46	9
9.	同一性	*t'úng-ī hsìng*	identity	46	10
10.	對抗	*tùi-k'àng*	antagonism	46	10
11.	從來	*ts'úng-lái*	always (up to now)	46	13
12.	見解	*chìen-chĭeh*	view	46	13
13.	形而上學	*hsíng-érh-shàng hǘseh*	metaphysics	46	14
14.	進化	*chìn-hùa*	evolution	46	15
15.	常見	*ch'áng-chìen*	often seen	46	16
16.	減少	*chĭen-shăo*	decrease	46	16
17.	重複	*ch'úng-fù*	repetition	46	16
18.	統一物	*t'ŭng-ī wù*	the one, entity	46	17
19.	排斥	*p'ái-ch'ìh*	exclusive	46	17
20.	亦稱	*ì-ch'ēng*	otherwise called	46	19
21.	玄學	*hsǘan-hsǘeh*	metaphysics	46	19
22.	歐洲	*Ou-chōu*	Europe	46	19
23.	生產力	*shēng-ch'ăn lì*	productive forces	46	22
24.	水平	*shŭi-p'íng*	level	46	23
25.	工業	*kūng-yèh*	industry	46	23
26.	偉大	*wĕi-tà*	great	46	23
27.	動力	*tùng-lì*	motive force	46	24
28.	公開	*kūng-k'āi*	openly	46	25
29.	極端	*chí-tūan*	extremely	46	25
30.	露骨	*lù-kŭ*	showing the bones — undisguised	46	25
31.	出現	*ch'ū-hsìen*	to emerge	46	25
32.	庸俗	*yúng-sú*	vulgar	46	25

				P.	L.
33.	自始至終	*tzù-shĭh chìh-chūng*	from beginning to end	47	1
34.	定義	*tìng-ì*	definition	47	4
35.	兩者	*lĭang-chĕ*	both	47	4
36.	含有	*hán-yŭ*	to contain	47	5
37.	趨向	*ch'ṻ-hsìang*	tendency	47	5
38.	生命	*shēng-mìng*	life	47	7
39.	推動	*t'ūi-tùng*	to drive forward	47	7
40.	簡單	*chĭen-tān*	simple	47	9
41.	機械性	*chī-hsìeh hsìng*	mechanical	47	9
42.	基礎	*chī-ch'ŭ*	basis	47	9
43.	複雜	*fù-tsá*	complex	47	9
44.	貫串	*kùan-ch'ùan*	to run through	47	12
45.	始終	*shĭh-chūng*	from beginning to end — whole	47	13
46.	相對性	*hsīang-tùi hsìng*	relativity	47	14
47.	共同	*kùng-t'úng*	common	47	19
48.	尤其	*yú-ch'í*	especially	47	19
49.	質	*chíh*	quality 質的 qualitative	47	21
50.	千差萬別	*ch'īen-ch'ā wàn-píeh*	one thousand and ten thousand differences — one thousand and one different ways	47	23
51.	內在	*nèi-tsài*	internal	47	23
52.	原因	*yŭ́an-yīn*	cause	47	23
53.	發聲	*fā-shēng*	to make sound — sound	47	24
54.	發光	*fā-kūang*	to emit light — light	47	24
55.	發熱	*fā-jè*	to radiate heat — heat	47	25
56.	電流	*tìen-líu*	electric currents — electricity	47	25
57.	化分	*hùa-fēn*	decomposition	47	25
58.	化合	*hùa-hó*	combination	47	25
59.	依存	*ī-ts'ún*	dependent	47	26
60.	共性	*kùng-hsìng*	common character	47	30
61.	個性	*kò-hsìng*	individual character	47	30
62.	否認	*fŏu-jèn*	to deny	47	32
63.	共通	*kùng-t'ūng*	universally applicable	47	33
64.	道理	*tào-lĭ*	truth	47	33
65.	古今中外	*kŭ-chīn chūng-wài*	ancient, modern, China, foreign lands — all times and all places	47	33

				P.	L.
66.	概莫能外	*kài mò néng wài*	all (cases) cannot be excepted — without exception	47	33
67.	除去	*ch'ú-ch'ǜ*	to remove	47	34
68.	精髓	*chīng-sŭi*	marrow — essence	48	1
69.	抛棄	*p'āo-ch'ì*	to abandon	48	2
70.	提出	*t'í-ch'ū*	to bring up	48	4
71.	分析	*fēn-hsī*	analysis	48	4
72.	平均	*p'íng-chǖn*	equal	48	9
73.	看待	*k'àn-tài*	to treat	48	9
74.	次要	*tz'ù-yào*	secondary	48	9
75.	着重	*chó-chùng*	to emphasize	48	10
76.	捉住	*chō-chù*	to grasp	48	10
77.	上述	*shàng-shù*	mentioned above	48	10
78.	似乎	*szù-hū*	to appear to be	48	12
79.	勢均力敵	*shìh-chǖn lì-tí*	forces are equal and matching each other — balance of forces	48	13
80.	主導	*chŭ-tăo*	leading	48	15
81.	支配	*chīh-p'èi*	dominant	48	15
82.	作對	*tsò-tùi*	opposite	48	18
83.	試想	*shìh-hsĭang*	just imagine	48	19
84.	心中	*hsīn-chūng*	in the mind	48	20
85.	不見	*pū-chìen*	does not appear — without	48	20
86.	佃農	*tìen-núng*	tenant-peasant	48	23
87.	聯結	*líen-chíeh*	to link	48	27
88.	貫通	*kùan-t'ūng*	to penetrate	48	27
89.	滲透	*shèn-t'òu*	to permeate	48	27
90.	具備	*chǜ-pèi*	to possess	48	28
91.	稱爲	*ch'ēng-wéi*	to be called	48	29
92.	互爲…條件	*hù-wéi t'íao-chìen*	each forms the condition of the other's	48	30
93.	共處	*kùng-ch'ŭ*	to coexist	48	33
94.	統一體	*t'ŭng-ī t'ĭ*	entity	48	33
95.	轉化	*chŭan-hùa*	transformation	48	34
96.	中間	*chūng-chīen*	between	49	3
97.	二者	*èrh-chĕ*	the two, both	49	3
98.	共居	*kùng-chǖ*	to coexist	49	6
99.	無所不在	*wú-sŏ pū-tsài*	in no place (it) is not present—present everywhere	49	8

100.	結合	*chíeh-hó*	combination	49	10
101.	思維	*szū-wéi*	thought	49	14
102.	側面	*ts'è-mìen*	aspect	49	18
103.	不管	*pū-kŭan*	irrespective	49	20
104.	顯著	*hsĭen-chù*	conspicuous	49	22
105.	否則	*fŏu-tsé*	otherwise	49	25
106.	擊破	*chī-p'ò*	to smash	49	26
107.	違反	*wéi-făn*	to oppose	49	26
108.	教條主義	*chìao-t'íao chŭ-ì*	dogmatism	49	27
108a.	教條	*chìao-t'íao*	dogma	49	27
109.	避免	*pì-mĭen*	to avoid	49	28

第一課（G）

在延安文藝座談會上的講話

（一九四二年五月）

引　言（一九四二年五月二日）

同志們！今天邀集大家來開座談會，目的是要和大家交換意見，研究文藝工作和一般革命工作的關係，求得革命文藝的正確發展，求得革命文藝對其他革命工作的更好的協助，藉以打倒我們民族的敵人，完成民族解放的任務。

在我們爲中國人民解放的鬥爭中，有各種的戰綫，就中也可以說有文武兩個戰綫，這就是文化戰綫和軍事戰綫。我們要戰勝敵人，首先要依靠手裏拿槍的軍隊。但是僅僅有這種軍隊是不够的，我們還要有文化的軍隊，這是團結自己、戰勝敵人必不可少的一支軍隊。『五四』以來，這支文化軍隊就在中國形成，幫助了中國革命，使中國的封建文化和適應帝國主義侵略的買辦文化的地盤逐漸縮小，其力量逐漸削弱。到了現在，中國反動派只能提出所謂『以數量對質量』的辦法來和新文化對抗，就是說，反動派有的是錢，雖然拿不出好東西，但是可以拚命出得多。在『五四』以來的文化戰綫上，文學和藝術是一個重要的有成績的部門。革命的文學藝術運動，在十年內戰時期有了大的發展。這個運動和當時的革命戰爭，在總的方向上是一致的，但在實際工作上却沒有互相結合起來，這是因爲當時的反動派把這兩支兄弟軍隊從中隔斷了的緣故。抗日戰爭爆發以後，革命的文藝工作者來到延安和各個抗日根據地的多起來了，這是很好的事。但是到了根據地，並不是說就已經和根據地的人民羣衆完全結合了。我們要把革命工作向前推進，就要使這兩者完全結合起來。我們今天開會，就是要使文藝很好地成爲整個革命機器的一個組成部分，作爲團結人民、教育人民、打擊敵人、消滅敵人的有力的武器，幫助人民同心同德地和敵人作鬥爭。爲了這個目的，有些什麽問題應該解決的呢？我以爲有這樣一些問題，卽文藝工作者的立場問題，態度問題，工作對象問題，工作問題和學習問題。

立場問題。我們是站在無產階級的和人民大衆的立場。對於共產黨員來說，也就是要站在黨的立場，站在黨性和黨的政策的立場。在這個問題上，我們的文藝工作者中是否還有認識不正確或者認識不明確的呢？我看是有的。許多同志常常失掉了自己的正確的立場。

態度問題。隨着立場，就發生我們對於各種具體事物所採取的具體態度。比如說，歌頌呢，還是暴露呢？這就是態度問題。究竟那種態度是我們需要的？我說兩種都需要，問題是在對什麼人。有三種人，一種是敵人，一種是統一戰綫中的同盟者，一種是自己人，這第三種人就是人民羣衆及其先鋒隊。對於這三種人需要有三種態度。對於敵人，對於日本帝國主義和一切人民的敵人，革命文藝工作者的任務是在暴露他們的殘暴和欺騙，並指出他們必然要失敗的趨勢，鼓勵抗日軍民同心同德，堅决地打倒他們。對於統一戰綫中各種不同的同盟者，我們的態度應該是有聯合，有批評，有各種不同的聯合，有各種不同的批評。他們的抗戰，我們是贊成的；如果有成績，我們也是讚揚的。但是如果抗戰不積極，我們就應該批評。如果有人要反共反人民，要一天一天走上反動的道路，那我們就要堅决反對。至於對人民羣衆，對人民的勞動和鬥爭，對人民的軍隊，人民的政黨，我們當然應該讚揚。人民也有缺點的。無產階級中還有許多人保留着小資產階級的思想，農民和城市小資產階級都有落後的思想，這些就是他們在鬥爭中的負担。我們應該長期地耐心地教育他們，幫助他們擺脫背上的包袱，同自己的缺點錯誤作鬥爭，使他們能够大踏步地前進。他們在鬥爭中已經改造或正在改造自己，我們的文藝應該描寫他們的這個改造過程。只要不是堅持錯誤的人，我們就不應該只看到片面就去錯誤地譏笑他們，甚至敵視他們。我們所寫的東西，應該是使他們團結，使他們進步，使他們同心同德，向前奮鬥，去掉落後的東西，發揚革命的東西，而决不是相反。

工作對象問題，就是文藝作品給誰看的問題。在陝甘寧邊區，在華北華中各抗日根據地，這個問題和在國民黨統治區不同，和在抗戰以前的上海更不同。在上海時期，革命文藝作品的接受者是以一部分學生、職員、店員爲主。在抗戰以後的國民黨統治區，範圍曾有過一些擴大，但基本上也還是以這些人爲主，因爲那裏的政府把工農兵和革命文藝互相隔絕了。在我們的根據地就完全不同。文藝作品在根據地的接受者，是工農兵以及革命的幹部。根據地也有學生，但這些學生和舊式學生也不相同，他們不是過去的幹部，就是未來的幹部。各種幹部，部隊的戰士，工廠的工人，農村的農民，他們識了字，就要看書、看報，不識字的，也要看戲、看畫、唱歌、聽音樂，他們就是我們文藝作品的接受者。卽拿幹部說，你們不要以爲這部分人數目少，這比在國民黨統治區出一本書的讀者多得多。在那裏，一本書一版平常只有兩千册，三版也才六千册；但是根據地的幹部，單是在延安能看書的就有一萬多。而且這些幹部許多都是久經鍛鍊的革命家，他們是從全國各地來的，他們也要到各地去工作，所以對於這些人做教育工作，是有重大意義的。我們的文藝工作者，應該向他們好好做工作。（下略）

最後一個問題是學習，我的意思是說學習馬克思列寧主義和學習社會。一個自命爲馬克思主義的革命作家，尤其是黨員作家，必須有馬克思列寧主義的知識。但是現在有些同志，却缺少馬克思主義的基本觀點。比如說，馬克思主義的一個基本觀點，就是存在决定意識，就是階級鬥爭和民族鬥爭的客觀現實决定我們的思想感情。但是我們有些同志却把這個問題弄顛倒了，說什麽一切應該從『愛』出發。就說愛吧，在階級社會裏，也只有階級的愛，但是這些同志却要追求什麽超階級的愛，抽象的愛，以及抽象的自由、抽象的眞理、抽象的人性等等。這是表明這些同志是受了資產階級的很深的影響。應該很澈底地清算這種影響，很虛心地學習馬克思列寧主義。文藝工作者應該學習文藝創作，這是對的，但是馬克思列寧主義是一切革命者都應該學習的科學，文藝工作者不能是例外。文藝工作者要學習社會，這就是說，要研究社會上的各個階級，研究它們的相互關係和各自狀況，研究它們的面貌和它們的心理。只有把這些弄清楚了，我們的文藝才能有豐富的內容和正確的方向。

今天我就只提出這幾個問題，當作引子，希望大家在這些問題及其他有關的問題上發表意見。

結　論（一九四二年五月二十三日）

同志們！我們這個會在一個月裏開了三次。大家爲了追求眞理，進行了熱烈的爭論，有黨的和非黨的同志幾十個人講了話，把問題展開了，並且具體化了。我認爲這是對整個文學藝術運動很有益處的。（下略）

那末，什麽是我們的問題的中心呢？我以爲，我們的問題基本上是一個爲羣衆的問題和一個如何爲羣衆的問題。不解决這兩個問題，或這兩個問題解决得不適當，就會使得我們的文藝工作者和自己的環境、任務不協調，就使得我們的文藝工作者從外部從內部碰到一連串的問題。我的結論，就以這兩個問題爲中心，同時也講到一些與此有關的其他問題。

一

第一個問題：我們的文藝是爲什麽人的？

這個問題，本來是馬克思主義者特別是列寧所早已解决了的。列寧還在一九〇五年就已着重指出過，我們的文藝應當『爲千千萬萬勞動人民服務』[一]。在我們各個抗日根據地從事文學藝術工作的同志中，這個問題似乎是已經解决了，不需要再講的了。其實不然。很多同志對這個問題並沒有得到明確的解决。因此，在他們的情緒中，在他們的作品中，在他們的行動中，在他們對於文藝方針問題的意見中，就不免或多或少地發生和羣衆的需要不相符合，和實際鬥爭的需要不相符合的情形。當然，現在和共產黨、八路軍、新四軍在一起從事於偉大解放鬥爭的大批的文化人、文學家、藝術家以及一般文藝工作者，雖然其中也可能有些人是暫時的投機分子，但是絕大多數却都是在爲着共同事業努力工作着。依靠這些同志，我們的整個文學工作，戲劇工作，音樂工作，美術工作，都有了很大的成績。這些文藝工作者，有許多是抗戰以後開始工作的；有許多在抗戰以前就做了多時的革命工作，經歷過許多辛苦，並用他們的工作和作品影響了廣大羣衆的。但是爲什麼還說卽使這些同志中也有對於文藝是爲什麼人的問題沒有明確解決的呢？難道他們還有主張革命文藝不是爲着人民大衆而是爲着剝削者壓迫者的嗎？（下略）

那末，什麼是人民大衆呢？最廣大的人民，佔全人口百分之九十以上的人民，是工人、農民、兵士和城市小資產階級。所以我們的文藝，第一是爲工人的，這是領導革命的階級。第二是爲農民的，他們是革命中最廣大最堅決的同盟軍。第三是爲武裝起來了的工人農民卽八路軍、新四軍和其他人民武裝隊伍的，這是革命戰爭的主力。第四是爲城市小資產階級勞動羣衆和知識分子的，他們也是革命的同盟者，他們是能够長期地和我們合作的。這四種人，就是中華民族的最大部分，就是最廣大的人民大衆。（下略）

二

爲什麼人服務的問題解决了，接着的問題就是如何去服務。用同志們的話來說，就是：努力於提高呢，還是努力於普及呢？

有些同志，在過去，是相當地或是嚴重地輕視了和忽視了普及，他們不適當地太强調了提高。提高是應該强調的，但是片面地孤立地强調提高，强調到不適當的程度，那就錯了。我在前面說的沒有明確地解決爲什麼人的問題的事實，在這一點上也表現出來了。並且，因爲沒有弄清楚爲什麼人，他們所說的普及和提高就都沒有正確的標準，當然更找不到兩者的正確關係。我們的文藝，旣然基本上是爲工農兵，那末所謂普及，也就是向工農兵普及，所謂提高，也就是從工農兵提高。用什麼東西向他們普及呢？用封建地主階級所需要、所便於接受的東西嗎？用資產階級所需要、所便於接受的東西嗎？用小資產階級知識分子所需要、所便於接受的東西嗎？都不行，只有用工農兵自己所需要、所便於接受的東西。因此在教育工農兵的任務之前，就先有一個學習工農兵的任務。提高的問題更是如此。提高要有一個基礎。比如一桶水，不是從地上去提高，難道是從空中去提高嗎？那末所謂文藝的提高，是從什麼基礎上去提高呢？從封建階級的基礎嗎？從資產階級的基礎嗎？從小資產階級知識分子的基礎嗎？都不是，只能是從工農兵羣衆的基礎上去提高。也不是把工農兵提到封建階級、資產階級、小資產階級知識分子的『高度』去，而是沿着工農兵自己前進的方向去提高，沿着無產階級前進的方向去提高。而這裏也就提出了學習工農兵的任務。只有從工農兵出發，我們對於普及和提高才能有正確

的了解，也才能找到普及和提高的正確關係。（下略）

總起來說，人民生活中的文學藝術的原料，經過革命作家的創造性的勞動而形成觀念形態上的爲人民大衆的文學藝術。在這中間，既有從初級的文藝基礎上發展起來的、爲被提高了的羣衆所需要、或首先爲羣衆中的幹部所需要的高級的文藝，又有反轉來在這種高級的文藝指導之下的、往往爲今日最廣大羣衆所最先需要的初級的文藝。無論高級的或初級的，我們的文學藝術都是爲人民大衆的，首先是爲工農兵的，爲工農兵而創作，爲工農兵所利用的。（下略）

三

我們的文藝既然是爲人民大衆的，那末，我們就可以進而討論一個黨內關係問題，黨的文藝工作和黨的整個工作的關係問題，和另一個黨外關係的問題，黨的文藝工作和非黨的文藝工作的關係問題——文藝界統一戰綫問題。

先說第一個問題。在現在世界上，一切文化或文學藝術都是屬於一定的階級，屬於一定的政治路綫的。爲藝術的藝術，超階級的藝術，和政治並行或互相獨立的藝術，實際上是不存在的。無產階級的文學藝術是無產階級整個革命事業的一部分，如同列寧所說，是整個革命機器中的『齒輪和螺絲釘』〔九〕。因此，黨的文藝工作，在黨的整個革命工作中的位置，是確定了的，擺好了的；是服從黨在一定革命時期內所規定的革命任務的。反對這種擺法，一定要走到二元論或多元論，而其實質就像托洛茨基那樣：『政治——馬克思主義的；藝術——資產階級的。』我們不贊成把文藝的重要性過分强調到錯誤的程度，但也不贊成把文藝的重要性估計不足。文藝是從屬於政治的，但又反轉來給予偉大的影響於政治。革命文藝是整個革命事業的一部分，是齒輪和螺絲釘，和別的更重要的部分比較起來，自然有輕重緩急第一第二之分，但它是對於整個機器不可缺少的齒輪和螺絲釘，對於整個革命事業不可缺少的一部分。如果連最廣義最普通的文學藝術也沒有，那革命運動就不能進行，就不能勝利。不認識這一點，是不對的。還有，我們所說的文藝服從於政治，這政治是指階級的政治、羣衆的政治，不是所謂少數政治家的政治。政治，不論革命的和反革命的，都是階級對階級的鬥爭，不是少數個人的行爲。革命的思想鬥爭和藝術鬥爭，必須服從於政治的鬥爭，因爲只有經過政治，階級和羣衆的需要才能集中地表現出來。革命的政治家們，懂得革命的政治科學或政治藝術的政治專門家們，他們只是千千萬萬的羣衆政治家的領袖，他們的任務在於把羣衆政治家的意見集中起來，加以提鍊，再使之回到羣衆中去，爲羣衆所接受，所實踐，而不是閉門造車，自作聰明，只此一家，別無分店的那種貴族式的所謂『政治家』，——這是無產階級政治家同腐朽了的資產階級政治家的原則區別。正因爲這樣，我們的文藝的政治性和眞實性才能够完全一致。不認識這一點，把無產階級的政治和政治家庸俗化，是不對的。

再說文藝界的統一戰綫問題。文藝服從於政治，今天中國政治的第一個根本問題是抗日，因此黨的文藝工作者首先應該在抗日這一點上和黨外的一切文學家藝術家（從黨的同情分子、小資產階級的文藝家到一切贊成抗日的資產階級地主階級的文藝家）團結起來。其次，應該在民主一點上團結起來；在這一點上，有一部分抗日的文藝家就不贊成，因此團結的範圍就不免要小一些。再其次，應該在文藝界的特殊問題——藝術方法藝術作風一點上團結起來；我們是主張社會主義的現實主義的，又有一部分人不贊成，這個團結的範圍會更小些。在一個問題上有團結，在另一個問題上就有鬥爭，有批評。各個問題是彼此分開而又聯繫着的，因而就在產生團結的問題比如抗日的問題上也同時有鬥爭，有批評。在一個統一戰綫裏面，只有團結而無鬥爭，或者只有鬥爭而無團結，實行如過去某些同志所實行過的右傾的投降主義、尾巴主義，或者『左』傾的排外主義、宗派主義，都是錯誤的政策。政治上如此，藝術上也是如此。

在文藝界統一戰綫的各種力量裏面，小資產階級文藝家在中國是一個重要的力量。他們的思想和作品都有很多缺點，但是他們比較地傾向於革命，比較地接近於勞動人民。因此，幫助他們克服缺點，爭取他們到爲勞動人民服務的戰綫上來，是一個特別重要的任務。（下略）

【註　釋】

〔一〕見列寧『黨的組織和黨的文學』一文。列寧在這篇論文中描寫無產階級文學的特徵說：『這將是自由的文學，因爲不是貪慾也不是野心，而是社會主義思想和對勞動人民的同情將招集一批又一批新的力量到它的隊伍裏來。這將是自由的文學，因爲它將不是替飽食終日的貴婦人服務，不是替百無聊賴和胖得發愁的「幾萬上等人」服務，而是爲千千萬萬勞動人民服務，這些勞動人民是國家的精華，國家的力量，國家的未來。這將是自由的文學，它要用社會主義無產階級的經驗和活生生的工作去豐富人類革命思想的最高成就，它要創造過去的經驗（完成了社會主義從原始空想形式的發展的科學社會主義）和現在的經驗（工人同志們當前的鬥爭）之間經常的相互作用。』

〔九〕見列寧『黨的組織和黨的文學』一文。他說：『文學事業應當成爲無產階級總的事業的一部分，成爲一個統一的、偉大的、由整個工人階級全體覺悟的先鋒隊所開動的社會民主主義的機器的「齒輪和螺絲釘」。』

VOCABULARY: 1-G

Talks at the Yenan Forum on Art and Literature

				P.	L.
1.	文藝	*wén-ì*	literature and art	54	2
2.	座談會	*tsò-t'án huì*	"sit and talk" meeting — forum	54	2
3.	引言	*yǐn-yén*	introduction	54	4
4.	邀集	*yāo-chí*	to invite (people) to get together	54	5
5.	交換	*chiāo-hùan*	to exchange	54	5
6.	求得	*ch'íu-té*	to find out	54	6
7.	協助	*hsíeh-chù*	help	54	7
8.	藉以	*chìeh-ǐ*	by means of (which)	54	7
9.	打倒	*tǎ-tǎo*	to bring about the downfall of; down with......	54	7
10.	就中	*chìu-chūng*	among which	54	9
11.	文武	*wén-wǔ*	civilian and soldier	54	9
12.	依靠	*ī-k'ào*	to rely on	54	10
13.	團結	*t'úan-chíeh*	to unite	54	12
14.	幫助	*pāng-chù*	to help	54	13
15.	適應	*shìh-yìng*	to adapt to	54	13
16.	地盤	*tì-p'án*	territory — domain	54	14
17.	縮小	*sō-hsǐao*	to reduce	54	14
18.	削弱	*hsüeh-jò*	to weaken	54	14
19.	質量	*chíh-lìang*	quality	54	15
20.	辦法	*pàn-fǎ*	means	54	15
21.	拼命	*p'īn-mìng*	to stake one's life — for all one is worth	54	16
22.	文學	*wén-hsüeh*	literature	54	17
23.	成績	*ch'éng-chī*	accomplishment	54	17
24.	部門	*pù-mén*	sector	54	17
25.	當時	*tāng-shíh*	at that time	54	18
26.	從中	*tsúng-chūng*	from each other	54	20
27.	隔斷	*kó-tùan*	to cut off	54	20
28.	推進	*t'ūi-chìn*	to push forward	54	23
29.	組成	*tsǔ-ch'éng*	component	54	24
30.	打擊	*tǎ-chī*	to attack	54	25
31.	有力	*yǔ-lì*	powerful	54	25
32.	同心同德	*t'úng-hsīn t'úng-té*	with one heart and one mind	54	25

				P.	L.
33.	態度	*t'ài-tù*	attitude	54	27
34.	學習	*hsüeh-hsí*	study	54	28
35.	黨性	*tăng-hsìng*	"partyness" (the qualities as a party member)	54	30
36.	明確	*míng-ch'üeh*	clear	54	31
37.	比如	*pĭ-jú*	for instance	55	2
38.	歌頌	*kō-sùng*	to praise	55	2
39.	暴露	*pào-lù*	to expose	55	2
40.	自己人	*tzù-chĭ jén*	our own people	55	4
41.	先鋒隊	*hsīen-fēng tùi*	vanguard	55	5
42.	殘暴	*ts'án-pào*	cruelty	55	6
43.	欺騙	*ch'ī-p'ìen*	deception	55	6
44.	指出	*chĭh-ch'ū*	to point out	55	7
45.	趨勢	*ch'ū-shìh*	tendency	55	7
46.	鼓勵	*kŭ-lì*	to encourage	55	7
47.	堅決	*chīen-chüéh*	resolutely	55	7
48.	批評	*p'ī-p'íng*	criticism	55	9
49.	贊成	*tsàn-ch'éng*	to support	55	9
50.	讚揚	*tsàn-yáng*	to commend	55	10
51.	反共	*făn-kùng*	to oppose communism	55	11
52.	至於	*chìh-yű*	as to	55	12
53.	勞動	*láo-tùng*	toil	55	12
54.	保留	*păo-líu*	to retain	55	13
55.	落後	*lè-hòu*	backward	55	14
56.	負担	*fù*-tān	burden	55	15
57.	耐心	*nài-hsīn*	patiently	55	15
58.	擺脫	*păi-t'ō*	to remove	55	15
59.	背上	*pèi-shang*	on the back	55	15
60.	包袱	*pāo-fu*	a parcel wrapped in cloth — ideological burden	55	16
61.	大踏步	*tà t'à-pù*	big strides	55	16
62.	描寫	*míao-hsīeh*	to depict	55	17
63.	譏笑	*chī-hsìao*	to ridicule	55	18
64.	甚至	*shèn-chìh*	even to the extent of	55	19
65.	敵視	*tí-shìh*	hostile	55	19
66.	去掉	*ch'ǜ-tìao*	to discard	55	20
67.	作品	*tsò-p'ĭn*	works	55	22
68.	陝甘寧	*Shăn-Kān-Níng*	Shensi-Kansu-Ningsia	55	22
69.	邊區	*pīen-ch'ū*	border area	55	22
70.	華北	*Húa-pĕi*	North China	55	22

				P.	L.
71.	華中	*Húa-chūng*	Central China	55	23
72.	上海	*Shànghăi*	Shanghai	55	23
73.	職員	*chíh-yüan*	office worker	55	24
74.	店員	*tìen-yüan*	shop employee	55	25
75.	擴大	*k'ùo-tà*	to enlarge	55	25
76.	隔絕	*kó-chüeh*	to keep away from	55	26
77.	舊式	*chìu-shìh*	old type	55	28
78.	未來	*wèi-lái*	future	55	29
79.	戰士	*chàn-shìh*	soldier	55	29
80.	工廠	*kūng-ch'ăng*	factory	55	29
81.	農村	*núng-ts'ūn*	rural village	55	30
82.	識字	*shìh-tzù*	to know characters—literate	55	30
83.	唱歌	*ch'àng-kō*	to sing songs	55	31
84.	音樂	*yīn-yüeh*	music	55	31
85.	數目	*shù-mù*	number	55	32
86.	讀者	*tú-chě*	reader	55	32
87.	一版	*ī-păn*	one edition	55	33
88.	平常	*p'íng-ch'áng*	ordinarily	55	33
89.	鍛鍊	*tùan-lìen*	steeled	55	34
90.	意思	*ì-szu*	opinion	56	1
91.	自命	*tzù-mìng*	self-styled	56	2
92.	作家	*tsò-chīa*	writer	56	2
93.	缺少	*ch'üeh-shăo*	to lack	56	3
94.	感情	*kăn-ch'íng*	feeling	56	5
95.	顚倒	*tīen-tăo*	to reverse	56	6
96.	追求	*chūi-ch'íu*	to seek	56	7
97.	超	*ch'āo*	to transcend	56	7
98.	抽象	*ch'ōu-hsìang*	abstract	56	7
99.	人性	*jên-hsìng*	human nature	56	8
100.	表明	*pĭao-míng*	to indicate	56	8
101.	清算	*ch'īng-sùan*	to liquidate	56	9
102.	創作	*ch'ùang-tsò*	creation	56	10
103.	例外	*lì-wài*	exception	56	11
104.	各自	*kò-tzù*	respective	56	13
105.	狀況	*chùang-k'ùang*	condition	56	13
106.	面貌	*mìen-mào*	visage	56	13
107.	心理	*hsīn-lĭ*	psychology	56	13
108.	引子	*yĭn-tzu*	introductory statement	56	15
109.	希望	*hsī-wàng*	to hope	56	15
110.	有關	*yŭ-kūan*	related	56	16

				P.	L.
111.	發表	*fā-piao*	to express	56	16
112.	熱烈	*jè-lìeh*	heated	56	19
113.	爭論	*chēng-lùn*	debate	56	19
114.	展開	*chăn-k'āi*	to unfold	56	19
115.	益處	*ì-ch'ù*	profit 有益處的 profitable	56	20
116.	適當	*shìh-tàng*	proper	56	23
117.	協調	*hsíeh-t'íao*	to adjust to	56	23
118.	碰到	*p'èng-tào*	to come up against	56	24
119.	一連串	*ī líen-ch'ùan*	a series of	56	24
120.	不然	*pū-ján*	not so	56	31
121.	情緒	*ch'íng-hsù*	sentiment	56	32
122.	不免	*pū-mĭen*	unavoidably	56	33
123.	八路軍	*Pā-lù Chūn*	the Eighth Route Army	56	35
124.	新四軍	*Hsīn Szù-chūn*	the New Fourth Army	56	35
125.	一起	*ī-ch'ĭ*	together	56	35
126.	文化人	*wén-hùa jén*	man of culture (referring loosely to higher intellectuals and intellectuals in general)	56	35
127.	投機	*t'óu-chī*	opportunistic	57	1
128.	分子	*fèn-tzŭ*	element; particle	57	1
129.	絕大	*chúeh-tà*	the greatest	57	2
130.	戲劇	*hsì-chù*	theatre (including play and opera)	57	3
131.	美術	*mĕi-shù*	fine arts	57	3
132.	多時	*tō-shíh*	a long time	57	5
133.	經歷	*chīng-lì*	to undergo	57	5
134.	辛苦	*hsīn-k'ŭ*	hardship	57	5
135.	難道	*nán-tào*	Is it possible that...?	57	7
136.	主張	*chŭ-chāng*	to advocate	57	7
137.	兵士	*pīng-shìh*	soldier	57	10
138.	中華	*Chūng-húa*	Chinese	57	15
139.	提高	*t'í-kāo*	elevation	57	19
140.	普及	*p'ŭ-chí*	popularization	57	19
141.	强調	*ch'íang-tìao*	to raise the pitch—to stress	57	21
142.	事實	*shìh-shíh*	fact	57	23
143.	既然	*chì-ján*	since	57	25
144.	便於	*pìen-yú*	readily	57	27
145.	不行	*pū-hsíng*	will not do	57	29
146.	空中	*k'ūng-chūng*	in space	57	31

				P.	L.
147.	原料	*yǘan-lìao*	raw material	58	2
148.	觀念形態	*kūan-nìen hsíng-t'ài*	ideological form	58	3
148a.	觀念	*kūan-nìen*	idea; concept	58	3
149.	初級	*ch'ū-chí*	elementary	58	3
150.	高級	*kāo-chí*	advanced	58	5
151.	反轉	*fǎn-chǔan*	conversely	58	5
152.	討論	*t'ǎo-lùn*	to discuss	58	10
153.	並行	*pìng-hsíng*	to run parallel	58	16
154.	齒輪	*ch'ǐh-lún*	gear (Evidently the author meant to say cog, which should be 輪齒)	58	17
155.	螺絲釘	*ló-szū tīng*	screw	58	18
156.	擺好	*pǎi-hǎo*	to set out	58	19
157.	服從	*fú-ts'úng*	to subordinate to	58	19
158.	二元論	*èrh-yǘan lùn*	dualism	58	20
159.	多元論	*tō-yǘan lùn*	pluralism	58	20
160.	托洛茨基	*T'ō-lò-tz'ú-chī*	Trotsky (1877–1940)	58	20
161.	過分	*kùo-fèn*	to exceed what is proper — too much	58	22
162.	從屬	*ts'úng-shǔ*	to be subordinate to	58	23
163.	輕重	*ch'īng-chùng*	light or heavy — degree of importance	58	25
164.	緩急	*hǔan-chí*	urgent or not urgent — degree of priority	58	25
165.	廣義	*kǔang-ì*	in the broad sense	58	26
166.	普通	*p'ǔ-t'ūng*	general	58	26
167.	少數	*shǎo-shù*	minority	58	29
168.	個人	*kò-jén*	individual	58	30
169.	行爲	*hsíng-wéi*	activity	58	30
170.	專門家	*chūan-mén chīa*	specialist	58	33
170a.	專門	*chūan-mén*	to specialize	58	33
171.	領袖	*lǐng-hsìu*	leader	58	33
172.	提鍊	*t'í-lìen*	to refine	58	34
173.	閉門造車	*pì-mén tsào-chǖ*	to make a cart behind closed doors, i. e., without consideration of outside conditions (implied meaning: not practical)	58	35
174.	自作聰明	*tzù-tsò ts'ūng-míng*	to set oneself up as wise (implied meaning: others do not agree)	58	35

				P.	L.
175.	只此一家	*chih tz'ŭ i-chia*	there is only this one shop	58	35
176.	別無分店	*pieh wú fēn-tien*	there is no branch shop elsewhere (The previous quotation and this one form one common saying to mean uniqueness)	58	35
177.	貴族	*kùei-tsú*	aristocracy	58	36
178.	腐朽	*fŭ-hsiu*	decadent	58	36
179.	眞實性	*chēn-shíh hsìng*	truthfulness	59	1
180.	同情	*t'úng-ch'íng*	sympathetic	59	6
181.	其次	*ch'í-tz'ù*	next	59	7
182.	作風	*tsò-fēng*	work style	59	10
183.	現實主義	*hsìen-shíh chŭ-ì*	realism	59	10
184.	彼此	*pĭ-tz'ŭ*	mutually	59	12
185.	右傾	*yù-ch'ing*	lean to the right side — rightist	59	15
186.	投降主義	*t'óu-hsíang chŭ-ì*	capitulationism	59	15
187.	『左』傾	*tsŏ-ch'ing*	leftist (quotation marks suggest ultra leftism)	59	15
188.	接近	*chieh-chìn*	close to	59	19

第一課(H)

新民主主義論

(一九四〇年一月)

一 中國向何處去

(下略)

五 新民主主義的政治

中國革命分爲兩個歷史階段，而其第一階段是新民主主義的革命，這是中國革命的新的歷史特點。這個新的特點具體地表現在中國內部的政治關係和經濟關係上又是怎樣的呢？下面我們就來說明這種情形。

在一九一九年五四運動以前(五四運動發生於一九一四年第一次帝國主義大戰和一九一七年俄國十月革命之後)，中國資產階級民主革命的政治指導者是中國的小資產階級和資產階級(他們的知識分子)。這時，中國無產階級還沒有當作一個覺悟了的獨立的階級力量登上政治的舞台，還是當作小資產階級和資產階級的追隨者參加了革命。例如辛亥革命時的無產階級，就是這樣的階級。

在五四運動以後，雖然中國民族資產階級繼續參加了革命，但是中國資產階級民主革命的政治指導者，已經不是屬於中國資產階級，而是屬於中國無產階級了。這時，中國無產階級，由於自己的長成和俄國革命的影響，已經迅速地變成了一個覺悟了的獨立的政治力量了。打倒帝國主義的口號和整個中國資產階級民主革命的澈底的綱領，是中國共產黨提出的；而土地革命的實行，則是中國共產黨單獨進行的。(下略)

一方面——參加革命的可能性，又一方面——對革命敵人的妥協性，這就是中國資產階級『一身而二任焉』的兩面性。這種兩面性，就是歐美歷史上的資產階級，也是同具的。大敵當前，他們要聯合工農反對敵人；工農覺悟，他們又聯合敵人反對工農。這是世界各國資產階級的一般規律，不過中國資產階級的這個特點更加突出罷了。

在中國，事情非常明白，誰能領導人民推翻帝國主義和封建勢力，誰就能取得人民的信仰，因爲人民的死敵是帝國主義和封建勢力、而特別是帝國主義的緣故。在今日，誰能領導人民驅逐日本帝國主義，並實施民主政治，誰就是人民的救星。歷史已經證明：中國資產階級是不能盡此責任的，這個責任就不得不落在無產階級的肩上了。

所以，無論如何，中國無產階級、農民、知識分子和其他小資產階級，乃是決定國家命運的基本勢力。這些階級，或者已經覺悟，或者正在覺悟起來，他們必然要成爲中華民主共和國的國家構成和政權構成的基本部分，而無產階級則是領導的力量。現在所要建立的中華民主共和國，只能是在無產階級領導下的一切反帝反封建的人們聯合專政的民主共和國，這就是新民主主義的共和國，也就是眞正革命的三大政策的新三民主義共和國。

這種新民主主義共和國，一方面和舊形式的、歐美式的、資產階級專政的、資本主義的共和國相區別，那是舊民主主義的共和國，那種共和國已經過時了；另一方面，也和蘇聯式的、無產階級專政的、社會主義的共和國相區別，那種社會主義的共和國已經在蘇聯興盛起來，並且還要在各資本主義國家建立起來，無疑將成爲一切工業先進國家的國家構成和政權構成的統治形式；但是那種共和國，在一定的歷史時期中，還不適用於殖民地半殖民地國家的革命。因此，一切殖民地半殖民地國家的革命，在一定歷史時期中所採取的國家形式，只能是第三種形式，這就是所謂新民主主義共和國。這是一定歷史時期的形式，因而是過渡的形式，但是不可移易的必要的形式。（下略）

國體——各革命階級聯合專政。政體——民主集中制。這就是新民主主義的政治，這就是新民主主義的共和國，這就是抗日統一戰綫的共和國，這就是三大政策的新三民主義的共和國，這就是名副其實的中華民國。我們現在雖有中華民國之名，尙無中華民國之實，循名責實，這就是今天的工作。

這就是革命的中國、抗日的中國所應該建立和决不可不建立的內部政治關係，這就是今天『建國』工作的唯一正確的方向。

六　新民主主義的經濟

在中國建立這樣的共和國，它在政治上必須是新民主主義的，在經濟上也必須是新民主主義的。

大銀行、大工業、大商業，歸這個共和國的國家所有。『凡本國人及外國人之企業，或有獨佔的性質，或規模過大爲私人之力所不能辦者，如銀行、鐵道、航空之屬，由國家經營管理之；使私有資本制度不能操縱國民之生計，此則節制資本之要旨也。』這也是國共合作的國民黨的第一次全國代表大會宣言中的莊嚴的聲明，這就是新民主主義共和國的經濟構成的正確的方針。在無產階級領導下的新民主主義共和國的國營經濟是社會主義的性質，是整個國民經濟的領導力量，但這個共和國並不沒收其他資本主義的私有財產，並不禁止『不能操縱國民生計』的資本主義生產的發展，這是因爲中國經濟還十分落後的緣故。

這個共和國將採取某種必要的方法，沒收地主的土地，分配給無地和少地的農民，實行中山先生『耕者有其田』的口號，掃除農村中的封建關係，把土地變爲農民的私產。農村的富農經濟，也是容許其存在的。這就是『平均地權』的方針。這個方針的正確的口號，就是『耕者有其田』。在這個階段上，一般地還不是建立社會主義的農業，但在『耕者有其田』的基礎上所發展起來的各種合作經濟，也具有社會主義的因素。

中國的經濟，一定要走『節制資本』和『平均地權』的路，決不能是『少數人所得而私』，決不能讓少數資本家少數地主『操縱國民生計』，決不能建立歐美式的資本主義社會，也決不能還是舊的半封建社會。誰要是敢於違反這個方向，他就一定達不到目的，他就自己要碰破頭的。

這就是革命的中國、抗日的中國應該建立和必然要建立的內部經濟關係。

這樣的經濟，就是新民主主義的經濟。

而新民主主義的政治，就是這種新民主主義經濟的集中的表現。（下略）

一五　民族的科學的大衆的文化

這種新民主主義的文化是民族的。它是反對帝國主義壓迫，主張中華民族的尊嚴和獨立的。它是我們這個民族的，帶有我們民族的特性。它同一切別的民族的社會主義文化和新民主主義文化相聯合，建立互相吸收和互相發展的關係，共同形成世界的新文化；但是決不能和任何別的民族的帝國主義反動文化相聯合，因爲我們的文化是革命的民族文化。中國應該大量吸收外國的進步文化，作爲自己文化食糧的原料，這種工作過去還做得很不够。這不但是當前的社會主義文化和新民主主義文化，還有外國的古代文化，例如各資本主義國家啓蒙時代的文化，凡屬我們今天用得着的東西，都應該吸收。但是一切外國的東西，如同我們對於食物一樣，必須經過自己的口腔咀嚼和胃腸運動，送進唾液胃液腸液，把它分解爲精華和糟粕兩部分，然後排洩其糟粕，吸收其精華，才能對我們的身體有益，決不能生吞活剝地毫無批判地吸收。所謂『全盤西化』〔二〇〕的主張，乃是一種錯誤的觀點。形式主義地吸收外國的東西，在中國過去是吃過大虧的。中國共產主義者對於馬克思主義在中國的應用也是這樣，必須將馬克思主義的普遍眞理和中國革命的具體實踐完全地恰當地統一起來，就是說，和民族的特點相結合，經過一定的民族形式，才有用處，決不能主觀地公式地應用它。公式的馬克思主義者，只是對於馬克思主義和中國革命開玩笑，在中國革命隊伍中是沒有他們的位置的。中國文化應有自己的形式，這就是民族形式。民族的形式，新民主主義的內容——這就是我們今天的新文化。

這種新民主主義的文化是科學的 。 它是反對一切封建思想和迷信思想，主張實事求是，主張客觀眞理，主張理論和實踐一致的。在這點上，中國無產階級的科學思想能够和中國還有進步性的資產階級的唯物論者和自然科學家，建立反帝反封建反迷信的統一戰綫；但是决不能和任何反動的唯心論建立統一戰綫。共產黨員可以和某些唯心論者甚至宗教徒建立在政治行動上的反帝反封建的統一戰綫，但是决不能贊同他們的唯心論或宗教敎義。中國的長期封建社會中，創造了燦爛的古代文化。清理古代文化的發展過程，剔除其封建性的糟粕，吸收其民主性的精華，是發展民族新文化提高民族自信心的必要條件；但是决不能無批判地兼收並蓄。必須將古代封建統治階級的一切腐朽的東西和古代優秀的人民文化卽多少帶有民主性和革命性的東西區別開來。中國現時的新政治新經濟是從古代的舊政治舊經濟發展而來的，中國現時的新文化也是從古代的舊文化發展而來，因此，我們必須尊重自己的歷史，决不能割斷歷史。但是這種尊重，是給歷史以一定的科學的地位 ，是尊重歷史的辯證法的發展 ，而不是頌古非今，不是讚揚任何封建的毒素。對於人民羣衆和青年學生，主要地不是要引導他們向後看，而是要引導他們向前看。

這種新民主主義的文化是大衆的，因而卽是民主的。它應爲全民族中百分之九十以上的工農勞苦民衆服務 ，並逐漸成爲他們的文化 。要把敎育革命幹部的知識和敎育革命大衆的知識在程度上互相區別又互相聯結起來，把提高和普及互相區別又互相聯結起來。革命文化，對於人民大衆，是革命的有力武器。 革命文化， 在革命前， 是革命的思想準備； 在革命中，是革命總戰綫中的一條必要和重要的戰綫。而革命的文化工作者，就是這個文化戰綫上的各級指揮員。『沒有革命的理論，就不會有革命的運動』〔二一〕，可見革命的文化運動對於革命的實踐運動具有何等的重要性。而這種文化運動和實踐運動，都是羣衆的。因此，一切進步的文化工作者，在抗日戰爭中，應有自己的文化軍隊，這個軍隊就是人民大衆。革命的文化人而不接近民衆，就是『無兵司令』，他的火力就打不倒敵人。爲達此目的，文字必須在一定條件下加以改革，言語必須接近民衆，須知民衆就是革命文化的無限豐富的源泉。

民族的科學的大衆的文化，就是人民大衆反帝反封建的文化，就是新民主主義的文化，就是中華民族的新文化。

新民主主義的政治、新民主主義的經濟和新民主主義的文化相結合，這就是新民主主義共和國，這就是名副其實的中華民國，這就是我們要造成的新中國。

新中國站在每個人民的面前，我們應該迎接它。

新中國航船的桅頂已經冒出地平綫了，我們應該拍掌歡迎它。

舉起你的雙手吧，新中國是我們的。

【註　釋】

〔二〇〕　所謂『全盤西化』，是一部分資產階級學者的主張。他們無條件地頌揚那些早已過時了的以個人主義爲中心的西洋資產階級文化，主張中國一切東西都要完全模仿歐美資本主義國家，並稱之爲『全盤接受西化』。

〔二一〕　引自列寧『做什麼？』第一章第四節。

VOCABULARY: 1-H

On New Democracy

				P.	L.
1.	何處	*hó-ch'ù*	where	66	4
2.	覺悟	*chüeh-wù*	to awake	66	13
3.	追隨	*chūi-súi*	to follow	66	14
4.	辛亥	*hsīn-hài*	one of the sexagenary cycle symbols—here refers to 1911	66	14
5.	長成	*chăng-ch'éng*	growth	66	18
6.	迅速	*hsün-sù*	rapidly	66	19
7.	口號	*k'ŏu-hào*	slogan	66	20
8.	一身而二任焉	*ī-shēn érh èrh-jèn yēn*	one person having two jobs	66	23
9.	兩面性	*lĭang-mìen hsìng*	two-sidedness — dual character	66	23
10.	歐美	*Ōu-Mĕi*	Europe and America	66	23
11.	同具	*t'úng-chü*	to share	66	24
12.	大敵當前	*tà-tí tāng-ch'íen*	in the face of a formidable enemy	66	24
13.	突出	*t'ú-ch'ū*	prominent	66	26
14.	信仰	*hsìn-yăng*	confidence	66	28
15.	死敵	*szŭ-tí*	mortal enemy	66	28
16.	救星	*chìu-hsīng*	saviour	66	30
17.	命運	*mìng-yün*	fate	67	2
18.	共和國	*kùng-hó kúo*	republic	67	3
19.	專政	*chūan-chèng*	dictatorship	67	5
20.	三大政策	*sān tà chèng-ts'è*	the three cardinal policies: a. to ally with Russia; b. to include the Communists within the Nationalist party; c. to aid the worker and peasant.	67	6
21.	三民主義	*Sān-mín Chŭ-ì*	Three People's Principles	67	6
22.	過時	*kùo-shíh*	out of date	67	10
23.	興盛	*hsīng-shèng*	to flourish	67	11
24.	無疑	*wú-í*	undoubtedly	67	12
25.	適用	*shìh-yùng*	suitable	67	13

				P.	L.
26.	過渡	*kùo-tù*	transitional	67	16
27.	移易	*í-ì*	to change	67	16
28.	國體	*kúo-t'ǐ*	form of the state — state system	67	18
29.	政體	*chèng-t'ǐ*	form of the government — political structure	67	18
30.	民主集中制	*mín-chǔ chí-chūng chìh*	democratic centralism	67	18
31.	名副其實	*míng fù ch'í shíh*	name agrees with its actuality	67	20
32.	中華民國	*Chūng-húa Mín-kúo*	Republic of China	67	20
33.	循名責實	*hsǘn-míng tsé-shíh*	to seek reality conforming to the name	67	21
34.	建國	*chìen-kúo*	national construction	67	24
35.	唯一	*wéi-ī*	the only one	67	24
36.	銀行	*yín-háng*	bank	67	28
37.	商業	*shāng-yèh*	commercial enterprise	67	28
38.	歸…所有	*kūei...sǒ-yǔ*	to come under the ownership of	67	28
39.	企業	*ch'ì-yèh*	enterprise	67	29
40.	獨佔	*tú-chàn*	monopoly	67	29
41.	規模	*kūei-mó*	size	67	29
42.	過大	*kùo-tà*	too big	67	29
43.	私人	*szū-jén*	private individual	67	29
44.	鐵道	*tǐeh-tào*	railway	67	30
45.	航空	*háng-k'ūng*	airline	67	30
46.	之屬	*chīh-shǔ*	and others belonging to this category — etc.	67	30
47.	經營	*chīng-yíng*	to operate	67	30
48.	管理	*kǔan-lǐ*	to manage	67	30
49.	操縱	*ts'āo-tsùng*	to control	67	30
50.	生計	*shēng-chì*	livelihood	67	31
51.	節制資本	*chíeh-chìh tzū-pěn*	restriction of (private) capital	67	31
52.	要旨	*yào-chǐh*	main principle	67	31
53.	全國代表大會	*Ch'ǘan-kúo Tài-pǐao Tà-hùi*	National Congress	67	32
53a.	代表	*tài-pǐao*	representative	67	32
54.	宣言	*hsǖan-yén*	manifesto	67	32

				P.	L.
55.	莊嚴	*chūang-yén*	solemn	67	32
56.	聲明	*shēng-míng*	statement	67	32
57.	國營	*kúo-yíng*	state-operated, state-owned	67	33
58.	沒收	*mò-shōu*	to confiscate	67	34
59.	禁止	*chìn-chǐh*	to prohibit	67	35
60.	分配	*fēn-p'èi*	to distribute	68	1
61.	無地	*wú-tì*	no land	68	1
62.	少地	*shǎo-tì*	little land	68	2
63.	中山	*Chūng-shān*	referring to Sun Yat-sen	68	2
64.	耕者有其田	*Kēng-chě Yǔ Ch'í T'íen*	Land to the Tillers	68	2
65.	私產	*szū-ch'ǎn*	private property	68	3
66.	富農	*fù-núng*	rich peasant	68	3
67.	平均地權	*p'íng-chūn tì-ch'üan*	equalization of land ownership	68	4
67a.	地權	*tì-ch'üan*	land ownership	68	4
68.	農業	*núng-yèh*	agriculture	68	5
69.	所得而私	*sǒ té érh szū*	can be monopolized by a few	68	8
70.	敢於	*kǎn-yü*	to dare	68	10
71.	尊嚴	*tsūn-yén*	dignity	68	18
72.	吸收	*hsī-shōu*	to absorb	68	19
73.	大量	*tà-lìang*	large quantity	68	22
74.	食糧	*shíh-líang*	food	68	22
75.	古代	*kǔ-tài*	ancient	68	24
76.	啓蒙	*ch'ǐ-méng*	enlightenment	68	24
77.	食物	*shíh-wù*	food	68	25
78.	口腔	*k'ǒu-ch'iang*	mouth	68	26
79.	咀嚼	*chǚ-chüeh*	to chew	68	26
80.	胃腸	*wèi-ch'áng*	stomach and intestines	68	26
81.	唾液	*t'ò-yèh*	saliva	68	26
82.	胃液	*wèi-yèh*	gastric juice	68	26
83.	腸液	*ch'áng-yèh*	intestinal secretion	68	26
84.	分解	*fēn-chǐeh*	to decompose	68	26
85.	精華	*chīng-húa*	the cream — nutriment	68	26
86.	糟粕	*tsāo-p'ò*	dregs — waste matter	68	27
87.	排洩	*p'ái-hsìeh*	to excrete	68	27
88.	有益	*yǔ-ì*	beneficial	68	27

				P.	L.
89.	生吞活剝	*shēng-t'ūn húo-pō*	to swallow and to flay alive — acceptance of a theory in whole without discrimination and / or analysis	68	28
90.	批判	*p'ī-p'àn*	critically	68	28
91.	全盤西化	*ch'üan-p'án hsī-hùa*	complete Westernization	68	28
92.	恰當	*ch'ìa-tàng*	properly	68	31
93.	用處	*yùng-ch'ù*	usefulness	68	32
94.	公式	*kūng-shìh*	formula	68	33
95.	迷信	*mí-hsìn*	superstition	69	1
96.	實事求是	*shíh-shìh ch'íu-shìh*	to seek truth from facts	69	2
97.	反帝	*fǎn-tì*	anti-imperialism	69	4
98.	宗教徒	*tsūng-chìao t'ú*	religious believer	69	5
98a.	宗教	*tsūng-chìao*	religion	69	5
99.	贊同	*tsàn-t'úng*	to approve	69	6
100.	教義	*chìao-ì*	religious doctrine	69	7
101.	創造	*ch'ùang-tsào*	to create	69	7
102.	燦爛	*ts'àn-làn*	splendid	69	7
103.	清理	*ch'īng-lǐ*	to clarify	69	7
104.	剔除	*t'ī-ch'ú*	to sort out and to throw away	69	8
105.	自信心	*tzù-hsìn hsīn*	self-confidence	69	9
106.	兼收並蓄	*chīen-shōu pìng-hsǜ*	to accept and to store (all sorts of things)	69	9
107.	優秀	*yū-hsìu*	fine	69	10
108.	割斷	*kō-tùan*	to mutilate	69	13
109.	頌古非今	*sùng-kǔ fēi-chīn*	to praise the ancient and to deny the modern	69	14
110.	毒素	*tú-sù*	poisonous element	69	15
111.	青年	*ch'īng-níen*	youth	69	15
112.	引導	*yǐn-tǎo*	to lead	69	16
113.	以上	*ǐ-shàng*	loosely: over legally: and above （as 十八歲以上）	69	18
114.	勞苦	*láo-k'ǔ*	toiling	69	18
115.	各級	*kò-chí*	various levels	69	23
116.	何等	*hó-těng*	what a degree — how	69	24
117.	無兵司令	*wú-pīng szū-lìng*	commander-in-chief without an army	69	27

				P.	L.
118.	文字	*wén-tzù*	written language	69	28
119.	改革	*kăi-kó*	to reform	69	28
120.	言語	*yén-yǚ*	spoken language	69	28
121.	無限	*wú-hsìen*	limitless	69	29
122.	源泉	*yǘan-ch'ǘan*	source	69	29
123.	航船	*háng-ch'úan*	sailing ship	69	36
124.	桅頂	*wéi-t'ĭng*	masthead	69	36
125.	地平綫	*tì-p'íng hsìen*	horizon	69	36
126.	歡迎	*hūan-yíng*	to welcome	69	36

第一課 (I)

整頓黨的作風*

（一九四二年二月一日）

黨校今天開學，我慶祝這個學校的成功。

今天我想講一點關於我們的黨的作風的問題。

爲什麽要有革命黨？因爲世界上有壓迫人民的敵人存在，人民要推翻敵人的壓迫，所以要有革命黨。就資本主義和帝國主義時代說來，就需要一個如共產黨這樣的革命黨。如果沒有共產黨這樣的革命黨，人民要想推翻敵人的壓迫，簡直是不可能的。我們是共產黨，我們要領導人民打倒敵人，我們的隊伍就要整齊，我們的步調就要一致，兵要精，武器要好。如果不具備這些條件，那末，敵人就不會被我們打倒。

現在我們的黨還有什麽問題呢？黨的總路綫是正確的，是沒有問題的，黨的工作也是有成績的。黨有幾十萬黨員，他們在領導人民，向着敵人作艱苦卓絕的鬥爭。這是大家看見的，是不能懷疑的。

那末，究竟我們的黨還有什麽問題沒有呢？我講，還是有問題的，而且就某種意義上講，問題還相當嚴重。（下略）

現在我來講一講主觀主義。

主觀主義是一種不正派的學風，它是反對馬克思列寧主義的，它是和共產黨不能並存的。我們要的是馬克思列寧主義的學風。所謂學風，不但是學校的學風，而且是全黨的學風。學風問題是領導機關、全體幹部、全體黨員的思想方法問題，是我們對待馬克思列寧主義的態度問題，是全黨同志的工作態度問題。既然是這樣，學風問題就是一個非常重要的問題，就是第一個重要的問題。

現在有些糊塗觀念，在許多人中間流行着。例如關於什麽是理論家，什麽是知識分子，什麽是理論和實際聯繫等等問題的糊塗觀念。（下略）

這樣看來，有兩種不完全的知識，一種是現成書本上的知識，一種是偏於感性和局部的知識，這二者都有片面性。只有使二者互相結合，才會產生好的比較完全的知識。（下略）

由此看來，我們反對主觀主義，必須使上述兩種人各向自己缺乏的方面發展，必須使兩種人互相結合。有書本知識的人向實際方面發展，然後才可以不停止在書本上，才可以不犯教條主義的錯誤。有工作經驗的人，

* 這是毛澤東同志在中共中央黨校開學典禮會上的演說。

要向理論方面學習，要認眞讀書，然後才可以使經驗帶上條理性、綜合性，上升成爲理論，然後才可以不把局部經驗誤認爲卽是普遍眞理，才可不犯經驗主義的錯誤。教條主義、經驗主義，兩者都是主觀主義，是從不同的兩極發生的東西。

所以，我們黨內的主觀主義有兩種：一種是教條主義，一種是經驗主義。他們都是只看到片面，沒有看到全面。如果不注意，如果不知道這種片面性的缺點，並且力求改正，那就容易走上錯誤的道路。

但是在這兩種主觀主義中，現在在我們黨內還是教條主義更爲危險。因爲教條主義容易裝出馬克思主義的面孔，嚇唬工農幹部，把他們俘虜起來，充作自己的用人，而工農幹部不易識破他們；也可以嚇唬天眞爛漫的青年，把他們充當俘虜。我們如果把教條主義克服了，就可以使有書本知識的幹部，願意和有經驗的幹部相結合，願意從事實際事物的研究，可以產生許多理論和經驗結合的良好的工作者，可以產生一些眞正的理論家。我們如果把教條主義克服了，就可以使有經驗的同志得着良好的先生，使他們的經驗上升成爲理論，而避免經驗主義的錯誤。

除了對於『理論家』和『知識分子』存在着糊塗觀念而外，還有天天念的一句『理論和實際聯繫』，在許多同志中間也是一個糊塗觀念。他們天天講『聯繫』，實際上却是講『隔離』，因爲他們並不去聯繫。馬克思列寧主義理論和中國革命實際，怎樣互相聯繫呢？拿一句通俗的話來講，就是『有的放矢』。『矢』就是箭，『的』就是靶，放箭要對準靶。馬克思列寧主義和中國革命的關係，就是箭和靶的關係。有些同志却在那裏『無的放矢』，亂放一通，這樣的人就容易把革命弄壞。有些同志則僅僅把箭拿在手裏搓來搓去，連聲讚曰：『好箭！好箭！』却老是不願意放出去。這樣的人就是古董鑑賞家，幾乎和革命不發生關係。馬克思列寧主義之箭，必須用了去射中國革命之的。這個問題不講明白，我們黨的理論水平永遠不會提高，中國革命也永遠不會勝利。

我們的同志必須明白，我們學馬克思列寧主義不是爲着好看，也不是因爲它有什麽神秘，只是因爲它是領導無產階級革命事業走向勝利的科學。直到現在，還有不少的人，把馬克思列寧主義書本上的某些個別字句看作現成的靈丹聖藥，似乎只要得了它，就可以不費氣力地包醫百病。這是一種幼稚者的蒙昧，我們對這些人應該作啓蒙運動。那些將馬克思列寧主義當宗教教條看待的人，就是這種蒙昧無知的人。對於這種人，應該老實地對他說，你的教條一點什麽用處也沒有。馬克思、恩格斯、列寧、斯大林曾經反覆地講，我們的學說不是教條而是行動的指南。這些人偏偏忘記這句最重要最重要的話。中國共產黨人只有在他們善於應用馬克思列寧主義的立場、觀點和方法，善於應用列寧斯大林關於中國革命的學說，進一步地從中國的歷史實際和革命實際的認眞研究中，在各方面作出合乎中國需要的理論性的創造，才叫做理論和實際相聯繫。如果只是口頭上講聯繫，行動上又不實行聯繫，那末，講一百年也還是無益的。我們反對主觀地片面地看問題，必須攻破教條主義的主觀性和片面性。

關於反對主觀主義以整頓全黨的學風的問題，今天講的就是這些。

現在我來講一講宗派主義的問題。

由於二十年的鍛鍊，現在我們黨內並沒有佔統治地位的宗派主義了。但是宗派主義的殘餘是還存在的，有對黨內的宗派主義殘餘，也有對黨外的宗派主義殘餘。對內的宗派主義傾向產生排內性，妨礙黨內的統一和團結；對外的宗派主義傾向產生排外性，妨礙黨團結全國人民的事業。剷除這兩方面的禍根，才能使黨在團結全黨同志和團結全國人民的偉大事業中暢行無阻。

什麽是黨內宗派主義的殘餘呢？主要的有下面幾種：

首先就是鬧獨立性。一部分同志，只看見局部利益，不看見全體利益，他們總是不適當地特別强調他們自己所管的局部工作，總希望使全體利益去服從他們的局部利益。他們不懂得黨的民主集中制，他們不知道共產黨不但要民主，尤其要集中。他們忘記了少數服從多數，下級服從上級，局部服從全體，全黨服從中央的民主集中制。張國燾是向黨中央鬧獨立性的，結果鬧到叛黨，做特務去了。現在講的，雖然不是這種極端嚴重的宗派主義，但是這種現象必須預防，必須將各種不統一的現象完全除去。要提倡顧全大局。每一個黨員，每一種局部工作，每一項言論或行動，都必須以全黨利益爲出發點，絕對不許可違反這個原則。（下略）

還有一個問題，就是老幹部和新幹部的關係問題。抗戰以來，我黨有廣大的發展，大批新幹部產生了，這是很好的現象。斯大林同志在聯共十八次代表大會上的報告中說：『老幹部通常總是不多，比所需要的數量少，而且由於宇宙自然法則的關係，他們已部分地開始衰老死亡下去。』他在這裏講了幹部狀況，又講了自然科學。我們黨如果沒有廣大的新幹部同老幹部一致合作，我們的事業就會中斷。所以一切老幹部應該以極大的熱忱歡迎新幹部，關心新幹部。不錯，新幹部是有缺點的，他們參加革命還不久，還缺乏經驗，他們中的有些人還不免帶來舊社會不良思想的尾巴，這就是小資產階級個人主義思想的殘餘。但是這些缺點是可以從教育中從革命鍛鍊中逐漸地去掉的。他們的長處，正如斯大林說過的，是對於新鮮事物有銳敏的感覺，因而有高度的熱情和積極性，而在這一點上，有些老幹部則正是缺乏的〔五〕。新老幹部應該是彼此尊重，互相學習，取長補短，以便團結一致，進行共同的事業，而防止宗派主義的傾向。在老幹部負主要領導責任的地方，在一般情形之下，如果老幹部和新幹部的關係弄得不好，那末，老幹部就應該負主要的責任。

以上所講的局部和全體的關係，個人和黨的關係，外來幹部和本地幹部的關係，軍隊幹部和地方幹部的關係，軍隊和軍隊、地方和地方、這一工作部門和那一工作部門之間的關係，老幹部和新幹部的關係，都是黨內的相互關係。在這種種方面，都應該提高共產主義精神，防止宗派主義傾向，使我們的黨達到隊伍整齊，步調一致的目的，以利戰鬥。這是一個很重要的問題，我們整頓黨的作風，必須澈底地解決這個問題。宗派主義是主觀主義在組織關係上的一種表現；我們如果不要主觀主義，要發展馬克思列寧主義實事求是的精神，就必須掃除黨內宗派主義的殘餘，以黨的利益高於個人和局部的利益爲出發點，使黨達到完全團結統一的地步。（下略）

【註　釋】

〔五〕　見斯大林『在第十八次黨代表大會上關於聯共(布)中央工作的總結報告』第三部分第二節。

VOCABULARY: 1-I

Rectify the Party's Style in Work

				P.	L.
1.	整頓	*chĕng-tùn*	to rectify	76	2
2.	黨校	*Tăng-hsìao*	Party School	76	4
3.	慶祝	*ch'ìng-chù*	to celebrate	76	4
4.	簡直	*chĭen-chíh*	simply	76	9
5.	整齊	*chĕng-ch'í*	in good order	76	10
6.	步調	*pù-tìao*	steps	76	10
7.	艱苦卓絕	*chīen-k'ŭ chō-chǘeh*	outstandingly (courageous) amid unsurpassed difficulties	76	14
8.	懷疑	*húai-í*	to doubt	76	14
9.	正派	*chèng-p'ài*	correct	76	18
10.	學風	*hsǘeh-fēng*	learning style	76	18
11.	並存	*pìng-ts'ún*	compatible	76	19
12.	對待	*tùi-tài*	to treat	76	21
13.	糊塗	*hú-t'ú*	muddled	76	24
14.	流行	*líu-hsíng*	to prevail	76	24
15.	現成	*hsìen-ch'éng*	ready-made	76	26
16.	偏於	*p'īen-yǘ*	with more emphasis on one side	76	27
17.	認眞	*jèn-chēn*	conscientiously	77	1
18.	條理	*t'íao-lĭ*	system	77	1
19.	上升	*shàng-shēng*	to raise	77	2
20.	誤認	*wù-jèn*	to mistake	77	2
21.	兩極	*lĭang-chí*	two extremes	77	4
22.	力求	*lì-ch'íu*	to make efforts to	77	7
23.	改正	*kăi-chèng*	to correct — overcome	77	7
24.	裝出	*chūang-ch'ū*	to pretend	77	9
25.	面孔	*mìen-k'ŭng*	face	77	9
26.	嚇唬	*hsìa-hu*	to bluff	77	9
27.	俘虜	*fú-lŭ*	to capture	77	9
28.	充作	*ch'ūng-tsò*	to serve as	77	10
29.	用人	*yùng-jén*	servant	77	10
30.	識破	*shìh-p'ò*	to see through	77	10
31.	天眞爛漫	*t'īen-chēn làn-màn*	innocent	77	10
32.	充當	*ch'ūng-tāng*	to serve as	77	11
33.	隔離	*kó-lí*	severance	77	18

				P.	L.
34.	有的放矢	*yŭ-tì fàng-shĭh*	to shoot the arrow at the target	77	20
35.	放箭	*fàng-chìen*	to shoot an arrow	77	20
36.	對準	*tùi-chŭn*	to aim at	77	20
37.	無的放矢	*wú-tì fàng-shĭh*	to shoot an arrow at no target	77	22
38.	亂放一通	*lùan-fàng ī-t'ŭng*	to shoot arrows blindly	77	22
39.	弄壞	*nùng-hùai*	to harm	77	22
40.	搓來搓去	*ts'ō-lái ts'ō-ch'ǜ*	to rub between the hands continuously	77	23
41.	連聲	*líen-shēng*	repeatedly	77	23
42.	讚曰	*tsàn-yǜeh*	to chant praise	77	23
43.	古董	*kŭ-tŭng*	curio	77	24
44.	鑑賞家	*chìen-shăng chīa*	connoisseur	77	24
45.	幾乎	*chī-hū*	almost	77	24
46.	神秘	*shén-mì*	mystery	77	28
47.	個別	*kò-píeh*	certain	77	29
48.	字句	*tzù-chǜ*	words and phrases	77	29
49.	靈丹聖藥	*líng-tān shèng-yào*	efficacious pill and divine medicine — panacea	77	30
50.	氣力	*ch'ì-lì*	efforts	77	30
51.	包醫百病	*pāo-ī pó-pìng*	to cure all diseases	77	30
52.	幼稚	*yù-chìh*	infantile	77	31
53.	蒙昧	*méng-mèi*	ignorance	77	31
54.	啓蒙運動	*ch'ĭ-méng yǜn-tùng*	enlightenment movement	77	31
55.	無知	*wú-chīh*	ignorant	77	32
56.	老實	*lăo-shíh*	honestly — bluntly	77	32
57.	偏偏	*p'īen-p'īen*	pertinaciously	77	34
58.	進一步	*chìn ī-pù*	to go a step further	77	36
59.	口頭	*k'ŏu-t'óu*	on the mouth — verbally	78	2
60.	無益	*wú-ì*	no advantage	78	3
61.	攻破	*kūng-p'ò*	destroy by assault	78	4
62.	全黨	*ch'ǘan-tăng*	whole party	78	5
63.	殘餘	*ts'án-yǘ*	remnant	78	8
64.	排內性	*p'ái-nèi hsìng*	anti-inside nature — mutual exclusiveness among the party members	78	9
65.	妨礙	*fáng-ài*	to hinder	78	9
66.	排外性	*p'ái-wài hsìng*	anti-outside nature — exclusiveness towards non-party people	78	10

				P.	L.
67.	剷除	*ch'ăn-ch'ú*	to eradicate	78	10
68.	禍根	*hùo-kēn*	root of evil	78	11
69.	暢行無阻	*ch'àng-hsíng wú-tsŭ*	to go on smoothly without obstruction	78	12
70.	鬧	*nào*	implies to make a disturbance or to behave improperly 鬧獨立性 means to assert improper or excessive independence, i. e., to commit mistakes of insubordination	78	14
71.	利益	*lì-ì*	interest	78	14
72.	下級	*hsìa-chí*	lower level	78	17
73.	上級	*shàng-chí*	higher level	78	17
74.	張國燾	*Chāng Kúo-t'ào*	b. 1898, one of the founders of the Communist party, became an apostate in 1936 after he broke with Mao on party policies and joined the Nationalist side	78	18
75.	叛黨	*p'àn-tăng*	to betray the party	78	19
76.	特務	*t'è-wu*	secret agent	78	19
77.	預防	*yǜ-fáng*	to take precaution	78	20
78.	顧全大局	*kù-ch'üan tà-chǘ*	to take into consideration the whole situation	78	21
79.	一項	*ī-hsìang*	one item	78	21
80.	言論	*yén-lùn*	opinion	78	21
81.	出發點	*ch'ū-fā tĭen*	starting point	78	22
82.	許可	*hsǚ-k'ŏ*	to tolerate	78	22
83.	聯共	*Lían-kùng*	contraction of 蘇聯共產黨 Communist party of the Soviet Union	78	24
84.	報告	*pào-kào*	report	78	25
85.	通常	*t'ūng-ch'áng*	normally	78	25
86.	衰老	*shūai-lăo*	senile	78	26
87.	死亡	*szŭ-wáng*	to die	78	26
88.	中斷	*chūng-tùan*	to interrupt	78	28
89.	熱忱	*jè-ch'én*	warmheartedness	78	29
90.	關心	*kūan-hsīn*	to concern about	78	29

				P.	L.
91.	不良	*pū-liang*	bad	78	30
92.	長處	*ch'áng-ch'ù*	strong point	78	32
93.	新鮮	*hsīn-hsīen*	new	78	33
94.	銳敏	*jùi-mīn*	sharp	78	33
95.	熱情	*jè-ch'íng*	warm feeling	78	33
96.	取長補短	*ch'ǚ-ch'áng pǔ-tǔan*	to acqurie the strong points (of others) to strengthen the deficiencies (of their own)	78	34
97.	防止	*fáng-chǐh*	to guard against	78	35
98.	外來	*wài-lái*	outside	79	2
99.	本地	*pěn-tì*	local	79	2
100.	地步	*tì-pù*	condition	79	10

第一課 (J)

反對黨八股*

（一九四二年二月八日）

剛才凱豐同志講了今天開會的宗旨。我現在想講的是：主觀主義和宗派主義怎樣拿黨八股做它們的宣傳工具，或表現形式。我們反對主觀主義和宗派主義，如果不連黨八股也給以清算，那它們就還有一個藏身的地方，它們還可以躲起來。如果我們連黨八股也打倒了，那就算對於主觀主義和宗派主義最後地『將一軍』〔一〕，弄得這兩個怪物原形畢露，『老鼠過街，人人喊打』，這兩個怪物也就容易消滅了。

一個人寫黨八股，如果只給自己看，那倒還不要緊。如果送給第二個人看，人數多了一倍，已屬害人不淺。如果還要貼在牆上，或付油印，或登上報紙，或印成一本書，那問題可就大了，它就可以影響許多的人。而寫黨八股的人們，却總是想寫給許多人看的。這就非加以揭穿，把它打倒不可。

黨八股也就是一種洋八股。這洋八股，魯迅早就反對過的〔二〕。我們爲什麽又叫它做黨八股呢？這是因爲它除了洋氣之外，還有一點土氣。也算一個創作吧！誰說我們的人一點創作也沒有呢？這就是一個！（大笑）

黨八股在我們黨內已經有了一個長久的歷史；特別是在土地革命時期，有時竟鬧得很嚴重。

從歷史來看，黨八股是對於五四運動的一個反動。

五四運動時期，一班新人物反對文言文，提倡白話文，反對舊教條，提倡科學和民主，這些都是很對的。在那時，這個運動是生動活潑的，前進的，革命的。那時的統治階級都拿孔夫子的道理教學生，把孔夫子的一套當作宗教教條一樣强迫人民信奉，做文章的人都用文言文。總之，那時統治階級及其幫閑者們的文章和教育，不論它的內容和形式，都是八股式的，教條式的。這就是老八股、老教條。揭穿這種老八股、老教條的醜態給人民看，號召人民起來反對老八股、老教條，這就是五四運動時期的一個極大的功績。五四運動還有和這相聯繫的反對帝國主義的大功績；這個反對老八股、老教條的鬥爭，也是它的大功績之一。但到後來就產生了洋八股、洋教條。我們黨內的一些違反了馬克思主義的人則發展這種洋八股、洋教條，成爲主觀主義、宗派主義和黨八股的東西。這些就都是新八

* 這是毛澤東同志在延安幹部會上的講演。

股、新教條。這種新八股、新教條，在我們許多同志的頭腦中弄得根深蒂固，使我們今天要進行改造工作還要費很大的氣力。這樣看來，『五四』時期的生動活潑的、前進的、革命的、反對封建主義的老八股、老教條的運動，後來被一些人發展到了它的反對方面，產生了新八股、新教條。它們不是生動活潑的東西，而是死硬的東西了；不是前進的東西，而是後退的東西了；不是革命的東西，而是阻礙革命的東西了。這就是說，洋八股或黨八股，是五四運動本來性質的反動。但五四運動本身也是有缺點的。那時的許多領導人物，還沒有馬克思主義的批判精神，他們使用的方法，一般地還是資產階級的方法，即形式主義的方法。他們反對舊八股、舊教條，主張科學和民主，是很對的。但是他們對於現狀，對於歷史，對於外國事物，沒有歷史唯物主義的批判精神，所謂壞就是絕對的壞，一切皆壞；所謂好就是絕對的好，一切皆好。這種形式主義地看問題的方法，就影響了後來這個運動的發展。五四運動的發展，分成了兩個潮流。一部分人繼承了五四運動的科學和民主的精神，並在馬克思主義的基礎上加以改造，這就是共產黨人和若干黨外馬克思主義者所做的工作。另一部分人則走到資產階級的道路上去，是形式主義向右的發展。但在共產黨內也不是一致的，其中也有一部分人發生偏向，馬克思主義沒有拿得穩，犯了形式主義的錯誤，這就是主觀主義、宗派主義和黨八股，這是形式主義向『左』的發展。這樣看來，黨八股這種東西，一方面是五四運動的積極因素的反動，一方面也是五四運動的消極因素的繼承、繼續或發展，並不是偶然的東西。我們懂得這一點是有好處的。如果『五四』時期反對老八股和老教條主義是革命的和必需的，那末，今天我們用馬克思主義來批判新八股和新教條主義也是革命的和必需的。如果『五四』時期不反對老八股和老教條主義，中國人民的思想就不能從老八股和老教條主義的束縛下面獲得解放，中國就不會有自由獨立的希望。這個工作，五四運動時期還不過是一個開端，要使全國人民完全脫離老八股和老教條主義的統治，還須費很大的氣力，還是今後革命改造路上的一個大工程。如果我們今天不反對新八股和新教條主義，則中國人民的思想又將受另一個形式主義的束縛。至於我們黨內一部分（當然只是一部分）同志所中的黨八股的毒，所犯的教條主義的錯誤，如果不除去，那末，生動活潑的革命精神就不能啓發，拿不正確態度對待馬克思主義的惡習就不能肅清，眞正的馬克思主義就不能得到廣泛的傳播和發展；而對於老八股和老教條在全國人民中間的影響，以及洋八股和洋教條在全國許多人中間的影響，也就不能進行有力的鬥爭，也就達不到加以摧毀廓淸的目的。

主觀主義、宗派主義和黨八股，這三種東西，都是反馬克思主義的，都不是無產階級所需要的，而是剝削階級所需要的。這些東西在我們黨內，是小資產階級思想的反映。中國是一個小資產階級成份極其廣大的國家，我們黨是處在這個廣大階級的包圍中，我們又有很大數量的黨員是出身於這個階級的，他們都不免或長或短地拖着一條小資產階級的尾巴進黨來。小資產階級革命分子的狂熱性和片面性，如果不加以節制，不加以改造，就很容易產生主觀主義、宗派主義，它的一種表現形式就是洋八股，或黨八股。

要做對於這些東西的肅清工作和打掃工作，是不容易的。做起來必須得當，就是說，要好好地說理。如果說理說得好，說得恰當，那是會有效力的。說理的首先一個方法，就是重重地給患病者一個刺激，向他們大喝一聲，說：『你有病呀！』使患者爲之一驚，出一身汗，然後好好地叫他們治療。（下略）

【註　釋】

〔一〕『將一軍』是象棋中的術語。象棋是中國棋的一種，採取兩軍對戰的形式，而以一方攻入對方堡壘捉住『將軍』（主帥）作爲贏棋。凡是一方給了對方一個死局，使其將軍有立卽被捉的危險時，就叫做向對方『將軍』。

〔二〕反對新舊八股是魯迅作品裏一貫的精神 。魯迅曾在『僞自由書』『透底』一文中說：『八股原是蠢笨的產物。一來是考官嫌麻煩——他們的頭腦大半是陰沉木做的，——甚麼代聖賢立言，甚麼起承轉合，文章氣韻，都沒有一定的標準，難以捉摸，因此，一股一股地定出來，算是合于功令的格式，用這格式來「衡文」，一眼就看得出多少輕重。二來，連應試的人也覺得又省力，又不費事了。這樣的八股，無論新舊，都應當掃蕩。』洋八股是五四運動以後一些淺薄的資產階級和小資產階級知識分子發展起來的東西，並經過他們的傳播，長時期地在革命的文化隊伍中存在着。魯迅曾在許多文章裏反對過革命文化隊伍中的洋八股，他批判這種洋八股說：『八股無論新舊，都在掃蕩之列，……例如只會「辱罵」「恐嚇」甚至于「判决」，而不肯具體地切實地運用科學所求得的公式，去解釋每天的新的事實，新的現象，而只抄一通公式，往一切事實上亂湊，這也是一種八股。』（『透底』附錄『回祝秀俠信』）

VOCABULARY: 1-J

Oppose the Party Eight-Legged Essay

				P.	L.
1.	八股	*pā-kŭ*	eight-legged essay (a style of essay of the old examination system, made up of eight parts, with overwhelming emphasis on form rather than content)	84	2
2.	凱豐	*K'ăi Fēng*	presumably the chairman of the meeting	84	4
3.	宗旨	*tsūng-chĭh*	purpose	84	4
4.	工具	*kūng-chǜ*	instrument	84	5
5.	藏身	*ts'áng-shēn*	to hide oneself	84	6
6.	將一軍	*chīang-ī-chǖn*	a term in the Chinese chess game meaning to "check"	84	8
7.	原形畢露	*yǘan-hsíng pì-lù*	the true form is completely exposed	84	8
8.	老鼠	*lăo-shŭ*	rat	84	8
9.	一倍	*ī-pèi*	onefold	84	11
10.	害人	*hài-jén*	to harm people	84	11
11.	不淺	*pū-ch'īen*	not superficial — seriously	84	11
12.	油印	*yú-yìn*	to mimeograph	84	11
13.	報紙	*pào-chĭh*	newspaper	84	12
14.	揭穿	*chīeh-ch'ūan*	to expose	84	13
15.	魯迅	*Lŭ Hsǜn*	1881–1936, writer, pen name of Chou Shu-jen	84	15
16.	洋氣	*yáng-ch'ì*	Western flavor	84	16
17.	土氣	*t'ŭ-ch'ì*	native flavor	84	16
18.	長久	*ch'áng-chĭu*	long	84	18
19.	一班	*ī-pān*	a group of	84	21
20.	人物	*jén-wù*	personage	84	21
21.	文言文	*wén-yén wén*	writings in classical style	84	21
22.	白話文	*pái-hùa wén*	writings in vernacular style	84	21
23.	生動	*shēng-tùng*	lively	84	22
24.	活潑	*húo-p'ō*	active	84	22
25.	孔夫子	*K'ŭng Fū-tzŭ*	Confucius	84	23
26.	信奉	*hsìn-fèng*	to believe reverently	84	24

				P.	L.
27.	文章	*wén-chāng*	literary composition	84	24
28.	幫閒者	*pāng-hsíen chĕ*	toady	84	25
29.	醜態	*ch'ŏu-t'ài*	ugliness	84	26
30.	號召	*hào-chào*	to call on	84	27
31.	功績	*kūng-chī*	achievement	84	28
32.	頭腦	*t'óu-năo*	mind	85	1
33.	根深蒂固	*kēn-shēn tì-kù*	root deep and branches strong—deeply ingrained	85	1
34.	死硬	*szŭ-yìng*	dead and stiff	85	5
35.	後退	*hòu-t'ùi*	retrogressive	85	5
36.	阻礙	*tsŭ-ài*	obstacle	85	6
37.	現狀	*hsìen-chùang*	existing condition	85	10
38.	潮流	*ch'áo-líu*	current — direction	85	13
39.	繼承	*chì-ch'éng*	to inherit	85	14
40.	若干	*jò-kān*	a certain number of	85	15
41.	偏向	*p'īen-hsìang*	deviation	85	17
42.	拿得穩	*ná-te-wĕn*	to hold firmly	85	17
43.	消極	*hsīao-chí*	negative	85	20
44.	偶然	*ŏu-ján*	accidental	85	20
45.	束縛	*shù-fú*	bondage	85	24
46.	開端	*k'āi-tūan*	beginning	85	26
47.	工程	*kūng-ch'éng*	construction project	85	27
48.	啓發	*ch'ĭ-fā*	to arouse	85	30
49.	惡習	*ò-hsí*	bad habit	85	31
50.	肅清	*sù-ch'īng*	to get rid of	85	31
51.	傳播	*ch'úan-pō*	to spread	85	32
52.	摧毀	*ts'ūi-hŭi*	to destroy	85	34
53.	廓清	*k'ùo-ch'īng*	to sweep away	85	34
54.	反映	*făn-yìng*	reflection	85	37
55.	出身	*ch'ū-shēn*	social origin	86	1
56.	狂熱性	*k'úang-jè hsìng*	fanaticism	86	3
57.	打掃	*tă-săo*	to sweep	86	6
58.	得當	*té-tàng*	properly	86	7
59.	說理	*shūo-lĭ*	to pursuade by reasoning	86	7
60.	效力	*hsìao-lì*	effect	86	7
61.	患病者	*hùan-pìng chĕ*	a patient	86	8
62.	刺激	*tz'ù-chī*	shock	86	8
63.	患者	*hùan-chĕ*	a patient	86	9
64.	一驚	*ī-chīng*	to be frightened	86	9
65.	治療	*chìh-líao*	treatment	86	10

第 一 課（K）

反对本本主义

（一九三〇年五月）

一　沒有調查，沒有发言权

你对于某个問題沒有調查，就停止你对于某个問題的发言权。这不太野蛮了嗎？一点也不野蛮。你对那个問題的現实情況和历史情況旣然沒有調查，不知底里，对于那个問題的发言便一定是瞎說一頓。瞎說一頓之不能解决問題是大家明了的，那末，停止你的发言权有什么不公道呢？許多的同志都成天地閉着眼睛在那里瞎說，这是共产党員的耻辱，岂有共产党員而可以閉着眼睛瞎說一頓的么？

要不得！

要不得！

注重調查！

反对瞎說！

二　調查就是解决問題

你对于那个問題不能解决么？那末，你就去調查那个問題的現状和它的历史吧！你完完全全調查明白了，你对那个問題就有解决的办法了。一切結論产生于調查情況的末尾，而不是在它的先头。只有蠢人，才是他一个人，或者邀集一堆人，不作調查，而只是冥思苦索地“想办法”，“打主意”。須知这是一定不能想出什么好办法，打出什么好主意的。換一句話說，他一定要产生錯办法和錯主意。

許多巡視員，許多游击队的領导者，許多新接任的工作干部，喜欢一到就宣布政見，看到一点表面，一个枝节，就指手画脚地說这也不对，那也錯誤。这种純主观地“瞎說一頓”，实在是最可恶沒有的。他一定要弄坏事情，一定要失掉群众，一定不能解决問題。

許多做領导工作的人，遇到困难問題，只是叹气，不能解决。他恼火，請求調动工作，理由是“才力小，干不下”。这是懦夫讲的話。迈开你的两脚，到你的工作范圍的各部分各地方去走走，学个孔夫子的“每事問”[1]，任凭什么才力小也能解决問題，因为你未出門时脑子是空的，归来时脑子已經不是空的了，已經載来了解决問題的各种必要材料，問題就是这样子解决了。一定要出門么？也不一定，可以召集那些明了情況的人来开个調查会，把你所謂困难問題的“来源”找到手，“現状”弄明白，你的这个困难問題也就容易解决了。

調查就像“十月怀胎”，解决問題就像“一朝分娩”。調查就是解决問題。

三 反对本本主义

以为上了书的就是对的，文化落后的中国农民至今还存着这种心理。不謂共产党內討論問題，也还有人开口閉口“拿本本来”。我們說上級領导机关的指示是正确的，决不单是因为它出于“上級領导机关”，而是因为它的“指示內容”是适合于斗爭中客观和主观情势的，是斗爭所需要的。不根据实际情况进行討論和审察，一味盲目执行，这种单純建立在“上級”观念上的形式主义的态度是很不对的。为什么党的策略路綫总是不能深入群众，就是这种形式主义在那里作怪。盲目地表面上完全无異义地执行上級的指示，这不是眞正在执行上級的指示，这是反对上級指示或者对上級指示怠工的最妙方法。

本本主义的社会科学研究法也同样是最危險的，甚至可能走上反革命的道路，中国有許多专門从书本上討生活的从事社会科学研究的共产党員，不是一批一批地成了反革命嗎，就是明显的证据。我們說馬克思主义是对的，决不是因为馬克思这个人是什么“先哲”，而是因为他的理論在我們的实踐中在我們的斗爭中证明了是对的。我們的斗爭需要馬克思主义。我們欢迎这个理論，絲毫不存什么“先哲”一类的形式的甚至神秘的念头在里面。讀过馬克思主义“本本”的許多人，成了革命叛徒，那些不識字的工人常常能够很好地掌握馬克思主义。馬克思主义的“本本”是要学习的，但是必須同我国的实际情况相結合。我們需要“本本”，但是一定要糾正脫离实际情况的本本主义。

怎样糾正这种本本主义？只有向实际情况作調查。

四 离开实际調查就要产生唯心的阶級估量和唯心的工作指导，那末，它的結果，不是机会主义，便是盲动主义

你不相信这个結論么？事实要强迫你信。你試試离开实际調查去估量政治形势，去指导斗爭工作，是不是空洞的唯心的呢？这种空洞的唯心的政治估量和工作指导，是不是要产生机会主义錯誤，或者盲动主义錯誤呢？一定要弄出錯誤。这并不是他在行动之前不留心計划，而是他于計划之前不留心了解社会实际情况，这是紅軍游击队里时常遇見的。那些李逵〔2〕式的官长，看見弟兄們犯事，就懵懵懂懂地乱处置一頓。結果，犯事人不服，鬧出許多糾紛，領导者的威信也丧失干淨，这不是紅軍里常見

的么？

必須洗刷唯心精神，防止一切机会主义盲动主义錯誤出現，才能完成爭取群众战胜敌人的任务。必須努力作实际調查，才能洗刷唯心精神。

五　社会經济調查，是为了得到正确的阶級估量，接着定出正确的斗爭策略

为什么要作社会經济調查？我們就是这样回答。因此，作为我們社会經济調查的对象的是社会的各阶級，而不是各种片断的社会現象。近来紅軍第四軍的同志們一般的都注意調查工作了[3]，但是很多人的調查方法是錯誤的。調查的結果就像挂了一篇狗肉賬，像乡下人上街听了許多新奇故事，又像站在高山頂上观察人民城郭。这种調查用处不大，不能达到我們的主要目的。我們的主要目的，是要明了社会各阶級的政治經济情況。我們調查所要得到的結論，是各阶級現在的以及历史的胜衰荣辱的情況。举例来說，我們調查农民成份时，不但要知道自耕农，半自耕农，佃农，这些以租佃关系区别的各种农民的数目有多少，我們尤其要知道富农，中农，貧农，这些以阶級区别阶层区别的各种农民的数目有多少。我們調查商人成份，不但要知道粮食业、衣服业、药材业……等行业的人数各有多少，尤其要調查小商人、中等商人、大商人各有多少。我們不仅要調查各业的情況，尤其要調查各业內部的阶級情況。我們不仅要調查各业之間的相互关系，尤其要調查各阶級之間的相互关系。我們調查工作的主要方法是解剖各种社会阶級，我們的終极目的是要明了各种阶級的相互关系，得到正确的阶級估量，然后定出我們正确的斗爭策略，确定那些阶級是革命斗爭的主力，那些阶級是我們应当爭取的同盟者，那些阶級是要打倒的。我們的目的完全在这里。

什么是調查时要注意的社会阶級？下面那些就是：

工业无产阶級
手工业工人
雇农
貧农
城市貧民
游民
手工业者
小商人
中农
富农
地主阶級

商业資产阶級

工业資产阶級

这些阶級（有的是阶层）的状况，都是我們調查时要注意的。在我們暫时的工作区域中所沒有的，只是工业无产阶級和工业資产阶級，其余都是經常碰見的。我們的斗爭策略就是对这許多阶級阶层的策略。

我們从前的調查还有一个极大的缺点，就是偏于农村而不注意城市，以致許多同志对城市貧民和商业資产阶級这二者的策略始終模糊。斗爭的发展使我們离开山头跑向平地了〔4〕，我們的身子早已下山了，但是我們的思想依然还在山上。我們要了解农村，也要了解城市，否則将不能适应革命斗爭的需要。

六　中国革命斗爭的胜利要靠中国同志了解中国情况

我們的斗爭目的是要从民权主义轉变到社会主义。我們的任务第一步是，爭取工人阶級的大多数，发动农民群众和城市貧民，打倒地主阶級，打倒帝国主义，打倒国民党政权，完成民权主义革命。由这种斗爭的发展，跟着就要执行社会主义革命的任务。这些偉大的革命任务的完成不是簡单容易的，它全靠无产阶級政党的斗爭策略的正确和坚决。倘若无产阶級政党的斗爭策略是錯誤的，或者是动搖犹豫的，那末，革命就非走向暫时的失敗不可。須知資产阶級政党也是天天在那里討論斗爭策略的，他們的問題是怎样在工人阶級中傳播改良主义影响，使工人阶級受他們的欺騙，而脫离共产党的領导，怎样爭取富农去消灭貧农的暴动，怎样組織流氓去鎭压革命等等。在这样日益走向尖銳的短兵相接的阶級斗爭的形势之下，无产阶級要取得胜利，就完全要靠他的政党——共产党的斗爭策略的正确和坚决。共产党的正确而不动搖的斗爭策略，决不是少数人坐在房子里能够产生的，它是要在群众的斗爭过程中才能产生的，这就是說要在实际經驗中才能产生。因此，我們需要时时了解社会情况，时时进行实际調查。那些具有一成不变的保守的形式的空洞乐观的头脑的同志們，以为現在的斗爭策略已經是再好沒有了，党的第六次全国代表大会的“本本”〔5〕保障了永久的胜利，只要遵守既定办法就无往而不胜利。这些想法是完全錯誤的，完全不是共产党人从斗爭中創造新局面的思想路綫，完全是一种保守路綫。这种保守路綫如不根本丟掉，将会給革命造成很大損失，也会害了这些同志自己。紅軍中显然有一部分同志是安于現状，不求甚解，空洞乐观，提倡所謂“无产阶級就是这样”的錯誤思想，飽食終日，坐在机关里面打瞌睡，从不肯伸只脚到社会群众中去調查調查。对人讲話一向是那几句老生常談，使人厌听。我們要大声疾呼，喚醒这些同志：

速速改变保守思想！

換取共产党人的进步的斗爭思想！

到斗爭中去！

到群众中作实际調查去！

七　調查的技术

（1）要开調查会作討論式的調查

只有这样才能近于正确，才能抽出結論。那种不开調查会，不作討論式的調查，只凭一个人讲他的經驗的方法，是容易犯錯誤的。那种只隨便問一下子，不提出中心問題在会議席上經过辯論的方法，是不能抽出近于正确的結論的。

（2）調查会到些什么人？

要是能深切明了社会經济情况的人。以年齡說，老年人最好，因为他們有丰富的經驗，不但懂得現状，而且明白因果。有斗爭經驗的青年人也要，因为他們有进步的思想，有銳利的观察。以职业說，工人也要，农民也要，商人也要，知識分子也要，有时兵士也要，流氓也要。自然，調查某个問題时，和那个問題无关的人不必在座，如調查商业时，工农学各业不必在座。

（3）开調查会人多好还是人少好？

看調查人的指揮能力。那种善于指揮的，可以多到十几个人或者二十几个人。人多有人多的好处，就是在做統計时（如征詢貧农占农民总数的百分之几），在做結論时（如征詢土地分配平均分好还是差別分好），能得到比較正确的回答。自然人多也有人多的坏处，指揮能力欠缺的人会无法使会場得到安靜。究竟人多人少，要依調查人的情况决定。但是至少需要三人，不然会囿于見聞，不符合眞实情况。

（4）要定調查綱目

綱目要事先准备，調查人按照綱目发問，会众口說。不明了的，有疑义的，提起辯論。所謂“調查綱目”，要有大綱，还要有細目，如“商业”是个大綱，“布匹”，“粮食”，“杂貨”，“药材”都是細目，布匹下再分“洋布”，“土布”，“綢緞”各項細目。

（5）要亲身出馬

凡担負指导工作的人，从乡政府主席到全国中央政府主席，从大队长到总司令，从支部书記到总书記，一定都要亲身从事社会經济的实际調查，不能单靠书面报告，因为二者是两回事。

（6）要深入

初次从事調查工作的人，要作一两回深入的調查工作，就是要了解一处地方（例如一个农村、一个城市），或者一个問題（例如粮食問題、貨币問題）的底里。深切地了解一处地方或者一个問題了，往后調查別处地方、別个問題，便容易找到門路了。

(7) 要自己做記录

調查不但要自己当主席，适当地指揮調查会的到会人，而且要自己做記录，把調查的結果記下来。假手于人是不行的。

【注 釋】

〔1〕見《論語·八佾第三》。原文是："子入太庙，每事問。"

〔2〕李逵是中国著名小說《水滸傳》所描写的北宋末年农民战争中的一个英雄人物。他朴直豪爽，对农民革命事业很忠誠，但是处事魯莽。

〔3〕毛澤东同志历来重視調查工作，把进行社会調查作为領导工作的首要任务和决定政策的基础。在毛澤东同志的倡导下，紅軍第四軍的調查工作逐漸地开展起来。毛澤东同志还把进行社会調查規定为工作制度，紅軍政治部制訂了詳細的調查表，包括群众斗爭状况、反动派状况、經济生活情况和农村各阶級占有土地的情况等項目。紅軍每到一个地方，都首先要弄清当地的阶級关系状况，然后再提出切合群众需要的口号。

〔4〕山头指江西、湖南边境的井岡山地区，平地指江西南部、福建西部的平原。一九二九年一月，毛澤东同志率領紅軍第四軍的主力，自井岡山出发，向江西南部、福建西部进軍，开辟了贛南、閩西两大革命根据地。

〔5〕指一九二八年七月中国共产党第六次全国代表大会通过的决議案，其中包括政治决議案、农民問題决議案、土地問題决議案和政权組織問題决議案，等等。一九二九年初，紅軍第四軍前敌委員会曾經把这些决議案汇印成单行本，发給紅軍和地方的党組織。

VOCABULARY: 1-K

Oppose Bookishism

				P.	L.
1.	本本主义	*pěn-pěn chǔ*-ì*	bookishism	89	2
2.	調查	*tìao-ch'á*	survey, investigation	89	4
3.	发言权	fā-*yén* ch'üan	right of speech	89	4
4.	底里	*tǐ*-lǐ	real situation	89	7
5.	瞎說	*hsīa-shūo*	blind talk — nonsense	89	7
6.	一頓	*ī-tùn*	*tun* is a classifier for talk	89	7
7.	公道	*kūng-tào*	fair	89	8
8.	成天	*ch'éng-t'ien*	whole day	89	9
9.	耻辱	*ch'ǐh-jù*	disgrace	89	9
10.	注重	*chù-chùng*	to stress	89	13
11.	末尾	*mò-wěi*	end	89	18
12.	先头	*hsīen*-t'óu	beginning	89	18
13.	蠢人	*ch'ǔn-jén*	foolish person	89	18
14.	一堆	*ī-tūi*	a bunch of	89	19
15.	冥思苦索	*míng-szū k'ǔ-sǒ*	to meditate and cogitate	89	19
16.	主意	*chú-i*	decision	89	20
17.	巡視員	*hsǘn-shìh yüan*	inspector	89	22
18.	接任	*chīeh-jèn*	to take over an office	89	22
19.	一到	*ī-tào*	as soon as one arrives	89	22
20.	宣布	*hsüan-pù*	to announce	89	23
21.	政見	*chèng-chìen*	policy	89	23
22.	枝节	*chīh*-chíeh	branch and section — a small part	89	23
23.	指手画脚	*chǐh-shǒu* hùa-*chiǎo*	to make gestures by hand and foot — to act dramatically showing a sense of superiority	89	23
24.	可恶	*k'ǒ*-wù	detestable	89	24
25.	遇到	*yǜ-tào*	to encounter	89	26
26.	叹气	t'àn-ch'ì	to sigh with regret	89	26
27.	恼火	nǎo-*hǔo*	to be irritated, exasperate	89	26
28.	請求	*ch'ǐng-ch'íu*	to request	89	27
29.	才力	*ts'ái-lì*	ability	89	27
30.	干不下	kàn-*pū-hsìa*	cannot do — incompetent	89	27
31.	懦夫	*nò-fū*	coward	89	27

* Romanizations in roman type in the second column indicate that the corresponding characters are simplified.

				P.	L.
32.	迈开	mài-k'āi	to take a step — to start walking	89	27
33.	每事問	*měi shìh-wèn*	(The Master, when he entered the grand temple,) asked about everything. *Analects*, Book III, Chapter XV (Legge)	89	28
34.	任凭	*jèn*-p'íng	no matter how	89	29
35.	归来	kūei-lái	to return	89	30
36.	召集	*chào-chí*	to summon	89	31
37.	十月怀胎	*shíh-yùeh* húai-*t'āi*	ten months in the womb	90	3
38.	一朝分娩	*ī-chāo fēn-wǎn*	one day the child is delivered	90	3
39.	不謂	*pū-wèi*	unexpectedly	90	7
40.	指示	*chǐh-shìh*	directive	90	8
41.	情势	*ch'íng*-shìh	situation	90	9
42.	审察	shěn-*ch'á*	investigation	90	10
43.	一味	*ī-wèi*	unvaryingly	90	10
44.	策略	*ts'è-lüeh*	strategy	90	11
45.	深入	*shēn-jù*	to go deeply into	90	12
46.	作怪	*tsò-kùai*	to make mischief	90	12
47.	異义	*ì*-ì	different opinion — objection	90	12
48.	怠工	*tài-kūng*	sabotage	90	14
49.	討生活	*t'ǎo shēng-húo*	to seek a life	90	16
50.	一批	*ī-p'ī*	one batch	90	17
51.	证据	chèng-chǜ	evidence	90	17
52.	先哲	*hsīen-ché*	ancient sage	90	18
53.	念头	*nìen*-t'ou	idea	90	21
54.	叛徒	*p'àn-t'ú*	traitor	90	21
55.	掌握	*chǎng-wò*	to grasp	90	22
56.	估量	*kū-lìang*	evaluation	90	26
57.	盲动主义	*máng*-tùng *chǔ*-ì	blind-actionism	90	28
58.	空洞	*k'ūng-tùng*	empty	90	30
59.	弄出	*nùng-ch'ū*	to commit	90	32
60.	留心	*líu-hsīn*	to pay attention to	90	32
61.	遇見	*yǜ-chìen*	to meet with	90	33
62.	李逵	*Lǐ K'úei*	a figure in the *Shui-hu Chuan*, nicknamed Black Whirlwind (English by Pearl Buck in *All Men are Brothers*)	90	33

				P.	L.
63.	官长	*kūan*-chăng	officer	90	34
64.	犯事	*fàn-shìh*	to transgress	90	34
65.	懵懵懂懂	*mĕng-mĕng tŭng-tŭng*	foolishly and confusedly	90	34
66.	糾紛	*chīu-fēn*	trouble	90	35
67.	威信	*wēi-hsìn*	prestige	90	35
68.	丧失	sàng-*shīh*	to lose	90	35
69.	洗刷	*hsĭ-shūa*	to wash away	91	2
70.	定出	*tìng-ch'ū*	to map out	91	5
71.	片断	*p'ìen*-tùan	fragmentary	91	7
72.	挂賬	*kùa chàng*	to enter on an account	91	9
73.	狗肉賬	*kŏu-jòu chàng*	dog meat account (materials collected are only trash, as worthless as dog meat)	91	9
74.	乡下人	hsīang-*hsìa jén*	country man — bumpkin	91	9
75.	新奇	*hsīn-ch'í*	new and strange	91	9
76.	故事	*kù-shìh*	tale	91	10
77.	城郭	*ch'éng-kūo*	city and suburbs	91	10
78.	胜衰荣辱	shèng-*shūai* júng-*jù*	rise and fall, honor and disgrace	91	12
79.	举例	chŭ-*lì*	for example	91	13
80.	自耕农	*tzù-kēng* núng	peasant cultivating his own land	91	13
81.	半自耕农	*pàn tzù-kēng* núng	peasant not cultivating his land wholly with his own labor	91	13
82.	租佃	*tsū-tìen*	tenancy	91	14
83.	中农	*chūng*-núng	middle peasant	91	14
84.	貧农	*p'ín*-núng	poor peasant	91	15
85.	商人	*shāng- jén*	merchant	91	16
86.	粮食	líang-*shíh*	food grain	91	16
87.	衣服	*ī-fú*	clothes	91	16
88.	药材	yào-*ts'ái*	medicine	91	16
89.	行业	*háng*-yèh	a trade	91	16
90.	解剖	*chĭeh-p'ōu*	to dissect	91	20
91.	終极	*chūng*-chí	ultimate	91	20
92.	手工业	*shŏu-kūng* yèh	handicraft	91	26
93.	雇农	*kù*-núng	hired peasant	91	27
94.	城市貧民	*ch'éng-shìh p'ín-mín*	urban pauper	91	29

				P.	L.
95.	游民	*yú-mín*	tramp	91	30
96.	其余	*ch'í*-yǘ	the rest	92	4
97.	經常	*chīng-ch'áng*	frequently	92	5
98.	碰見	*p'èng-chìen*	to meet with	92	5
99.	以致	*ǐ-chìh*	with the result that...	92	7
100.	模糊	*mó-hu*	hazy	92	7
101.	山头	*shān*-t'óu	mountain top	92	8
102.	平地	*p'íng-tì*	plain	92	8
103.	身子	*shēn-tzu*	body	92	8
104.	依然	*ī-ján*	still	92	9
105.	民权主义	*mín*-ch'üan *chǔ*-ì	democracy	92	12
106.	倘若	*t'ǎng-jò*	if	92	16
107.	犹豫	yú-*yǜ*	hesitating	92	17
108.	改良主义	*kǎi-líang chǔ*-ì	reformism	92	19
109.	暴动	*pào*-tùng	insurrection	92	20
110.	流氓	*líu-máng*	rascal	92	20
111.	鎮压	*chèn*-yā	to suppress	92	21
112.	尖銳	*chīen-jùi*	sharp	92	21
113.	短兵相接	*tǔan-pīng hsīang-chīeh*	to fight at close quarters	92	21
114.	时时	shíh-shíh	at all times	92	25
115.	一成不变	*ī-ch'éng pū*-pìen	once formed and never changed — inflexible	92	26
116.	乐观	lè-kūan	optimistic	92	26
117.	保障	*pǎo-chàng*	to guarantee	92	28
118.	遵守	*tsūn-shǒu*	to comply with	92	28
119.	既定	*chì-tìng*	fixed	92	28
120.	无往而不胜利	wú *wǎng érh pū* shèng-*lì*	to go nowhere without victory	92	28
121.	局面	*chǘ-mìen*	situation	92	29
122.	丢掉	*tīu-tìao*	to reject	92	30
123.	显然	hsǐen-*ján*	obviously	92	31
124.	安于現状	*ān-yǘ hsìen*-chùang	to feel at ease with the status quo	92	31
125.	不求甚解	*pū-ch'íu shèn-chǐeh*	not to seek for a thorough understanding	92	31
126.	飽食終日	*pǎo-shíh chūng-jìh*	to stuff oneself with food the whole day	92	32
127.	打瞌睡	*tǎ k'ō-shùi*	to doze	92	33
128.	一向	*ī-hsìang*	always	92	33

				P.	L.
129.	老生常談	*lăo-shēng ch'áng-t'án*	stale talk of an aged scholar	92	34
130.	厌听	yèn-t'īng	tired of listening	92	34
131.	大声疾呼	*tà*-shēng *chí-hū*	to cry loudly (to arouse attention) — to make an outcry	92	34
132.	唤醒	*hùan-hsīng*	to awake	92	34
133.	改变	*kăi*-pìen	to change	92	35
134.	换取	*hùan-ch'ü̆*	to change to something else	92	36
135.	近于	*chìn-yǘ*	close to	93	5
136.	抽出	*ch'ōu-ch'ū*	to induce	93	5
137.	辯論	*pìen-lùn*	debate	93	7
138.	深切	*shēn-ch'ìeh*	profoundly and precisely	93	10
139.	年龄	*níen*-líng	age	93	10
140.	因果	*yīn-kŭo*	cause and effect	93	11
141.	銳利	*jùi-lì*	sharp	93	12
142.	职业	chíh-yèh	occupation	93	12
143.	无关	wú-kūan	to have nothing to do with	93	14
144.	在座	*tsài-tsò*	to be present	93	14
145.	統計	*t'ŭng-chì*	statistics	93	18
146.	征詢	chēng-*hsǘn*	to inquire	93	18
147.	总数	tsŭng-shù	sum	93	18
148.	欠缺	*ch'ìen-ch'ü̆eh*	to lack	93	20
149.	会場	hùi-*ch'ăng*	the site of a meeting	93	21
150.	安靜	*ān-chìng*	quiet	93	21
151.	囿于見聞	*yù-yǘ chìen-wén*	constrained by what is seen and heard — limited in information	93	22
152.	綱目	*kāng-mù*	outline and detail	93	23
153.	发問	fā-*wèn*	to ask questions	93	24
154.	会众	hùi-chùng	audience of a meeting	93	24
155.	提起	*t'í-ch'ĭ*	to raise	93	25
156.	大綱	*tà-kāng*	outline	93	25
157.	細目	*hsì-mù*	detail	93	25
158.	布匹	*pù-p'ĭ*	cloth yardage	93	26
159.	杂貨	tsá-*hùo*	miscellaneous goods	93	26
160.	洋布	*yáng-pù*	foreign cloth	93	27
161.	土布	*t'ŭ-pù*	native cloth	93	27
162.	綢緞	*ch'óu-tùan*	silk and satin	93	27
163.	亲身出馬	ch'īn-*shēn ch'ū-mă*	to do a thing oneself (rather than delegate it to somebody else)	93	28

				P.	L.
164.	担負	tān-*fù*	to assume	93	29
165.	乡政府	hsīang *chèng-fŭ*	*hsiang* government	93	29
166.	主席	*chŭ-hsí*	chairman	93	29
167.	大队长	*tà* tùi-chăng	large team leader	93	29
167a.	队长	tùi-chăng	team leader	93	29
168.	总司令	tsŭng *szū-lìng*	commander-in-chief	93	30
169.	支部书記	*chīh-pù* shū-*chì*	party branch secretary	93	30
170.	总书記	tsŭng shū-*chì*	general secretary	93	30
171.	书面	shū-*mìen*	written	93	31
172.	初次	*ch'ū-tz'ù*	first time	93	33
173.	貨币	*hùo*-pì	money	93	34
174.	往后	*wăng*-hòu	later	93	35
175.	門路	*mén-lù*	door and road — direction	93	36
176.	記录	*chì*-lù	record	94	1
177.	假手于人	*chīa-shŏu yǘ- jén*	to put into the hands of others	94	3

第 一 課（L）

在中国共产党全国宣傳工作会議上的讲話

（一九五七年三月十二日）

各位同志！这次会議[1]开得很好。会議中間提出了很多問題，使我們知道了很多事情。我現在就同志們所討論的問題讲几点意見。

我們現在是处在一个社会大变动的时期。中国社会很久以来就处在大变动中間了。抗日战争时期是大变动，解放战爭时期也是大变动。但是就性质說来，現在的变动比过去的变动深刻得多。我們正在建設社会主义。有几亿人口进入社会主义的改造运动。全国各个阶級的相互关系都在起变化。农业和手工业方面的小資产阶級和工商业資产阶級，都发生了变化。社会經济制度变化了，个体經济变为集体經济，資本主义私有制正在变为社会主义公有制。这样的大变动当然要反映到人們的思想上来。存在决定意識。在不同的阶級、阶层、社会集团的人們中間，对于这个社会制度的大变动，有各种不同的反映。广大人民群众热烈地拥护这个大变动，因为現实生活证明，社会主义是中国的唯一的出路。推翻旧的社会制度，建立新的社会制度，卽社会主义制度，这是一場偉大的斗爭，是社会制度和人的相互关系的一場大变动。应該說，情况基本上是健康的。但是，新的社会制度还剛剛建立，还需要有一个巩固的时間。不能认为新制度一旦建立起来就完全巩固了，那是不可能的。需要逐步地巩固。要使它最后巩固起来，必須实現国家的社会主义工业化，坚持經济战綫上的社会主义革命，还必須在政治战綫和思想战綫上，进行經常的、艰苦的社会主义革命斗爭和社会主义教育。除了这些以外，还要有各种国际条件的配合。在我国，巩固社会主义制度的斗爭，社会主义和資本主义誰战胜誰的斗爭，还要經过一个很长的历史时期。但是，我們大家都应該看到，这个社会主义的新制度是一定会巩固起来的。我們一定会建設一个具有現代工业、現代农业和現代科学文化的社会主义国家。这是我要讲的第一点。

第二点：关于我国知識分子的情况。中国究竟有多少知識分子，沒有精确的統計。有人估計，各类知識分子，包括高級知識分子和普通知識分子在內，大約有五百万左右。这五百万左右的知識分子中，絕大多数人都是爱国的，爱我們的中华人民共和国，願意为人民服务，为社会主义的国家服务。有少数知識分子对于社会主义制度是不那么欢迎、不那么高兴的。他們对社会主义还有怀疑，但是在帝国主义面前，他們还是爱国的。对于我們的国家抱着敌对情緒的知識分子，是极少数。这种人不喜欢我們这个无产阶級专政的国家，他們留恋旧社会。一遇机会，他們就会兴風作浪，想要推翻共产党，恢复旧中国。这是在无产阶級和資产阶級两条路綫、社会主义和資本主义两条路綫中間，頑固地要走后一条路綫的人。这后一条路綫，在实际上是不能实現的，所以他們实际上是准备投降帝国主义、封建主义和官僚資本主义的人。这种人在政治界、工商界、文化教育界、科学技术界、宗教界里都有，这是一些极端反动的人。这种人在五百万左右的人数中間，大約只占百分之一、二、三。絕大部分的知識分子，占五百万总数的百分之九十以上的人，都是在各种不同的程度上拥护社会主义制度的。在这些拥护社会主义制度的人的中間，有許多人对于在社会主义制度下如何工作，許多新問題如何了解，如何对待，如何答复，还不大清楚。

五百万左右的知識分子，如果拿他們对待馬克思主义的态度来看，似乎可以这样說：大約有百分之十几的人，包括共产党員和党外同情分子，是比較熟悉馬克思主义，并且站稳了脚跟，站稳了无产阶級立場的。就五百万的总数来說，这些人是少数，但是他們是核心，有力量。多数人想学习馬克思主义，并且也学了一点，但是还不熟悉。其中有些人还有怀疑，还沒有站稳脚跟，一遇風浪就会左右搖摆。在五百万总数中占大多数的这部分知識分子，还是处在一种中間的状态。坚决反对馬克思主义、对于馬克思主义抱着仇視态度的人，是占极少数。有一些人虽然不公开表示不贊成馬克思主义，但是实际上不贊成。这种人在很长的时間內都会有的，我們应該允許他們不贊成。例如一部分唯心主义者，他們可以贊成社会主义的政治制度和經济制度，但是不贊成馬克思主义的世界观。宗教界的爱国人士也是这样。他們是有神論者，我們是无神論者。我們不能强迫这些人接受馬克思主义世界观。总而言之，可以这样說，五百万左右的知識分子在对待馬克思主义的状况是：贊成而且比較熟悉的，占少数；反对的也占少数；多数人是贊成但不熟悉，贊成的程度又很不相同。这里有三种立場，坚定的，动搖的，反对的三种立場。应該承认，这种状况在一个很长的时間內还会存在。如果不承认这种状況，我們就会对別人要求过高，又会把自己的任务降低。我們作宣傳工作的同志有一个宣傳馬克思主义的任务。这个宣傳是逐步的宣傳，要宣傳得好，使人願意接受。不能强迫人接受馬克思主义，只能說服人接受。如果在今后几个五年計划的时間內，在我們的知識分子中間能够有比較多的人接受馬克思主义，能够有比較多的人通过工作和生活的实踐，通过阶級斗爭的实踐、生产的实踐、科学的实踐，懂得比較多的馬克思主义，这样就好了。这是我們的希望。

第三点：知識分子的改造問題。我們的国家是一个文化不发达的国家。五百万左右的知識分子对于我們这样一个大国来說，是太少了。沒有知識分子，我們的事情就不能做好，所以我們要好好地团結他們。在社会主义社会里，主要的社会成員是三部分人，就是工人、农民和知識分子。知識分子是脑力劳动者。他們的工作是为人民服务的，也就是为工人农民服务的。知識分子，就大多数来說，可以为旧中国服务，也可以为新中国服务，可以为資产阶級服务，也可以为无产阶級服务。在为旧中国服务的时候，知識分子中的左翼是反抗的，中間派是搖摆的，只有右翼是坚定的。現在轉到为新社会服务，就反过来了。左翼是坚定的，中間派是搖摆的（这种搖摆和过去不同，是在新社会里的搖摆），右翼是反抗的。知識分子又是教育者。我們的报紙每天都在教育人民。我們的文学艺术家，我們的科学技术人員，我們的教授、教員，都在教人民，教学生。因为他們是教育者，是当先生的，他們就有一个先受教育的任务。在这个社会制度大变动的时期，尤其要先受教育。过去几年，他們受了一些馬克思主义的教育，有些人并且很用功，比以前大有进步。但是就多数人来說，用无产阶級世界观完全代替資产阶級世界观，那就还相差很远。有些人讀了一些馬克思主义的书，自以为有学問了，但是并沒有讀进去，并沒有在头脑里生根，不会应用，阶級感情还是旧的。还有一些人很驕傲，讀了几句书，自以为了不起，尾巴翹到天上去了，可是一遇風浪，他們的立場，比起工人和大多数劳动农民来，就显得大不相同。前者动搖，后者坚定，前者曖昧，后者明朗。因此，如果认为教人者不需要再受教育了，不需要再学习了，如果认为社会主义改造只是要改造别人，改造地主、資本家，改造个体生产者，不要改造知識分子，那就錯誤了。知識分子也要改造，不仅那些基本立場还沒有轉过来的人要改造，而且所有的人都应該学习，都应該改造。我說所有的人，我們这些人也在內。情況是在不断地变化，要使自己的思想适应新的情況，就得学习。即使是对于馬克思主义已經了解得比較多的人，无产阶級立場比較坚定的人，也还是要再学习，要接受新事物，要研究新問題。知識分子如果不把自己头脑里的不恰当的东西去掉，就不能担負起教育别人的任务。我們当然只能是一面教，一面学，一面当先生，一面当学生。要作好先生，首先要作好学生。許多东西单从书本上学是不成的，要向生产者学习，向工人学习，向貧农下中农学习，在学校則要向学生学习，向自己教育的对象学习。据我看，在我們的知識分子中間，多数人是願意学习的。我們的任务是，在他們自願学习的基础上，好心地帮助他們学习，通过适当的方式来帮助他們学习，而不要用强制的方法勉强他們学习。

第四点：知識分子同工农群众結合的問題。知識分子既然要为工农群众服务，那就首先必須懂得工人农民，熟悉他們的生活、工作和思想。我們提倡知識分子到群众中去，到工厂去，到农村去。如果一輩子都不同工人农民見面，这就很不好。我們的国家机关工作人員、文学家、艺术家、教員和科学研究人員，都应該尽可能地利用各种机会去接近工人农民。有些人可以到工厂农村去看一看，轉一轉，这叫“走馬看花”，总比不走不看好。另外一些人可以在工厂农村里住几个月，在那里作調查，交朋友，这叫“下馬看花”。还有些人可以长期住下去，比如两年、三年，或者更长一些时間，就在那里生活，叫做“安家落戶”。有一些知識分子本来就是生活在工人农民里面的，例如工业技术人員本来就在工厂，农业技朮人員和乡村学校教員本来就在农村。他們应該把工作做好，和工人农民打成一片。我們要把接近工农群众这件事，造成一种風气，就是說要有很多知識分子这样做。当然不能是百分之百，有些人有各种原因不能去，但是我們希望尽可能有比較多的人去。也不能一下子大家都去，可以逐步地分批地去。让知識分子直接接触工人农民，过去在延安时期曾經这样做过。那时候，延安的許多知識分子思想很乱，有各种怪議論。我們开了一次会，劝大家到群众里面去。后来許多人去了，得到很好的效果。知識分子从书本上得来的知識在沒有同实踐結合的时候，他們的知識是不完全的，或者是很不完全的。知識分子接受前人的經驗，主要是靠讀书。书当然不可不讀，但是光讀书，还不能解决問題。一定要研究当前的情況，研究实际的經驗和材料，要和工人农民交朋友。和工人农民交朋友，这并不是一件容易的事情。現在也有一些人到工厂农村去，結果是有的有收获，有的就沒有收获。这中間有一个立場問題或者态度問題，也就是世界观的問題。我們提倡百家爭鳴，在各个学术部門可以有許多派、許多家，可是就世界观来說，在現代，基本上只有两家，就是无产阶級一家，資产阶級一家。或者是无产阶級的世界观，或者是資产阶級的世界观。共产主义世界观就是无产阶級的世界观，它不是任何别的阶級的世界观。我們現在的大多数的知識分子，是从旧社会过来的，是从非劳动人民家庭出身的。有些人即使是出身于工人农民的家庭，但是在解放以前受的是資产阶級教育，世界观基本上是資产阶級的，他們还是屬于資产阶級的知識分子。这些人，如果不把过去的一套去掉，換一个无产阶級的世界观，就和工人农民的观点不同，立場不同，感情不同，就会同工人农民格格不入，工人农民也不会把心里的話向他們讲。知識分子如果同工农群众結合，和他們做了朋友，就可以把他們从书本上学来的馬克思主义变成自己的东西。学习馬克思主义，不但要从书本上学，主要地还要通过阶級斗爭、工作实踐和接近工农群众，才能眞正学到。如果我們的知識分子讀了一些馬克思主义的书，又在同工农群众的接近中，在自己的工作实踐中有所了解，那末，我們大家就有了共同的語言。不仅有爱国主义方面的共同語言、社会主义制度方面的共同語言，而且还可以有共产主义世界观方面的共同語言。如果这样，大家的工作就一定会做得好得多。

第五点：关于整風。整風就是整頓思想作風和工作作風。共产党內的整風，在抗日时期进行过一次，以后在解放战爭时期进行过一次，在中华人民共和国成立初期又进行过一次〔2〕。現在共产党中央作出决定，准备党內在今年开始整風。党外人士可以自由参加，不願意的就不参加。这一次整風，主要是要批評几种錯誤的思想作風和工作作風：一个是主观主义，一个是官僚主义，还有一个是宗派主义。这次整風的方法同抗日时期的整風一样，就是先研究一些文件，每个人在学习文件的基础上檢查自己的思想和工作，开展批評和自我批評，揭发缺点和錯誤的方面，发揚优点和正确的方面。在整風中間，一方面要严肃认眞，对于錯誤和缺点，一定要进行认眞的而不是敷衍的批評和自我批評，而且一定要糾正；另一方面又要和風細雨，懲前毖后，治病救人，反对采取"一棍子把人打死"的办法。

我們的党是一个偉大的党，光荣的党，正确的党。这是必須肯定的。但是我們还有缺点，这个事实也要肯定。不应該肯定我們的一切，只应該肯定正确的东西；同时，也不应該否定我們的一切，只应該否定錯誤的东西。在我們的工作中間成績是主要的，但是缺点和錯誤也还不少。因此我們要进行整風。我們自己来批評自己的主观主义、官僚主义和宗派主义，这会不会使我們的党丧失威信呢？我看不会。相反的，会增加党的威信。抗日时期的整風就是证明。它增加了党的威信，增加了同志們的威信，增加了老干部的威信，新干部也有了很大的进步。一个共产党，一个国民党，这两个党比較起来，誰怕批評呢？国民党害怕批評。它禁止批評，結果并沒有能够挽救它的失敗。共产党是不怕批評的，因为我們是馬克思主义者，眞理是在我們方面，工农基本群众是在我們方面。我們过去說过，整風运动是一个"普遍的馬克思主义的教育运动"〔3〕。整風就是全党通过批評和自我批評来学习馬克思主义。在整風中間，我們一定可以更多地学到一些馬克思主义。

中国的改革和建設靠我們来領导。如果我們把作風整頓好了，我們在工作中間就会更加主动，我們的本事就会更大，工作就会做得更好。我們国家要有很多誠心为人民服务、誠心为社会主义事业服务、立志改革的人。我們共产党員都应該是这样的人。在从前，在旧中国，讲改革是要犯罪的，要杀头，要坐班房。但是在那些时候，有一些立志改革的人，他們无所畏惧，他們在各种困难的条件下面，出版书报，教育人民，組織人民，进行不屈不撓的斗爭。人民民主专政的政权，給我国的經济和文化的迅速发展开辟了道路。我們的政权的建立还不过短短几年，人們可以看到，不論在經济方面，在文化、教育、科学方面，都已經出現了空前繁荣的局面。为了达到建設新中国的目的，对于什么困难我們共产党人也是无所畏惧的。但是仅仅依靠我們还不够。我們还需要有一批党外的志士仁人，他們能够按照社会主义、共产主义的方向，同我們一起来为改革和建設我們的社会而无所畏惧地奋斗。要使几亿人口的中国人生活得好，要把我們这个經济落后、文化落后的国家，建設成为富裕的、强盛的、具有高度文化的国家，这是一个很艰巨的任务。我們所以要整風，現在要整風，将来还要整風，要不断地把我們身上的錯誤东西整掉，就是为了使我們能够更好地担負起这項任务，更好地同党外的一切立志改革的志士仁人共同工作。彻底的唯物主义者是无所畏惧的，我們希望一切同我們共同奋斗的人能够勇敢地負起責任，克服困难，不要怕挫折，不要怕有人議論譏笑，也不要怕向我們共产党人提批評建議。“舍得一身剐，敢把皇帝拉下馬”，我們在为社会主义共产主义而斗爭的时候，必須有这种大无畏的精神。在共产党人方面，我們要給这些合作者創造有利的条件，要同他們建立同志式的良好的共同工作关系，要团結他們一起奋斗。

第六点：片面性問題。片面性就是思想上的絕对化，就是形而上学地看問題。对于我們的工作的看法，肯定一切或者否定一切，都是片面性的。这样看問題的人，現在在共产党里面还是不少，党外也有很多。肯定一切，就是只看到好的，看不到坏的，只能贊揚，不能批評。說我們的工作似乎一切都好，这不合乎事实。不是一切都好，还有缺点和錯誤。但是也不是一切都坏，这也不合乎事实。要加以分析。否定一切，就是不加分析地认为事情都做得不好，社会主义建設这样一个偉大事业，几亿人口所进行的这个偉大斗爭，似乎沒有什么好处可說，一团糟。許多具有这种看法的人，虽然和那些对社会主义制度心怀敌意的人还不相同，但是这种看法是很錯誤的，很有害的，它只会使人丧失信心。不論是用肯定一切的观点或者否定一切的观点来看我們的工作，都是錯誤的。对于这些片面地看問題的人，应該进行批評，当然要以惩前毖后、治病救人的态度去批評，要帮助他們。

有人說，旣然要整風，要大家提意見，就必然要有片面性，提出克服片面性，好像就是不让人讲話。这种說法对不对呢？要求所有的人都不带一点片面性，这是困难的。人們总是根据自己的經驗来观察問題，处理問題，发表意見，有时候就难免带上一些片面性。但是，可不可以要求人們逐步地克服片面性，要求看問題比較全面一些？我看应該这样要求。如果不是这样，不要求一天一天地、一年一年地有較多的人采用比較全面地看問題的方法，那末，我們就停滞了，我們就是肯定片面性了，就是同整風的要求背道而馳了。所謂片面性，就是違反辯证法。我們要求把辯证法逐步推广，要求大家逐步地学会使用辯证法这个科学方法。我們現在有些文章，神气十足，但是沒有貨色，不会分析問題，讲不出道理，沒有說服力。这种文章应該逐渐减少。当着自己写文章的时候，不要老是想着“我多么高明”，而要采取和讀者处于完全平等地位的态度。你参加革命的时間虽然长，讲了錯話，人家还是要駁。你的架子摆得越大，人家越是不理你那一套，你的文章人家就越不爱看。我們应該老老实实地办事，对事物有分析，写文章有說服力，不要靠装腔作势来吓人。

有人說，发长篇大論可以避免片面性，写短篇的杂文就不能避免片面性。杂文是不是一定会带片面性？我在上面讲了，片面性往往是难免的，有些片面性也不是不得了。要求所有的人看問題都必須很全面，这样就会阻碍批評的发展。但是，我們还要求努力做到看問題比較全面，不管长文也好，短文也好，杂文包括在內，努力做到不是片面性的。有人說，几百字、一二千字一篇的杂文，怎么能作分析呢？我說，怎么不能呢？鲁迅不就是这样的嗎？分析的方法就是辯证的方法。所謂分析，就是分析事物的矛盾。不熟悉生活，对于所論的矛盾不眞正了解，就不可能有中肯的分析。鲁迅后期的杂文最深刻有力，并沒有片面性，就是因为这时候他学会了辯证法。列宁有一部分文章也可以說是杂文，也有諷刺，写得也很尖銳，但是那里面就沒有片面性。鲁迅的杂文絕大部分是对敌人的，列宁的杂文既有对敌人的，也有对同志的。鲁迅式的杂文可不可以用来对付人民內部的錯誤和缺点呢？我看也可以。当然要分清敌我，不能站在敌对的立場用对待敌人的态度来对待同志。必須是滿腔热情地用保护人民事业和提高人民觉悟的态度来說話，而不能用嘲笑和攻击的态度来說話。

不敢写文章怎么办？有的人說，有文章不敢写，写了怕得罪人，怕受批評。我看这种顾虑可以消除。我們的政权是人民民主政权，这对于为人民而写作是有利的环境。百花齐放、百家爭鳴的方針，对于科学和艺术的发展給了新的保证。如果你写得对，就不用怕什么批評，就可以通过辯論，进一步闡明自己正确的意見。如果你写錯了，那末，有批評就可以帮助你改正，这并沒有什么不好。在我們的社会里，革命的战斗的批評和反批評，是揭露矛盾，解决矛盾，发展科学、艺术，做好各項工作的好方法。

第七点："放"还是"收"？这是个方針問題。百花齐放，百家爭鳴，这是一个基本性的同时也是长期性的方針，不是一个暫时性的方針。同志們在討論中間是不贊成收的，我看这个意見很对。党中央的意見就是不能收，只能放。

領导我們的国家可以采用两种不同的办法，或者說两种不同的方針，这就是放和收。放，就是放手让大家讲意見，使人們敢于說話，敢于批評，敢于爭論；不怕錯誤的議論，不怕有毒素的东西；发展各种意見之間的相互爭論和相互批評，既容許批評的自由，也容許批評批評者的自由；对于錯誤的意見，不是压服，而是說服，以理服人。收，就是不許人家說不同的意見，不許人家发表錯誤的意見，发表了就"一棍子打死"。这不是解决矛盾的办法，而是扩大矛盾的办法。两种方針：放还是收呢？二者必取其一。我們采取放的方針，因为这是有利于我們国家巩固和文化发展的方針。

我們准备用这个放的方針来团結几百万知識分子，改变他們現在的面貌。像我在上面所說的，我国絕大部分的知識分子是願意进步的，願意改造的，是可以改造的。在这里，我們所采取的方針有很大作用。知識分子的問題首先是思想問題，对于思想問題采取粗暴的办法、压制的办法，那是有害无益的。知識分子的改造，特别是他們的世界观的改变，要有一个长时期的过程。我們的同志一定要懂得，思想改造的工作是长期的、耐心的、細致的工作，不能企图上几次課，开几次会，就把人家在几十年生活中間形成的思想意識改变过来。要人家服，只能說服，不能压服。压服的結果总是压而不服。以力服人是不行的。对付敌人可以这样，对付同志，对付朋友，絕不能用这个方法。不会說服怎么办？这就要学习。我們一定要学会通过辯論的方法、說理的方法，来克服各种錯誤思想。

百花齐放是一种发展艺术的方法，百家爭鳴是一种发展科学的方法。百花齐放、百家爭鳴这个方針不但是使科学和艺术发展的好方法，而且推而广之，也是我們进行一切工作的好方法。这个方法可以使我們少犯錯誤。有許多事情我們不知道，因此不会解决，在辯論中間，在斗爭中間，我們就会明了这些事情，就会懂得解决問題的方法。各种不同意見辯論的結果，就能使眞理发展。对于那些有毒素的反馬克思主义的东西，也可以采取这个方法，因为同那些反馬克思主义的东西进行斗爭，就会使馬克思主义发展起来。这是在对立面的斗爭中的发展，是合于辯证法的发展。

人們历来不是讲眞善美嗎？眞善美的反面是假恶丑。沒有假恶丑就沒有眞善美。眞理是同謬誤对立的。在人类社会和自然界，統一体总要分解为不同的部分，只是在不同的具体条件下，內容不同，形式不同罢了。任何时候，总会有錯誤的东西存在，总会有丑恶的現象存在。任何时候，好同坏，善同恶，美同丑这样的对立，总会有的。香花同毒草也是这样。它們之間的关系都是对立的統一，对立的斗爭。有比較才能鉴别。有鉴别，有斗爭，才能发展。眞理是在同謬誤作斗爭中間发展起来的。馬克思主义就是这样发展起来的。馬克思主义在同資产阶級、小資产阶級的思想作斗爭中发展起来，而且只有在斗爭中才能发展起来。

我們主張放的方針，現在还是放得不够，不是放得过多。不要怕放，不要怕批評，也不要怕毒草。馬克思主义是科学眞理，不怕批評，它是批評不倒的。共产党、人民政府也是这样，也不怕批評，也批評不倒。錯誤的东西总会有的，并不可怕。最近一个时期，有一些牛鬼蛇神被搬上舞台了。有些同志看到这个情况，心里很着急。我說，有一点也可以，过几十年，現在舞台上这样的牛鬼蛇神都沒有了，想看也看不成了。我們要提倡正确的东西，反对錯誤的东西，但是不要害怕人們接触錯誤的东西。单靠行政命令的办法，禁止人接触不正常的現象，禁止人接触丑恶的現象，禁止人接触錯誤思想，禁止人看牛鬼蛇神，这是不能解决問題的。当然我并不提倡发展牛鬼蛇神，我是說"有一点也可以"。某些錯誤东西的存在是并不奇怪的，也是用不着害怕的，这可以使人們更好地学会同它作斗爭。大風大浪也不可怕。人类社会就是从大風大浪中发展起来的。

在我国，資产阶級和小資产阶級的思想，反馬克思主义的思想，还会长期存在。社会主义制度在我国已經基本建立。我們已經在生产資料所有制的改造方面，取得了基本胜利，但是在政治战綫和思想战綫方面，我們还沒有完全取得胜利。无产阶級和資产阶級之間在意識形态方面的誰胜誰負問題，还沒有眞正解决。我們同資产阶級和小資产阶級的思想还要进行长期的斗爭。不了解这种情况，放棄思想斗爭，那就是錯誤的。凡是錯誤的思想，凡是毒草，凡是牛鬼蛇神，都应該进行批判，决不能让它們自由泛濫。但是，这种批判，应該是充分說理的，有分析的，有說服力的，而不应該是粗暴的、官僚主义的，或者是形而上学的、教条主义的。

长时間以来，人們对于教条主义作过很多批判。这是应該的。但是，人們往往忽略了对于修正主义的批判。教条主义和修正主义都是違反馬克思主义的。馬克思主义一定要向前发展，要随着实踐的发展而发展，不能停滞不前。停止了，老是那么一套，它就沒有生命了。但是，馬克思主义的基本原則又是不能違背的，違背了就要犯錯誤。用形而上学的观点来看待馬克思主义，把它看成僵死的东西，这是教条主义。否定馬克思主义的基本原則，否定馬克思主义的普遍眞理，这就是修正主义。修正主义是一种資产阶級思想。修正主义者抹杀社会主义和資本主义的区别，抹杀无产阶級专政和資产阶級专政的区别。他們所主張的，在实际上并不是社会主义路綫，而是資本主义路綫。在現在的情况下，修正主义是比教条主义更有害的东西。我們現在思想战綫上的一个重要任务，就是要开展对于修正主义的批判。

最后一点，第八点：各个省、市、自治区的党委应該把思想問題抓起来。这一点是在座有些同志希望我讲的。現在許多地方的党委还沒有抓思想問題，或者抓得很少。这主要是因为忙。但是一定要抓。所謂"抓"，就是要把这个問題提到議事日程上，要研究。我們国內革命时期的大規模的急風暴雨式的群众阶級斗爭已經基本結束，但是还有阶級斗爭，主要是政治战綫上和思想战綫上的阶級斗爭，而且还很尖銳。思想問題現在已經成为非常重要的問題。各地党委的第一书記应該亲自出馬来抓思想問題，只有重視了和研究了这个問題，才能正确地解决这个問題。各地方要召开像这次宣傳会議一样的会議，討論当地的思想工作和有关思想工作的各方面的問題。这种会不但要有党內的同志参加，而且要有党外的人参加，要有不同意見的人参加。我們这次会議的經驗证明，这对于会議的进行只有好处，沒有坏处。

【注　释】

〔1〕中国共产党全国宣傳工作会議，是中共中央于一九五七年三月六日至十三日在北京召开的。出席会議的有中央和省（市）两級党的宣傳、文教等部門的負責人三百八十多人。这次会議还吸收了科学、教育、文学、艺术、新聞、出版等部門的党外人員一百多人参加。

〔2〕这里所說的抗日时期的一次整風，是指一九四二年在延安和各抗日根据地的党組織中，普遍展开的一次以反对主观主义、反对宗派主义、反对党八股为內容的大規模整風运动。解放战争时期的一次整風、是指一九四八年在各个解放区党組織，結合土地改革运动，普遍进行的一次整党运动。中华人民共和国成立初期的一次整風，是指全国胜利后于一九五〇年在全党进行的一次整風运动，这次整風的目的是加强对大量新党員的教育，改变他們中間的思想不純状况，克服老党員中因胜利而产生的驕傲自滿情緒和开始发展起来的强迫命令作風。

〔3〕見《毛澤东选集》第三卷《論軍队生产自給，兼論整風和生产两大运动的重要性》一文。

VOCABULARY: 1-L

Talk at the National Propaganda Work Conference of the Chinese Communist Party

				P.	L.
1.	会議	hùi-*ì*	conference	101	3
2.	处在	ch'ǔ-*tsài*	to be situated in	101	7
3.	建設	*chìen-shè*	to build up	101	9
4.	变化	pìen-*hùa*	change	101	10
5.	工商业	*kūng-shāng* yèh	industry and commerce	101	11
6.	个体經济	kò-t'ǐ *chīng*-chì	individual economy	101	12
6a.	个体	kò-t'ǐ	individual	101	12
7.	集体經济	*chí*-t'ǐ *chīng*-chì	collective economy	101	12
7a.	集体	*chí*-t'ǐ	collective	101	12
8.	私有制	*szū-yǔ chìh*	private ownership system	101	12
9.	公有制	*kūng-yǔ chìh*	public ownership system	101	13
10.	出路	*ch'ū-lù*	outlet — solution	101	16
11.	健康	*chìen-k'āng*	healthy	101	18
12.	剛剛	*kāng-kāng*	just	101	19
13.	巩固	kǔng-*kù*	to consolidate	101	19
14.	一旦	*ī-tàn*	once	101	19
15.	逐步	*chú-pù*	gradually	101	20
16.	工业化	*kūng*-yèh *hùa*	industrialization 化 equivalent to -ized.	101	21
17.	現代	*hsìen-tài*	modern	101	26
18.	精确	*chīng*-ch'ùeh	accurate	101	29
19.	大約	*tà-yǖeh*	approximately	101	30
20.	左右	*tsǒ-yù*	in the neighborhood of	101	30
21.	爱国	ài-kúo	patriotic	101	31
22.	高兴	*kāo*-hsìng	happy	101	32
23.	留恋	*líu*-lìen	to have a lingering affection for	102	3
24.	兴風作浪	hsīng-*fēng tsò-làng*	to raise wind and waves — to create trouble	102	3
24a.	風浪	*fēng-làng*	figuratively: unrest, difficulty, etc.	102	3
25.	頑固	*wán-kù*	stubbornly	102	5
26.	官僚	*kūan-líao*	bureaucrat	102	7
27.	答复	*tá*-fù	to answer	102	12

				P.	L.
28.	熟悉	*shú-hsī*	familiar with	102	16
29.	站稳	*chàn*-wěn	to stand firmly	102	16
30.	脚跟	*chiao-kēn*	the heel	102	16
31.	摇摆	*yáo*-pǎi	to waver	102	19
32.	仇視	*ch'óu-shìh*	hostile	102	21
33.	世界观	*shìh-chìeh* kūan	world outlook	102	24
34.	有神論者	*yǔ-shén lùn chě*	one who believes the existence of a deity	102	25
35.	无神論者	wú-*shén lùn chě*	atheist	102	25
36.	总而言之	tsǔng *érh yén chīh*	to sum up	102	26
37.	坚定	chien-*tìng*	resolute	102	29
38.	过高	kùo-*kāo*	too high	102	30
39.	降低	*chìang-tī*	to lower	102	31
40.	說服	*shūo-fú*	to persuade	102	33
41.	五年計划	*Wǔ-nien Chì*-hùa	Five Year Plan	102	33
42.	发达	fā-tá	to develop	102	37
43.	脑力	nǎo-*lì*	brain	103	4
44.	左翼	*tsǒ-ì*	left wing	103	7
45.	教授	*chìao-shòu*	professor	103	11
46.	教員	*chìao-yǘan*	teacher	103	11
47.	用功	*yùng-kūng*	to study hard	103	14
48.	大有进步	*tà-yǔ* chìn-*pù*	greatly improved	103	14
49.	学問	hsúeh-*wèn*	knowledge	103	16
50.	生根	*shēng-kēn*	to develop roots	103	17
51.	驕傲	*chiao-ào*	arrogant	103	17
52.	了不起	*lǐao-pū-ch'ǐ*	terrific	103	18
53.	曖昧	*ài-mèi*	obscure	103	19
54.	明朗	*míng-lǎng*	clear	103	20
55.	不成	*pū-ch'éng*	won't do	103	30
56.	强制	*ch'ǐang-chìh*	coercive	103	33
57.	勉强	*mǐen-ch'ǐang*	to force	103	34
58.	一輩子	*ī-pèi-tzu*	throughout one's whole life	103	37
59.	走馬看花	*tsǒu-mǎ k'àn-hūa*	to glance at flowers while passing by on horseback — cursory look	104	3
60.	安家落戶	*ān-chīa lè-hù*	to establish a residence	104	6
61.	打成一片	*tǎ-ch'éng ī-p'ìen*	to form an integral whole	104	8
62.	風气	*fēng*-ch'ì	mores	104	9
63.	分批	*fēn-p'ī*	in separate groups	104	11

				P.	L.
64.	議論	*ì-lùn*	opinion	104	13
65.	效果	*hsìao-kŭo*	result	104	14
66.	前人	*ch'íen- jén*	older generation	104	16
67.	收获	*shōu*-hùo	harvest — fruit	104	19
68.	百家爭鳴	*pó-chīa chēng-míng*	hundred schools contend	104	21
69.	学术	hsűeh-shù	learning	104	21
70.	家庭	*chīa-t'íng*	family	104	25
71.	格格不入	*kó-kó pū-jù*	having mental obstruction rendering one totally unreceptive	104	29
72.	語言	*yǚ- yén*	language	104	35
73.	整風	*chĕng-fēng*	rectification of the party work style	105	1
74.	成立	*ch'éng-lì*	founding	105	3
75.	人士	*jén-shìh*	people	105	4
76.	开展	k'āi-*chăn*	to open up	105	8
77.	自我批評	*tzù-wŏ p'ī-p'íng*	self-criticism	105	8
77a.	自我	*tzù-wŏ*	self	105	8
78.	揭发	*chīeh*-fā	to expose	105	8
79.	敷衍	*fū-yĕn*	perfunctory	105	10
80.	和風細雨	*hó-fēng hsì-yǚ*	mild breeze and fine rain	105	11
81.	惩前毖后	ch'éng-*ch'íen pì*-hòu	to have had a disaster before and to be more cautious later — once burnt, twice shy	105	11
82.	治病救人	*chìh-pìng chìu-jén*	to cure disease and save people	105	11
83.	光荣	*kūang*-júng	glorious	105	12
84.	肯定	*k'ĕn-tìng*	to affirm	105	12
85.	否定	*fŏu-tìng*	to deny	105	14
86.	挽救	*wăn-chìu*	to save from	105	21
87.	本事	*pĕn-shih*	ability	105	27
88.	誠心	*ch'éng-hsīn*	sincerely	105	28
89.	立志	*lì-chìh*	to make a determination	105	28
90.	犯罪	*fàn-tsùi*	guilty of crime	105	29
91.	杀头	shā-t'óu	to decapitate	105	30
92.	班房	*pān-fáng*	jail	105	30
93.	无所畏惧	wú-*sŏ wèi*-chǜ	to have nothing to fear	105	31
94.	书报	shū-pào	books and newspapers	105	31
95.	不屈不撓	*pū-ch'ǖ pū-năo*	cannot be bent (*ch'ü* and *nao* are synonyms)— unyielding	105	32

				P.	L.
96.	开辟	k'āi-p'ì	to open up, to pave	105	33
97.	空前	*k'ūng-ch'ien*	unprecedented	105	34
98.	繁荣	*fán*-júng	prosperous	105	34
99.	志士仁人	*chìh-shìh jén-jén*	men of virtue and determination	105	36
100.	奋斗	fèn-tòu	to struggle	106	1
101.	富裕	*fù-yǜ*	affluent	106	2
102.	艰巨	chīen-*chǜ*	arduous	106	3
103.	整掉	*chěng-tìao*	to reject	106	4
104.	挫折	*ts'ò-ché*	setback	106	7
105.	建議	*chìen-ì*	suggestion	106	8
106.	舍得	*shě-té*	to sacrifice	106	8
107.	皇帝	*húang-tì*	emperor	106	8
108.	大无畏	*tà* wú-*wèi*	heroically courageous	106	9
109.	看法	*k'àn-fă*	way of looking (at a problem) — attitude	106	13
110.	一团糟	*ī*-t'úan-*tsāo*	a big mess	106	19
111.	心怀敌意	*hsīn*-húai tí-*ì*	to conceal animosity in one's heart	106	20
112.	有害	*yŭ-hài*	harmful	106	21
113.	信心	*hsìn-hsīn*	confidence	106	21
114.	处理	ch'ŭ-*lĭ*	to handle	106	27
115.	难免	nán-*mĭen*	hard to avoid—unavoidable	106	28
116.	采用	ts'ăi-*yùng*	to adopt	106	30
117.	停滯	*t'íng-chìh*	to come to a standstill	106	31
118.	背道而馳	*pèi-tào érh ch'íh*	to run contrary to the proper direction	106	32
119.	推广	*t'ūi*-kŭang	to expand	106	33
120.	神气十足	*shén*-ch'ì *shíh-tsú*	the style is pompous	106	34
121.	貨色	*hùo-sè*	goods — content	106	34
122.	高明	*kāo-míng*	of superior intelligence	106	36
123.	架子	*chìa-tzu*	airs, front	106	37
124.	装腔作势	chūang-*ch'īang tsò*-shìh	to speak in falsetto and to make impersonating gestures — to pretend	107	2
125.	长篇大論	ch'áng-*p'ien tà-lùn*	long and ponderous article	107	3
126.	杂文	tsá-*wén*	essay	107	3
127.	不得了	*pū-té-lĭao*	terrible	107	5
128.	中肯	*chùng-k'ĕn*	apposite	107	10
129.	諷刺	*fĕng-tz'ù*	irony	107	12

				P.	L.
130.	对付	tùi-*fu*	to deal with	107	14
131.	分清敌我	*fēn-ch'īng* tí-*wǒ*	to distinguish clearly between the enemy and ourselves	107	15
132.	滿腔热情	*mǎn-ch'īang* jè-*ch'íng*	full of warm emotion in one's breast	107	16
133.	保护	*pǎo*-hù	to protect	107	16
134.	嘲笑	*ch'áo-hsìao*	ridicule	107	17
135.	得罪	*té-tsùi*	to offend	107	18
136.	顾虑	kù-lǜ	anxiety	107	19
137.	消除	*hsīao-ch'ú*	to relieve	107	19
138.	写作	hsǐeh-*tsò*	to write	107	20
139.	百花齐放	*pó-húa* ch'í-*fàng*	hundred flowers bloom	107	20
140.	闡明	*shàn-míng*	to elucidate	107	22
141.	揭露	*chīeh-lù*	to expose	107	24
142.	放手	*fàng-shǒu*	to let go	107	31
143.	压服	yā-*fú*	to suppress	107	34
144.	以理服人	*ǐ-lǐ fú-jén*	to subdue people by reason	107	34
145.	必取其一	*pì-ch'ǚ ch'í-ī*	necessary to take one (of the two)	107	37
146.	粗暴	*ts'ū-pào*	violent	108	5
147.	压制	yā-*chìh*	suppression	108	5
148.	細致	*hsì-chìh*	painstaking	108	8
149.	以力服人	*ǐ-lì fú-jén*	to subdue people by force	108	10
150.	推而广之	*t'ūi érh* kǔang *chīh*	to expand	108	14
151.	对立面	tùi-*lì mìen*	opposite side	108	20
152.	合于	*hó-yǘ*	in accordance with	108	20
153.	历来	lì-lái	as always in the past	108	21
154.	眞善美	*chēn-shàn-měi*	truth, goodness, and beauty	108	21
155.	反面	*fǎn-mìen*	opposite side	108	21
156.	謬誤	*mìu-wù*	falsehood	108	22
157.	鉴别	chìen-*píeh*	discern	108	26
158.	牛鬼蛇神	*níu-kǔi shé-shén*	ox-demon and super-natural serpent — weird and wicked people	108	33
159.	着急	cháo-*chí*	to get excited	108	34
160.	行政	*hsíng-chèng*	administrative	108	37
161.	命令	*mìng-lìng*	order	108	37
162.	正常	*chèng-ch'áng*	normal	108	37
163.	奇怪	*ch'í-kùai*	strange	109	3

				P.	L.
164.	生产資料	*shēng*-ch'ǎn *tzū-lìao*	means of production	109	6
164a.	資料	*tzū-lìao*	means; material; data	109	6
165.	所有制	*sǒ-yǔ chìh*	ownership system	109	6
166.	意識形态	*ì-shìh hsíng*-t'ài	ideology	109	8
167.	泛濫	*fàn-làn*	to flood	109	12
168.	忽略	*hū-lüeh*	to neglect	109	15
169.	修正主义	*hsīu-chèng chǔ*-ì	revisionism	109	15
170.	僵死	*chīang-szǔ*	deathly	109	19
171.	抹杀	*mǒ*-shā	to wipe out	109	21
172.	自治区	*tzù-chìh* ch'ü	autonomous region	109	26
172a.	自治	*tzù-chìh*	autonomy	109	26
173.	党委	tǎng-*wěi*	party committee member	109	26
174.	議事日程	*ì-shìh jìh-ch'éng*	agenda	109	29
175.	急風暴雨	*chí-fēng pào-yǚ*	strong wind and heavy rains — storm	109	30
176.	第一书記	*tì-ī* shū-*chì*	first secretary (head of the party committee)	109	32
177.	重視	*chùng-shìh*	to pay serious attention to	109	33
178.	召开	*chào*-k'āi	to convene	109	33
179.	当地	tāng-*tì*	local	109	34

LESSON 2

On the (Chinese Communist) *Party*

This selection consists of two portions — on democratic centralism and on the mass line of the party — from Liu Shao-ch'i's "Report on the Revision of the Constitution of the Chinese Communist Party" of May 14, 1945. The revision here refers to the revision in 1945 of the Constitution of the Chinese Communist party which had been adopted by the Sixth Congress in 1928. These two portions of Liu's report have been included in the ***Compilations of Documents for Socialist Education Courses*** (***She-hui Chu-i Chiao-yü te Yüeh-tu Wen-chien Hui-pien***) under a different title — "On the 〔Chinese Communist〕 Party." Our selection here is taken from that book.

Though the Communist movement is international, the Communist party in each country has its peculiarities. The mass line and the system of democratic centralism may be considered as two chief characteristics of the Chinese Communist party. The mass line is a characteristic of the Chinese Communist party that sets it apart, whereas democratic centralism is a universal principle of Communist parties which has received unusual emphasis in China.

The mass line is emphasized in the revised Communist party Constitution of 1945. It is described as the basic political, as well as the basic organizational, line of the party.

The system of democratic centralism is equally emphasized in the revised Constitution. It is described as the basic organizational principle of the party, reflecting and specifying the relationships between the leaders and the ranks of the party, between the upper organizations and the lower organizations, and between the party center and party organizations at all levels on one hand and the party member masses on the other hand. Democratic centralism is defined as the reflection of the mass line of the party.

The Constitution of the Chinese Communist party was revised once more in 1956. Teng Hsiao-p'ing, secretary general of the Central Committee, made a report on the revision of the Constitution on September 16, 1956, re-emphasizing these two characteristics as the basic principles underlining the general program of the Constitution and elaborating on their mutual relationships.

第二課

論　　党

刘少奇

二　关于党章的总綱

第四，是关于党的群众路綫問題

在党章的总綱上和条文上，都特别强調了党的群众路綫。这也是这次修改党章的一个特点；因为党的群众路綫，是我們党的根本的政治路綫，也是我們党的根本的組織路綫；这就是說，我們党的一切組織与一切工作必須密切地与群众相結合。

毛澤东同志屡次指示我們：在一切工作中要采取群众路綫。他在向这次大会的报告中，又以極恳切的詞句指示我們：要根据群众路綫去进行工作。他說：我們共产党人与最广大的人民群众取得最密切的联系，是我們区别于任何其他政党的一个显著的标帜。他要我們："全心全意地为人民服务，一刻也不脫离群众；一切从人民的利益出發，而不是从个人或小集团的利益出發。"他要我們同志明了："共产党人的一切言論行动，必須以合乎最广大人民群众的最大利益，为最广大人民群众所拥护为最高标准。"要我們同志明了："只要我們依靠人民，坚决地相信人民群众的創造力是無穷無尽的，因而信任人民，和人民打成一片，"我們就是不可战胜的。他說："在一切工作中，命令主义是錯誤的，因为它超过群众的觉悟程度，違反了群众的自願原則，害了急性病。"又說："在一切工作中，尾巴主义也是錯誤的，因为它落后于群众的觉悟程度，違反了領导群众前进一步的原則，害了慢性病。"所有毛澤东同志的这些指示，都是極端重要的，每个同志都必須細心領会和切实执行。

我們的这种群众路綫，是只有無产阶級的政党才能具有的。我們的群众路綫，也就是阶級路綫，就是無产阶級的群众路綫。我們对人民群众的这种观点，我們与人民群众的这种关系，是和一切剝削阶級对待人民群众的观点及其与人民群众的关系，根本不相同的。

我們完全懂得：人民群众的先鋒队在人民群众解放斗爭的全部过程中所起的决定的作用。人民群众必須有自己的先鋒队，而且必須有如我們党这种性質的先鋒队，人民群众的徹底解放，才是可能的。人民群众如果沒有自己的这种性質的先鋒队，就将使人民群众沒有革命的領导，而如果沒有这种領导，就将使人民群众的革命事業遭受失敗。中国人民只有在我們党的堅强而正确的領导之下，只有依照我們党所指出的政治方向奋斗，才能获得自己的徹底解放。

这是一方面。

在另一方面，人民群众的先鋒队必須与人民群众建立正确的密切的关系，它必須在各方面，首先在政治上代表人民群众的利益，必須用正确的态度去对待人民群众，必須用正确的方法去領导人民群众，然后先鋒队才能密切联系人民群众。否則，先鋒队是完全可能脫离人民群众的。而先鋒队如果脫离人民群众，就不能成其为人民的先鋒队，就不独不能实現它解放人民群众的任务，而且有直接被敌人消灭的危險。这就是說，人民群众的先鋒队在一切工作中必須有徹底的明确的联系群众的路綫。（下略）

人民群众必須有自己的堅强的先鋒队，人民的先鋒队必須密切联系于最广大的人民群众。只有这样 ，人民群众的解放 ，才是可能的。因此，我們党——中国人民的先鋒队，必須經常清除上述各种脫离人民群众的傾向，而实行密切联系人民群众的路綫。所謂密切联系人民群众的路綫，就是党的群众路綫，毛澤东同志的群众路綫，就是要使我們党与人民群众建立正确关系的路綫，就是要使我們党用正确的态度与正确的方法去領导人民群众的路綫，就是要使我們党的領导机关和領导人与被領导的群众建立正确关系的路綫。

毛澤东同志說：我們党的政策和工作方法应該是从群众中来，又到群众中去。这就是說，不但我們党的政治路綫，而且我們党的組織路綫，都应該是正确地从群众中来的路綫，又正确地到群众中去的路綫。我們党的正确的政治路綫，是与正确的組織路綫分不开的。虽然政治路綫与組織路綫之間，可能發生某些部分的暫时的不調和現象，但不能設想，政治路綫是正确的，組織路綫却是不正确；反之，組織路綫正确了，政治路綫却是不正确；要把二者互相孤立起来是不可能的。所謂正确的組織路綫，就是党的群众路綫，就是我們党的領导骨干和党內党外广大群众密切結合的路綫，就是从群众中来，又到群众中去的路綫，就是指导方法上的一般号召与个别指导相結合的路綫。

为了貫徹我們党和毛澤东同志的群众路綫，在党章的总綱上和条文上都强調地指出了以下几个群众观点，这几个观点，必須在每一个党員的思想中牢固地建設起来。

第一，就是一切为了人民群众的观点，全心全意为人民群众服务的观点。我們党从最初起，就是为了服务于人民而建立的，我們一切党員的一切牺牲、努力和斗爭 ，都是为了人民群众的福利和解放 ，而不是为了別的。这就是我們共产党人最大的光荣和最值得驕傲的地方。因此，凡是为了个人利益或小集团利益而損害人民利益的观点，都是錯誤的。我們的一切党員，以及参加我們队伍中的一切人員，只要是忠于职务并多少著有成績的，也就都是为人民服务的，都是人民的勤务員，不管他們意識到了这一点与否，也不管他們担負的是重要的領导职务，或是普通的战斗員和炊事員、飼养員等职务，他們都是在不同的崗位上，直接或間接为人民服务的；因此，他們都是平等的、光荣的。我們要在一切党員和一切人員中，提高自觉性，使我們一切党員和一切人員都在高度自觉的基础上为人民服务，对人民負責。

第二，就是一切向人民群众負責的观点。我們为人民服务，就要对人民負責，就要在客观上使人民因为我們的服务而获得益处，获得解放；就要力求不犯或少犯錯誤，免得害了人民，引起人民的損失。凡屬是我們提出的任务、政策与工作作風，都应該是正确的，这样才于人民有利；如不正确，即要損害人民的利益，那就要誠恳地进行自我批評，迅速求得改正。就是說，我們要善于为人民服务，要服务得很好，而不要服务得很坏。因此，我們在人民面前，一切都不应采取輕率态度，而应采取严肃的負責的态度。

还必須了解：向人民負責与向自己領导机关負責的一致性。即是說，我們党員受了党的領导机关与領导人的命令去进行工作，他們在工作中是要对党的領导机关与領导人負責的；但如果把这种对領导机关負責与对人民負責分开来看，那是錯誤的。必須对人民群众負責，才算是尽了最后与最大的責任。要理解党的利益与人民的利益的一致性，凡对人民有利的事業，即是对党有利的事業，每个党員都必須尽力去作。凡对人民不利的事業，即是对党不利的事業，每个党員都必須反对，必須避免。人民的利益，即是党的利益。除了人民的利益之外，党再無自己的特殊利益。最广大人民群众的最大利益，即是眞理的最高标准，即是我們党員一切行动的最高标准。每个党員对人民負責，即是对党負責，对人民不負責，即是对党不負責。要理解对党負責与对人民負責的一致性，要使二者統一起来，不要使二者割裂开来，对立起来。如果發現自己領导机关与領导人所指示的任务、政策和工作作風有缺点、錯誤时，即应以对人民負責的精神，向領导机关与領导人建議改正，要弄清是非，不应馬虎敷衍。否則，就是对人民沒有負起責任，也就是对党沒有負起責任。党的紀律是必須遵守的，党的統一是必須保持的，因为保持我們党的統一与紀律，即是中国人民的根本利益，不能借口对人民負責而破坏党的紀律与統一；但領导机关与領导人的任何缺点、錯誤，都必須糾正，每一个党員都有責任，也有权利，去帮助領导机关与領导人糾正任何缺点与錯誤。因为任何缺点与錯誤，都是对人民不利的，因此也就对党不利。我們党員忠誠的自我批評精神，对自己及对領导机关的錯誤所采取的批評与自我批評的态度，以及遵守党的紀律的精神，都是对人民負責的精神。

第三，就是相信群众自己解放自己的观点。毛澤东同志經常說：人民群众是眞正偉大的，群众的創造力，是無穷無尽的，我們只有依靠了人民群众，才是不可战胜的，只有人民群众，才是历史的眞正創造者，眞正的历史是人民群众的历史。馬克思早就說过：劳动者是自己解放自己。国际歌上說：不是皇帝，不是神仙，也不是英雄豪杰，全靠自己救自己。这就是說，人民群众自己的解放，只有人民群众自己起来斗爭，自己起来爭取，才能获得，才能保持与巩固；而不是任何群众之外的人所能恩賜、所能給予的，也不是任何群众之外的人能够代替群众去爭取的。所以恩賜的观点，代替群众斗爭的观点，是錯誤的。（下略）

第四，就是向人民群众学習的观点。我們要很好地为群众服务，要去啓發群众的自觉，要去指导群众的行动，那我們共产党人必須首先具备一定的条件，必須有預見，对于各种問題必須有預先的計算。就是說，必須是先觉者。只有先觉者，才能觉后觉。我們同志除开完全忠实于人民解放事業，具有充分的热情和牺牲精神之外，还必須有足够的知識，还必須是十分有經驗和十分机警，才能很好地去啓發群众自觉和指导群众行动，才能很好地为人民服务。为了要使我們有知識、有經驗和有預見，我們就必須学習。学習馬克思列宁主义的理論，学習历史，学習外国人民斗爭的經驗，可以增加我們的知識。向敌人学習，也可以增加知識。而最重要的，就是向人民群众学習。因为群众的知識，群众的經驗，是最丰富最实际的，群众的創造能力，是最偉大的，所以毛澤东同志常常教导我們：必須首先向群众学習，然后教育群众。只有我們同志虛心地向人民群众学習，把群众的知識和經驗集中起来，化为系統的更高的知識，才能够具体地去啓發群众的自觉，指导群众的行动。如果不向群众学習，而自作聪明地从脑子中想出一套东西，或生硬地从历史經驗与外国經驗中搬运一套东西，来啓發群众与指导群众，那是一定無用的。为了能够不断地向群众学習，所以我們一刻也不要脫离群众。如果我們从群众中孤立起来，那我們的知識就要受到極大的限制，我們就决不能是聪明的，决不能是有知識有本事的，我們就决不能領导群众。（下略）

我們要照顧全体，照顧多数，不要关門主义与宗派主义。我們要密切联系群众，不要官僚主义与軍閥主义。

我們要領导群众前进，但是不要命令主义。我們要密切联系群众，但是不要尾巴主义。我們要从群众原来的水准出發，去提高群众的觉悟，率領群众前进。我們要在自己的工作中，把最高的原則性和与群众最大限度的联系相配合。这就是我們的群众路綫。这当然是不容易作到的，但只有如此，才够得上一个好的馬克思主义者，才配称为一个好的共产党員。

关于总綱的解釋，就是这样。

五 关于党内的民主集中制

我們的党，不是許多党員簡单的数目字的总和，而是由全体党員按照一定規律組織起来的統一的有机体，而是党的領导者被領导者的結合体，是党的首脑（中央）、党的各級組織和广大党員群众依照一定規律結合起来的統一体。这种規律，就是党內的民主的集中制。

在一个工厂或一个农村中，仅有三个党員在一起，这还不是党的組織，还必須按民主的集中制組織起来。在通常的情况下，这三个党員中必須有一个是組长，其余两个是組員，卽是在各种活动中有一个領导者，两个被領导者，才能成为党的組織。有了这种組織，就产生出新的力量。無产阶級的力量，就在于組織。

党內民主的集中制，照党章規定，卽是在民主基础上的集中和在集中指导下的民主。它是民主的，又是集中的。它反映党的領导者与被領导者的关系，反映党的上級組織与下級組織的关系，反映党員个人与党的整体的关系，反映党的中央、党的各級組織与党員群众的关系。

为什么說党的集中制是在民主基础上的集中呢？这就是說，党的領导机关是在民主基础上由党員群众所选举出来并給予信任的，党的指导方針与决議，是在民主基础上由群众中集中起来的，并且是由党員群众或者是党員的代表們所决定、然后又由領导机关协同党員群众坚持下去与执行的。党的領导机关的权力，是由党員群众所授予的，因此，它能代表党員群众行使它的集中領导的权力，处理党的一切事务，并为党的下級組織和党員群众所服从。党內的秩序，是由个人服从組織，少数服从多数，下級服从上級，全党各个部分組織統一服从中央的原則来建立的。这就是說，党的集中制是建立在民主基础上的，不是离开民主的，不是个人专制主义。

为什么說，党的民主制是在集中指导下的民主呢？这就是說，党的一切会議是由領导机关召集的，一切会議的进行是有領导的，一切决議和法規的制訂，是經过充分准备和仔細考虑的，一切选举是有审愼考虑过的候选名单的，全党是有一切党員都要履行的統一的党章和統一的紀律的，并有一切党員都要服从的統一的領导机关的，这就是說，党內民主制，不是沒有領导的民主，不是極端民主化，不是党內的無政府状态。

党內民主的集中制，卽是党的領导骨干与广大党員群众相結合的制度，卽是从党員群众中集中起来，又到党員群众中坚持下去的制度。卽是反映党內的群众路綫。（下略）

党內反民主的专制主义傾向，和党內極端民主化的現象，是党內生活上的两种極端現象。而極端民主化的現象，又常常当作专制主义傾向的一种惩罰而出現，凡是专制主义傾向較严重的地方，那里就可能出現極端民主化的現象。这两种傾向都是錯誤的，都極大地妨害与破坏党內的眞正統一与团結，全党必須警惕，严防这些現象的發生。

現在必須放手地扩大我們党內的民主生活 ， 必須实行高度的党內民主，同时，在实行高度民主的基础上实行党的領导上的高度集中。(下略)

党內民主的实質，就是要發揚党員的自动性与积極性，提高党員对党的事業的責任心，發动党員或党員的代表在党章規定的范圍內尽量發表意見，以积極参加党对于人民事業的領导工作，并以此来巩固党的紀律和統一。只有認眞地扩大党內民主，才能巩固党內的自觉的紀律，才能建立与巩固党內的集中制，才能使領导机关的領导工作臻于正确。为此，党章規定：党的各級領导机关，必須遵照党內民主的原則进行工作。

要在党內放手实行高度的民主，决不是要削弱党內的集中制，相反，要在实行高度民主的基础上，同时实行高度的集中。要使高度的民主与高度的集中統一起来，不要使二者对立起来。只有实行高度的民主，才能达到領导上的高度集中；只有在以民主为基础的高度集中領导之下，才能实行高度的民主。認为实行高度的民主就要削弱領导上的集中，是錯誤的。因此，党章規定：党的各級領导机关遵照党內民主原則进行工作时，不能妨害党內的集中原則，不能使正当的有利于集中行动的党內民主被誤解为無政府傾向（向党鬧独立性和極端民主化）。

党內民主，必須保証是按照有利于党的事業（卽人民的事業）的方向进行，不能松懈党內的战斗意志与战斗团結，不能被暗害分子、反党分子和党內的分裂主义者与投机家、野心家所利用。因此，党章規定：凡关于全党的或地方范圍的党的政策与路綫問題之徹底檢討与辯論，必須是有領导的，必須是在时間上允許卽客观情况不紧急的条件下，并須有中央或地方領导机关的决議。下級組織有过半数以上的提議，或有上級組織的提議，也可以进行这种檢討。

党內的民主应該扩大，但党的决議必須無条件地执行。党員个人服从党的組織，下級服从上級，少数服从多数，全党各个部分組織統一服从中央，党章規定的这些原則，必須無条件的执行。（下略）

共产党的紀律，是建筑在自觉基础上的，不可以把党的紀律变成机械的紀律，变成限制党員自动性与創造精神的所謂“紀律”。应該使党員的紀律性与創造精神結合起来。

党章規定：各級党的組織，必須保証在自己指导下的报紙，宣傳中央机关与上級組織的决議与所定的政策。这是我們党的統一性与全国性所必需的。中央与上級組織的决議和政策，必須在各地宣傳，而与这些决議和政策相反的一切思想，則不应宣傳。必須宣傳馬克思主义的思想，不得宣傳違反馬克思主义的思想。关于这一点，某些地方党的組織的执行情形并不是很好的，有些报紙，对中央决議与政策宣傳不够，并且有过抵觸中央决議与政策的文字發生。为此，各級党的組織，必須加以檢查和改正。

党章規定：凡关于全国性質的問題，在中央沒有發布意見和决定以前，各地方党的組織和党的負責人，除自行討論及向中央建議外，均不得自由發布意見和决定。这也是党的統一性与全国性所必需的。我們全党只能有一个方針、一条路綫，而不能有几个方針、几条路綫。对于全国性的問題，只能有一种态度、一种意見，而不应有几种态度、几种意見。凡是应該和必須由中央决定与發布的問題，各地方党的組織，不要越俎代庖，搶在中央之先来發布意見。凡关于全国性的問題，一切党的負責人，包括中央委員在內，在沒有得到中央同意前，均不得發布意見，他們可以把自己的意見在当地党的委員会內加以討論，并向中央提出建議，但是对內对外發布中央尚未發布的意見，或通电各地党委宣傳这种意見，則不能允許。因为这种意見与决定如与中央意見和决定相抵觸，則在党內，在人民中，在敌人面前，均将留下極不好的影响。在沒有或缺少無綫电的时期，我們沒有强調这一点；但在無綫电已經暢通的情形下，这一点是必須强調的。抗战期間，中央曾經几次指示了这个問題。

关于地方性質的問題，党章規定：在不抵觸中央与上級决定的条件下，党的地方組織有自主决定之权。在这里，上級組織的过分干涉，代替下級决定問題，也是应該避免的。上級組織向下級提議，帮助下級正确的解决問題，是必需的；但决定之权，应給下級組織。

我們党在許多地区，現在还是处于地下状态。在这种状态下的党的組織，必須采取特別的形式去进行工作。因此党章規定党在公开状态之下的組織形式与工作方法，凡不适用于秘密状态之下的党的組織者，均得变通办理之。这个規定，是必要的，党章所規定的組織原則，全党都必須执行，但党的組織形式与工作方法，是应該依照环境和条件的改变而改变的，这在前面已經說过了。

VOCABULARY: 2

				P.	L.
1.	党章	tăng-*chāng*	party constitution	119	4
2.	总綱	tsŭng-*kāng*	general principle	119	4
3.	条文	t'íao-*wén*	article	119	6
4.	修改	*hsīu-kăi*	amendment	119	7
5.	屡次	lǚ-*tz'ù*	repeatedly	119	10
6.	恳切	k'ĕn-*ch'ìeh*	earnest	119	11
7.	詞句	*tz'ú-chǜ*	wording	119	11
8.	标帜	pīao-chìh	banner	119	13
9.	全心全意	*ch'ǘan-hsīn ch'ǘan-ì*	wholeheartedly	119	13
10.	無尽	*wú*-chìn	inexhaustible	119	18
11.	信任	*hsìn-jèn*	to trust	119	18
12.	命令主义	*mìng-lìng chŭ*-ì	commandism	119	19
13.	超过	*ch'āo*-kùo	to exceed	119	19
14.	急性病	*chí-hsìng pìng*	"sickness of impatience"	119	20
15.	慢性病	*màn-hsìng pìng*	"sickness of sluggishness"	119	22
16.	細心	*hsì-hsīn*	carefully	119	23
17.	领会	*lĭng*-hùi	to comprehend	119	23
18.	坚强	chīen-*ch'iang*	strong	120	1
19.	不独	*pū*-tú	not only	120	8
20.	清除	*ch'īng-ch'ú*	to get rid of	120	13
21.	調和	*t'iao-hó*	harmonious	120	23
22.	骨干	*kŭ*-kàn	backbone	120	26
23.	牢固	*láo-kù*	firmly	120	31
24.	福利	*fú-lì*	welfare	120	34
25.	值得	*chíh-té*	worthy of	120	35
26.	損害	*sŭn-hài*	to injure	120	36
27.	忠于	*chūng-yǘ*	loyal to	120	37
28.	职务	chíh-wù	duty	120	37
29.	勤务員	*ch'ín*-wù *yǘan*	orderly	121	1
30.	战斗員	chàn-tòu *yǘan*	fighter (*yüan* traditionally means an official, and is used to designate any person in official capacity in the Communist usage. Thus, *chan-tou yüan* means one who fights, i. e., a private.)	121	2

				P.	L.
31.	炊事員	*ch'ūi-shìh yǘan*	cook	121	2
32.	飼养員	*szù*-yǎng *yǘan*	one taking care of animals	121	3
33.	崗位	*kǎng-wèi*	post	121	3
34.	負責	*fù-tsé*	to be responsible	121	6
35.	免得	*mǐen-té*	to avoid	121	9
36.	誠恳	*ch'éng*-k'ěn	sincerely	121	11
37.	輕率	*ch'īng-shùai*	frivolous	121	13
38.	尽力	chìn-*lì*	to do one's best	121	20
39.	割裂	*kō-lìeh*	to separate as if by cutting	121	26
40.	馬虎	*mǎ-hu*	careless	121	28
41.	借口	chìeh-*k'ǒu*	pretext	121	31
42.	忠誠	*chūng-ch'éng*	faithful	121	34
43.	国际歌	kúo-chì *kō*	The Internationale	122	3
44.	神仙	*shén-hsīen*	gods	122	4
45.	英雄	*yīng-hsíung*	hero	122	4
46.	豪杰	*háo*-chíeh	hero	122	4
47.	恩賜	*ēn-tz'ù*	to bestow a favor (from a superior to a subordinate)	122	6
48.	預見	*yǜ-chìen*	foresight	122	11
49.	計算	*chì-sùan*	calculation	122	11
50.	先觉者	*hsīen*-chǘeh *chě*	those who first apprehend principles (a term first appearing in *Mencius*)	122	12
51.	后觉	hòu-chǘeh	those who are slower to apprehend principles (a term first appearing in *Mencius*)	122	12
52.	忠实	*chūng*-shíh	loyal	122	12
53.	足够	*tsú-kòu*	sufficient	122	13
54.	机警	chī-*chǐng*	alert	122	14
55.	教导	*chìao*-tǎo	to instruct	122	19
56.	系統	*hsì-t'ǔng*	systematic	122	21
57.	生硬	*shēng-yìng*	rigidly	122	23
58.	搬运	*pān*-yùn	to transport	122	23
59.	無用	*wú-yùng*	useless	122	24
60.	关門主义	kūan-*mén chǔ*-ì	closed-doorism	122	28
61.	水准	*shǔi*-chǔn	level	122	31
62.	总和	tsǔng-*hó*	sum	123	2
63.	有机体	*yǔ* chī-t'ǐ	organic body	123	3
64.	首脑	*shǒu*-nǎo	head	123	4

				P.	L.
65.	組长	*tsŭ*-chăng	head of a party cell	123	8
66.	組員	*tsŭ-yǘan*	member of a party cell	123	8
67.	整体	*chĕng*-t'ĭ	whole	123	13
68.	选举	hsŭan-chŭ	to elect	123	16
69.	决議	*chǘeh-ì*	resolution	123	17
70.	权力	ch'ǘan-*lì*	authority, power	123	19
71.	授予	*shòu-yǚ*	to bestow	123	19
72.	行使	*hsíng-shĭh*	to exercise	123	20
73.	事务	*shìh*-wù	affairs	123	20
74.	秩序	*chìh-hsǜ*	order	123	21
75.	专制	chūan-*chìh*	despotic	123	23
76.	法規	*fă-kūei*	statute and regulation	123	26
77.	制訂	*chìh-tìng*	enactment	123	27
78.	仔細	*tzŭ-hsì*	careful	123	27
79.	审愼	shĕn-*shèn*	carefully and seriously	123	27
80.	候选	*hòu*-hsŭan	candidate	123	27
81.	名单	*míng*-tān	slate	123	28
82.	履行	*lǚ-hsíng*	to carry out	123	28
83.	状态	chùang-t'ài	condition	123	30
84.	懲罰	ch'éng-*fá*	punishment	124	1
85.	妨害	*fáng-hài*	to injure	124	2
86.	警惕	*chĭng-t'ì*	to be vigilant	124	3
87.	严防	yén-*fáng*	strictly to guard against	124	3
88.	尽量	chìn-*lìang*	as fully as possible	124	7
89.	臻于	*chēn-yǘ*	to attain	124	10
90.	正当	*chèng*-tàng	proper	124	18
91.	誤解	*wù-chĭeh*	to mistake	124	18
92.	松懈	sūng-*hsìeh*	to slacken	124	21
93.	暗害	*àn-hài*	to injure underhandedly	124	21
94.	反党	*făn*-tăng	anti-party	124	21
95.	分裂主义者	*fēn-lìeh chŭ*-ì *chĕ*	splitist	124	22
95a.	分裂	*fēn-lìeh*	to split	124	22
96.	野心家	*yĕh-hsīn chīa*	one with mad ambition	124	22
97.	檢討	*chĭen-t'ăo*	examination	124	23
98.	半数	*pàn*-shù	half	124	25
99.	提議	*t'í-ì*	motion (in a meeting)	124	25
100.	建筑	*chìen*-chù	to build	124	30
101.	抵触	*tĭ*-ch'ù	to contravene	125	1
102.	發布	*fā-pù*	to pronounce	125	3

				P.	L.
103.	越俎代庖	*yüeh-tsŭ tài-p'áo*	Originally a quotation from *Chuangtzu:* "Though the cook were not attending to his kitchen, the representatives of the dead and the officer of prayer would not leave their cups and stands to take his place." (Legge) Now the condensed quotation "to leave the stands to take the place of the cook" implies to go beyond one's duty and meddle in the affairs of another.	125	8
104.	委員	*wĕi-yüan*	committee member	125	10
105.	同意	*t'úng-ì*	approval	125	10
106.	委員会	*wĕi-yüan* hùi	committee	125	11
107.	通电	*t'ūng*-tìen	to send a circular telegram	125	12
108.	無綫电	*wú-hsìen* tìen	wireless radio	125	14
109.	暢通	*ch'àng-t'ūng*	to transmit to all areas	125	15
110.	自主	*tzù-chŭ*	autonomous	125	18
111.	干涉	*kān-shè*	to interfere	125	18
112.	代替	*tài-t'ì*	to substitute for	125	18
113.	地区	*tì*-ch'ü	area	125	21
114.	地下	*tì-hsìa*	underground	125	21
115.	祕密	*mì-mì*	secret	125	23
116.	变通	pìen-*t'ūng*	expediently	125	23
117.	办理	pàn-*lĭ*	to handle	125	24

LESSON 3

On Internationalism and Nationalism

The Communist party of Yugoslavia was expelled from the Cominform on June 28, 1948. The resolution of the Cominform condemned the anti-Soviet standpoint of the "Tito clique" as a product of bourgeois nationalism which would cause Yugoslavia to degenerate into a colony of American imperialism. R. N. Carew Hunt, in ***The Theory and Practice of Communism,*** comments as follows regarding this condemnation of Tito and his party: "The causes of the dispute are too numerous and complex to be examined here. But in proportion as relations with the West deteriorated, the Soviet Union began to demand from its satellites unswerving obedience, and to insist that their Communist Parties should adopt its revolutionary experience as their model, and accept Russian military and civil advisers to guide them in their task of 'building socialism.' Moscow's real grievance against Tito was that he resented this ... Stalin believed that the Yugoslav Party would be quickly brought to heel; but it stood firm, and thus the danger arose that Tito's example would be followed by the leaders of other satellite Communist Parties"(p. 228).

The Chinese Communist party echoed these charges against Tito, and they were amplified in a long article by Liu Shao-ch'i. Liu's intention is to give answers to several problems: (a) what is bourgeois nationalism? (b) what is the relationship between Marxism-Leninism and nationalism? and (c) why Tito's anti-Soviet attitude will change Yugoslavia into an imperialist colony. In a nutshell, Liu tries to clarify the distinction, as Hunt puts it, which Communist propaganda is forever drawing between the bourgeois nationalism of the non-Communist world, which is condemned, and proletarian nationalism (or internationalism), which demands complete loyalty to the Soviet Union as the socialist fatherland (p. 221). It is interesting to compare this viewpoint expressed by the Chinese Communists in 1948 with their more recent attitude in the Sino-Soviet dispute as shown in Lesson IX of this book.

第三課

論國際主義與民族主義

（修訂本）劉少奇

保、羅、匈、波、蘇、法、捷、意各國共產黨所參加的情報局會議關於南共問題的决議，斥責了無產階級叛徒鐵托集團的反蘇立場，指出鐵托集團的這種反蘇立場，乃是從資產階級的民族主義的綱領出發，是走上了叛變勞動者的國際團結事業及轉向民族主義立場的道路。在這個决議上說：『這種民族主義的立場，可能使南斯拉夫蛻化爲一般資產階級的共和國，喪失南斯拉夫的獨立，變南斯拉夫爲帝國主義國家的殖民地。』我們中共中央關於南共問題的决議，也指出：鐵托集團由於違反了馬克思列寧主義一系列的基本觀點，因而陷入資產階級的民族主義和資產階級政黨的泥坑；同時，又說明了情報局作出上述决議，乃是『爲保衛世界和平民主事業，保衛南斯拉夫人民免受美帝國主義的愚弄和侵略，所應盡的職責』。那末，什麽是資產階級的民族主義？馬克思列寧主義與民族問題的關係是怎樣的？爲什麽鐵托集團的反蘇立場會使南斯拉夫受美國帝國主義的愚弄和侵略，而喪失南斯拉夫的獨立，變南斯拉夫爲帝國主義的殖民地？本文打算說明這些問題。同時，爲着使問題清楚起見，本文不得不涉及目前世界的一些根本的狀況。

一　資產階級民族主義的民族觀

民族問題是與階級問題相聯繫的。民族的鬥爭是與階級的鬥爭相聯繫的，正如斯大林所說：『在各個不同的時期，各個不同的階級出現在鬥爭舞台上，而每個階級都按照它自己來了解「民族問題」。因此，「民族問題」在各個不同的時期服務於各種不同的利益，具有各種不同的色彩，而這是以那一個階級和在什麽時候提出這個問題爲依據。』

因此，我們要了解資產階級的民族主義，就必須首先了解資產階級這一個階級。

資產階級民族主義（卽英文 Nationalism，或譯爲國家主義）的民族觀，卽資產階級對於民族的看法及其處理民族問題的綱領和政策，是根據它的階級基礎、從資產階級一階級的狹隘利益出發的。

大家知道，資產階級這一個階級的利益，是建立在資本主義剝削的基礎上，追求利潤又利潤，有高的利潤，還要更高的利潤。資產階級又分裂有幾種不同的階層，即使在同一階層之中，也還分裂有幾個不同的集團。而爲着追求自己的利潤，除開不顧一切地剝削無產階級而外，即使在資產階級同一階級之中，他們也是不惜在尖銳的競爭中，互相吞併，大魚吃小魚，大資產階級吞併小資產階級與中等資產階級，以及這一集團排擠或吞併另一集團。資產階級要佔有國內生產資料與國內市場，但因爲它的利潤貪慾並沒有滿足的界限，它還要向國外擴大，在國外佔有市場、原料出產地與投資場所，使其他民族爲本國資產階級服役、從而剝削其他民族，同時擠掉他國的資產階級或它的競爭者。剝削僱傭勞動，又在資產階級內部互相競爭、排擠、壓迫、吞併、戰爭、以致世界大戰——經過一切方法以求達到國內的獨佔與世界的獨佔，這就是資產階級追求利潤的天性。這就是資產階級民族主義的階級基礎，也是資產階級一切思想形態的階級基礎。（下略）

二　無產階級國際主義的民族觀

無產階級國際主義的民族觀，與資產階級民族主義的民族觀，是在根本上相反的。

無產階級的國際主義對於民族的看法，及其處理世界民族問題的基本原則，是從本國人民羣衆的根本利益出發，同時也是從全世界各民族的人民羣衆——卽全人類共同的根本利益出發。民族的侵略既然是階級剝削制度的一種產物，無產階級不剝削任何人，而且爲追求一個人不剝削人的社會制度而鬥爭，它就必須反對一個民族去壓迫另一個民族。無產階級不能保存人類社會中任何人壓迫人的制度，否則，它就不能使自己得到解放。因此，無產階級堅決反對任何的民族壓迫。它既反對任何異民族壓迫自己的民族，同時，又堅決反對自己的民族去壓迫任何其他民族，而主張一切民族（不論大小强弱）在國際和國內的完全平等與自由聯合及自由分立，並經過這種自由分立（目的是要打破目前各帝國主義國家對於世界大多數民族的壓迫和束縛）與自由聯合（卽在打破帝國主義的壓迫之後由各民族實行在完全自願的基礎上的聯合）的不同具體道路，逐步地走到世界的大同。

這就是無產階級國際主義的民族觀及其形成的階級基礎。這就是無產階級的國際主義處理世界民族問題的基本原則或基本綱領。（下略）

因此，很明顯，在被壓迫民族中，共產黨人如果不去具體地進行反對帝國主義的壓迫，爲民族解放而鬥爭，而只把『國際主義』當成裝飾的空談，那就是背叛了無產階級的國際主義，幫助了帝國主義，結果，就會墮落到像卑鄙下賤的托洛茨基派一樣，成爲帝國主義的忠實的走狗。共產黨人如果在自己民族擺脫了帝國主義的壓迫之後，又墮落到資產階級的民族主義的立場，又去實行民族利己主義，又去為了一個民族上層階級的利益，而犧牲全世界各民族勞動人民與無產階級羣衆共同的國際利益，甚至不但不反對帝國主義、反而依靠帝國主義的幫助去侵略與壓迫其他民族，或者以民族保守和排外的思想去反對無產階級的國際主義，去拒絕無產階級與勞動人民的國際團結，去反對社會主義的蘇聯，那也就是背叛了無產階級和共產主義，援助了國際帝國主義者，並使自己變成帝國主義陣營內的一個小卒。南斯拉夫的鐵托集團，則正是走着這樣的道路。

根據上述原則，所以，在一切壓迫民族中、即在一切帝國主義國家中的共產黨人，從來就是最堅定地反對本國民族中的統治者——帝國主義集團去侵略和壓迫殖民地與半殖民地民族，並用一切方法去援助殖民地與半殖民地的民族解放運動，主張殖民地半殖民地民族脫離本國帝國主義的統治，而完全獨立與完全解放。例如：舊俄帝國、英、美、法、德、意、日、荷、比等國的共產黨人，他們是堅定的國際主義者，所以他們堅决地反對本國的帝國主義者去壓迫與侵略印度、馬來亞、菲律賓、印尼、越南、中國、中南美洲、非洲和其他殖民地、半殖民地，而堅决主張和援助被壓迫民族的獨立和解放。因為共產黨人深深了解馬克思的名言：『壓迫其他民族的民族，是不能够自由的。』因為如果沒有這種民族解放運動去消磨、削弱和破壞帝國主義統治的基礎，資本主義宗主國的無產階級就很難在反對獨佔資本的鬥爭中得到勝利，就很難解放自己。所以援助殖民地半殖民地民族的解放運動，同時，就是援助了各國無產階級自己的解放。（下略）

這樣，我們也就可以懂得：根據無產階級國際主義的民族觀及其處理民族問題的綱領和政策，共產黨人一定要成為一切被壓迫民族的獨立解放運動中最堅定、最可靠和最能幹的領袖，一定要成為自己民族的正當利益的最堅定的保護者，一定要去援助世界上一切被壓迫民族的解放運動，一定不能去侵略任何其他民族及壓迫國內的少數民族。這樣，我們也就可以懂得：所謂『共產黨人既是國際主義者，就不能成為民族獨立和解放運動的領袖，就不能成為自己民族、自己祖國利益的保護者』等等說法，以及所謂『蘇聯是赤色帝國主義者』、『蘇聯侵略中國、朝鮮及其他民族』、『蘇聯實行擴張政策』等等說法，都是帝國主義資產階級毫無根據的武斷宣傳和惡意誣蔑。只有共產黨人和世界無產階級，只有在共產黨領導之下的蘇聯及新民主國家，才是一切被壓迫民族爭求解放及保護民族獨立的最可靠的朋友，一切民族，要從帝國主義壓迫下爭求解放和保衛民族獨立，取得蘇聯及世界無產階級和共產黨人的援助，乃是勝利的最重要的條件。這樣，我們就可以懂得：對共產黨領導下的蘇聯及新民主國家懷抱一種不信任、不友好的態度，『甚至認為「資本主義國家對南斯拉夫的危險比蘇聯對南斯拉夫的危險還要少一些」，』如鐵托集團所作的那樣，乃是極端錯誤的和有害的。

這樣，我們也就可以懂得：把共產黨領導下的蘇聯的對外政策與帝國主義國家的對外政策，混爲一談或同等看待，用對待帝國主義國家的同樣態度去對待共產黨領導的蘇聯及新民主國家，如鐵托集團所作的那樣，乃是極端錯誤的和有害的，乃是背叛馬克思列寧主義的根本原則，背叛無產階級的國際主義，墮落到了資產階級民族主義立場的結果。（下略）

四　目前世界的兩大陣營與民族解放運動的道路

如上所述，目前世界上的民族問題，主要的就是美國帝國主義者壓迫和掠奪、或者企圖要去壓迫和掠奪全世界各民族的問題，就是全世界各民族反抗美國帝國主義的壓迫和掠奪，以爭取民族解放、或保衛民族獨立的問題。

美國帝國主義者，在第二次世界大戰期間，就製訂了他們掠奪和壓迫全世界各民族的計劃。大戰結束後，他們實行了杜魯門主義、馬歇爾計劃，就一步接着一步地把世界上許多國家和民族置於自己的控制和統治之下，在全世界佈置軍事基地網及插足一切國家和干涉一切國家的內政，這些都是他們的野心侵略計劃的產物。而他們這種侵略計劃，正如希特勒、墨索里尼和日本軍閥一樣，是在所謂『防蘇防共』的口號之下進行的。（下略）

美國帝國主義者，爲了要實現自己奴役世界的計劃，它就不能不拚命反對世界上一切反抗它實行這種計劃的力量，它就要反對蘇聯，反對各新民主國家，反對中國共產黨及中國人民解放運動，反對希臘、越南、印尼、馬來亞、緬甸、菲律賓各國的民族解放運動，反對世界各國的共產黨及人民民主力量；因爲這一切國家和一切力量，結成了以蘇聯爲首的反帝國主義陣營，堅決反對美國帝國主義者奴役世界的計劃。因此，它就要在鐵托集團表示了反蘇立場、脫離共產黨情報局、並在國內實行摧殘眞正進步的有生力量之後，表示了情不自禁的歡呼；它就要準備着在將來的什麽時候發動第三次世界大戰，妄想去征服世界上一切反抗它的力量。

美國帝國主義者，爲了要實現自己奴役世界的計劃，它就不能不在世界各國尋找能够執行與贊助它實行這種計劃的走狗和代理人，尋找各國的民族叛徒和賣國賊，並且援助各國的民族叛徒和賣國賊去鎭壓各國人民的反抗運動與反對蘇聯。它就要援助世界各國的反動派，復活德國、日本、意大利的法西斯殘餘勢力，因爲這許多國家的資產階級的反動黨派和法西斯殘餘勢力作了美國帝國主義的代理人和走狗，在美國援助之下，去鎭壓本國的人民和殖民地民族的反抗運動，去反對蘇聯和各國人民民主力量。（下略）

由此可見，在目前世界這種形勢下，一切被壓迫民族要求得解放，就不能不反對美國帝國主義及其在本國的走狗——本國的賣國賊，就不能不反對世界各國的反動派，就不能不聯合蘇聯及各新民主國家，就不能不聯合各國的民族解放運動及人民民主力量，就不能不聯合世界各國的無產階級和共產黨，就是說，不能不站在世界反帝國主義陣營，向美帝國主義及其走狗進行堅決的鬥爭。否則，任何民族的眞正解放，都是不可能的。（下略）

所有上述種種，都說明了一個根本的問題，就是：世界一切被壓迫民族，一切國家的無產階級與人民民主力量，都必須互相聯合起來，都必須和蘇聯聯合起來，都必須和各新民主國家聯合起來，才能戰勝美國帝國主義奴役世界的計劃及其他國家的帝國主義對殖民地的統治，解決目前世界上的民族問題，卽解放世界上一切被壓迫民族，並從而解除作爲帝國主義侵略根源的獨佔資本在其本國的統治，解放各國的無產階級和人民。（下略）

在第一次世界大戰及俄國十月革命勝利以後，依據新的世界歷史全局，民族問題應該從反對國際帝國主義和世界無產階級社會主義革命的範圍內去估量，而不應該再從這個新時代以前的舊的世界資產階級革命的範圍內去估量。在第一次世界大戰及俄國十月革命以前，民族問題乃是世界資產階級民主革命問題的一部分，而在這以後，民族問題乃是世界無產階級社會主義革命問題的一部分了。毛澤東同志在『新民主主義論』一書中所詳盡地發揮了的斯大林關於這個問題的理論，以及在這本書中所詳盡地分析了的中國革命由舊民主主義轉到新民主主義的理論，乃是完全正確的。只有根據這個正確理論去指導民族解放運動，才能解放世界上的被壓迫民族，才能解決目前世界上的民族問題。在中國從事反對美國帝國主義侵略、反對國民黨反動統治、反對封建主義和官僚資本主義壓迫的一切人們，首先是共產黨人，但是不獨共產黨人，任何一個民主黨派、人民團體和無黨派民主人士，只要他們是眞心反對帝國主義、反對國民黨反動統治、反對封建主義和官僚資本主義，而不是表面上講革命、實際上想破壞革命的人們、他們就應當這樣去想、去做，而不應當有另外的想法和做法。如果他們有另外的想法和做法，那末，他們就將誤入歧途，而爲革命隊伍所拋棄。

毫無疑義：把民族問題從階級問題分開來看，把民族的鬥爭從階級的鬥爭分開來看，乃是完全錯誤的，有害的，乃是地主資產階級反動派的一種欺騙。反動的資產階級的民族主義與近代帝國主義侵略，既然是資本主義剝削制度的發展所形成的一種政策，而目前美國帝國主義企圖實現世界霸權的夢想，乃是其最後的產物，美國帝國主義這種奴役世界的反革命政策，就更加空前明確地把資本主義宗主國的無產階級社會主義革命運動和被壓迫民族的民族解放運動聯繫起來了，也更加空前明確地指出了：要消滅帝國主義侵略的根源，就必須推翻資本主義宗主國的獨佔資本的統治。

人類解放鬥爭的總前途，乃是社會主義與共產主義。恰如莫洛托夫的名言：『我們所處的時代，正是條條道路都通到共產主義的時代』。各民族的人民，都將經過自己具體鬥爭的不同的道路，到達這一點，而在被壓迫民族中，民族解放的鬥爭，則是一種必須經過的道路。只有社會主義廢除了人剝削人的制度，像在蘇聯那裏一樣，才能完全消滅侵略的可能性。社會主義的蘇聯廢除了一切的階級剝削制度，社會生產力在那裏有無限發展的前途，它既不允許別人去侵略它，也絕不允許、更完全不需要去侵略別人，所以它就成爲反對帝國主義侵略的堡壘，成爲世界被壓迫民族的最可靠的和最好的朋友。當社會主義制度逐步在各國實現之後，那時『侵略』的字眼，便只能在世界人類頭腦的歷史回憶中成爲古怪的字眼而存在了。

這就是全人類最後解放、也就是全世界各民族最後解放所必須經過的道路。

五　資產階級的民族主義在一定歷史條件下的進步性與馬克思列寧主義對於這種民族主義的態度

馬克思列寧主義是從歷史看任何問題的。馬克思列寧主義者區別了在不同歷史條件下的資產階級的民族主義及其不同的客觀作用，並決定了無產階級對它的不同的態度。

當資本主義初起時代，資產階級所進行的民族運動，是爲反對異民族壓迫、建立民族國家。這是具有歷史的進步意義的，無產階級曾經擁護了這樣的民族運動。在近代，則有殖民地半殖民地的資產階級的民族主義。這種民族主義，也是有其客觀歷史上的一定的進步意義。

歐美和日本的資產階級在許多落後民族中，建立了帝國主義奴役的殖民地半殖民地制度，在這種殖民地半殖民地的國度中，例如在中國、印度、朝鮮、印尼、菲律賓、越南、緬甸、埃及等等，又不可免地生長起資產階級的民族主義，因爲這些地方的民族資產階級，第一和帝國主義有矛盾，第二和這些國家的落後封建勢力有矛盾，而這種封建勢力又與帝國主義相結合，限制和損害民族資產階級的發展，因此，這些地方的民族資產階級在一定歷史時期和一定程度上就有其革命性，這些地方的資產階級的民族主義，在其動員羣衆起來反對帝國主義與封建勢力的時候，就有其一定的進步意義。正如列寧所說：『這種民族主義有着歷史的正當性』（在東方人民第二次代表大會上的演講）。因此，無產階級對於這種資產階級的民族主義，就應當在同盟者『不阻礙我們以革命的精神去教育和組織農民和廣大被剝削羣衆』（列寧）的條件之下，與這種有一定反帝反封建作用的資產階級民族主義合作，以打倒帝國主義和封建勢力的統治。這種合作的最明顯的例子，就是我們中國共產黨人和孫中山的合作。

孫中山的民族主義，也是資產階級的民族主義的一種。但正如毛澤東同志在『新民主主義論』上的分析：孫中山三民主義，在俄國十月社會主義革命以前及十月革命以後兩個不同的歷史時期，發生了分別爲舊三民主義與新三民主義的重大變化；在前一個時期，是屬於舊民主主義，卽屬於舊的世界資產階級民主主義革命的範疇，是舊的資產階級與資本主義的世界革命的一部分，但在後一個時期，則是屬於新民主主義，卽屬於新的資產階級民主主義革命的範疇，而成爲無產階級社會主義世界革命的一部分了。（下略）

當然，在其他殖民地半殖民地的國度中，像在印度、緬甸、暹羅、菲律賓、印尼、越南、朝鮮南部及其他地方，共產黨人對於那一部分已投降帝國主義的資產階級反動派（主要是大資產階級反動派），也同樣地必須採取反對他們叛賣民族的堅定政策，以保衛自己民族的利益。否則，就是極大的錯誤。而對於尙在反對帝國主義，並不反對人民羣衆起來進行反帝鬥爭的民族資產階級，共產黨人就應當和他們建立反對帝國主義的合作；而如果不認眞地去建立這種合作，或者反對、或者拒絕這種合作，那也就是極大的錯誤，卽使這種合作是不可靠的、暫時的、動搖不定的，都必須認眞地去建立。

世界各國革命的經驗和中國革命的經驗，都充分地證明了馬克思列寧主義關於民族問題是與階級問題相聯繫、民族的鬥爭是與階級的鬥爭相聯繫的科學分析，是完全正確的。根據階級的歷史分析，我們就可以知道：爲什麼一個民族在某種時候會被另一個民族所壓迫，而變成帝國主義的殖民地或半殖民地；爲什麼這樣的民族不但從封建階級中而且可以從一部分資產階級（例如中國的買辦官僚資產階級）中出現賣國賊；又在什麼條件下，必須依靠什麼階級的領導，才能獲得民族的解放；等等。根據階級的歷史分析，同樣地可以告訴我們：雖然在我們中國的小資產階級或民族資產階級中出現過像孫中山這樣傑出的民族革命家，但一般說來，這裏的資產階級也是只按照他自己一階級的狹隘利益去看民族問題，並根據他一階級的利益或這樣變化、或那樣變化的。而同樣地，只有無產階級的階級利益才是眞正地和本國人民的根本利益完全一致，同時，又是和全世界各民族人民——卽全人類共同的國際利益完全一致。當無產階級在被壓迫民族中出現在鬥爭舞台上，成爲全民族反帝鬥爭的首領、成爲全民族的救星的時候，例如在中國，任何階級、黨派或個人，如果是眞正的愛國者，像孫中山一樣，就必然要和共產黨合作（與聯蘇及擁護工農利益相聯繫）；反之，如果他反共（與反蘇及反對工農利益相聯繫），像蔣介石汪精衞一樣，結果就必然成爲帝國主義的狗奴才，成爲萬惡不赦的漢奸賣國賊。

同時，這種階級的歷史分析，也告訴了我們；由於帝國主義的威脅、利誘與國內階級鬥爭的存在，當國際與國內的歷史鬥爭尖銳化的新場合或新時期，革命隊伍中也可能出現像中國的陳獨秀、張國燾與南斯拉夫的鐵托這類人物，他們投降反動的資產階級的民族主義，而背叛世界各國勞動人民的共同利益，並將本民族的人民解放事業，置於極端危險的地位。他們是資產階級的民族主義在無產階級隊伍中的代言人。他們不惜把任何民族解放事業半途而廢，使自己的國家變爲帝國主義的殖民地。這是一切國家的共產黨和每一個共產黨員都必須加以警惕的。

六　結論：真正的愛國主義與國際主義互相結合

前述一切，就是我們馬克思列寧主義者——共產黨人關於民族問題的觀點和原則，卽是關於無產階級的國際主義與愛國主義相結合的觀點和原則。

顯然，各國人民大衆的眞正的愛國主義與無產階級的國際主義並不矛盾，而是互相結合的。毛澤東同志在抗日戰爭時期曾經寫過：『對於我們，愛國主義與國際主義密切結合着，我們的口號，是爲保衞祖國，反對侵略者而戰。』『愛國主義就是國際主義在民族革命戰爭中的實施。』不消說，這些話也完全適合於我們今天的愛國革命戰爭。

列寧把愛國主義形容爲『許多世紀與數千年來分隔的國家所鞏固起來的最深厚的情感之一』。眞正的愛國主義乃是對於數千年來世代相傳的自己祖國、自己人民、自己語言文字以及自己民族的優秀傳統之熱愛，這種愛國主義，是和那種自大自私的、排外主義的資產階級的民族主義，以及反映那種落後的家長制的、小農的狹隘閉關主義、孤立思想、宗派主義、地方主義等民族偏見，是完全沒有關係的。純正的愛國主義尊重其他民族的平等，同時希望世界人類優秀的理想在自己國內實現，主張各國人民的親愛團結。至於反動的資產階級的民族主義，則煽惑各國人民的互相敵視與仇恨，而落後的家長制的民族偏見，則把自己民族和世界隔絕起來，糾纏於坐井觀天和不長進的過程之中。所有這些，我們都必須堅決地加以反對。

以上，就是我們關於無產階級的國際主義與資產階級的民族主義之大略的解釋。現在不論在我們黨內和黨外，對於無產階級的國際主義與資產階級的民族主義，都有甚多的誤解和糢糊的觀點。此外，法西斯分子還有關於這個問題的極端反動的武斷宣傳。這些誤解與糢糊的觀點，如果不加以清除，這些法西斯主義的宣傳，如果不加以揭露，對於目前中國的人民解放運動，將是極端有害的。本文的發表，希望能在清除這些誤解與糢糊的觀點及揭露法西斯主義宣傳的努力中有所幫助。這就是我們的目的。

一九四八年十一月一日

（按人民出版社 1951 年四月北京修訂版排印）

VOCABULARY: 3

				P.	L.
1.	情報局	*Ch'ing-pào Chü*	(Communist) Information Bureau, commonly known as Cominform	132	4
2.	南共	*Nán-kùng*	Yugoslavian Communist party	132	5
3.	斥責	*ch'ìh-tsé*	to condemn	132	5
4.	鐵托	*T'ieh-t'ō*	Tito	132	5
5.	反蘇	*fǎn Sū*	Anti-Soviet (Union)	132	6
6.	轉向	*chǔan-hsìang*	to turn to	132	7
7.	南斯拉夫	*Nán-szū-lā-fū*	Yugoslavia	132	8
8.	蛻化	*shùi-hùa*	to degenerate to	132	8
9.	泥坑	*ní-k'ēng*	morass	132	12
10.	免受	*mien-shòu*	to escape from	132	13
11.	愚弄	*yǘ-nùng*	deception	132	13
12.	職責	*chíh-tsé*	duty	132	13
13.	本文	*pěn-wén*	the present article	132	16
14.	打算	*tǎ-sùan*	to plan	132	17
15.	起見	*ch'ǐ-chìen*	preceded by 爲, for the purpose of	132	17
16.	民族觀	*mín-tsú kūan*	concept of the nation	132	19
17.	色彩	*sè-ts'ǎi*	color	132	23
18.	依據	*ī-chǜ*	premise	132	24
19.	利潤	*lì-jùn*	profit	132	31
20.	不顧	*pū-kù*	without regard to	133	2
21.	不惜	*pū-hsī*	without regard to	133	3
22.	競爭	*chìng-chēng*	competition	133	3
23.	吞併	*t'ūn-pìng*	to swallow	133	3
24.	排擠	*p'ái-chǐ*	to push aside	133	4
25.	佔有	*chàn-yǔ*	to possess	133	5
26.	市場	*shìh-ch'ǎng*	market	133	5
27.	貪慾	*t'ān-yǜ*	avarice	133	6
28.	滿足	*mǎn-tsú*	satisfaction	133	6
29.	界限	*chìeh-hsìen*	limit	133	6
30.	出產	*ch'ū-ch'ǎn*	production	133	6
31.	投資	*t'óu-tzū*	investment	133	7
32.	場所	*ch'ǎng-sǒ*	field	133	7
33.	服役	*fú-ì*	to serve	133	7
34.	擠掉	*chǐ-tìao*	to eliminate	133	8

				P.	L.
35.	僱傭	*kù-yūng*	to hire (referring to wage earners)	133	8
36.	天性	*t'ien-hsìng*	nature	133	10
37.	產物	*ch'ǎn-wù*	product	133	19
38.	强弱	*ch'iang-jò*	strong or weak	133	24
39.	分立	*fēn-lì*	separation	133	24
40.	打破	*tǎ-p'ò*	to break	133	25
41.	大同	*tà-t'úng*	great harmony—one world	133	27
42.	裝飾	*chūang-shìh*	ornamental	133	32
43.	背叛	*pèi-p'àn*	to betray	133	33
44.	墮落	*tò-lè*	to fall	133	33
45.	卑鄙	*pēi-pǐ*	mean	133	34
46.	下賤	*hsìa-chìen*	cheap	133	34
47.	利己	*lì-chǐ*	selfish	134	1
48.	上層	*shàng-ts'éng*	upper level	134	1
49.	拒絕	*chǜ-chǘeh*	to reject	134	4
50.	陣營	*chèn-yíng*	camp	134	6
51.	小卒	*hsǐao-tsú*	a private — a pawn	134	7
52.	舊俄帝國	*Chìu-Ó Tì-kúo*	Tsarist Russian Empire	134	12
52a.	帝國	*tì-kúo*	empire	134	12
53.	印度	*Yìn-tù*	India	134	14
54.	馬來亞	*Mǎ-lái-yǎ*	Malaya	134	14
55.	菲律賓	*Fēi-lǜ-pīn*	Philippines	134	14
56.	印尼	*Yìn-ní*	Indonesia	134	14
57.	越南	*Yǜeh-nán*	French Indo-China, now known as Viet Nam	134	14
58.	中南美洲	*Chūng Nán Měi-chōu*	contraction of 中美洲 and 南美洲 Central and South America	134	15
59.	非洲	*Fēi-chōu*	Africa	134	15
60.	深深	*shēn-shēn*	deeply	134	16
61.	名言	*míng-yén*	famous saying	134	16
62.	宗主國	*tsūng-chǔ kúo*	suzerain (referring to the colonial state)	134	18
63.	可靠	*k'ǒ-k'ào*	reliable	134	24
64.	能幹	*néng-kàn*	competent	134	24
65.	說法	*shūo-fǎ*	way of saying — theory	134	28
66.	赤色	*ch'ìh-sè*	red	134	29
67.	朝鮮	*Ch'áo-hsien*	Korea	134	29
68.	擴張	*k'ùo-chāng*	expansion	134	30

				P.	L.
69.	武斷	*wŭ-tùan*	arbitrary	134	30
70.	惡意	*ò-ì*	evil intention	134	31
71.	誣蔑	*wū-mìeh*	calumniation	134	31
72.	爭求	*chēng-ch'íu*	to fight for	134	32
73.	懷抱	*húai-pào*	to hold	134	35
74.	友好	*yŭ-hăo*	friendly	134	36
75.	混爲一談	*hŭn-wéi ī-t'án*	to confuse (unidentical things) as if they were identical	135	4
76.	同等	*t'úng-tĕng*	equally	135	4
77.	如上所述	*jú-shàng sŏ-shù*	as mentioned above	135	9
78.	掠奪	*lüeh-túo*	to plunder	135	10
79.	期間	*ch'ī-chīen*	period	135	13
80.	製訂	*chìh-tìng*	to formulate	135	13
81.	杜魯門主義	*Tù-lŭ-mén Chŭ-ì*	Trumanism — Truman Doctrine	135	14
82.	馬歇爾計劃	*Mă-hsīeh-ĕrh Chì-hùa*	Marshall Plan	135	14
83.	置於	*chìh-yǘ*	to place	135	15
84.	控制	*k'ùng-chìh*	control	135	15
85.	佈置	*pù-chìh*	to dispose (militarily)	135	16
86.	基地網	*chī-tì wăng*	network of bases	135	16
86a.	基地	*chī-tì*	base	135	16
87.	插足	*ch'ā-tsú*	to insert a foot — to interfere	135	16
88.	內政	*nèi-chèng*	internal affair	135	16
89.	希特勒	*Hsī-t'è-lè*	Hitler	135	17
90.	墨索里尼	*Mò-só-lĭ-ní*	Mussolini	135	18
91.	防蘇防共	*Fáng-Sū Fáng-Kùng*	guard against the Soviet Union and the Communists	135	18
92.	奴役	*nú-ì*	to enslave	135	20
93.	希臘	*Hsī-là*	Greece	135	22
94.	緬甸	*Mĭen-tìen*	Burma	135	23
95.	爲首	*wéi-shŏu*	as the head	135	24
96.	有生	*yŭ-shēng*	vital (This term was first used in this special sense by Mao)	135	27
97.	情不自禁	*ch'íng pū tzù-chìn*	feelings cannot be controlled by oneself — irrepressibly	135	27
98.	歡呼	*hūan-hū*	to cheer	135	27
99.	妄想	*wàng-hsĭang*	to hope vainly	135	28

				P.	L.
100.	征服	*chēng-fú*	to conquer	135	28
101.	尋找	*hsǘn-chǎo*	to look for	135	30
102.	代理人	*tài-lǐ jén*	agent	135	30
103.	賣國賊	*mài-kúo tséi*	traitor	135	31
104.	復活	*fù-húo*	to resuscitate	135	32
105.	意大利	*I-tà-lì*	Italy	135	33
106.	解除	*chǐeh-ch'ú*	to eliminate	136	12
107.	根源	*kēn-yǘan*	root	136	13
108.	詳盡	*hsíang-chìn*	in details	136	21
109.	發揮	*fā-hūi*	to elaborate	136	21
110.	眞心	*chēn-hsīn*	truly	136	27
111.	另外	*lìng-wài*	different	136	29
112.	做法	*tsò-fǎ*	way of doing	136	29
113.	誤入歧途	*wù-jù ch'í-t'ú*	to go astray	136	30
114.	霸權	*pà-ch'ǘan*	hegemony	136	36
115.	夢想	*mèng-hsǐang*	to dream	136	36
116.	前途	*ch'íen-t'ú*	future	137	4
117.	恰如	*ch'ìa-jú*	just as	137	4
118.	莫洛托夫	*Mò-lè-t'ō-fū*	Molotov	137	4
119.	通到	*t'ūng-tào*	to lead to	137	5
120.	廢除	*fèi-ch'ú*	abolish	137	7
121.	字眼	*tzù-yěn*	term	137	13
122.	回憶	*húi-ì*	recollection	137	13
123.	古怪	*kǔ-kùai*	grotesque	137	13
124.	初起	*ch'ū-ch'ǐ*	beginning	137	22
125.	埃及	*Āi-chí*	Egypt	137	28
126.	生長	*shēng-chǎng*	to grow	137	28
127.	分別	*fēn-píeh*	to differentiate	138	6
128.	範疇	*fàn-ch'óu*	category	138	8
129.	暹羅	*Hsīen-ló*	Siam, now known as Thailand	138	12
130.	叛賣	*p'àn-mài*	to sell out	138	15
131.	傑出	*chíeh-ch'ū*	distinguished	138	29
132.	首領	*shǒu-lǐng*	leader	138	34
133.	反之	*fǎn-chīh*	contrarily	138	36
134.	蔣介石	*Chǐang Chìeh-shíh*	Chiang Kai-shek	139	1

				P.	L.
135.	汪精衛	*Wāng Chīng-wèi*	(1885–1944) Kuomintang leader, who organized the puppet Nanking government under the Japanese occupation in 1940	139	1
136.	狗奴才	*kǒu nú-ts'ái*	dog-slave (a term of strong abuse)	139	2
137.	萬惡不赦	*wàn-ò pū-shè*	with ten thousand evils and cannot be pardoned — reprehensible and unpardonable	139	2
138.	漢奸	*hàn-chīen*	traitor to China, particularly, collaborator with Japan	139	2
139.	威脅	*wēi-hsíeh*	threat by force	139	3
140.	利誘	*lì-yù*	temptation by material gains, especially by money	139	4
141.	場合	*ch'ǎng-hó*	circumstances	139	4
142.	陳獨秀	*Ch'én Tú-hsìu*	(1880–1942) founder of the Chinese Communist party in 1921	139	5
143.	代言人	*tài-yén jén*	spokesman	139	8
144.	半途而廢	*pàn-t'ú érh fèi*	to break off halfway	139	9
145.	不消說	*pū-hsīao shūo*	needless to say	139	18
146.	形容	*hsíng-júng*	to describe	139	20
147.	世紀	*shìh-chì*	century	139	20
148.	分隔	*fēn-kó*	separate	139	20
149.	深厚	*shēn-hòu*	profound	139	21
150.	情感	*ch'íng-kǎn*	feeling	139	21
151.	世代相傳	*shìh-tài hsīang-ch'úan*	to hand on from generation to generation	139	21
152.	傳統	*ch'úan-t'ǔng*	tradition	139	22
153.	熱愛	*jè-ài*	fervid love	139	22
154.	自大	*tzù-tà*	conceited	139	23
155.	家長制	*chīa-chǎng chìh*	paternalism	139	24
156.	閉關主義	*pì-kūan chǔ-ì*	close-pass-ism — isolationism	139	24
157.	地方主義	*tì-fāng chǔ-ì*	provincialism	139	25
158.	偏見	*p'īen-chìen*	prejudice	139	25
159.	純正	*ch'ún-chèng*	pure	139	25
160.	理想	*lǐ-hsǐang*	ideal	139	26

				P.	L.
161.	親愛	*ch'īn-ài*	affection	139	27
162.	煽惑	*shān-hùo*	to agitate	139	27
163.	仇恨	*ch'óu-hèn*	hatred	139	28
164.	糾纏	*chīu-ch'án*	to enmesh	139	28
165.	坐井觀天	*tsò-chǐng kūan-t'ien*	to sit in a well and look at the sky — narrow-mindedness	139	29
166.	長進	*chăng-chìn*	improvement	139	29
167.	大略	*tà-lüeh*	general	139	31

LESSON 4

Constitution of the People's Republic of China

The Constitution of the People's Republic of China was drafted by the Central Committee of the Chinese Communist party, and passed through the formality of adoption by the People's Congress. It is customary in Communist China for laws submitted for promulgation to be accompanied by a report of the drafting authority which expands upon or explains the law.

In this particular instance the "Report on the Draft Constitution" was made by Liu Shao-ch'i. It gives the following brief account of the Constitution's preparation:

> The Committee for Drafting the Constitution of the People's Republic of China, headed by Comrade Mao Tse-tung, was formed by the Central People's Government Council on January 13, 1953. In March 1954, this Committee accepted the first draft of the Constitution submitted by the Central Committee of the Communist Party of China...The Draft Constitution which emerged from revision of the aforementioned draft was made public by the Central People's Government Council on June 14, 1954 for people all over the country to discuss...In the light of these suggestions, the Committee for Drafting the Constitution of the People's Republic of China made further revisions of the original draft which were later discussed and adopted at the 34th meeting of the Central People's Government Council on September 9, 1954: hence this Draft Constitution now submitted to the Congress.

Liu's report was delivered at the First Session of the First National People's Congress on September 15, 1954; the Constitution was adopted by the Congress five days later.

In his report, Liu discusses the historical significance of the Constitution and reviews its basic contents. He also deals with the proposals which were submitted during the nationwide discussion of the Constitution while it was in draft form. It should be borne in mind that his report has binding force so far as the law is concerned and that, should controversies arise in regard to the meaning of any parts of the Constitution, it serves as an authoritative source for interpretation. For our purpose, the background of the Constitution and the meaning of its articles can be best understood by reading Liu's report.

第四課

中华人民共和国宪法

（1954年9月20日第一屆全国人民代表大会第一次会議通过）

目　　彔

序　　言

中国人民經过一百多年的英勇奋斗，終于在中国共产党領导下，在一九四九年取得了反对帝国主义、封建主义和官僚資本主义的人民革命的偉大胜利，因而結束了长时期被压迫、被奴役的历史，建立了人民民主专政的中华人民共和国。中华人民共和国的人民民主制度，也就是新民主主义制度，保証我国能够通过和平的道路消灭剝削和貧困，建成繁荣幸福的社会主义社会。

从中华人民共和国成立到社会主义社会建成，这是一个过渡时期。国家在过渡时期的总任务是逐步实現国家的社会主义工業化，逐步完成对农業、手工業和資本主义工商業的社会主义改造。我国人民在过去几年內已經胜利地进行了改革土地制度、抗美援朝、鎭压反革命分子、恢复国民經济等大規模的斗争，这就为有計划地进行經济建設、逐步过渡到社会主义社会准备了必要的条件。

中华人民共和国第一屆全国人民代表大会第一次会議，一九五四年九月二十日在首都北京，庄严地通过中华人民共和国宪法。这个宪法以一九四九年的中国人民政治协商会議共同綱領为基础，又是共同綱領的發展。这个宪法巩固了我国人民革命的成果和中华人民共和国建立以来政治上、經济上的新胜利，并且反映了国家在过渡时期的根本要求和广大人民建設社会主义社会的共同願望。

我国人民在建立中华人民共和国的偉大斗爭中已經結成以中国共产党为領导的各民主阶級、各民主党派、各人民团体的广泛的人民民主統一战綫。今后在动員和团結全国人民完成国家过渡时期总任务和反对內外敌人的斗爭中，我国的人民民主統一战綫将繼續發揮它的作用。

我国各民族已經团結成为一个自由平等的民族大家庭。在發揚各民族間的友爱互助、反对帝国主义、反对各民族內部的人民公敌、反对大民族主义和地方民族主义的基础上，我国的民族团結将繼續加强。国家在經济建設和文化建設的过程中将照顧各民族的需要，而在社会主义改造的問題上将充分注意各民族發展的特点。

我国同偉大的苏維埃社会主义共和国联盟、同各人民民主国家已經建立了牢不可破的友誼，我国人民同全世界爱好和平的人民的友誼也日見增进，这种友誼将繼續發展和巩固。我国根据平等、互利、互相尊重主权和領土完整的原則同任何国家建立和發展外交关系的政策，已經获得成就，今后将繼續貫徹。在国际事务中，我国堅定不移的方針是为世界和平和人类进步的崇高目的而努力。

第一章　总　　綱

第　一　条

中华人民共和国是工人阶級領导的、以工农联盟为基础的人民民主国家。

第　二　条

中华人民共和国的一切权力屬于人民。人民行使权力的机关是全国人民代表大会和地方各級人民代表大会。

全国人民代表大会、地方各級人民代表大会和其他国家机关，一律实行民主集中制。

第　三　条

中华人民共和国是統一的多民族的国家。

各民族一律平等。禁止对任何民族的歧視和压迫，禁止破坏各民族团結的行为。

各民族都有使用和發展自己的語言文字的自由，都有保持或者改革自己的風俗習慣的自由。

各少数民族聚居的地方实行区域自治。各民族自治地方都是中华人民共和国不可分离的部分。

第　四　条

中华人民共和国依靠国家机关和社会力量，通过社会主义工業化和社会主义改造，保証逐步消灭剝削制度，建立社会主义社会。

第　五　条

中华人民共和国的生产資料所有制現在主要有下列各种：国家所有制，即全民所有制；合作社所有制，即劳动群众集体所有制；个体劳动者所有制；資本家所有制。

第　六　条

国营經济是全民所有制的社会主义經济，是国民經济中的領导力量和国家实現社会主义改造的物質基础。国家保証优先發展国营經济。

矿藏、水流，由法律規定为国有的森林、荒地和其他資源，都屬于全民所有。

第 七 条

合作社經济是劳动群众集体所有制的社会主义經济，或者是劳动群众部分集体所有制的半社会主义經济。劳动群众部分集体所有制是組織个体农民、个体手工業者和其他个体劳动者走向劳动群众集体所有制的过渡形式。

国家保护合作社的财产，鼓励、指导和帮助合作社經济的發展，并且以發展生产合作为改造个体农業和个体手工業的主要道路。

第 八 条

国家依照法律保护农民的土地所有权和其他生产資料所有权。

国家指导和帮助个体农民增加生产，并且鼓励他們根据自願的原則組織生产合作、供銷合作和信用合作。

国家对富农經济采取限制和逐步消灭的政策。

第 九 条

国家依照法律保护手工業者和其他非农業的个体劳动者的生产資料所有权。

国家指导和帮助个体手工業者和其他非农業的个体劳动者改善經营，并且鼓励他們根据自願的原則組織生产合作和供銷合作。

第 十 条

国家依照法律保护資本家的生产資料所有权和其他資本所有权。

国家对資本主义工商業采取利用、限制和改造的政策。国家通过国家行政机关的管理、国营經济的領导和工人群众的监督，利用資本主义工商業的有利于国計民生的积極作用， 限制它們的不利于国計民生的消極作用，鼓励和指导它們轉变为各种不同形式的国家資本主义經济，逐步以全民所有制代替資本家所有制。

国家禁止資本家的危害公共利益、扰乱社会經济秩序、破坏国家經济計划的一切非法行为。

第十一条

国家保护公民的合法收入、儲蓄、房屋和各种生活資料的所有权。

第十二条

国家依照法律保护公民的私有財产的繼承权。

第十三条

国家为了公共利益的需要，可以依照法律規定的条件，对城乡土地和其他生产資料实行征購、征用或者收归国有。

第十四条

国家禁止任何人利用私有財产破坏公共利益。

第十五条

国家用經济計划指导国民經济的發展和改造，使生产力不断提高，以改进人民的物質生活和文化生活，巩固国家的独立和安全。

第十六条

劳动是中华人民共和国一切有劳动能力的公民的光荣的事情。国家鼓励公民在劳动中的积極性和創造性。

第十七条

一切国家机关必須依靠人民群众，經常保持同群众的密切联系，倾听群众的意見，接受群众的监督。

第十八条

一切国家机关工作人員必須效忠人民民主制度，服从宪法和法律，努力为人民服务。

第十九条

中华人民共和国保衛人民民主制度，鎮压一切叛国的和反革命的活动，懲办一切卖国賊和反革命分子。

国家依照法律在一定时期內剝夺封建地主和官僚資本家的政治权利，同时給以生活出路，使他們在劳动中改造成为自食其力的公民。

第二十条

中华人民共和国的武裝力量屬于人民，它的任务是保衛人民革命和国家建設的成果，保衛国家的主权、領土完整和安全。

第二章　国家机构

第一节　全国人民代表大会

第二十一条

中华人民共和国全国人民代表大会是最高国家权力机关。

第二十二条

全国人民代表大会是行使国家立法权的唯一机关。

第二十三条

全国人民代表大会由省、自治区、直轄市、軍队和华侨选出的代表組成。

全国人民代表大会代表名額和代表产生办法，包括少数民族代表的名額和产生办法，由选举法規定。

第二十四条

全国人民代表大会每届任期四年。

全国人民代表大会任期届滿的两个月以前，全国人民代表大会常务委員会必須完成下届全国人民代表大会代表的选举。如果遇到不能进行选举的非常情况，全国人民代表大会可以延長任期到下届全国人民代表大会举行第一次会議为止。

第二十五条

全国人民代表大会会議每年举行一次，由全国人民代表大会常务委員会召集。如果全国人民代表大会常务委員会認为必要，或者有五分之一的代表提議，可以临时召集全国人民代表大会会議。

第二十六条

全国人民代表大会举行会議的时候，选举主席团主持会議。

第二十七条

全国人民代表大会行使下列职权：

（一）修改宪法；

（二）制定法律；

（三）监督宪法的实施；

（四）选举中华人民共和国主席、副主席；

（五）根据中华人民共和国主席的提名，决定国务院总理的人选，根据国务院总理的提名，决定国务院組成人員的人选；

（六）根据中华人民共和国主席的提名，决定国防委員会副主席和委員的人选；

（七）选举最高人民法院院长；

（八）选举最高人民檢察院檢察长；

（九）决定国民經济計划；

（十）审查和批准国家的預算和决算；

（十一）批准省、自治区和直轄市的划分；

（十二）决定大赦；

（十三）决定战爭和和平的問題；

（十四）全国人民代表大会認为应当由它行使的其他职权。

第二十八条

全国人民代表大会有权罢免下列人員：

（一）中华人民共和国主席、副主席；

（二）国务院总理、副总理、各部部长、各委員会主任、秘書长；

（三）国防委員会副主席和委員；

（四）最高人民法院院长；

（五）最高人民檢察院檢察长。

第二十九条

宪法的修改由全国人民代表大会以全体代表的三分之二的多数通过。

法律和其他議案由全国人民代表大会以全体代表的过半数通过。

第三十条

全国人民代表大会常务委員会是全国人民代表大会的常設机关。

全国人民代表大会常务委員会由全国人民代表大会选出下列人員組成：

委員长，

副委員长若干人，

秘書长，

委員若干人。

第三十一条

全国人民代表大会常务委員会行使下列职权：

（一）主持全国人民代表大会代表的选举；

（二）召集全国人民代表大会会議；

（三）解釋法律；

（四）制定法令；

（五）监督国务院、最高人民法院和最高人民檢察院的工作；

（六）撤銷国务院的同宪法、法律和法令相抵触的决議和命令；

（七）改变或者撤銷省、自治区、直轄市国家权力机关的不适当的决議；

（八）在全国人民代表大会閉会期間，决定国务院副总理、各部部长、各委員会主任、秘書长的个别任免；

（九）任免最高人民法院副院长、审判員和审判委員会委員；

（十）任免最高人民檢察院副檢察长、檢察員和檢察委員会委員；

（十一）决定駐外全权代表的任免；

（十二）决定同外国締結的条約的批准和廢除；

（十三）規定軍人和外交人員的銜級和其他专門銜級；

（十四）規定和决定授予国家的勛章和荣誉称号；

（十五）决定特赦；

（十六）在全国人民代表大会閉会期間，如果遇到国家遭受武装侵犯或者必須履行国际間共同防止侵略的条約的情况，决定战爭状态的宣布；

（十七）决定全国总动員或者局部动員；

（十八）决定全国或者部分地区的戒严；

（十九）全国人民代表大会授予的其他职权。

第三十二条

全国人民代表大会常务委員会行使职权到下届全国人民代表大会选出新的常务委員会为止。

第三十三条

全国人民代表大会常务委員会对全国人民代表大会負責并报告工作。

全国人民代表大会有权罢免全国人民代表大会常务委員会的組成人員。

第三十四条

全国人民代表大会設立民族委員会、法案委員会、預算委員会、代表資格审查委員会和其他需要設立的委員会。

民族委員会和法案委員会，在全国人民代表大会閉会期間，受全国人民代表大会常务委員会的領导。

第三十五条

全国人民代表大会認为必要的时候，在全国人民代表大会閉会期間全国人民代表大会常务委員会認为必要的时候，可以組織对于特定問題的調查委員会。

調查委員会进行調查的时候，一切有关的国家机关、人民团体和公民都有义务向它提供必要的材料。

第三十六条

全国人民代表大会代表有权向国务院或者国务院各部、各委員会提出質問，受質問的机关必須負責答复。

第三十七条

全国人民代表大会代表，非經全国人民代表大会許可，在全国人民代表大会閉会期間非經全国人民代表大会常务委員会許可，不受逮捕或者审判。

第三十八条

全国人民代表大会代表受原选举单位的监督。原选举单位有权依照法律規定的程序随时撤换本单位选出的代表。

第二节　中华人民共和国主席

第三十九条

中华人民共和国主席由全国人民代表大会选举。有选举权和被选举权的年滿三十五岁的中华人民共和国公民可以被选为中华人民共和国主席。

中华人民共和国主席任期四年。

第四十条

中华人民共和国主席根据全国人民代表大会的决定和全国人民代表大会常务委員会的决定，公布法律和法令，任免国务院总理、副总理、各部部长、各委員会主任、秘書长，任免国防委員会副主席、委員，授予国家的勛章和荣誉称号，發布大赦令和特赦令，發布戒严令，宣布战争状态，發布动員令。

第四十一条

中华人民共和国主席对外代表中华人民共和国，接受外国使节；根据全国人民代表大会常务委員会的决定，派遣和召回駐外全权代表，批准同外国締結的条約。

第四十二条

中华人民共和国主席統率全国武装力量，担任国防委員会主席。

第四十三条

中华人民共和国主席在必要的时候召开最高国务会議，并担任最高国务会議主席。

最高国务会議由中华人民共和国副主席、全国人民代表大会常务委員会委員长、国务院总理和其他有关人員参加。

最高国务会議对于国家重大事务的意見，由中华人民共和国主席提交全国人民代表大会、全国人民代表大会常务委員会、国务院或者其他有关部門討論并作出决定。

第四十四条

中华人民共和国副主席协助主席工作。副主席受主席的委托，可以代行主席的部分职权。

中华人民共和国副主席的选举和任期，适用宪法第三十九条关于中华人民共和国主席的选举和任期的規定。

第四十五条

中华人民共和国主席、副主席行使职权到下届全国人民代表大会选出的下一任主席、副主席就职为止。

第四十六条

中华人民共和国主席因为健康情况长期不能工作的时候，由副主席代行主席的职权。

中华人民共和国主席缺位的时候，由副主席繼任主席的职位。

第三节　国务院

第四十七条

中华人民共和国国务院，即中央人民政府，是最高国家权力机关的执行机关，是最高国家行政机关。

第四十八条

国务院由下列人員組成：

总理，

副总理若干人，

各部部长，

各委員会主任，

秘書长。

国务院的組織由法律規定。

第四十九条

国务院行使下列职权：

（一）根据宪法、法律和法令，規定行政措施，發布决議和命令，并且审查这些决議和命令的实施情况；

（二）向全国人民代表大会或者全国人民代表大会常务委員会提出議案；

（三）統一領导各部和各委員会的工作；

（四）統一領导全国地方各級国家行政机关的工作；

（五）改变或者撤銷各部部长、各委員会主任的不适当的命令和指示；

（六）改变或者撤銷地方各級国家行政机关的不适当的决議和命令；

（七）执行国民經济計划和国家預算；

（八）管理对外貿易和国内貿易；

（九）管理文化、教育和衛生工作；

（十）管理民族事务；

（十一）管理华侨事务；

（十二）保护国家利益，維护公共秩序，保障公民权利；

（十三）管理对外事务；

（十四）領导武装力量的建設；

（十五）批准自治州、县、自治县、市的划分；

（十六）依照法律的規定任免行政人員；

（十七）全国人民代表大会和全国人民代表大会常务委員会授予的其他职权。

第五十条

总理領导国务院的工作，主持国务院会議。

副总理协助总理工作。

第五十一条

各部部长和各委員会主任負責管理本部門的工作。各部部长和各委員会主任在本部門的权限內，根据法律、法令和国务院的决議、命令，可以發布命令和指示。

第五十二条

国务院对全国人民代表大会負責幷报告工作；在全国人民代表大会閉会期間，对全国人民代表大会常务委員会負責幷报告工作。

第四节　地方各級人民代表大会和地方各級人民委員会

第五十三条

中华人民共和国的行政区域划分如下：

（一）全国分为省、自治区、直轄市；

（二）省、自治区分为自治州、县、自治县、市；

（三）县、自治县分为乡、民族乡、鎮。

直轄市和較大的市分为区。自治州分为县、自治县、市。

自治区、自治州、自治县都是民族自治地方。

第五十四条

省、直轄市、县、市、市轄区、乡、民族乡、鎮設立人民代表大会和人民委員会。

自治区、自治州、自治县設立自治机关。自治机关的組織和工作由宪法第二章第五节規定。

第五十五条

地方各級人民代表大会都是地方国家权力机关。

第五十六条

省、直轄市、县、設区的市的人民代表大会代表由下一級的人民代表大会选举；不設区的市、市轄区、乡、民族乡、鎮的人民代表大会代表由选民直接选举。

地方各級人民代表大会代表名額和代表产生办法由选举法規定。

第五十七条

省人民代表大会每屆任期四年。直轄市、县、市、市轄区、乡、民族乡、鎮的人民代表大会每屆任期两年。

第五十八条

地方各級人民代表大会在本行政区域內，保証法律、法令的遵守和执行，規划地方的經济建設、文化建設和公共事業，审查和批准地方的預算和决算，保护公共財产，維护公共秩序，保障公民权利，保障少数民族的平等权利。

第五十九条

地方各級人民代表大会选举并且有权罢免本級 人民委員会的 組成人員。

县級以上的人民代表大会选举并且有权罢免本級人民法院院长。

第六十条

地方各級人民代表大会依照法律規定的权限通过和發布决議。

民族乡的人民代表大会可以依照法律規定的权限采取适合民族特点的具体措施。

地方各級人民代表大会有权改变或者撤銷本級人民委員会的不适当的决議和命令。

县級以上的人民代表大会有权改变或者撤銷下一級人民代表大会的不适当的决議和下一級人民委員会的不适当的决議和命令。

第六十一条

省、直轄市 、县 、設区的市的人民代表大会代表受原选举单位的监督；不設区的市、市轄区、乡、民族乡、鎮的人民代表大会代表受选民的监督。地方各級人民代表大会代表的选举单位和选民有权依照法律規定的程序随时撤換自己选出的代表。

第六十二条

地方各級人民委員会，即地方各級人民政府，是地方各級人民代表大会的执行机关，是地方各級国家行政机关。

第六十三条

地方各級人民委員会分别由省长、市长、县长、区长、乡长、鎮长各一人，副省长、副市长、副县长、副区长、副乡长、副鎮长各若干人和委員各若干人組成。

地方各級人民委員会每届任期同本級人民代表大会每届任期相同。

地方各級人民委員会的組織由法律規定。

第六十四条

地方各級人民委員会依照法律規定的权限 管理本行政区域的 行政工作。

地方各級人民委員会执行本級人民代表大会的决議和上級国家行政机关的决議和命令。

地方各級人民委員会依照法律規定的权限發布决議和命令。

第六十五条

县級以上的人民委員会領导所屬各工作部門和下級人 民 委 員 会的工作，依照法律的規定任免国家机关工作人員。

县級以上的人民委員会有权停止下一級人民代表大会的不适当的决議的执行，有权改变或者撤銷所屬各工作部門的不适当的命令和指示和下級人民委員会的不适当的决議和命令。

第六十六条

地方各級人民委員会都对本級人民代表大会和上一級国家行政机关負責幷报告工作。

全国地方各級人民委員会都是国务院統一領导下的国家行政机关，都服从国务院。

第五节　民族自治地方的自治机关

第六十七条

自治区、自治州、自治县的自治机关的組織，应当根据宪法第二章第四节規定的关于地方国家机关的組織的基本原則。自治机关的形式可以依照实行区域自治的民族大多数人民的意願規定。

第六十八条

在多民族杂居的自治区、自治州、自治县的自治机关中，各有关民族都应当有适当名額的代表。

第六十九条

自治区、自治州、自治县的自治机关行使宪法第二章第四节規定的地方国家机关的职权。

第七十条

自治区、自治州、自治县的自治机关依照宪法和法律規定的权限行使自治权。

自治区、自治州、自治县的自治机关依照法律規定的权限管理本地方的財政。

自治区、自治州、自治县的自治机关依照国家的軍事制度組織本地方的公安部队。

自治区、自治州、自治县的自治机关可以依照当地民族的政治、經济和文化的特点，制定自治条例和单行条例，报請全国人民代表大会常务委員会批准。

第七十一条

自治区、自治州、自治县的自治机关在执行职务的时候，使用当地民族通用的一种或者几种語言文字。

第七十二条

各上級国家机关应当充分保障各自治区、自治州、自治县的自治机关行使自治权，并且帮助各少数民族發展政治、經济和文化的建設事業。

第六节　人民法院和人民檢察院

第七十三条

中华人民共和国最高人民法院、地方各級人民法院和专門人民法院行使审判权。

第七十四条

最高人民法院院长和地方各級人民法院院长任期四年。

人民法院的組織由法律規定。

第七十五条

人民法院审判案件依照法律实行人民陪审員制度。

第七十六条

人民法院审理案件，除法律規定的特别情况外，一律公开进行。被告人有权获得辯护。

第七十七条

各民族公民都有用本民族語言文字进行訴訟的权利。人民法院对于不通曉当地通用的語言文字的当事人，应当为他們翻譯。

在少数民族聚居或者多民族杂居的地区，人民法院应当用当地通用的語言进行审訊，用当地通用的文字發布判决書、布告和其他文件。

第七十八条

人民法院独立进行审判，只服从法律。

第七十九条

最高人民法院是最高审判机关。

最高人民法院监督地方各級人民法院和专門人民法院的审判工作，上級人民法院监督下級人民法院的审判工作。

第八十条

最高人民法院对全国人民代表大会負責并报告工作；在全国人民代表大会閉会期間，对全国人民代表大会常务委員会負責并报告工作。地方各級人民法院对本級人民代表大会負責并报告工作。

第八十一条

中华人民共和国最高人民检察院对于国务院所屬各部門、地方各級国家机关、国家机关工作人員和公民是否遵守法律，行使檢察权。地方各級人民檢察院和专門人民檢察院，依照法律規定的范圍行使檢察权。

地方各級人民檢察院和专門人民檢察院在上級人民檢察院的領导下，并且一律在最高人民檢察院的統一領导下，进行工作。

第八十二条

最高人民檢察院檢察长任期四年。

人民檢察院的組織由法律規定。

第八十三条

地方各級人民檢察院独立行使职权，不受地方国家机关的干涉。

第八十四条

最高人民檢察院对全国人民代表大会負責并报告工作；在全国人民代表大会閉会期間，对全国人民代表大会常务委員会負責并报告工作。

第三章　公民的基本权利和义务

第八十五条

中华人民共和国公民在法律上一律平等。

第八十六条

中华人民共和国年滿十八岁的公民，不分民族、种族、性別、职業、社会出身、宗教信仰、教育程度、财产状况、居住期限，都有选举权和被选举权。但是有精神病的人和依照法律被剝夺选举权和被选举权的人除外。

妇女有同男子平等的选举权和被选举权。

第八十七条

中华人民共和国公民有言論、出版、集会、結社、游行、示威的自由。国家供給必需的物質上的便利，以保証公民享受这些自由。

第八十八条

中华人民共和国公民有宗教信仰的自由。

第八十九条

中华人民共和国公民的人身自由不受侵犯。任何公民，非經人民法院决定或者人民檢察院批准，不受逮捕。

第九十条

中华人民共和国公民的住宅不受侵犯，通信秘密受法律的保护。

中华人民共和国公民有居住和迁徙的自由。

第九十一条

中华人民共和国公民有劳动的权利。国家通过国民經济有計划的發展，逐步扩大劳动就業，改善劳动条件和工資待遇，以保証公民享受这种权利。

第九十二条

中华人民共和国劳动者有休息的权利。国家規定工人和职員的工作时間和休假制度，逐步扩充劳动者休息和休养的物質条件，以保証劳动者享受这种权利。

第九十三条

中华人民共和国劳动者在年老、疾病或者丧失劳动能力的时候，有获得物質帮助的权利。国家举办社会保險、社会救济和群众衞生事業，并且逐步扩大这些設施，以保証劳动者享受这种权利。

第九十四条

中华人民共和国公民有受教育的权利。国家設立并且逐步扩大各种学校和其他文化教育机关，以保証公民享受这种权利。

国家特别关怀青年的体力和智力的發展。

第九十五条

中华人民共和国保障公民进行科学研究、文学艺术創作和其他文化活动的自由。国家对于从事科学、教育、文学、艺术和其他文化事業的公民的創造性工作，給以鼓励和帮助。

第九十六条

中华人民共和国妇女在政治的、經济的、文化的、社会的和家庭的生活各方面享有同男子平等的权利。

婚姻、家庭、母亲和兒童受国家的保护。

第九十七条

中华人民共和国公民对于任何違法失职的国家机关工作人員，有向各級国家机关提出書面控告或者口头控告的权利。由于国家机关工作人員侵犯公民权利而受到損失的人，有取得賠偿的权利。

第九十八条

中华人民共和国保护国外华侨的正当的权利和利益。

第九十九条

中华人民共和国对于任何由于拥护正义事業、参加和平运动、进行科学工作而受到迫害的外国人，給以居留的权利。

第一百条

中华人民共和国公民必須遵守宪法和法律，遵守劳动紀律，遵守公共秩序，尊重社会公德。

第一百零一条

中华人民共和国的公共財产神聖不可侵犯。爱护和保衛公共財产是每一个公民的义务。

第一百零二条

中华人民共和国公民有依照法律納稅的义务。

第一百零三条

保衛祖国是中华人民共和国每一个公民的神聖职責。

依照法律服兵役是中华人民共和国公民的光荣义务。

第四章　国旗、国徽、首都

第一百零四条

中华人民共和国国旗是五星紅旗。

第一百零五条

中华人民共和国国徽，中間是五星照耀下的天安門，周圍是谷穗和齿輪。

第一百零六条

中华人民共和国首都是北京。

（按1957年北京法律出版社之中華人民共和國憲法學習參考資料排印）

VOCABULARY: 4

				P.	L.
1.	宪法	hsìen-*fǎ*	national constitution	149	2
2.	届	*chìeh*	a term of an elected or appointed body (as the People's Congress is elected every four years, its *chieh* is four years)	149	3
3.	全国人民代表大会	*Ch'üan*-kúo *Jén-mín Tài-piao Tà*-hùi	National People's Congress	149	3
4.	序言	*hsǜ-yén*	preamble	149	5
5.	英勇	*yīng-yǔng*	heroic	149	6
6.	終于	*chūng-yǘ*	finally	149	6
7.	貧困	*p'ín-k'ùn*	poverty	149	10
8.	建成	*chìen-ch'éng*	to build up	149	10
9.	抗美援朝	*k'àng-Měi yǘan-Ch'áo*	resist the U. S., aid Korea	149	15
10.	首都	*shǒu-tū*	capital	149	19
11.	北京	*Pěi-chīng*	Peking	149	19
12.	政治协商会議	*Chèng-chìh* Hsíeh-*shāng* Hùi-*ì*	Political Consultative Conference	149	20
13.	共同綱領	*Kùng-t'úng Kāng-lǐng*	Common Program	149	20
14.	成果	*ch'éng-kǔo*	gains	149	21
15.	願望	*yǜan-wàng*	desire	149	23
16.	党派	tǎng-*p'ài*	political parties and factions	149	25
17.	团体	t'úan-t'ǐ	organization	149	25
18.	友爱	*yǔ*-ài	friendship and affection	149	29
19.	互助	*hù-chù*	mutual aid	149	29
20.	公敌	*kūng*-tí	public enemy	149	29
21.	大民族主义	*tà mín-tsú chǔ*-ì	great nation chauvinism	149	29
22.	苏維埃社会主义共和国联盟	Sū-*wéi-āi Shè*-hùi *chǔ*-ì *Kùng-hó* Kúo Líen-*méng*	U. S. S. R.	150	2
22a.	苏維埃	sū-*wéi-āi*	soviet	150	2
23.	牢不可破	*láo pū k'ǒ-p'ò*	indestructible	150	3
24.	友誼	*yǔ-í*	friendship	150	3
25.	爱好	ài-*hào*	to love	150	3
26.	日見	*jìh-chìen*	day by day	150	3

				P.	L.
27.	增进	*tsēng*-chìn	to improve	150	3
28.	互利	*hù-lì*	mutual benefit	150	4
29.	主权	*chŭ*-ch'ŭan	sovereignty	150	4
30.	領土	*lĭng-t'ŭ*	territory	150	5
31.	完整	*wán-chĕng*	integrity	150	5
32.	外交	*wài-chīao*	diplomatic	150	5
33.	成就	*ch'éng-chìu*	achievement	150	5
34.	不移	*pū-í*	consistent	150	6
35.	崇高	*ch'úng-kāo*	noble	150	7
36.	一律	*ī-lǜ*	uniformly	150	15
37.	多民族	*tō mín-tsú*	multinational	150	18
38.	歧視	*ch'í-shìh*	discrimination	150	19
39.	風俗	*fēng-sú*	custom	150	22
40.	少数民族	*shăo*-shù *mín-tsú*	minority nationality	150	23
41.	聚居	*chǜ-chǖ*	to live in compact community	150	23
42.	分离	*fēn*-lí	alienable	150	24
43.	全民所有制	*ch'ǘan-mín sŏ-yŭ chìh*	the form of ownership by the whole people	150	30
44.	合作社	*hó-tsò shè*	cooperative	150	30
45.	优先	yū-*hsīen*	priority	150	34
46.	矿藏	k'ùang-*ts'áng*	mineral resources	150	35
47.	水流	*shŭi-líu*	waters	150	35
48.	法律	*fă-lǜ*	law	150	35
49.	国有	kúo-*yŭ*	state ownership	150	35
50.	森林	*sēn-lín*	forest	150	35
51.	荒地	*hūang-tì*	undeveloped land	150	35
52.	所有权	*sŏ-yŭ* ch'ǘan	right of ownership	151	9
53.	供銷合作	*kūng-hsīao hó-tsò*	supply and marketing cooperative	151	11
54.	信用合作	*hsìn-yùng hó-tsò*	credit cooperative	151	11
55.	改善	*kăi-shàn*	to improve	151	16
56.	监督	chīen-*tū*	supervision	151	21
57.	国計民生	kúo-*chì mín-shēng*	national economy and people's livelihood	151	22
58.	危害	*wéi-hài*	to injure	151	25
59.	公共	*kūng-kùng*	public	151	25
60.	扰乱	jăo-lùan	to disrupt	151	25
61.	非法	*fēi-fă*	unlawful	151	26
62.	公民	*kūng-mín*	citizen	151	28

				P.	L.
63.	收入	*shōu-jù*	income	151	28
64.	儲蓄	*ch'ú-hsǜ*	savings	151	28
65.	生活資料	*shēng-húo tzū-lìao*	means of life	151	28
66.	城乡	*ch'éng*-hsīang	city and countryside	151	32
67.	征購	chēng-*kòu*	purchase	151	33
68.	征用	chēng-*yùng*	requisition	151	33
69.	收归国有	*shōu*-kūei kúo-*yǔ*	nationalization	151	33
70.	傾听	*ch'īng*-t'īng	to listen attentively	152	6
71.	效忠	*hsìao-chūng*	loyal	152	9
72.	叛国	*p'àn*-kúo	treasonable	152	12
73.	懲办	ch'éng-pàn	to punish	152	13
74.	剝夺	*pō*-tó	to deprive	152	14
75.	自食其力	*tzù-shíh ch'í lì*	to earn one's livelihood by one's own labor	152	15
76.	安全	*ān-ch'üán*	security	152	18
77.	机构	chī-kòu	structure	152	19
78.	权力机关	ch'üán-*lì* chī-kūan	organ of state authority	152	22
79.	立法权	*lì-fǎ* ch'üán	legislative authority	152	24
80.	直轄市	*chíh-hsía shìh*	municipality directly under the central government	152	26
81.	华侨	húa-ch'íao	Chinese resident abroad	152	26
82.	选出	hsüǎn-*ch'ū*	to elect	152	26
83.	名額	*míng-ó*	number	152	27
84.	产生办法	ch'ǎn-*shēng* pàn-*fǎ*	manner of election	152	27
85.	选举法	hsüǎn-chǔ *fǎ*	electoral law	152	28
86.	任期	*jèn-ch'ī*	term	152	30
87.	屆滿	*chìeh-mǎn*	the term expires	152	31
88.	常务委員会	*Ch'áng*-wù *Wěi-yüǎn* Hùi	Standing Committee	152	31
89.	临时	lín-shíh	at any time (deemed necessary)	153	4
90.	主席团	*chǔ-hsí* t'úan	presidium	153	6
91.	主持	*chǔ-ch'íh*	to conduct	153	6
92.	职权	chíh-ch'üán	function and power	153	8
93.	提名	*t'í-míng*	recommendation	153	13
94.	国务院	Kúo-wù *Yüàn*	State Council	153	13
95.	总理	tsǔng-*lǐ*	premier	153	13
96.	人选	*jén*-hsüǎn	choice of a person for an office	153	13

				P.	L.
97.	国防委員会	Kúo-*fáng* *Wĕi-yǘan* Hùi	National Defense Council	153	15
97a.	国防	Kúo-*fáng*	national defense	153	15
98.	最高人民法院	*Tsùi-kāo Jén-mín Fă-yǜan*	Supreme People's Court	153	17
98a.	人民法院	*jén-mín fă-yǜan*	people's court	153	17
98b.	法院	*fă-yǜan*	court	153	17
99.	院长	*yǜan*-chăng	president	153	17
100.	最高人民檢察院	*Tsùi-kāo Jén-mín Chĭen-ch'á Yǜan*	Supreme People's Procuratorate	153	18
101.	檢察长	*chĭen-ch'á* chăng	chief procurator	153	18
102.	批准	*p'ī-chŭn*	to approve	153	20
103.	預算	*yǜ-sùan*	budget	153	20
104.	决算	*chǘeh-sùan*	financial report	153	20
105.	划分	hùa-*fēn*	status and boundary	153	21
106.	大赦	*tà-shè*	general amnesty	153	22
107.	罢免	pà-*mĭen*	to remove from office	153	26
108.	部长	*pù*-chăng	minister	153	28
109.	主任	*chŭ-jèn*	head	153	28
110.	秘書长	*mì-shū* chăng	secretary-general	153	28
111.	議案	*ì-àn*	bill	153	34
112.	常設机关	*ch'áng-shè* chī-kūan	permanently acting body	153	36
113.	法令	*fă-lìng*	decree; law and decree	154	10
114.	撤銷	*ch'è-hsīao*	to annul	154	12
115.	閉会	*pì*-hùi	not in session	154	15
116.	任免	*jèn-mĭen*	appointment or removal	154	16
117.	审判員	shĕn-*p'àn yǘan*	judge	154	17
117a.	审判	shĕn-*p'àn*	to try	154	17
118.	审判委員会	Shĕn-*p'àn* *Wĕi-yǘan* Hùi	Judicial Committee	154	17
119.	檢察員	*chĭen ch'á yǘan*	procurator	154	18
120.	檢察委員会	*Chĭen-ch'á* *Wĕi-yǘan* Hùi	Procuratorial Committee	154	18
121.	駐外	*chù-wài*	(representatives) to foreign states	154	19
122.	全权代表	*ch'ǘan*-ch'ǘan *tài-pĭao*	plenipotentiary representative	154	19
123.	締結	*tì-chíeh*	to conclude (treaty)	154	20
124.	条約	t'íao-*yǘeh*	treaty	154	20
125.	銜級	*hsíen-chí*	title and rank	154	21

				P.	L.
126.	勛章	*hsün-chāng*	order or medal	154	22
127.	称号	ch'ēng-hào	title	154	22
128.	特赦	*t'è-shè*	pardon	154	23
129.	侵犯	*ch'īn-fàn*	attack	154	24
130.	总动員	tsŭng tùng-*yüan*	general mobilization	154	26
131.	戒严	*chìeh*-yén	martial law	154	27
132.	設立	*shè-lì*	to establish	154	37
133.	法案	*fă-àn*	bills	154	37
134.	特定	*t'è-tìng*	specific	155	6
135.	义务	ì-wù	obligation	155	9
136.	提供	*t'í-kùng*	to supply	155	9
137.	質問	*chíh-wèn*	to question	155	12
138.	逮捕	*tài-pŭ*	to arrest	155	15
139.	单位	tān-*wèi*	unit	155	18
140.	程序	*ch'éng-hsü*	procedure	155	19
141.	撤换	*ch'è-hùan*	to replace	155	19
142.	年滿	*níen-măn*	to have reached the age of	155	23
143.	公布	*kūng-pù*	to promulgate	155	27
144.	使节	*shīh*-chíeh	diplomatic envoy	155	32
145.	派遣	*p'ài-ch'īen*	to dispatch	155	33
146.	召回	*chào-húi*	to recall	155	33
147.	統率	*t'ŭng-shùai*	to command	155	36
148.	担任	tān-*jèn*	to assume the post of	155	36
149.	最高国务会議	*Tsùi-kāo* Kúo-wù Hùi-*ì*	Supreme State Conference	156	2
150.	提交	*t'í-chīao*	to submit	156	6
151.	委托	*wĕi-t'ō*	to entrust	156	10
152.	代行	*tài-hsíng*	to act for	156	10
153.	缺位	*ch'üeh-wèi*	to fall vacant	156	20
154.	繼任	*chì-jèn*	to succeed	156	20
155.	职位	chíh-*wèi*	office	156	20
156.	执行机关	chíh-*hsíng* chī-kūan	executive organ	156	23
157.	行政机关	*hsíng-chèng* chī-kūan	administrative organ	156	24
158.	措施	*ts'ò-shīh*	measure	156	35
159.	貿易	*mào-ì*	trade	157	8
160.	衞生	*wèi-shēng*	public health	157	9
161.	維护	*wéi*-hù	to maintain	157	12
162.	自治州	*tzù-chìh chōu*	autonomous *chou*	157	15

				P.	L.
163.	自治县	*tzù-chìh* hsìen	autonomous county	157	15
164.	权限	ch'üan-*hsìen*	jurisdiction	157	24
165.	民族乡	*mín-tsú* hsiang	nationality *hsiang*	157	34
166.	市辖区	*shìh-hsía* ch'ü	municipal district	158	2
167.	选民	hsüan-*mín*	voters	158	11
168.	规划	*kuei*-hùa	to draw up plans	158	18
169.	省长	*shěng*-chăng	provincial governor	159	5
170.	市长	*shìh*-chăng	mayor	159	5
171.	县长	hsìen-chăng	county head	159	5
172.	区长	ch'ü-chăng	district head	159	5
173.	乡长	hsiang-chăng	*hsiang* head	159	5
174.	鎮长	*chèn*-chăng	town head	159	5
175.	所屬	*sŏ-shŭ*	subordinate	159	17
176.	意願	*ì-yüan*	wish	159	31
177.	杂居	tsá-*chü*	to live together	159	33
178.	財政	*ts'ái-chèng*	finances	160	6
179.	公安部队	*kūng-ān pù*-tùi	public security forces	160	8
180.	条例	t'íao-*lì*	statute, regulation	160	10
181.	单行条例	tān-*hsíng* t'íao-*lì*	separate regulation	160	10
182.	报請	pào-*ch'ĭng*	to submit to	160	10
183.	通用	*t'ūng-yùng*	commonly used	160	14
184.	审判权	shěn-*p'àn* ch'üan	judicial authority	160	21
185.	案件	*àn-chìen*	case	160	26
186.	陪审員制度	*p'éi*-shěn-*yüan chìh-tù*	system of assessors	160	26
187.	被告人	*pèi-kào jén*	the accused	160	28
188.	辯护	*pìen*-hù	defense	160	29
189.	訴訟	*sù-sùng*	court proceedings	160	31
190.	通曉	*t'ūng-hsĭao*	to be familiar with	160	32
191.	当事人	tāng-*shìh jén*	party	160	32
192.	翻譯	*fān-ì*	to interpret	160	32
193.	审訊	shěn-*hsùn*	hearing	160	34
194.	判决書	*p'àn-chüeh shū*	judgment	160	34
195.	布告	*pù-kào*	public notice	160	34
196.	檢察权	*chĭen-ch'á* ch'üan	procuratorial authority	161	11
197.	不分	*pū-fēn*	regardless	161	27
198.	种族	chŭng-*tsú*	race	161	27
199.	性別	*hsìng-píeh*	sex	161	27
200.	居住	*chū-chù*	residence	161	28
201.	期限	*ch'ī-hsìen*	length	161	28

				P.	L.
202.	精神病	*chīng-shén pìng*	insanity	161	29
203.	集会	*chí*-hùi	assembly	161	33
204.	結社	*chíeh-shè*	association	161	33
205.	游行	*yú-hsíng*	procession	161	33
206.	示威	*shìh-wēi*	demonstration	161	33
207.	供給	*kūng-chǐ*	to provide	161	34
208.	便利	*pìen-lì*	facilities	161	34
209.	享受	*hsǐang-shòu*	to enjoy	161	34
210.	人身	*jén-shēn*	person	162	2
211.	住宅	*chù-chái*	home	162	5
212.	迁徙	ch'īen-*hsǐ*	to change one's residence	162	6
213.	就業	*chìu-yèh*	employment	162	9
214.	工資	*kūng-tzū*	wage	162	9
215.	待遇	*tài-yǜ*	remuneration	162	9
216.	休息	*hsīu-hsi*	to rest	162	11
217.	休假	*hsīu-chìa*	holiday	162	12
218.	扩充	k'ùo-*ch'ūng*	to expand	162	12
219.	休养	*hsīu*-yǎng	to build up one's health	162	12
220.	举办	chǚ-pàn	to provide	162	16
221.	保險	*pǎo-hsǐen*	insurance	162	16
222.	救济	*chìu*-chì	relief	162	16
223.	設施	*shè-shīh*	facilities	162	17
224.	关怀	kūan-húai	to be concerned with	162	21
225.	体力	t'ǐ-*lì*	physical condition	162	21
226.	智力	*chìh-lì*	intelligence	162	21
227.	享有	*hsǐang-yǔ*	to enjoy	162	28
228.	婚姻	*hūn-yīn*	marriage	162	29
229.	兒童	*érh-t'úng*	children	162	29
230.	違法	*wéi-fǎ*	transgression of law	162	31
231.	失职	*shīh*-chíh	dereliction of duty	162	31
232.	控告	*k'ùng-kào*	complaint	162	32
233.	賠償	*p'éi*-ch'áng	compensation	162	33
234.	迫害	*p'ò-hài*	persecution	163	1
235.	居留	*chǖ-líu*	to stay — asylum	163	1
236.	公德	*kūng-té*	public ethics	163	4
237.	神聖	*shén-shèng*	sacred	163	6
238.	爱护	ài-hù	to take loving care	163	6
239.	納稅	*nà-shùi*	to pay taxes	163	9
240.	兵役	*pīng-ì*	military service	163	12
241.	国旗	kúo-*ch'í*	national flag	163	13

				P.	L.
242.	国徽	kúo-*hūi*	national emblem	163	13
243.	照耀	*chào-yào*	light	163	17
244.	天安門	*T'ien-ān Mén*	Heavenly Peace Gate in Peiping	163	17
245.	谷穗	kŭ-*sùi*	ears of grain	163	17

LESSON 5

Introduction to *Basic Problems in the Civil Law of the People's Republic of China*

Although the Communist government moved quickly after its establishment to abrogate the law codes of the Nationalist government (known as the Six Codes, Liu-fa Ch'üan-shu), since that time it has not promulgated any complete codes, either of civil or criminal law.

Basic Problems in the Civil Law of the People's Republic of China is the only civil law textbook of Communist China which is so far available in this country. It was prepared by the Civil Law Teaching and Research Section of the Central Political-Legal Cadre School (Chung-yang Cheng-fa Kan-pu Hsüeh-hsiao Min-fa Chiao-yen Shih). Originally, it was a collection of lecture notes compiled in 1957 for use by students at the cadre school. Subsequently, these were edited into book form, with some revisions and added material, to serve as a reference guide to cadres who were actually engaged in political and legal duties. There was further enlargement and revision after the Readjustment and Anti-Rightist Movement. One apparent purpose of the revisions was to answer some of the bitter criticisms of the Communist legal system by the so-called Rightists during the Hundred Flowers period.

The book has three main parts. The first part deals with the general principles of civil law, including definition, application, interpretation, civil law relationships, juristic personality, juristic acts, agency, and time limitation (prescription). The second part discusses the four forms of ownership provided for in the 1954 Constitution: state, collective, capitalist, and individual. The third part analyzes the principles and content of obligation and contract, including the civil liability of wrongful acts (torts) and the law of inheritance. Because the book was published in 1958, it does not deal with the civil law problems arising from the establishment in August, 1958, of the people's communes.

The general framework of *Basic Problems in the Civil Law* is clearly based on the 1922 Civil Code of the RSFSR. The terminology, however, is largely an adaptation of that used in the 1929 Civil Code (Min-shih Fa-tien) of the Nationalist government of China. For our reading in this lesson, the Introduction has been selected because it provides a comprehensive summary of the basic ideology of civil law which pervades the whole book.

第五課

中华人民共和国民法基本問題导言

一

中华人民共和国民法，是社会主义的民法；中华人民共和国的民法科学，是馬克思列宁主义法学的一个部門。它是在中国共产党的領导下，在不断总結我国革命和建設实践中建立和發展起来的。

馬克思列宁主义从来就認为，無論法和法学，都具有十分强烈的阶級性，只能为当时的統治阶級服务。革命的政权“不承認任何其他的政权和任何的法律，不承認任何人所定的任何規范”。①而是“在革命斗爭中人民大众自己就直接地創造新的法律”。②远在我国第一次国内革命战争时期（1924—1927），中国共产党領导中国人民大众的革命斗爭中，就表現了人民的革命法律意識，規定革命的法律措施。毛澤东同志“湖南农民运动考察报告”一文提到农民协会領导农民所作的“十四件大事”中，例如：“不准谷米出境，不准高抬谷价，不准囤积居奇”，“不准加租加押，宣传减租减押”，“不准退佃”，实行“减息”，禁止“牌、賭、鴉片”等，都是涉及到民法問題的革命措施。当时“湖南省第一次农民代表大会”并曾对地租、取締高利貸、废除牙帖取締牙商、社倉积谷、妇女等有关民法方面的問題作出决議案，其中“司法問題决議案”还明确規定：“民刑法律全部改訂，凡不利于农民的条文須一律废除”。③在第二次国内革命战争时期（1927—1937），在中国共产党的領导下，建立了革命根据地，产生了紅色政权，制定了一系列的法律文件。如“中华苏維埃共和国宪法大綱”中就包括有民法的基本原則。此外还有“中华苏維埃土地法”、“合作社暫行組織条例”、“借貸暫行条例”等重要民事法規。在抗日战争时期（1937—1945），我們党領导的各抗日根据地曾以“反对日本帝国主义，保护抗日的人民，調节各抗日阶層的利益，改良工农的生活和鎮压汉奸、反动派为基本出發点。”④，規定了一系列的民事法規。如

① 引自“列宁文集”第六冊，人民出版社 1954 年版，第 315 頁。

② 列宁語。轉引自苏达里可夫、貝可夫著“苏維埃国家与法律問題講座”一書，第130頁。

③ 見“第一次国内革命战争时期的农民运动”一書，人民出版社 1953 年版，第356頁。

④ 見“毛澤东选集”第二卷，第715頁。

陝甘宁边区就有“保障人权財权条例”、“地权条例”、“土地租佃条例”、“土地典当糾紛处理原則及旧債糾紛处理原則”、“婚姻条例”等。在第三次国內革命战爭时期（1945—1949），随着人民解放战爭的胜利，解放区日益扩大，相繼成立了东北、华北、中原人民政府。在这个时期里，中国共产党中央公布了“中国土地法大綱”，作为实行土地改革的依据，以便实行耕者有其田的土地制度；并且还提出了沒收官僚資本、保护民族工商業和保护人民民主权利等各項綱領。各地人民政权根据这些綱領頒布了一系列单行民事法規。

以上所述，就是我国新民主主义革命阶段各革命根据地和解放区民事政策法令的概況。这些政策法令虽然在形式上一般較为簡单，但都是代表人民意志和符合革命利益的。它們不但在当时保障和促进了人民革命事業的發展，并且是我国現在社会主义民法的萌芽或雛型。

中华人民共和国成立以后，就开始进入社会主义革命阶段，在短短的八年內，不但在所有制方面基本上完成了社会主义革命的任务，并且在社会主义經济建設事業方面也有了飞躍的發展。在这个过程中，我国社会主义的民法也日益完备和發展了。

由此可見，我国人民有自己的革命法統，从来就不承認任何反动阶級的反动法統。新法和旧法，是两个根本对立的法律范疇，表現了根本利益互相对立的阶級的法律意識。我們所禁止的，恰恰是反动民法所保护的；而我們所保护的，則正是反动民法所禁止的。两者之間是根本不可能相容的。我国社会主义民法体系，是在几十年的革命斗爭中，特别是在建国以来的革命和建設实践中建立、發展和逐步完备起来的。而一切反动民法和反动民法学从来就只能作为被批判和清除的对象。实际上，我国民法科学的历史，也是徹底摧毀和不断清算資产阶級反动民法学的历史。在我国人民民主革命和社会主义革命的过程中，法律界革命派和反动派，新法学和旧法学之間一直进行着你死我活的斗爭。在1949年2月，中共中央發出的“关于废除国民党的六法全書与确定解放区的司法原則的指示”指出：司法机关应該教育和改造司法干部蔑視和批判一切反动法律，学習馬克思列宁主义的国家观、法律观，使我們的司法工作眞正成为人民民主政权工作的有机构成部分。中华人民共和国成立以后，1952年下半年在全国范围內进行了一次以反对旧法观点和改革整个司法机关为內容的司法改革运动，从組織上純潔了司法机关，从思想上基本上划清了新、旧法律的界限，清算了反动的旧法观点。接着进行的政法院系調整工作，調整、改造了旧有的政法院系，建立了工人阶級的政法教育基地。这样，在徹底摧毀資产阶級法統的基础上，我国民法科学有了重大的进展。

但是，一小撮旧法的“孝子賢孙”和其他反动分子，并沒有甘心旧法的被废除和旧法学的被清算，他們念念不忘地梦想“重操旧業”。于是在

1957年春，他們就趁我們党进行整風的机会，和全国其他右派分子一起，發动了一个極其猖狂的进攻。他們誣蔑和攻击馬克思列宁主义“太强調阶級立場而有狹隘性”，誣蔑和誹謗我国“無法可依、有法不依、有法难依”，甚至公然要求“收回过去关于废除六法全書的指示”，要对旧法和旧法学进行“招魂”，梦想使国民党反动法統复辟，使反动旧法学复活。因此，法律界的反右派斗爭，乃是历史上新法和旧法、新法学和旧法学之間的敌我斗爭的繼續。資产阶級右派在民法方面也有种种謬論，这些謬論是反动民法观点的表現。我們在反右派斗爭取得徹底胜利之后，还必須进一步从各个方面肃清反动的民法观点，才能进一步發展我国社会主义的民法科学，巩固社会主义法制。

二

民法，是阶級斗爭和阶級矛盾的产物，它是統治阶級在根本財产利益的問題上进行阶級斗爭的工具。民法上的所有权制度，規定和固定着統治阶級对生产資料的所有关系；民法上債的制度，确定了有利于統治阶級的对社会財富的支配方式；而民法上的公民、法人制度，就是保护和巩固着一定社会的統治阶級在社会生产体系中的地位。总之，民法从几个主要方面巩固着統治阶級借以存在的經济基础。民法，就是統治阶級在这些根本問題上进行阶級斗爭的工具，保护和巩固本阶級的根本利益，限制或取締敌对阶級的財产利益。这就是民法的阶級性的極鮮明的表現。民法的斗爭方式看来似乎沒有像刑法那样的尖銳，但是由于民法关联着巩固什么样的所有制問題，关联着保护統治阶級借以存在的經济基础問題，这就决定了民事范畴內所进行的阶級斗爭是十分广泛和十分深刻的。

我国民法，是社会主义的民法，这是由于我国社会主义的經济制度和政治制度所决定的。它是我国工人阶級領导广大劳动人民为徹底实現社会主义而进行阶級斗爭的工具。在我国过渡时期，存在着資产阶級和無产阶級之間的斗爭，資本主义道路和社会主义道路之間的斗爭。这两条道路的斗爭，乃是我国过渡时期的主要矛盾。它在民法的范疇內，主要就表現为：是保护和發展社会主义公有制，还是保护和發展資本主义的私有制？是巩固社会主义的有計划的分配方式，还是任其自發的資本主义商品交換关系？是个人利益，局部利益服从社会整体利益，还是使集体利益服从个人利益？在这个两条道路的問題上保护什么和反对什么，这是我国民法的全部实質所在，毫無疑問，我国民法堅定地保护和巩固社会主义的利益，并在这一根本前提下，依照法律充分地保护公民的权利和合法利益。

在我国目前，經济战綫（主要在所有制方面）的社会主义革命已經基本上完成了。但是資本主义和社会主义两条道路的斗爭，仍然是我国过渡

时期的主要矛盾 。 在我国目前的条件下它既大量地表現为人民內部的矛盾，也表現为敌我性質的矛盾。我国民法就是依据社会主义的原则在一定范围內处理人民內部矛盾和解决敌我矛盾的法律工具。

我国民法对于处理人民內部矛盾有着重要的作用。社会主义民法、首先是苏維埃民法，是人类有史以来第一次能够处理人民內部矛盾的民法。在剝削社会里，剝削者与被剝削者之間、有产者与無产者之間、債权人与債务人之間沒有眞正共同的利害，而只有根本利益上的冲突。建立在这个根本利害冲突的基础上而又表現了反动統治阶級意志的一切反动民法，只能是压迫和剝削劳动人民的工具，只能是反动統治阶級內部勾心斗角、实行兼并的工具，根本不可能維护广大劳动人民的利益。

人民內部矛盾是在根本利益一致的基础上产生的矛盾。在我們社会主义国家內 ， 在人民內部，国家、企業和劳动人民之間 ， 所有人和非所有人、債权人和債务人之間，并沒有根本的利害冲突，而只有建設社会主义社会、巩固社会主义社会秩序的共同愿望，我国民法就反映了这种共同愿望，因此才有可能成为正确解决人民內部矛盾的法律准繩。

在民事范畴內，大量的是人民內部矛盾問題。它反映在所有权、債和繼承等各个方面，表現为这一部分和那一部分、局部和整体的矛盾，也表現为公民个人利益和集体利益的矛盾。人民这个范畴，在我国現阶段还有無产阶級与非無产阶級之分，劳动人民与非劳动人民之分，有貧农，有中农，有富裕中农，也还有接受改造的資产阶級分子等等。这就是說，在人民內部还存在着社会主义和資本主义两条道路的問題，还存在着不同的阶級利益問題。因此，在处理人民內部矛盾时，应該进行阶級分析，应該以有利于社会主义、有利于人民內部的团結作为根本的准則。局部的、个人的利益，只有在坚定地維护社会主义利益即广大人民根本利益的前提下，才能得到充分的保护；同时也只有在这个根本前提下，广大人民的个人利益才能得到不断的日益充分的满足。

敌我矛盾的基础，就是“敌对阶級之間的利害冲突”①。在这个“利害冲突”的問題上 ， 我国民法自始就坚决地但又逐步地消灭一切剝削制度，不承認、不保护敌对阶級的任何根本财产利益，坚决地“废除地主阶級封建剝削的土地所有制”②“沒收官僚資本归人民的国家所有”③“解放前，农民及其他劳动人民所欠地主的債务，一律废除”④。我国民法还从法律上杜絕剝削制度复辟的道路，剝削阶級的任何复辟行为和利用私有财产損害公共利益的行为，都是违法的。

① 引自“再論無产阶級专政的历史經驗”。
② “中华人民共和国土地改革法”第一条。
③ “共同綱領”第三条。
④ “中央人民政府政务院新区农村債务糾紛处理办法”（一）。

对于資本主义工商業，我們采取了利用、限制和改造的政策。在全行業公私合营前，在接受改造的前提下，是依法保护資本家的生产資料所有权的，但这是一定时期的措施，根本的問題，是要逐步消灭資本主义的所有制，如果資本家接受了社会主义改造，他們和劳动人民之間就是人民內部的矛盾。但是“如果……民族資产阶級不接受我們的这个政策，那末工人阶級同民族資产阶級之間的矛盾就会变成敌我之間的矛盾。”①資本主义經济在过去本来有反动的破坏作用和有利于国計民生的积極作用的两面性，但是在我国社会主义革命取得基本胜利、資本主义私有制基本消灭之后，資本主义經济就只有反动性的一面了。在这次資产阶級右派进攻中，他們要求“贖买到底”，要求恢复資本主义經济的“自由天地”，这就是敌我矛盾的表現。政府对于不法資本家和其他投机分子违反法令、破坏社会主义經济的任何活动，都要严格地加以取締。

可見，我国民法对于解决敌我矛盾有着重要的作用。一方面，随着革命事業的發展，从法律上逐步否定了一切剝削制度；另一方面，对于剝削阶級的任何复辟行为和其他违法活动，从民法方面也可以采取賠償損失、返还財物或者将他們不法取得的財物收归国庫等措施，以保障我們的根本基础——公共財产神聖不可侵犯，保护和恢复公民的正当权益。

由此可見，我国民法在一定范围內旣大量地处理人民內部矛盾，也是解决敌我矛盾的法律工具。有的人形式主义地单从法律形式上，从法律部門和法律制裁方法上来看問題，說什么民法只是处理人民內部矛盾的工具，沒有对敌专政的作用，即使有，民法也是处于輔助的地位。这种看法是錯誤的。民法对于处理人民內部矛盾，固然是大量的、同时也有很大的作用；但也是从財产上制裁、打击敌人和限制、消灭敌人財产基础的工具。从根本上否定剝削阶級的經济基础，这正是民法专政作用的具体表現。

由于資本主义和社会主义两条道路的斗爭，旣可以表現为人民內部矛盾，也可以表現为敌我矛盾。所以在适用民法处理民事問題时，首先就必須分淸两类矛盾的性質，即分淸大是大非。否則就会混淆敌我界限，不是認敌为我，發生右的錯誤；就是認我为敌，發生“左”的錯誤。而在分淸敌我的基础上，还必須根据党的政策和阶級斗爭形势出發。法，是进行阶級斗爭的工具，离开了党的政策和阶級斗爭形势，去空談法律条文，去抽象地分析法律形式，就不可能正确运用法律、眞正实現法律对于革命事業的服务作用。

民法之所以能够成为維护統治阶級利益进行阶級斗爭和調整阶級关系的工具，这是因为它本身就是統治阶級意志的集中表現。以我国民法来說，則是以工人阶級为領导的广大劳动人民意志的表現。法律并不是什么

① 毛澤东：“关于正确处理人民內部矛盾的問題”，人民出版社1957年版，第3頁。

技术性的名詞术語的綜合体，而只是政治、政策的条文化和規范化。我国民法，則是我們党和国家的民事政策的具体化，是为我們国家的政治任务服务的。由于我們党的政策是工人阶級和广大劳动人民利益的最高体現，而我們国家的政治任务也是广大劳动人民的共同愿望，法律貫徹党的政策和为政治服务，正是說明我国法律体現工人阶級和广大劳动人民意志的标志。可見：依法办事和执行政策、有法必依和完成政治任务，是完全一致的事情。相反地，不懂得法律所貫徹的政策精神，或者离开了国家的政治任务，才不可能眞正做到依法办事。

由于我国民法反映了工人阶級的先鋒队——中国共产党的政策，由于我国民法具有工人阶級的阶級性，这就决定了我国民法最本質的特点：它是最富有革命徹底性的民法；是建設社会主义和共产主义的民法；也是在实現社会主义的根本前提下使个人利益、局部利益和社会公共利益正确結合起来的民法。这些特点是一切反动民法根本不可能具备的。一切反动民法只能是保障反动統治阶級狹隘的反动的阶級利益的民法，是怯懦而又残酷的民法。馬克思曾分析了反动法律的特点，他說："残酷是怯懦所制定的法律的特征，因为怯懦只有变成残酷时才能有所作为。私人利益总是怯懦的，因为那种随时都可能遭到劫夺和損害的身外之物，就是它的心和灵魂。有誰会面临失去心和灵魂的危險而不战栗呢？如果自私自利的立法者的最高本質是某种非人的、外在的物質，那末这种立法者怎么可能是人道的呢？……'当他害怕的时候，他是可怕的。'这句話可以作为一切自私自利的和怯懦的立法的写照。"①

三

法，是統治阶級意志的表現；而法規，則是其表現形式，是国家权力机关制定的法律、法令、决議、命令等法律文件。統治阶級的意志通过国家权力机关制定为法規，就"以法律形式取得了一体遵行的效力"。②我們党和政府是一向重視民事立法工作的。在我們国家成立的短短八年內，已經根据国家政治經济任务的要求，分別由中央和地方頒布了一系列的民法法規。根据我們占有的材料初步統計，到目前为止，中央一級頒布的民事法規或其內容与民法有关的法規，共有747件（包括1949—1954年9月前中央人民政府委員会、政务院和各大行政区頒布的法規；也包括1954年10月—1957年8月全国人民代表大会、全国人民代表大会常务委員会和国务院制定的法規）。如果再加上地方性的法規，則远远不止此数。右派分子誣蔑我国"沒有法"、"無法可依"，完全是顚倒黑白、混淆是非。

① 見"馬克思恩格斯全集"第一卷，人民出版社1956年版，第149—150頁。
② 引自恩格斯："費尔巴哈与德国古典哲学的終結"，人民出版社1955年版，第60頁。

我国制定民事法规的立法路綫，是馬克思列宁主义的路綫。馬克思說："立法者应該把自己看做一个自然科学家。他不是在制造法律，不是在發明法律，而仅仅是在表述法律，他把精神关系的內在規律表現在有意識的現行法律之中。如果一个立法者用自己的臆想来代替事情的本質，那末我們就应該責备他極端任性"。①馬克思在这里所說的立法方針，就是馬克思主义認識論在立法工作上的具体表現。我們国家制定民事法規，首先是把劳动人民的意志集中表現为党的政策，經过实践的检驗，然后总結上升为法律。例如："农業生产合作社示范章程"的制定，首先我們党中央根据人民的意志先后發布过"关于农業生产互助合作的决議""关于發展农業生产合作社的决議"和"关于农業合作化問題的决議"，經过反复实践，然后根据經驗和广大农民發展合作社的要求，制出草案，又經广泛討論，才提請国家立法机关制定为法律。正由于我們党和国家在立法問題上的这种从实际出發、总結經驗和群众路綫的方針，才保証了我国的法律無隔閡地反映了人民的意見，集中表現出劳动人民的意志。这就是我国民法之所以有力量的原因之一。

民法規范是和經济关系相适应的，是經济关系的表現形式，"民法准則不过是社会生活經济条件在法律形式上的表現"②。在我国实現經济制度方面社会主义革命的过程中，經济关系变动很快，这就决定了我們国家在这个时期里主要只能制定一些暫行条例和带有綱領性、通則性的单行法規，决不能頒布成套的长期适用的民法典。我們也不是"法律万能"論者，党的一切政策并不是都必須和可能制成法律的。在我国社会大变革的时期里，需要人民群众根据党和国家的政策进行直接的斗爭，以便从旧的生产关系的束縛下解放生产力，因而不能过早地制定成套的細密的法規，否則，便会限制和束縛人民群众的革命斗爭。如果在农業手工業和資本主义工商業未完成社会主义改造以前，就固定下来一套长期适用的民法典，这不但不能充分反映我国的社会主义經济关系，反而还会成为实行社会主义改造的障碍。資产阶級反动右派之所以攻击"我国重要法典何以迟迟还不頒布"，其居心也就在于企圖設定一些法条来限制我国人民的社会主义革命事業。

四

旧中国自有"民法"以来，就是历代反动統治者用来残暴地压迫和剝削劳动人民的工具。

① 引自"馬克思恩格斯全集"第一卷，人民出版社1956年版，第183頁。

② "馬克思恩格斯文选"（两卷集），第二卷，1955年莫斯科中文版，第394—395頁。

中国历史上历代封建王朝，主要是采取刑罰的方法来进行反动統治的，因此当时幷沒有单独的民法典，而只是在“刑律”中附带規定戶、婚、田、債等民事問題。直到“淸律”，基本未变。在这个延續了三千年左右的封建社会里，农民实际上居于奴隶的地位，遭受封建君主、皇室、官僚、地主的原始、残酷、野蛮的掠夺，“耕豪民之田，見稅什伍，故貧民常衣牛馬之衣，食犬彘之食”，“富者田連阡陌，貧者地無立錐，輾轉于溝壑之中”，“为积欠所压，如負千鈞而行”。这就是当时劳动人民生活的写照。1840年鴉片战争之后，中国逐步变成了一个半封建半殖民地社会，这时的政治法律制度，就是保障帝国主义、买办阶級、封建地主和商業高利貸者对广大人民残酷地剝削和压迫的政治法律制度。

国民党反动政权的“民法”①，充分表現了半封建半殖民地的本質。旧法“学者”津津乐道地把这套反动法律分成“固有法”和“繼受法”两类（多半是所謂“繼受法”）。所謂“固有法”是“指本国固有之法規及習慣”；而所謂“繼受法”，則是“指模仿或采用外国法律而制定者”。他們認为“世界法制，浩如烟海，……选择得当就是創作，……刚好泰西最新法律思想和立法趋势，和中国原有的民族心理相吻合，簡直是天衣無縫”，幷且还無耻地崇奉被“繼受”的外国資本主义国家法律是“母法”。把这套“固有法”、“繼受法”的反动勾当說穿了，就是一方面繼承了封建传統；另一方面則大量抄袭資本主义各国的法条，吸收它們积累起来的反动立法經驗。这个情况，充分表明了国民党立法的既承受封建衣鉢而又洋奴买办姿态十足的丑恶面貌。

国民党民法从其內容来說，对內是保障金融寡头的經济独占、維护封建的和資本主义的残酷剝削、压迫和歧視妇女的民法；对外則是出卖民族利益的奴才民法。国民党民法“物权編”保护和巩固着封建的土地所有制和四大家族的經济垄断，保护着有产者的利益，使他們可以“自由使用、收益和处分其所有物，幷排除他人之干涉。”国民党民法虽然对所有权的行使有“限制”的規定，但是这种“限制”主要是为了金融寡头的利益而对中小有产者的限制，至于金融寡头則以所謂“国营”企業的外衣出現，可以不受任何的限制。国民党民法的“債权編”則公开縱容和保护高利貸盘剝，保护地主对农民的地租剝削，国民党政权还特别“通令”：“耕地租賃契約訂立繳納实物或收繳实物仍不敷完粮者，得請求增加地租”，

① 国民党反动政权的这套“民法”，是在1929—1930年間陆續頒布的。在此以前，淸末曾“草拟”一个“民律草案”（1911年完成）。北洋軍閥时期又于1915—1926年陆續“草拟”成“第二次民律草案”，其一部分曾“作为条理引用”。此外，还有一个“第三次民律草案亲屬編”。国民党反动政权的“民法”和这些“草案”基本相同，主要都是抄自德、瑞等資本主义国家的民法。

"爭議或佃戶抗不交租，得向司法机关起訴"，使地主可以借口"地租不够完粮"，無限制地进行加租。国民党民法上的雇佣和劳动契約制度則保障着資本家对工人的剝削关系，并且給資本家任意克扣工人工資和解雇工人提供了法律根据。国民党民法上的"亲屬編"巩固着封建夫权的統治，妇女实际上处于無权的地位。国民党民法还出卖民族利益保护帝国主义的經济掠夺。除在"民法总則施行法"中确立了"外国法人"的合法地位以外，1946年制定的"公司法"还規定了"外国公司"的特殊权利（如在华設立分公司可以不报資本額），以欢迎"外商对华投資"。1946年11月"中美商約"的訂立，更使得美帝国主义可以無限制地进行經济掠夺。国民党政权不但动用了宪兵、警察、法院等全部机构保障着美帝国主义在华利益，并且还成立所謂"中美商务仲裁会"，使得美帝国主义可以亲自动手来保护他們的"民事权利"。

至于旧中国的反动"民法学"，也和国民党民法一样表現了半封建半殖民地的本質。反动"民法家"只是东拼西湊、支离破碎地抄袭資本主义各国著作，实际上他們只是現代一些反动民法学派的一伙反动而又低能的应声虫而已。

这次猖狂地反党反社会主义的法律界反动右派，就是上述反动旧法和旧法学的忠实繼承者。他們要求按照他們的路綫由他們来做立法工作，就是妄想再干"固有法"、"繼受法"这种抄集古今中外反动民法的反动勾当；他們要求"招魂"，就是企圖招来上述这些魑魅魍魎。总之，是企圖安排反动旧法統的复辟，企圖重新給中国人民带来灾难和祸害。他們旣是我国人民民主革命的反动派，也是社会主义革命的反动派，徹底击潰和清除这些反动派，是我們进行社会主义革命的一項重大任务。

五

归結上述各部分，可以得出一个結論：一切民法和民法科学，都具有十分强烈的阶級性和党性。

我国民法科学，具有鮮明的工人阶級党性。它是馬克思列宁主义的民法学，是实事求是地闡明我国民事政策法令和不断总結我国民事实践經驗的民法学，是为建設社会主义和为广大劳动人民利益服务的民法学。它科学地闡明了民法的本来面貌，公开地主张民法的阶級性，認为民法和其他法律部門一样只能是統治阶級进行阶級斗爭的工具。它具有徹底的革命性和战斗性，它是在不断批判和战胜一切反动民法观点中發展起来的。而保証我国民法科学具有坚强的工人阶級党性的决定因素，則是中国共产党对于民法科学建設的領导。

一切反动民法学，則具有反动剝削阶級的阶級性和党性（虽然他們否認这一点）。它們是徹底反动的民法学，是一小撮反动統治者及其帮凶用来敌視和压迫劳动人民的民法学。它們不敢揭露民法的本来面貌，而說成是什么“国民公共意志”、“社会正义”的体現，以掩盖其反动阶級实質，欺騙劳动人民緩和阶級斗爭，这說明了它們又是虛伪的非科学的民法学。这次我国法律界右派的猖狂进攻，就是剝削阶級法学的这些党性的頑强表現。

馬克思列宁主义民法学和一切反动民法学是根本对立的，在国际共产主义运动史上，同样也在我国人民民主革命和社会主义革命历史上，一直存在着革命和反动两种法学的你死我活的斗爭。我們的任务就在于依据馬克思列宁主义的法学原理，徹底批判和清除反动民法观点，不断总結实践經驗，以發展我国社会主义的民法科学。

VOCABULARY: 5

				P.	L.
1.	民法	*mín-fă*	civil law	174	2
2.	导言	tăo-*yén*	introduction	174	2
3.	法学	*fă*-hsüéh	jurisprudence	174	7
4.	强烈	*ch'iang-lìeh*	intense	174	7
5.	規范	*kūei*-fàn	**rule**	174	9
6.	远在	yüan-*tsài*	as early as	174	10
7.	农民协会	núng-*mín* hsíeh-hùi	peasants' association	174	13
8.	谷米	kŭ-*mĭ*	food grains	174	14
9.	出境	*ch'ū-chìng*	export	174	14
10.	高抬	*kāo*-t'ái	to force up (price)	174	14
11.	谷价	kŭ-chìa	the price of food grains	174	14
12.	囤积居奇	*t'ún*-chī *chū-ch'í*	*t'un-chi* means to hoard *chü-chi* means to store goods in expectation of an exorbitant profit	174	14
13.	加租	*chīa-tsū*	increase of rent	174	14
14.	加押	*chīa-yā*	increase of deposit money	174	14
15.	减租	*chĭen-tsū*	reduction of rent	174	15
16.	减押	*chĭen-yā*	reduction of deposit money	174	15
17.	退佃	*t'ùi-tìen*	cancelling leases	174	15
18.	减息	*chĭen-hsí*	reduction of interest	174	15
19.	鴉片	*yā-p'ìen*	opium	174	15
20.	地租	*tì-tsū*	land rent	174	17
21.	取締	*ch'ŭ-tì*	abolition	174	17
22.	高利貸	*kāo lì-tài*	usury	174	17
23.	牙帖	*yá-t'ieh*	brokerage commission	174	17
24.	牙商	*yá-shāng*	broker	174	17
25.	社倉	*shè-ts'āng*	public granary	174	17
26.	积谷	chī-kŭ	storage of food grains	174	17
27.	司法	*szū-fă*	judicial	174	18
28.	民刑法律	*mín-hsíng fă-lǜ*	civil and criminal laws	174	19
29.	改訂	*kăi-tìng*	revision	174	19
30.	紅色政权	*húng-sè chèng*-ch'üán	red regime	174	21
31.	暫行	*chàn-hsíng*	provisional	174	23
32.	借貸	*chìeh-tài*	loan	174	23
33.	民事法規	*mín-shìh fă-kūei*	civil law regulation	174	23

				P.	L.
33a.	民事	*mín-shìh*	civil	174	23
34.	調节	*t'iao*-chíeh	adjustment	174	25
35.	人权	*jén*-ch'üan	human rights	175	1
36.	財权	*ts'ái*-ch'üan	property rights	175	1
37.	典当	*tien*-tàng	mortgage	175	2
38.	相繼	*hsiang-chì*	in succession	175	4
39.	东北	Tūng-*pěi*	Northeast	175	4
40.	中原	*Chūng-yüan*	Central China	175	4
41.	概况	*kài-k'ùang*	general description	175	10
42.	意志	*ì-chìh*	will	175	11
43.	萌芽	*méng-yá*	bud	175	12
44.	雛型	*ch'ú-hsíng*	prototype	175	12
45.	完备	*wán*-pèi	perfect	175	16
46.	法統	*fă-t'ŭng*	legal tradition	175	17
47.	恰恰	*ch'ìa-ch'ìa*	precisely	175	19
48.	相容	*hsiang-júng*	compatible	175	20
49.	体系	t'ĭ-*hsì*	system	175	21
50.	六法全書	*Lìu-fă Ch'üan-shū*	Six Codes	175	27
51.	蔑視	*mìeh-shìh*	to regard contemptuously	175	28
52.	国家观	kúo-*chia* kūan	concept of the state	175	29
53.	純潔	*ch'ún-chíeh*	to purify	175	32
54.	划清	hùa-*ch'ing*	to draw a sharp line — to distinguish clearly	175	32
55.	政法	*chèng-fă*	political-legal	175	33
56.	調整	*t'iao-chĕng*	adjustment	175	33
57.	进展	chìn-*chăn*	advancement	175	35
58.	一小撮	*ī hsiao-ts'ō*	a small pinch	175	36
59.	孝子賢孙	*hsìao-tzŭ hsíen*-sūn	filial sons and worthy grandsons (used sarcastically)	175	36
60.	甘心	*kān-hsīn*	to be willing	175	36
61.	念念不忘	*nìen-nìen pū-wàng*	to keep in mind constantly	175	37
62.	重操旧業	*ch'úng-ts'āo* chìu-*yèh*	to practice again the old profession	175	37
63.	右派	*Yù-p'ài*	Rightist	176	1
64.	猖狂	*ch'āng-k'úang*	wild	176	2
65.	誹謗	*fĕi-pàng*	to slander	176	3
66.	無法可依	*wú-fă k'ŏ-ī*	There is no law to be followed (by the people)	176	3

				P.	L.
67.	有法不依	yŭ-fă pū-ī	There are laws, but they are not followed (by the government)	176	3
68.	有法难依	yŭ-fă nán-ī	There are laws, but they are difficult to follow (by the people)	176	3
69.	公然	kūng-ján	publicly	176	4
70.	收回	shōu-húi	to repeal	176	4
71.	招魂	chāo-hún	to call back the soul — to revive	176	5
72.	复辟	fù-pì	to restore (a monarchy)	176	5
73.	謬論	mìu-lùn	fallacy	176	7
74.	法制	fă-chìh	legal system	176	10
75.	財富	ts'ái-fù	wealth	176	15
76.	法人	fă-jén	juristic person	176	15
77.	借以	chìeh-ĭ	(on which) to depend	176	17
78.	鮮明	hsīen-míng	distinct and clear	176	19
79.	刑法	hsíng-fă	criminal law	176	20
80.	商品	shāng-p'ĭn	commodity	176	29
81.	前提	ch'íen-t'í	premise	176	33
82.	仍然	jéng-ján	still	176	35
83.	有产者	yŭ-ch'ăn chĕ	proprietor	177	6
84.	債权人	chài-ch'üan jén	creditor	177	6
85.	債务人	chài-wù jén	debtor	177	7
86.	利害	lì-hài	interest	177	7
87.	冲突	ch'ūng-t'ú	conflict	177	7
88.	勾心斗角	kōu-hsīn tòu-chüeh	originally referring to architecture with interlocking interiors and juxtaposed corners, now it is extended to mean intense struggle among people, especially psychologically	177	9
89.	兼并	chīen-pìng	annexation	177	10
90.	所有人	sŏ-yŭ jén	owner	177	12
91.	非所有人	fēi sŏ-yŭ jén	non-owner	177	12
92.	准繩	chŭn-shéng	standard	177	15
93.	准則	chŭn-tsé	criterion	177	23
94.	杜絕	tù-chüeh	to block	177	32
95.	公私合营	kūng szū hó-yíng	state-private joint operation	178	2

				P.	L.
96.	依法	*ī-fǎ*	according to law	178	2
97.	贖买到底	*shú*-mǎi *tào-tǐ*	to redeem completely	178	10
98.	自由天地	*tzù-yú t'ien-tì*	free world	178	10
99.	不法	*pū-fǎ*	unlawful	178	11
100.	严格	yén-*kó*	strictly	178	12
101.	返还	*fǎn*-húan	restitution	178	16
102.	財物	*ts'ái-wù*	property	178	16
103.	国庫	kúo-*k'ù*	state treasury	178	16
104.	不可侵犯	*pū-k'ǒ ch'īn-fàn*	inviolable	178	17
105.	权益	ch'ǘan-*ì*	rights	178	17
106.	制裁	*chìh-ts'ái*	punishment	178	20
107.	輔助	*fǔ-chù*	auxiliary	178	21
108.	大是大非	*tà-shìh tà-fēi*	basic right and wrong	178	27
109.	运用	yǜn-*yùng*	apply	178	31
110.	名詞	*míng-tz'ú*	name	179	1
111.	术語	shù-*yǚ*	term	179	1
112.	条文化	t'íao-*wén hùa*	codification	179	1
113.	規范化	*kūei*-fàn *hùa*	regularization	179	1
114.	体現	t'ǐ-*hsìen*	expression	179	3
115.	标志	pīao-*chìh*	mark	179	6
116.	富有	*fù-yǔ*	rich in	179	11
117.	怯懦	*ch'ìeh-nò*	cowardly	179	14
118.	特征	*t'è*-chēng	characteristic	179	16
119.	作为	*tsò*-wéi	to do something	179	16
120.	遭到	*tsāo-tào*	to suffer from	179	17
121.	劫夺	*chíeh*-tó	to pillage	179	17
122.	身外之物	*shēn-wài chīh wù*	things external to one's body — property	179	17
123.	灵魂	líng-*hún*	soul	179	18
124.	战栗	chàn-lì	to tremble	179	18
125.	外在	*wài-tsài*	outside	179	19
126.	人道	*jén-tào*	humane	179	19
127.	写照	hsǐeh-*chào*	description	179	21
128.	一体	*ī*-t'ǐ	universal	179	25
129.	遵行	*tsūn-hsíng*	observance	179	25
130.	初步	*ch'ū-pù*	preliminary	179	28
131.	政务院	*Chèng*-wù *Yǜan*	Government Administrative Council (renamed Kuo-wu Yüan in 1954)	179	30
132.	大行政区	*tà hsíng-chèng* ch'ü	large administrative region	179	30

				P.	L.
133.	远远	yüan-yüan	far	179	32
134.	顛倒黑白	*tien-tăo hēi-pái*	to call black white	179	33
135.	制造	*chìh-tsào*	to create	180	2
136.	發明	*fā-míng*	to invent	180	3
137.	表述	*piao-shù*	state	180	3
138.	臆想	*ì-hsiang*	imagination	180	4
139.	責备	*tsé*-pèi	to blame	180	5
140.	任性	*jèn-hsìng*	arbitrariness	180	5
141.	示范	*shìh*-fàn	model	180	8
142.	章程	*chāng-ch'éng*	rules	180	8
143.	合作化	*hó-tsò hùa*	"cooperativization"	180	10
144.	制出	*chìh-ch'ū*	to draw up	180	11
145.	草案	*ts'ăo-àn*	draft	180	11
146.	提請	*t'í-ch'ĭng*	to submit	180	12
147.	隔閡	*kó-hó*	misunderstanding	180	14
148.	通則	*t'ūng-tsé*	common principle	180	19
149.	成套	*ch'éng-t'ào*	a whole set	180	20
150.	民法典	*mín-fă tien*	civil code	180	20
151.	万能	wàn-*néng*	omnipotent	180	20
152.	制成	*chìh-ch'éng*	to enact into	180	21
153.	过早	kùo-*tsăo*	**prematurely**	180	23
154.	細密	*hsì-mì*	detailed	180	23
155.	法典	*fă-tien*	law code	180	27
156.	迟迟	ch'íh-ch'íh	dilatory	180	27
157.	居心	*chü-hsin*	hidden intention	180	28
158.	設定	*shè-tìng*	to set up	180	28
159.	法条	*fă*-t'íao	legal provisions	180	28
160.	历代	lì-*tài*	past generations	180	31
161.	王朝	*wáng-ch'áo*	royal dynasty	181	1
162.	刑罰	*hsíng-fá*	penal	181	1
163.	刑律	*hsíng-lǜ*	penal code	181	2
164.	附带	*fù-tài*	to append	181	2
165.	清律	*Ch'īng-lǜ*	Ch'ing Code	181	3
166.	延續	*yén-hsǜ*	to last	181	3
167.	奴隶	*nú*-lì	slave	181	4
168.	君主	*chün-chŭ*	ruler	181	4
169.	皇室	*húang-shìh*	royal family	181	4
170.	原始	*yüan-shĭh*	primitive	181	5
171.	豪民	*háo-mín*	rich people	181	5
172.	見稅什伍	*chìen-shùi shíh-wŭ*	to pay **half of crop as rent**	181	5

				P.	L.
173.	貧民	*p'ín-mín*	poor people	181	5
174.	犬彘	*ch'ŭ̈an-chìh*	dogs and swine	181	6
175.	田連阡陌	*t'ién-lién ch'iēn-mò*	expanse of fields	181	6
176.	地無立錐	*tì wú lì-chūi*	owning land too small to stick an awl in it — landless and abjectly poor	181	6
177.	輾轉	*chăn-chŭan*	to toss and turn about in	181	6
178.	溝壑	kōu-*hò*	ditch and water channel	181	7
179.	为积欠所压	wéi chí-*ch'ièn* sŏ-yā	to be burdened by accumulated debts	181	7
180.	千鈞	*ch'iēn-chŭ̈n*	1,000 *chŭ̈n* (1 *chŭ̈n:* 30 catties) — an extremely heavy burden	181	7
181.	鴉片战争	*Yā-p'ièn* Chàn-*chēng*	Opium War	181	8
182.	津津乐道	*chīn-chīn* lè-*tào*	to speak of something happily with mouth watering	181	12
183.	固有法	*kù-yŭ fă*	traditional law	181	12
184.	繼受法	*chì-shòu fă*	inherited law	181	12
185.	模仿	*mó-făng*	to imitate	181	14
186.	浩如烟海	*hào jú yēn-hăi*	as vast as the misty sea — voluminous	181	15
187.	选择	hsŭ̈an-tsé	to select	181	15
188.	泰西	*t'ài-hsī*	Western	181	15
189.	原有	*yǘan-yŭ*	traditional	181	16
190.	吻合	*wĕn-hó*	to conform	181	16
191.	天衣無縫	*t'iēn-ī wú-fèng*	heavenly clothes without seams — perfect conformity	181	16
192.	無耻	*wú-ch'ĭh*	shameless	181	17
193.	崇奉	*ch'úng-fèng*	to worship	181	17
194.	母法	*mŭ-fă*	mother law	181	17
195.	勾当	*kòu-tang*	doings (derogatory)	181	18
196.	說穿	*shūo-ch'ūan*	to speak directly and truthfully	181	18
197.	抄袭	*ch'āo*-hsí	plagiarism	181	19
198.	积累	chī-*lĕi*	to accumulate	181	19
199.	承受	*ch'éng-shòu*	to inherit	181	20
200.	衣鉢	*ī-pō*	mantle and alms-bowl	181	20

				P.	L.
201.	洋奴	*yáng-nú*	slave to Westerners	181	20
202.	姿态	tzū-t'ài	gesture	181	21
203.	十足	*shíh-tsú*	hundred percent	181	21
204.	金融	*chīn-júng*	monetary	181	22
205.	寡头	kŭa-t'óu	oligarchic	181	22
206.	出卖	ch'ū-mài	to sell out	181	23
207.	奴才	*nú-ts'ái*	slavish	181	24
208.	物权編	Wù-ch'üan Pīen	Book on Property	181	24
209.	四大家族	*szù-tà chīa-tsú*	four big families	181	25
210.	垄断	lŭng-tùan	monopoly	181	25
211.	收益	*shōu-ì*	to receive benefits	181	26
212.	处分	ch'ŭ-fèn	to dispose of	181	26
213.	所有物	*sŏ-yŭ wù*	property	181	26
214.	排除	*p'ái-ch'ú*	to exclude	181	26
215.	外衣	*wài-ī*	cloak	181	28
216.	債权編	Chài-ch'üan Pīen	Book on Obligations	181	29
217.	縱容	*tsùng-júng*	to condone	181	29
218.	盘剝	p'án-pō	exploitation	181	30
219.	通令	*t'ūng-lìng*	to issue a general order	181	30
220.	耕地	*kēng-tì*	arable land	181	30
221.	租賃	*tsū-lìn*	lease	181	31
222.	契約	*ch'ì-yüeh*	contract	181	31
223.	訂立	*tìng-lì*	to conclude	181	31
224.	繳納	*chīao-nà*	to pay	181	31
225.	实物	shíh-wù	in kind	181	31
226.	收繳	*shōu-chīao*	to collect	181	31
227.	不敷	*pū-fū*	not enough	181	31
228.	完粮	*wán-líang*	to pay land tax in grains	181	31
229.	爭議	*chēng-ì*	argument	182	1
230.	佃戶	*tìen-hù*	tenant	182	1
231.	起訴	*ch'ī-sù*	to institute a law suit	182	1
232.	任意	*jèn-ì*	arbitrarily	182	3
233.	克扣	k'ò-k'òu	to deduct	182	3
234.	解雇	*chīeh-kù*	to dismiss	182	3
235.	亲屬編	Ch'īn-shŭ P'ien	Book on Family	182	4
236.	夫权	fū-ch'üan	rights of the husband	182	4
237.	总則	tsŭng-tsé	general principle	182	6
238.	施行法	*shīh-hsíng fă*	law of application	182	6
239.	确立	ch'üeh-lì	to establish	182	6
240.	公司法	*Kūng-szū Fă*	Corporation Law	182	7

				P.	L.
241.	分公司	*fēn kūng-szū*	branch of corporation	182	8
242.	資本額	*tzū-pěn ó*	amount of capital	182	8
243.	中美商約	*Chūng-Měi Shāng-yüeh*	Sino-American Commercial Treaty	182	9
244.	动用	tùng-*yùng*	to use	182	10
245.	宪兵	hsìen-*pīng*	military police	182	10
246.	警察	*chǐng-ch'á*	policeman	182	10
247.	中美商务仲裁会	*Chūng-Měi Shāng*-wù *Chùng-ts'ái* Hùi	Sino-American Commercial Arbitration Association	182	11
248.	亲自	ch'īn-*tzù*	in person	182	11
249.	动手	tùng-*shǒu*	to do	182	11
250.	东拼西凑	tūng-*p'īn hsī-ts'òu*	to piece together from this and that	182	14
251.	支离破碎	*chīh*-lí *p'ò-sùi*	unorganized and fragmentary	182	14
252.	著作	*chù-tsò*	writing	182	15
253.	学派	hsǘeh-*p'ài*	academic school	182	15
254.	一伙	*ī-hǔo*	a gang	182	15
255.	低能	*tī-néng*	incompetent	182	15
256.	应声虫	yìng-shēng ch'úng	"echo worm" -- a parrot-like person	182	16
257.	而已	*érh-ǐ*	nothing but (used at the end of a sentence)	182	16
258.	抄集	*ch'āo-chí*	to copy from many sources	182	19
259.	魑魅魍魉	*ch'īh-mèi wǎng-lǐang*	hobgoblins of the hills and of the rivers	182	20
260.	安排	*ān-p'ái*	to arrange	182	21
261.	重新	*ch'úng-hsīn*	anew	182	21
262.	灾难	*tsāi*-nàn	disaster	182	21
263.	祸害	*hùo-hài*	misfortune	182	21
264.	归結	kūei-*chíeh*	to sum up	182	25
265.	帮凶	pāng-*hsīung*	accomplice	183	1
266.	掩盖	*yěn*-kài	to cover up	183	3
267.	緩和	*hǔan-hó*	to mitigate	183	4
268.	虛伪	*hsǖ*-wèi	hypocratic	183	4
269.	頑强	*wán-ch'íang*	stubborn	183	5

LESSON 6

Introduction to *Lectures on the General Principles of Criminal Law of the People's Republic of China*

Lectures on the General Principles of Criminal Law of the People's Republic of China was originally prepared and used as teaching material in the Central Political-Legal Cadre School, to which political-legal cadres from the ***hsien*** level and above are brought for training on a rotational basis. It was subsequently published as a book by the Criminal Law Teaching and Research Section of the Cadre School to meet the study and reference needs of cadres in active service who were engaged in political and legal work.

The book has three main parts. The first defines the nature, concept, and scope of criminal law. The second discusses the concept and sources of crime, the elements of offense, the basis of criminal responsibility, the object and subject of offense, causality, legal defense, necessity, accomplished acts, preparatory acts, unaccomplished acts, suspended acts, and joint offense. The third part deals with punishment: its concept and purpose; the penal system and its application; general principles for the assessment of penalties; the suspension, reduction, parole, and statutory limitation on punishment.

The compiler apologizes because the publication date (it was textually completed in April, 1957, and published in September of that year) made it impossible to include some of the points expounded by Mao Tse-tung in his speech *On the Correct Handling of Contradictions Among the People,* which was delivered on February 27, 1957, but not made public until June 19. Such points might have been the legal implications of the two categories of contradictions, and problems concerning the ownership system after the basic completion of the socialist revolution.

Despite this shortcoming, and especially in the absence of a formal code of criminal law, this book is valuable as a reflection of the fundamental ideology underlying the Chinese Communist concept and administration of criminal law and justice. Like its companion book on civil law (see Lesson V), it is the only comprehensive textbook on the subject which is available in this country. As in the case of the book on civil law, the Introduction has been selected for reading because it provides a comprehensive summary of the Chinese Communist ideology of criminal law which runs throughout the book.

第六課

中华人民共和国刑法总則讲义导言

第一講　刑法的阶級性

在对于中华人民共和国刑法进行研究以前，必須对刑法的阶級性問题有正确的了解，因为只有根据馬克思列宁主义的立場、观点与方法，揭露刑法發生的历史根源，說明犯罪和刑罰的阶級本質及其發展，才能把对于中华人民共和国刑法的研究置于正确的方向。

我們知道，刑法是法律的一个部門，它和其他法律一样，是社会發展到一定阶段的产物；是随着人类社会分裂为阶級，随着国家的形成而出現的。

随着国家的形成，掌握政权的統治阶級为了維护其阶級利益和統治秩序，就把某些侵犯統治阶級利益和統治秩序的行为，規定为犯罪，并用刑罰方法給以处罰，这就是刑法。所以，刑法是保护一定統治阶級利益的工具，是統治阶級进行阶級斗爭的武器。

作为进行阶級斗爭武器的刑法，它和軍队一样，是統治阶級用显著的国家强制力量来鎮压敌对阶級，使他們不敢反抗和破坏。它“是統治阶級公开以武裝强制执行的所謂国家意識形态”①。中国历史上的历代王朝，在用軍事力量夺取政权以后，为了鎮压广大劳动人民的反抗和維护其統治，总是把制定法律作为首要任务的。而所謂法律，在中国古代就是指刑法而言。因为我国古代所謂“法”就是“刑”②的意思。所謂“王法”也就是刑法。

刑法既然是进行尖銳的阶級斗爭的工具，而它的內容則是以使用刑罰的方法来懲罰犯罪人。因此，什么样的行为是犯罪并对之适用什么样的刑罰，总是根据統治阶級的利益来决定的。所以它是取得了胜利并掌握了国家政权的阶級的意志表現。而这一意志的內容是由这个阶級的物質生活条件来决定的。这正如馬克思恩格斯在“共产党宣言”里所指出的：“你們的法不过是被提升为法律的你們这个阶級的意志，而这一意志的內容是由你們这个阶級的物質生活条件来决定的”。这句話虽然是針对資产阶級法律說的，但毫無疑义，这一原理也适用于一切阶級社会的法律。

① 見中共中央“关于廢除国民党的六法全書与确定解放区的司法原則的指示”。

② “說文解字”上對灋（法字的古写）的解釋是：「灋，刑也……」，所以古代所說的法就是刑法，或者主要是指刑法。

在奴隶社会里，什么样的行为是犯罪并适用什么样的刑罰，是由奴隶主国家規定的，它反映了奴隶主对生产資料和生产者——奴隶——的私有制。因此，按照奴隶社会的法律奴隶主可以任意地把奴隶杀死，而不被認为是犯罪。也就是說，什么样的行为是犯罪，是由奴隶主国家任意擅断的。对于奴隶的反抗或任何触犯奴隶主利益的行为，都可以“斬尽杀絕”。① 根据我国史書的記載，奴隶社会的五刑：墨、劓、剕、宫、大辟②都是身体刑或生命刑。并且适用生命刑特别多。在当时有所謂“炮烙之刑”和驅使反抗的奴隶与猛兽角斗等刑罰，表現了奴隶社会刑罰的極端殘酷性。并且在刑罰制度上还表現着公开的阶級不平等。这就是說，如果犯罪的不是奴隶，那末就可以不适用上述五刑而用流刑来作为处罰的方法。

在封建社会里，什么样的行为是犯罪并适用什么样的刑罰，是由封建主国家規定的，它反映了封建主对生产資料的私有制和对生产者——农奴——的不完全的私有制。封建社会的法律是保护封建主的利益的，其殘酷性也不下于奴隶社会。农奴們只要發生稍微侵犯了封建主特权的小事，都会被認为是犯了大罪。封建社会的刑法也是反映着公开的阶級不平等。例如我国唐律（这是我国封建社会比較完备的一部刑法典，唐以后各朝代的刑法与此差不多）开头所写的十恶③，八議④，以錢贖刑⑤，以官贖刑⑥

---

① 商書所載，“劓殄灭之無遺育……”就是說如果奴隶对于奴隶主稍有反抗或触犯就可以斬尽杀絕。

② 墨：在犯人面部刻上痕迹，用墨塗染。
劓：割去犯人的鼻子。
剕：断去犯人的足。
宫：割除生殖器。
大辟：就是死刑。

③ 十恶：是中国历代封建王朝所認为的“罪大恶極”的犯罪。唐律所謂“十恶”即：謀反、謀大逆、謀叛、恶逆、不道、大不敬、不孝、不睦、不义、內乱。这些犯罪表現了公开的阶級不平等：对皇帝或皇室犯罪的比对其他人重，对亲长犯罪的比对其他人重等。并且犯这些罪的，都不許贖，这不只是“三綱五常”的刑法条文化，而且完全是为了鎮压人民的反抗。

④ 八議：是說具有一定身份的人如果犯了罪，应当“先奏請議”，皇帝可以減免其罪。可以享受这种权利的有八种人，所以叫做八議。唐律所說的八議是：議亲、議故、議賢、議能、議功、議貴、議勤、議宾。这八种人都是統治阶級的人物。八議表現了封建社会在科刑上的公开不平等。

⑤ 以錢贖刑：按照唐律被判处刑罰的人可以用財产来贖刑。如笞十者贖銅一斤，笞二十者贖銅二斤，每等加一斤，加至杖一百則贖銅十斤。徒一年者，贖銅二十斤，每等加十斤，加至徒三年則贖銅六十斤。此外，流刑和死刑，也都可以用銅来贖刑。因此有錢的人就可以逃避刑罰。

⑥ 以官贖刑：按照唐律如果有官爵的人因犯罪被判处刑罰时，可以用官爵来贖刑。如犯私罪，以官当徒者，五品以上，一官当徒二年；九品以上，一官当徒一年……，因此，当官的人就可以避免刑罰。

以及由于犯罪人身分的不同，而不同其处罰的規定①，就是明显的証明。不仅如此，而且由于在刑法上有着比附援引制度②的規定，法官可以广泛地适用这一制度任意擅断，所以农民实际上仍然是处在毫無保障的地位。

封建社会的刑罰，虽然与奴隶社会的刑罰有些不同，但也是極为殘酷的。从我国封建社会的刑罰来看，隋唐以前虽然历代有所变化，但奴隶社会的五刑基本上都是沿用的。自唐以后，殘廢刑大体廢除了，如唐律中只規定了笞、杖、徒、流、死五刑。③这里除了笞、杖、死的身体刑和生命刑以外，徒、流二种非身体刑的刑罰也成为主要刑罰。这主要是由于封建社会的生产力較奴隶社会进了一步，封建社会的生产关系代替了奴隶社会的生产关系，封建主考虑到对于供其剝削的农民，若不致于处以死刑，与其从身体上加以殘害，倒不如使用徒、流的方法更为有利。然而死刑的适用还是極为广泛的，卽以唐律而論（唐律是以所謂“輕刑”为指导思想而制定的），死刑条款卽占全部条款的41%。其他朝代更可想而知，特别是历代执行死刑的方法很多，如磔、凌迟、梟首、車裂、腰斬、絞等等。这都表現了刑罰的殘酷性。

在資本主义社会里，什么样的行为是犯罪并适用什么样的刑罰，是由資产阶級国家規定的，它反映了生产資料的資本主义所有制。在資本主义社会里，宣布了一切人在法律面前一律平等的原則。但从实际上看，这并沒有改变同时也不可能改变資本主义和資产阶級民主制度是一种雇佣奴隶制度的本質。

資本主义社会的刑法，在規定什么是犯罪的时候，是从資产阶級利益的观点出發的。馬克思在資本論一書中說道：“就在英国人們禁止焚杀魔女的时候，我們在英国看見了伪造銀行劵者处絞刑的命令。”④这一語道破了資本主义社会刑法和封建社会刑法在犯罪和刑罰上的不同。說明了資本主义社会的刑法是为資本主义剝削者的利益服务的。在資本主义社会里資本家剝削工人是被認为天經地义的事情，私有制在法律上被規定为神聖

---

① 例如依照唐律：主杀奴、地主打农民一般都不犯罪或不算大罪，奴反主、农民打地主，却都是死罪。

② 如唐律疏义所說：“条犯輕罪，触类弘多。金科玉条，包罗难尽。其有在律在令，無有正条，若不輕重相明，無文可以比附。临时处断，景情为罪，庶补遺闕……”。这就是說定罪可以不必有法律明文的根据，只要在道德人情上認为是不应当的行为就可以認为是犯罪。

③ 笞：是用小板子打。杖：是用大板子打。它們的区别在于所使用的刑具和数目不同。徒：唐律的徒刑是一种奴辱刑，它和現在剝夺自由的徒刑的意义是不同的，那时徒刑最长者不过三年。流：是流放刑，卽把犯人流放到边远的地方去。唐律的流刑分为二千里、二千五百里、三千里三等。

④ 見馬克思：“資本論”，人民出版社1953年版，第1卷，第954頁。

不可侵犯。資产阶級刑法严厉制裁偸窃財产的行为，但对資本家經常在干着的、实际上是窃取广大人民劳动成果的投机行为則絕不加以制裁。

資本主义社会的刑罰，在法律上，除了保留死刑作为它們的主要刑罰外，还广泛地适用着剝夺自由刑。这是因为在資本主义社会里，生产力已經大大提高。資本主义社会的生产关系代替了封建社会的生产关系，資本家需要大批馴服而廉价的供其剝削的劳动力，而剝夺自由的刑罰方法則是一种訓練雇佣劳动紀律的方法。馬克思对剝夺自由刑的本質曾有过精辟地說明，他說在这一制度下“資产者的慈善家有着那种益处，就是釋放出獄者馴服得好象綿羊一样，在厂里，在田园里，在矿場上，在鉄路上，在水路上等等，为資本家而工作着，他帮助資本家获得利潤并且餓着肚子走过馬鈴薯田地連任何一个小馬鈴薯也不敢拿。在这种情况下，对于慈善家来說，他能这样活着比他被砍掉头实在有益得多。……” ①

資本主义社会的刑罰里的罰金这一財产刑，也是具有阶級性的，它对有錢的人来說，实質上是免除他們遭受刑罰的方法。而对無产者来說，則是一个沉重的刑罰——如果交了罰金，它将是無产者的全部或一部的財产遭到剝夺。如果不交，那末，他就将遭受剝夺自由的刑罰。

不經过审判来鎭压劳动人民乃是美英这些帝国主义国家所广泛使用的方法。資本主义壟断組織广泛地利用了匪徒組織来槍杀、毆打示威游行和罢工的工人。这样就使劳动人民的人身实际上是处于毫無保障的地位。

在旧中国半封建半殖民地的社会中，国民党反动政府的刑法，反映了半封建半殖民地社会的特点。它繼承了中国封建社会的刑法，吸取了資本主义国家的刑法和法西斯国家德国和日本的刑法。因此，它具有封建性、虛伪性和恐怖性。

在半封建、半殖民地的旧中国的劳动人民，他們的人身权利是毫無保障的。当时的工人和农民实际上是处在法律保护之外的。他們受着殘酷的封建性的剝削和压迫，恶霸地主可以任意地私設公堂拷打农民、强奸农民妻女、霸占农民土地房屋，而不受法律制裁。

国民党刑法的法西斯的恐怖性，还特别表現在所頒布的几种“特別刑法”和司法以外的鎭压劳动人民的方法上。“危害民国緊急治罪条例”，“戡乱时期危害国家緊急治罪条例”，就是以迫害共产党及进步人士为目的的反动立法。同时还广泛地使用他們专門豢养的宪兵、特务对劳动人民及进步人士进行监視和杀害。

由此可見，国民党刑法里从資本主义国家刑法中沿襲下来的一些所謂“法律無明文規定者不罰”和所謂“法律面前人人平等”的原則，只能是

① 馬克思：“在布魯塞尔的监獄大会”，見“馬克思、恩格斯全集”，俄文版第5卷，第179頁。

欺騙人民的鬼話，这正如中共中央“关于廢除国民党六法全書与确定解放区的司法原則的指示”中所提到的：“……国民党的六法全書和一般資产阶級法律一样，以掩盖阶級本質的形式出現，但是实际上既然沒有超阶級的国家，当然也不能有超阶級的法律。六法全書和一般資产阶級法律一样，以所謂人人在法律方面一律平等的面貌出現；但是实际上在統治阶級与被統治阶級之間、剝削阶級与被剝削阶級之間、有产者与無产者之間、債权人与債务人之間，沒有眞正共同的利害，因而也不能有眞正平等的法权。因此，国民党全部法律只能是保护地主与买办官僚資产阶級反动統治的工具，是鎭压与束縛广大人民群众的武器。”

根据以上对剝削阶級国家的刑法的說明，可以看出：剝削阶級国家的刑法是为統治阶級——奴隶主、封建主、資本家——的利益服务的。它們的刑法虽各有不同，那只是鎭压方式的不同，其本質則是完全相同的：它始終是压迫劳动大众的工具，鎭压的鋒芒是指向着被压迫和被剝削阶級的。这是由它們的經济基础——生产資料的私有制所决定的。

当然，这并不等于說，在任何情況下，严重的刑罰都不会加在屬于統治阶級內部的个別人身上。在剝削者国家里，也有統治阶級內部的人被治罪的。这是因为：或是由于統治阶級內部的个別人有了危害統治阶級全体利益的行为，根据統治阶級全体利益，就必須对他加以处罰；或者是由于統治阶級內部的矛盾，互相傾軋，当权派利用刑法，把反对者加以处罰。但不能因为在剝削者国家里，有了这类事实的發生，仅从事物的現象上，片面地看問題，便認为剝削者国家的刑法的主要鋒芒不是指向广大劳动人民的。

同时，任何反动法律，也不能不多少包括某些所謂保护全体人民利益的条款，但我們也不能因此便認为它們的刑法的主要鋒芒不是指向广大劳动人民的。这正如中共中央“关于廢除国民党的六法全書与确定解放区的司法原則的指示”中所說的：“任何反动法律——国民党的六法全書也是一样——不能不多少包括某些所謂保护全体人民利益的条款，这正和国家本身一样，恰是阶級斗争不可調和的产物和表現；卽反动統治阶級为保障其基本的阶級利益（財产与政权）的安全起見，不能不在其法律的某些条文中，一方面，照顧一下它的同盟者或它試圖爭取的同盟者底某些部分利益，企圖以此来巩固其阶級統治；另一方面，不能不敷衍一下它的根本敌人——劳动人民，企圖以此来緩和反对它的阶級斗爭。因此，不能因国民党的六法全書有某些似是而非的所謂保护全体人民利益的条款，便把它看作只是一部分而不是在基本上不合乎广大人民利益的法律，而应把它看作是基本上不合乎人民利益的法律。”因此，必須从刑法所保障的是那个阶級的利益和所維护的是什么社会的統治秩序的观点出發，才能正确地理解刑法的阶級性。有人認为在資本主义国家刑法和国民党伪六法全書中有处罰杀人、伤害、强奸等犯罪的規定，在我們国家里也有处罰这类犯罪的規定，因此，就認为它們是沒有阶級性的，这种看法是錯誤的。

綜合以上所說的，可以看出：判定什么样的行为是犯罪和适用什么样的刑罰，总是由国家的性質来决定的。在有阶級的社会里，它永远是为实現統治阶級的利益服务的。犯罪和刑罰是刑法的基本內容，刑法就是以对犯罪人适用刑罰方法来体現国家的政治任务的。离开政治、离开阶級斗爭的实际情况，抽象地談論什么是犯罪行为，抽象地談論刑罰的輕重，“刑期無刑”等，是不可能获得正确認識的。

社会主义社会刑法的阶級內容是和一切剝削阶級社会刑法完全不同的。社会主义刑法并不是由資产阶級刑法进一步發展而成的，它是在社会主义革命胜利后創立起来的新的刑法。

社会主义国家苏联，是世界上第一个建成社会主义社会的国家。作为社会主义上層建筑一部分的苏維埃刑法，和其他法律一样，是建筑在社会主义公有制的經济基础之上的，它是保护社会主义制度的基础和社会主义法律秩序的，它是为苏維埃劳动人民的利益服务的。因此，某种行为被認为是犯罪，并适用什么样的刑罰，是根据广大劳动人民的利益来决定的。

社会主义国家苏联的刑法，是無产阶級专政的工具之一，它首先把那些目的在于反对工农政权在苏联所建立的苏維埃制度基础的反革命行为，認为是最危險的犯罪；同时把那些破坏社会主义法律秩序的行为，如盗窃社会主义財产、投机、侵犯公民人身权利等行为認为是犯罪行为。并根据犯罪行为的不同，适用各种不同的刑罰方法，而对犯罪人适用刑罰，則是为了懲罰犯罪人和改造教育犯罪人，以預防犯罪。

由此可見，在社会主义国家苏联刑法里所包含的犯罪和刑罰等問題，按其阶級內容来說，是和任何剝削者国家的刑法根本不同的。

以上对刑法的历史类型所作的一般叙述，說明了只有从某一刑法是建立在什么样的經济基础之上的，它是反映哪一阶級意志的观点出發，才能正确地理解刑法的阶級內容。因此，从社会發展的历史来看，只有奴隶占有制的、封建制的、資本主义的或者社会主义的刑法，任何抽象的、超阶級的刑法是不存在的。奴隶占有制的、封建制的、資本主义的刑法，都是建立在私有制基础上的，所以它們是屬于剝削阶級的刑法；而社会主义刑法則是建立在社会主义公有制基础上的，所以它是屬于工人阶級的刑法。因此，从最根本的意义上說，就只有工人阶級的刑法和剝削阶級的刑法两大类。它們是在本質上根本不同的两类刑法。这个界限必須划分清楚，这正如前中央人民政府政务院“关于加强人民司法工作的指示”中所說的：“为了正确地从事人民司法工作的建設，首先必須划清新旧法律的原則界限。……两种根本不同的法律原則絕不容混淆在一个观念里，有这种混淆观念的人就不能正确地从事人民司法工作的建設。”

VOCABULARY: 6

				P.	L.
1.	处罰	ch'ŭ-*fá*	punishment	194	13
2.	首要	*shŏu-yào*	chief	194	19
3.	王法	*wáng-fă*	king's law — the law of the land	194	20
4.	共产党宣言	*Kùng*-ch'ăn Tăng *Hsüan-yén*	Communist Manifesto	194	26
5.	提升	*t'í-shēng*	to elevate	194	27
6.	針对	*chēn*-tùi	to direct toward	194	28
7.	原理	*yüan-lĭ*	principle	194	29
8.	奴隶主	*nú*-lì *chŭ*	slave holder	195	1
9.	擅断	*shàn*-tùan	to decide arbitrarily	195	4
10.	触犯	ch'ù-*fàn*	violation	195	5
11.	斬尽杀絕	*chăn*-chìn shā-*chüeh*	total extermination	195	5
12.	史書	*shĭh-shū*	history books	195	6
13.	記載	*chì-tsài*	records	195	6
14.	大辟	*tà-p'ì*	capital punishment	195	6
15.	身体刑	*shēn*-t'ĭ *hsíng*	physical punishment	195	6
16.	生命刑	*shēng-mìng hsíng*	capital punishment	195	7
17.	炮烙	*p'áo-lò*	to torture to death on a hot pillar	195	7
18.	驅使	*ch'ü-shĭh*	to drive to	195	7
19.	猛兽	*mĕng*-shòu	wild beast	195	8
20.	角斗	*chüeh*-tòu	to fight	195	8
21.	流刑	*líu-hsíng*	banishment	195	10
22.	封建主	*fēng-chìen chŭ*	feudal lord	195	11
23.	农奴	núng-*nú*	peasant serf	195	12
24.	稍微	*shāo-wéi*	minor	195	14
25.	特权	*t'è*-ch'üan	privilege	195	14
26.	唐律	*T'áng-lü*	T'ang Code	195	16
27.	刑法典	*hsíng-fă tĭen*	criminal code	195	16
28.	十恶	*shíh*-ò	ten felonies	195	17
29.	八議	*pā-ì*	eight considerations	195	17
30.	以錢贖刑	*ĭ-ch'íen shú-hsíng*	to buy exemption from punishment	195	17
31.	以官贖刑	*ĭ-kūan shú-hsíng*	demotion in lieu of punishment	195	17
32.	身分	*shēn-fèn*	status	196	1

				P.	L.
33.	比附	*pǐ-fù*	analogy	196	2
34.	援引	*yǘan-yǐn*	to cite a precedent	196	2
35.	法官	*fǎ-kūan*	judge	196	2
36.	隋唐	*Súi T'áng*	two dynasties, 581–618 and 618–907 respectively	196	5
37.	殘廢刑	*ts'án-fèi hsíng*	punishment by crippling, deforming, etc.	196	6
38.	大体	*tà*-t'ǐ	generally	196	6
39.	死刑	*szǔ-hsíng*	death penalty	196	10
40.	殘害	*ts'án-hài*	to maim	196	11
41.	輕刑	*ch'īng-hsíng*	light punishment	196	12
42.	条款	t'íao-*k'ǔan*	provision	196	13
43.	朝代	*ch'áo-tài*	dynasty	196	13
44.	凌迟	*líng*-ch'íh	to put to death by slicing before beheading	196	14
45.	梟首	*hsīao-shǒu*	to behead	196	14
46.	車裂	*ch'ē-lìeh*	to tear asunder between two chariots	196	14
47.	腰斬	*yāo-chǎn*	sever the body at the waist	196	14
48.	資本論	*Tzū-pěn Lùn*	***The Capital***	196	22
49.	焚杀	*fén*-shā	to burn to death	196	22
50.	魔女	*mó-nǚ*	witch	196	22
51.	伪造	wèi-*tsào*	to forge	196	23
52.	銀行券	*yín-háng ch'ǜan*	bank note	196	23
53.	絞刑	*chǐao-hsíng*	death by hanging	196	23
54.	一語道破	*ī-yǚ tào-p'ò*	a single phrase reveals the meaning	196	23
55.	天經地义	*t'īen-chīng tì*-ì	the regular procedure of Heaven, the right phenomena of earth — immutable principles	196	26
56.	严厉	yén-lì	severely	197	1
57.	偷窃	*t'ōu*-ch'ìeh	theft	197	1
58.	窃取	ch'ìeh-*ch'ǚ*	to steal	197	2
59.	剥夺自由刑	*pō*-tó *tzù-yú hsíng*	deprivation of freedom	197	4
60.	馴服	*hsǘn-fú*	tame	197	6
61.	廉价	líen-chìa	cheap	197	6
62.	劳动力	láo-tùng *lì*	labor power	197	6
63.	精辟	*chīng*-p'ì	precisely and penetratingly	197	7
64.	慈善家	*tz'ú-shàn chīa*	philanthropist	197	8

				P.	L.
65.	釋放	*shìh-fàng*	to release	197	8
66.	出獄	*ch'ū-yǜ*	released from prison	197	8
67.	綿羊	*mien-yáng*	sheep	197	9
68.	田园	*t'ien*-yüan	field and garden	197	9
69.	矿場	k'ùang-*ch'ăng*	mine	197	9
70.	鉄路	t'ieh-*lù*	railway	197	9
71.	水路	*shŭi-lù*	waterway	197	9
72.	肚子	*tù-tzu*	stomach	197	10
73.	馬鈴薯	*mă-líng-shŭ*	potato	197	11
74.	砍掉	*k'ăn-tìao*	to chop off	197	12
75.	罰金	*fá-chīn*	fine	197	13
76.	財产刑	*ts'ái*-ch'ăn *hsíng*	pecuniary punishment	197	13
77.	免除	*mĭen-ch'ú*	to exempt	197	14
78.	沉重	*ch'én-chùng*	heavy	197	15
79.	匪徒	*fĕi-t'ú*	bandit	197	18
80.	槍杀	*ch'īang*-shā	to shoot to death	197	18
81.	毆打	*ŏu-tă*	to beat	197	18
82.	吸取	*hsī-ch'ǚ*	to assimilate	197	21
83.	恐怖	*k'ŭng-pù*	terror	197	23
84.	恶霸	ò-*pà*	local despot	197	26
85.	私設	*szū-shè*	privately instituted (here: to institute a private court)	197	26
86.	公堂	*kūng-t'áng*	court	197	26
87.	拷打	*k'ăo-tă*	to torture	197	26
88.	强奸	*ch'iang*-chīen	to rape	197	26
89.	妻女	*ch'ī-nǚ*	wives and daughters	197	27
90.	霸占	*pà-chàn*	to take over by force	197	27
91.	特别刑法	*t'è-píeh hsíng-fă*	special criminal statutes	197	28
92.	危害民国紧急治罪条例	*Wéi-hài Mín*-kúo Chīn-*chí* *Chìh-tsùi* T'íao-*lì*	Emergency Penal Act on Activities Endangering the Republic	197	29
93.	戡乱时期	*k'ān*-lùan shíh-*ch'ī*	the period of suppression (of Communist activities)	197	30
94.	豢养	*hùan*-yăng	to raise	197	31
95.	监視	chīen-*shìh*	to watch	197	32
96.	杀害	shā-*hài*	to kill	197	32
97.	沿襲	*yén-hsí*	to follow an old pattern without change	197	33
98.	明文	*míng-wén*	explicit provision	197	34

				P.	L.
99.	鬼話	*kŭei-hùa*	ghost words — big lies	198	1
100.	法权	*fă*-ch'üan	law and right	198	7
101.	鋒芒	*fēng-máng*	edge	198	13
102.	治罪	*chìh-tsùi*	to punish by law	198	16
103.	傾軋	*ch'īng-yà*	jostling — internal power struggle	198	19
104.	当权派	tāng-ch'üan *p'ài*	the ruling faction	198	19
105.	試圖	*shìh-t'ú*	to attempt	198	30
106.	似是而非	*szù-shìh érh fēi*	seemingly true but actually false	198	33
107.	杀人	shā-*jén*	homicide	199	1
108.	伤害	shāng-*hài*	bodily injury	199	1
109.	判定	*p'àn-tìng*	to determine	199	3
110.	談論	*t'án-lùn*	to discuss	199	7
111.	刑期無刑	*hsíng ch'ī wú-hsíng*	through punishment there may come to be no punishments (from *The Book of History*)	199	7
112.	上層建筑	*shàng-ts'éng chìen*-chù	super structure	199	13
113.	盗窃	*tào*-ch'ìeh	to steal	199	19
114.	类型	lèi-*hsíng*	type	199	25
115.	叙述	*hsǜ-shù*	description	199	25
116.	占有制	*chàn-yŭ-chìh*	form of ownership	199	27

LESSON 7

Introduction to *A Concise General History of China*

The book from which our selection for this lesson is taken, *A Concise General History of China* (*Chung-kuo T'ung-shih Chien-pien*), is an official work commissioned by the Chinese Communist party and written by Fan Wen-lan. It is an avowedly Marxist rewriting of China's traditional past: the author's statement is that it was the viewpoint and methods of historical materialism which have enabled him to sketch the general framework of ancient Chinese history.

The present version of the book has gone through quite a checkered history. In 1940, Fan Wen-lan — then in Yenan — was instructed by the party to prepare a general textbook for use by cadres in their study of Chinese culture. Fan turned for assistance to his colleagues in the Research Section of the Marxism-Leninism Institute. A start was then made on a collective basis with Fan acting as chief editor. For reasons not fully explained, the product of this joint effort was found to be unsatisfactory. Fan was instructed to undertake a complete rewriting of the book. He states that he started this assignment in August, 1940, and finished the first two volumes by December, 1941. It was originally intended that a third volume would deal with the history of modern China. Apparently this plan was not carried out, and the two volumes were published in Yenan as the first edition.

The Communist victory and take-over in China resulted in a great deal of activity and reinterpretation by Chinese historiographers. Earlier works such as the one by Fan Wen-lan underwent a thorough reappraisal with respect to their Marxist orthodoxy. Fan, himself, wrote an article of self-criticism in 1951 conceding an insufficient understanding of historical materialism and its application for the understanding of Chinese history. He rewrote the work, and this revised edition is the final result. To the new edition he added a lengthy introduction. In it, Fan reviews the mistakes discovered in the old edition and calls attention to the new viewpoints which have been introduced. These new viewpoints are embraced in or elaborated under the following nine topics:

1. The laboring people are the master of history.
2. The theory of class struggle is the basic clue to the study of history.
3. Scientific inventions and the production struggle.
4. The division of stages in the history of social development of the Han race.
5. The periodization of the feudal society of the Han race.
6. The primitive feudal society starts from the West Chou Dynasty.
7. The reasons for the unification of China from the period of Ch'in and Han.
8. Patriotism in history.
9. Classifications of wars in history.

The author emphasizes that these nine guidelines are basic to the revised version of the book, are all essential, and are all interrelated. He concludes, therefore, that the book must stand or fall as a whole. Any flaws cannot be minor or partial: the entire edifice would be faulty.

The present selection of excerpts from Fan's Introduction to the 1956 edition provides a summary of the official Chinese Communist approach to the history of China.

第七課

中國通史簡編

（修訂本） 緒言

范文瀾

一九四〇年我去延安，組織上要我編寫一本十幾萬字的中國通史，為某些幹部補習文化之用。我當時就同馬列學院歷史研究室的幾位同志分工寫作，由我總編。由於缺乏集體寫作的經驗，對如何編法沒有一致的意見，稿子是齊了，有的太詳，有的太略，不甚合用。組織上叫我索性從頭寫起。一九四〇年八月至第二年四、五月完成上冊（五代十國以前），至年底完成中冊（下冊原擬寫近代史部分）。校完全書我就轉入整風運動中去，不再接觸這個工作了。這本書原來限定寫十幾萬字，但上冊寫完已有二十多萬字，事已如此，只得不限字數，繼續寫下去。所以這本書說不上有什麼目的性計劃性（當時僅擬定略前詳後，全用語體，揭露統治階級罪惡，顯示社會發展法則等幾條），只是隨手寫來，積累章節成為一本書而已。這就是編寫舊本中國通史簡編的經過情況。

舊本中國通史簡編有很多缺點和錯誤，我在一九五一年寫了一篇自我檢討，希望引起大家的批評，幫助我改正。（下略）

修訂本中國通史簡編在編寫時，一方面主觀上力求減少已經檢討出來的錯誤，一方面仍保留舊本的某些寫法，並且也增加了一些新的觀點，概括說來，計有下列九點。

一 勞動人民是歷史的主人

辯證唯物主義和歷史唯物主義指出，「歷史科學要想成為眞正的科學，便不能再把社會發展史歸結為帝王和將相底行動，歸結為國家『侵略者』和『征服者』底行動，而是首先應當研究物質資料生產者底歷史，勞動羣衆底歷史，各國人民底歷史。」（蘇聯共產黨（布）歷史簡明教程，人民出版社一九五四年版，一五九頁。）本書肯定歷史的主人是勞動人民，把舊型類歷史以帝王將相作為主人的觀點否定了。

二 階級鬥爭論是研究歷史的基本綫索

共產黨宣言告訴我們說，「迄今存在過的一切社會底歷史（恩格斯附註，「即有文字可考的全部歷史」）都是階級鬥爭底歷史」（人民出版社一九五三年版，二三頁）。列寧在卡爾·馬克思裏指出：「馬克思主義給我們指出了一條基本綫索，使我們能在這種彷彿迷亂混沌的狀態中找出一種規律性。這條綫索就是階級鬥爭論」（載論馬克思和恩格斯，人民出版社一九五三年版，一七頁）。忘記了這條綫索，固然不可能講明歷史，但是，即使記住了這條綫索，要講明歷史也還是很困難。因爲「自由民與奴隸，貴族與平民，地主與農奴，行東與幫工，簡言之，壓迫者與被壓迫者，始終是處於互相對抗的地位，進行着不斷的，有時是隱藏，有時是公開的鬥爭，每次結局若不是全部社會結構受到革命改造，便是各鬥爭階級同歸於盡」（共產黨宣言，二三頁）。階級鬥爭的情景既是那樣複雜，要了解它，不僅要分析各個階級相互間的關係，同時還得分析各個階級內部各種集團或階層所處的地位，然後綜觀它們在每一鬥爭中所起的作用和變化。如果只是記住了階級鬥爭而沒有具體分析，那就會把最生動的事實變成死板的公式。

要做具體的分析，沒有馬克思主義的高度修養，是不可能做好的。正因爲這樣，本書不可能在基本問題上有深切的闡發。它注意到寫階級鬥爭，着重敍述腐化殘暴的封建統治階級如何壓迫農民和農民如何被迫起義。這與舊型類歷史站在地主階級的立場上罵農民起義是「流寇」、「土匪」，描寫成爲野蠻人，把所謂「官軍」的眞正野蠻行爲，大都掛到起義軍賬上的寫法比起來，總算是糾正了謬見，肯定了被壓迫者起義的作用。至於對外族統治者的侵入，本書也着重寫了民族英雄和人民羣衆的英勇抵抗。寫農民起義和反抗外族統治者的侵略，意在說明中國人民確實富於階級鬥爭與民族鬥爭的偉大革命傳統，但寫得很膚淺，遠遠不能說明階級鬥爭的實際情形。

三　在生產鬥爭中的科學發明

恩格斯說過，「科學一開始就是在生產條件下發生和發展起來的。」（自然辯證法，三聯書店一九五〇年版，二〇四頁。）在中華民族的開化史上，有素稱發達的農業和手工業，也就是說，中華民族有久遠的豐富的多方面的創造性的科學傳統。讀恩格斯自然辯證法古代末期（公元三〇〇年）的和中世紀末期（公元一四五三年）的世界狀況的差別，足以證明中國是科學先進的古國。諸如天文學、數學、物理學、化學、醫學、藥物學、植物學等學科，在戰國以前，都早有了優秀的成就。又如養蠶、絲織、煉鋼、造紙、製瓷、印刷、火藥的逐步發展；茶樹、旱稻、棉花的大量種植。又如南宋時江西、浙江有人使用投鐵片入膽水，提煉出銅的方法。東漢末曹操開始用石炭。漢時高奴縣（延安縣東）發見石油，北宋用來點燈。唐時海船特別巨大，能抵當波斯灣的險惡風浪。宋時航海用指南針定方向。凡此種種，都說明一件事，就是中國人民有足够的自信心，可以在舊的基礎上無限地發展現代的科學 。 有一些人看到古代科學往往夾雜着迷信成分，因而採取一筆抹煞的態度，這是不可容忍的錯誤。恩格斯給史密特的信裏說「科學的歷史，就是這種愚想漸漸被排除的歷史，是它被新的、荒誕性日愈減少着的愚想所代替的歷史」（馬克思恩格斯關於歷史唯物論的信、人民出版社一九五三年版，二三頁）。不從發展方面看逐步前進，却在「愚想」方面尋找排斥一切的藉口，這樣的態度，本身就是非科學的。本書重視古代科學上的成就（ 當然被遺漏的也很多 ）， 只是因爲知識缺乏，不能作適當的批判和說明。

四　漢族社會發展史的階段劃分

列寧在論國家裏指出，「這件基本事實，卽社會從原始形態的奴隸制度過渡到農奴制度，然後又過渡到資本主義制度的事實，你們始終都應該注意到，因爲只有回想起這件基本事實，只有把一切政治學說都放置在這個基本範圍內，才能正確估計這些學說，並認淸這些學說底實質，……所以爲要認淸這一切異常紛繁複雜的情形，……就必須穩穩把握住這個社會階級劃分的事實 ， 把握住階級統治形式改變的事實 ， 作爲基本領導的綫索，並從這個觀點上去剖明一切社會問題，卽經濟、政治、精神和宗教等等問題。」（人民出版社一九五三年版，一〇頁。）列寧指示我們，研究歷史首先要明確地劃分社會發展的諸階段，給歷史畫出基本的輪廓來，然後才能進行各方面的研究。本書企圖用馬克思主義的普遍眞理和中國的具體歷史結合起來，說明它會經經過了原始公社制社會、奴隸社會、封建社會諸階段。雖然寫的未必正確，但方向顯然是正確的。

五　漢族封建社會的分期

中國封建社會的發展過程是很緩慢的。舊本中國通史簡編把封建社會分成三個時期，現在看來，第二第三兩個時期的分法是有錯誤的。修訂本分爲初期（西周至秦統一）、中期（秦至隋統一爲中期前段，隋至元末爲中期後段）、後期（明至淸鴉片戰爭以前）三個時期，似乎比較恰當些。（下略）

六　初期封建社會開始於西周

西周是初期封建社會的開始。依據現有的西周典籍（主要是詩經與尚書）和地下發掘所得的材料，不是尋章摘句式地而是全面地客觀地來綜觀當時的經濟基礎與上層建築，可以肯定西周確是封建社會。下面所述，主要是依據西周詩篇和尚書中周初文誥說明西周時期基本的生產關係。

西周爲什麽是封建社會？我想先把商周兩個朝代作一比較。商朝社會裏階級極顯著的存在着，這是斷定商朝决非原始公社的有力證據。商貴族死後要用大量財寶和大批的人殉葬；每年祭祀，還要殺若干人同牲畜一樣作祭品。至於周朝則截然不同。祭祀不用人；考古工作者發掘了一百五六十個周墓，僅僅發現三個墓葬裏共有六個殉葬人。商與周是前後接連的朝代，但當作國家最大的典禮和在精神生活上含有第一等意義即所謂孝道的祭禮與葬禮却有這樣的不同。這是什麽緣故呢？因爲商周有不同的經濟基礎，所以有不同的上層建築。一個社會的性質是由當時處於主導地位的生產關係即基本的所有制來決定的。斯大林在辯證唯物主義和歷史唯物主義裏給奴隸制度社會封建制度社會規定了定義：「在奴隸制度下，生產關係底基礎是奴隸主佔有生產資料和佔有生產工作者」；「在封建制度下，生產關係底基礎是封建主佔有生產資料和不完全佔有生產工作者。」（蘇聯共產黨（布）歷史簡明教程，人民出版社版，一六二、一六三頁。）根據上述定義（不切實根據這個定義，所說便缺乏可靠性），我們看商周兩朝統治者對生產工作者的所有制的不同，可以斷言商朝是奴隸社會，西周是封建社會。關於商朝社會的問題，不必在這裏談，這裏只談西周社會的問題。

斯大林在蘇聯社會主義經濟問題裏曾經說过，「封建制度的基礎並不是非經濟的强制，而是封建土地所有制。」（人民出版社版，三七頁。）什麽是「封建土地所有制」呢？那就是「封建主佔有生產資料和不完全佔有生產工作者」。因爲封建主如果完全不佔有生產工作者，而僅僅佔有生產資料（土地），那末封建剝削便無法實行。所以對於佔有生產工作者情况的了解是了解封建土地所有制的鑰匙。根據現存有關西周生產資料佔有者和生產工作者相互間關係的材料，可以證明「封建土地所有制」確實普遍地存在着。周初大封建，從所有制的意義說來，就是自天子以至於采邑主，大小土地所有者向農奴（主要的）和自由民身分的農民（次要的）徵收地租。也就是說，他們之間存在着封建的生產關係。爲什麽知道當時耕地的人是農奴農民而不是奴隸呢？資本論第三卷「勞動地租」節說，「地租的最簡單的形態，是勞動地租。在這場合，直接生產者以每週的一部分，用實際上或法律上屬於他所有的勞動工具（犂，家畜等等），用在實際上屬於他的土地上面，並以每週的別幾日，在地主的土地上，無代價地，爲地主勞動。」（人民出版社版，一〇三〇頁。）同節又說，「它（封建經濟——引者）和奴隸經濟或殖民地奴隸經濟是從這一點來區別：奴隸是用別人所有的生產條件來勞動，不是獨立的。所以這裏必需有人身的依賴關係，有人身的不自由（不管其程度如何），有人身當作附屬物而固定在土地上的制度，有嚴格意義上的隸屬制度。」（同上書，一〇三二頁。）農奴和奴隸的區別，這裏說得很清楚了。（下略）

七　自秦漢起中國成爲統一國家的原因

秦始皇統一中國以後，中國從此成爲統一的封建國家。東漢末年由軍閥混戰而分爲三國，唐時由藩鎮之亂而擴大爲五代十國，兩次封建割據在秦漢以後的整個歷史過程中，可以說是短期的、變態的（十六國割據，漢族地主不是主要發動者，北朝與金是外族侵入，當別論），而統一則是長期的、正常的。中國爲什麼能够保持長期的正常的統一狀態呢？因爲自秦漢起，漢族已經是一個相當穩定的人們的共同體，自北宋起，全國範圍內經濟聯系性加强了，這個共同體也更趨於穩定。封建統治者因而有可能加强中央集權，壓制地方割據勢力，使不能公然活動，政治上的統一又前進一步。秦漢以後的統一，都是「在某種程度上仍舊保留着封建割據的狀態」，不過程度上北宋前後確有些不同之處。因爲漢族社會確實存在着一個相當穩定的人們的共同體，所以統一力量與割據力量作鬥爭，總是以統一力量取得勝利而告結束。卽使在帝國主義侵入以後，帝國主義列强用暴力和陰謀企圖分裂中國，但並不能眞正達到它們的目的。這種現象决不是偶然的現象，也就是說，决不能用偶然爲理由來解釋這種現象。（下略）

如果上面那些比較，還不是完全錯誤的話，那末，自秦漢時起的中央集權的統一國家，它的基礎之一就是爲封建社會服務的經濟聯系，這種聯系與堅强有力的同文（漢文字形體在語言的統一上有特殊作用）同倫兩條相結合，統一國家就成立起來。既然並沒有資本主義的出現，「在某種程度上仍舊保留着封建割據的狀態」，也就成爲必然的狀態了。這種狀態的存在，只有到了新民主主義革命勝利的時代，才能徹底把它消滅，實現眞正的完全的統一。（下略）

八　歷史上的愛國主義

列寧國家與革命引恩格斯一段話：「國家是社會陷入自身不可解决的矛盾中並分裂爲不可調和的對立方面而又無力擺脫這種對立情勢的表現。爲了使這些對立方面，這些彼此經濟利益衝突的階級，不致在無謂的鬥爭中互相消滅而使社會同歸於盡，於是一種表面上似乎駕於社會之上而用以緩和衝突，使這些衝突不致超出『秩序』範圍以外的力量，就成爲必需的了。這個由社會當中產生出來，但使自己駕於社會之上，且日益與社會脫離的力量，便是國家。」列寧指出「這一段話已經把馬克思主義對於國家的歷史作用及其意義的基本思想，十分明確地表達出來了。」（人民出版社一九五三年版，六——七頁。）

一般的說，一個民族從氏族、部落、部族逐次發展下來，有它們世世相傳的居住地區。這個地區爲居民所有，居民自然是居地的主人。當社會經濟發展到奴隸制度階段的時候，一個階級壓迫別一階級的機關——國家便建立起來了。依照各個機關勢力的大小，在一個部族裏可以成立許多奴隸主的或封建主的大小國家。到了部族變成民族的時候，封建分割的局面爲統一國家所代替。這樣說來，世世相傳的居住地區就成爲居民的祖國，在祖國地區上建立起來的國家就成爲剝削階級壓迫勞動居民的機關。部族時期的祖國大於各個國家，統一時期，國家的疆域有時擴大些，有時縮小些，大體上與祖國的地區相符合。

中國這一名稱，早在西周初年，已經用以稱呼華夏族所居住的地區。從歷史記載看來，秦以前，華夏族稱它的祖國爲中國（如左傳成公七年季文子說「中國不振旅」，中國是華夏各國的總稱）；秦以後，中國擴大爲當時國境內各族所共稱的祖國。所以中國這一名詞的涵義就是祖國，朝代則是統治階級在各個不同時期所建立的國家的稱號。中國爲各族統治階級和被統治階級所共有，但以大多數居民即勞動人民爲主體，朝代則爲某一族主要是漢族統治階級所獨有，以君主（王或皇帝）和他們的朝廷（政府）爲首領。朝代有興有亡，一個替代一個，中國本身則總是存在着並且發展着。

國家建立在祖國的土地和被壓迫階級上面。代表國家的君主和他的朝廷，在表面上似乎是站在社會之上，通常以公正的中間人姿態來緩和兩大敵對階級的衝突，因此也似乎代表了被壓迫階級。在這種情況下，祖國、國家、君主三者常混爲同一的事物，被統治階級區別不清楚，統治階級也未必故意區別不清楚。不過，由於兩大階級性質的不同，在表現愛國思想的具體行動中，自然要顯出它們不同的愛國表現。

衰朽的朝代，殘暴的君主，都是祖國社會發展道路上的障礙物。農民起義摧毀（不論成與不成）這些障礙物，實際上是愛祖國的一種重要表現。統治階級爲了保護那些障礙物，瘋狂地鎮壓農民起義。他們也自以爲愛國，顯然他們愛的是他們的國家和君主，對祖國說來，他們是祖國的罪人。他們的忠君愛國與起義農民的愛祖國是絲毫沒有共同點的。如果統治階級中個別的人，同情農民起義或參加起義，而且始終其事並無中途叛賣的行爲，那末，他們的動機雖然由於懷才不遇，仕宦失意，但也應該承認他們是祖國的愛護者。

在反抗外族侵略的情況下，統治階級和被統治階級的愛國行動，一般都表現爲愛本族的朝代和君主。但其中也有區別。被統治階級在階級壓迫以外又加上民族壓迫，所以反抗是廣泛而持久的。它常常以恢復前朝爲號召，實際意義是借前朝作象徵來恢復祖國。統治階級的利益在於剝削勞動人民，當舊朝代大勢已去，不能保護階級利益的時候，統治階級中人便紛紛投降外族統治者，反過來攻擊舊朝代，鎮壓人民的愛國行動，以求得外族統治者的信任和保護。當然，統治階級中也有一部分人，堅决不投降，採取各種形式，對外族統治者作積極的或消極的反抗。這種反抗基本上是出於對舊朝舊君的忠愛，但和祖國的利益是一致的，因此，應該承認他們也是祖國的愛護者。

還有一種愛國的表現。例如夏朝的關龍逢（傳說中有此人，通常和比干並稱），商朝的比干，楚國的屈原，他們敢言直諫，不惜殺身，要求君主改善政治。又如蜀漢的諸葛亮，唐朝的魏徵，他們或鞠躬盡瘁，或犯顏直諫，目的也在改善政治。這兩類人所愛的當然是他們的國家，但對人民是有益的至少是無害的，所以他們也還是愛國者。列寧說「社會主義者並不拒絕爲改良而鬥爭。例如他們現在也應當在國會內投票贊成一切的、即使是不大的對於羣衆境況的改善，贊成增加戰區災民的補助金，贊成減輕民族的壓迫等等」（俄國社會民主工黨中央委員會向第二次社會黨人代表會議的提議，載列寧文集，第四册，一五二頁）。應用這個原理到古代史上，凡是對人民多少有些益處的措施，多少對腐朽的現狀有所否定，都應予以適當的評價，但不可爲欺騙手段的改良所蒙蔽。

此外，凡法施於民（創造發明，有利於民），以死勤事（民事），以勞定國（治國安民），能禦大災，能捍大患的人，依據他們對祖國和人民的實際貢獻，都可以稱爲愛國者。

國家是階級壓迫的機關，是一個階級壓迫別一階級的機關。這個本質只有馬克思主義的國家理論才能揭示出來。在這以前，人們是不可能認識到的。因此，被統治階級愛祖國也愛及國家和君主，統治階級中某些人愛國家和君主也愛及祖國，只要歸根是有利於祖國和人民，他們的行動都值得尊崇。

這裏再說一說各民族間的關係。在中國，漢族和當時國境內各少數族的共同祖國，就是中國。統治中國的國家，基本上是漢族地主階級所組織的朝代。這種朝代對內是剝削各族被壓迫階級的工具，對外則是中國事實上的代表者。漢族統治階級殘酷地壓迫國境內少數族（當然也殘酷地壓迫漢族人民），有時候（往往在强盛時）也殘酷地壓迫國境外少數族。形式上似乎是漢族壓迫少數族，實際是漢族統治階級爲了滿足它自己的私利，利用民族名義，挑動漢族人民與少數族人民間的不和，以達到從中取利的目的。與漢族統治階級同樣，國境外少數族的統治階級，用武力侵入中國，也利用民族名義，挑動本族人民與漢族人民間的不和，以達到統治中國的目的。歷史上所有民族壓迫，本質只是一個民族的統治階級壓迫別一個民族，主要是壓迫別一個民族的勞動人民，藉以增加自己的剝削對象。因爲政府在壓迫別一國或別一族時，是一國或一族的代表者，所以被壓迫的國或族反對這個代表者，同時也就反對它所代表的國或族的人民。這種誤解的發生，是統治階級有意或無意地造成的，而這種誤解的後果，却常常是令人痛心的悲劇。

九　歷史上戰爭的分類

毛澤東同志在中國革命戰爭的戰略問題裏教導我們說「戰爭——從有私有財產和有階級以來就開始了的、用以解決階級和階級、民族和民族、國家和國家、政治集團和政治集團之間、在一定發展階段上的矛盾的一種最高的鬥爭形式」（毛澤東選集，第一卷，一九五二年第二版，一六四頁）。又說「歷史上的戰爭，只有正義的和非正義的兩類。我們是擁護正義戰爭反對非正義戰爭的。一切反革命戰爭都是非正義的，一切革命戰爭都是正義的」（同上書，一六七頁）。依據這個原理，試論歷史上的戰爭：（一）正義戰爭。凡農民起義和全民族反抗外國侵略的戰爭，都是正義戰爭。消滅地方割據，完成中國統一事業的戰爭也屬於正義戰爭。（二）非正義戰爭。其中一部分是破壞性的戰爭。凡鎮壓農民起義（包括國內少數族起義）的戰爭，統治階級內部分裂，爭奪權利，割據土地的戰爭都屬於這一部分。又一部分是侵略性的戰爭。凡落後國侵入中國，摧殘中國的經濟與文化，以及中國統治階級侵入落後國，客觀上對落後國社會只有摧殘沒有發生推進作用的戰爭都屬於這一部分。正義和非正義兩類戰爭，不可機械地看作單純的事情。有些戰爭是正義的，但也可能帶着破壞割據等消極成分；有些戰爭，一方面是破壞性的或侵略性的，但在另一方面却發生了有益的作用。列寧說「雖然任何戰爭不可免地都帶有恐怖、野蠻、災難和痛苦；但是歷史上却有許多的戰爭曾經是進步的，卽是說給人類的發展帶來益處……」（社會主義與戰爭，人民大學譯本，一——二頁）（下略）

上面提出一、勞動人民是歷史的主人；二、階級鬥爭論是研究歷史的基本綫索；三、在生產鬥爭中的科學發明；四、漢族社會發展史的階段劃分；五、漢族封建社會的分期；六、初期封建社會開始於西周；七、自秦漢起中國成爲統一國家的原因；八、歷史上的愛國主義；九、歷史上戰爭的分類等九個問題。這些都是貫穿在整部古代史裏的重要問題，修訂本就是根據我對這些問題的了解來編寫的，如果了解有錯誤，那末，全書都要發生錯誤，不是什麽小的、局部的錯誤了。因此，我願意把還未成熟的意見發表出來，希望得到史學界的指正，幫助我少犯些錯誤。（下略）

VOCABULARY: 7

				P.	L.
1.	通史	*t'ūng-shǐh*	general history	207	2
2.	簡編	*chǐen-pīen*	concise (treatise)	207	2
3.	修訂	*hsīu-tìng*	revised	207	3
4.	緒言	*hsǜ-yén*	introduction	207	3
5.	編寫	*pīen-hsǐeh*	to compile and write	207	5
6.	補習	*pǔ-hsí*	supplementary studies	207	6
7.	學院	*hsǘeh-yǜan*	school	207	6
8.	分工	*fēn-kūng*	division of labor	207	6
9.	總編	*tsǔng-pīen*	to edit the whole manuscript	207	7
10.	編法	*pīen-fǎ*	method of compilation	207	7
11.	稿子	*kǎo-tzu*	manuscript	207	8
12.	合用	*hó-yùng*	suitable	207	8
13.	索性	*só-hsing*	simply	207	8
14.	五代	*Wǔ-tài*	the Five Dynasties after the T'ang Dynasty (907–960)	207	9
15.	十國	*shíh-kúo*	the Ten States, largely in the South (907–979)	207	9
16.	校完	*chìao-wán*	to finish proofreading and editing	207	10
17.	轉入	*chǔan-jù*	to turn to	207	10
18.	限定	*hsìen-tìng*	to limit to	207	11
19.	擬定	*nǐ-tìng*	to decide	207	13
20.	略前詳後	*lǜeh-ch'íen hsíang-hòu*	brief in the early period, detailed in the later period	207	13
21.	語體	*yǚ-t'ǐ*	vernacular style	207	13
22.	罪惡	*tsùi-ò*	crime	207	13
23.	顯示	*hsǐen-shìh*	to manifest	207	14
24.	隨手	*súi-shǒu*	offhand manner	207	14
25.	章節	*chāng-chíeh*	chapters and sections	207	14
26.	寫法	*hsǐeh-fǎ*	writing technique	207	19
27.	概括	*kài-k'ùo*	generally	207	19
28.	主人	*chǔ-jén*	master	207	21
29.	帝王	*tì-wáng*	emperor	207	23
30.	將相	*chìang-hsìang*	generals and ministers of state	207	23
31.	簡明	*chǐen-míng*	concise	207	25
32.	教程	*chìao-ch'éng*	manual	207	25
33.	型類	*hsíng-lèi*	type	207	27

				P.	L.
34.	綫索	*hsìen-sŏ*	clue	207	28
35.	迄今	*ch'ì-chīn*	hitherto	207	29
36.	附註	*fù-chù*	note	207	29
37.	可考	*k'ŏ-k'ăo*	recorded	207	30
38.	彷彿	*făng-fú*	seemingly	208	2
39.	迷亂	*mí-lùan*	bewildered	208	2
40.	混沌	*hŭn-tùn*	confused	208	2
41.	講明	*chĭang-míng*	to elucidate	208	4
42.	自由民	*tzù-yú mín*	freeman	208	5
43.	平民	*p'íng-mín*	plebeian	208	6
44.	行東	*háng-tūng*	guild master	208	6
45.	幫工	*pāng-kūng*	journeyman	208	6
46.	簡言之	*chĭen-yén chīh*	in a word	208	6
47.	隱藏	*yĭn-ts'áng*	hidden	208	7
48.	結局	*chíeh-chǘ*	end	208	8
49.	結構	*chíeh-kòu*	constitution	208	8
50.	同歸於盡	*t'úng-kūei yǘ chìn*	to end in common ruin	208	9
51.	情景	*ch'íng-chĭng*	situation	208	9
52.	綜觀	*tsùng-kūan*	to sum up	208	11
53.	修養	*hsīu-yăng*	training; cultivation	208	14
54.	闡發	*shàn-fā*	exposition	208	15
55.	腐化	*fŭ-hùa*	corrupt	208	16
56.	官軍	*kūan-chǖn*	government troops	208	18
57.	謬見	*mìu-chìen*	mistaken view	208	19
58.	外族	*wài-tsú*	foreign nation	208	20
59.	抵抗	*tĭ-k'àng*	resistance	208	20
60.	確實	*ch'ǜeh-shíh*	truly	208	21
61.	富於	*fù-yǘ*	rich in	208	21
62.	膚淺	*fū-ch'ĭen*	superficial	208	22
63.	開化	*k'āi-hùa*	civilization	208	26
64.	素稱	*sù-ch'ēng*	well known as	208	27
65.	久遠	*chĭu-yǚan*	long	208	27
66.	末期	*mò-ch'ī*	last period	208	28
67.	足以	*tsú-ĭ*	sufficient	208	29
68.	古國	*kŭ-kúo*	ancient country	208	30
69.	諸如	*chū-jú*	such as	208	30
70.	天文學	*t'īen-wén hsǘeh*	astronomy	208	30
71.	數學	*shù-hsǘeh*	mathematics	208	30
72.	物理學	*wù-lĭ hsǘeh*	physics	208	30
73.	化學	*hùa-hsǘeh*	chemistry	208	30

				P.	L.
74.	醫學	*ī-hsüeh*	medicine	208	30
75.	藥物學	*yào-wù hsüeh*	pharmacology	208	30
76.	植物學	*chíh-wù hsüeh*	botany	208	31
77.	戰國	*Chàn-kúo*	the period of Warring States (B. C. 403–221)	208	31
78.	養蠶	*yǎng-ts'án*	to raise silkworms	208	31
79.	絲織	*szū-chīh*	silk weaving	208	31
80.	煉鋼	*lìen-kāng*	to make steel	208	31
81.	造紙	*tsào-chǐh*	to make paper	208	32
82.	製瓷	*chìh-tz'ú*	to make porcelain	208	32
83.	印刷	*yìn-shūa*	printing	208	32
84.	火藥	*hǔo-yào*	gunpowder	208	32
85.	茶樹	*ch'á-shù*	tea bush	208	32
86.	早稻	*tsǎo-tào*	early rice	208	32
87.	棉花	*míen-hūa*	cotton	208	32
88.	種植	*chùng-chíh*	cultivating	208	32
89.	南宋	*Nán-Sùng*	Southern Sung Dynasty (1127–1279)	208	33
90.	江西	*Chīang-hsī*	Kiangsi	208	33
91.	浙江	*Chè-chīang*	Chekiang	208	33
92.	鐵片	*t'ieh-p'ìen*	pieces of iron	208	33
93.	膽水	*tǎn-shǔi*	copper solution	208	33
94.	東漢	*Tūng-Hàn*	Eastern Han Dynasty (25–220)	208	33
95.	曹操	*Ts'áo Ts'āo*	a leader of one of the Three Kingdoms — the Wei	208	34
96.	石炭	*shíh-t'àn*	coal	208	34
97.	石油	*shíh-yú*	petroleum	208	34
98.	北宋	*Pěi-Sùng*	Sung Dynasty (960–1126)	208	34
99.	點燈	*tǐen-tēng*	to light lamps	208	34
100.	海船	*hǎi-ch'úan*	seagoing vessel	208	35
101.	巨大	*chǜ-tà*	huge	208	35
102.	抵當	*tǐ-tǎng*	to withstand	208	35
103.	波斯灣	*Pō-szū Wān*	Persia Bay	208	35
104.	險惡	*hsǐen-ò*	dangerous	208	35
105.	航海	*háng-hǎi*	navigation	208	35
106.	指南針	*chǐh-nán chēn*	compass	208	35
107.	夾雜	*chīa-tsá*	to mix with	209	1
108.	一筆抹煞	*ī-pǐ mǒ-shā*	to cross out with one stroke — to deny completely	209	2

				P.	L.
109.	容忍	*júng-jĕn*	to tolerate	209	2
110.	愚想	*yú-hsīang*	folly	209	3
111.	漸漸	*chìen-chìen*	gradually	209	3
112.	荒誕	*hūang-tàn*	fallacious	209	3
113.	藉口	*chìeh-k'ŏu*	pretext	209	6
114.	遺漏	*í-lòu*	to omit	209	7
115.	漢族	*Hàn-tsú*	Han race — the Chinese race	209	9
116.	回想	*húi-hsīang*	to recollect	209	12
117.	放置	*fàng-chìh*	to place	209	12
118.	認淸	*jèn-ch'ing*	to discern	209	13
119.	異常	*ì-ch'áng*	extraordinary	209	14
120.	紛繁	*fēn-fán*	complicated	209	14
121.	穩穩	*wĕn-wĕn*	securely	209	14
122.	把握	*pă-wò*	to grasp	209	14
123.	剖明	*p'ōu-míng*	to dissect	209	16
124.	輪廓	*lún-k'ùo*	outline	209	18
125.	公社	*kūng-shè*	commune	209	20
126.	未必	*wèi-pì*	not necessarily	209	21
127.	分期	*fēn-ch'ī*	periodization	209	22
128.	緩慢	*hŭan-màn*	slow	209	23
129.	分法	*fēn-fă*	method of periodization	209	24
130.	西周	*Hsī-Chōu*	Western Chou Dynasty (1027–771 B. C.)	209	25
131.	中期	*chūng-ch'ī*	middle period	209	25
132.	前段	*ch'íen-tùan*	former part	209	25
133.	後段	*hòu-tùan*	latter part	209	26
134.	典籍	*tĭen-chí*	books and records	209	29
135.	詩經	*Shīh-chīng*	*Book of Poetry*	209	29
136.	尙書	*Shàng-shū*	*Book of History*	209	29
137.	發掘	*fā-chŭeh*	to excavate	209	30
138.	尋章摘句	*hsǘn-chāng ché-chǜ*	to study chapters and sentences—textually and pedantically	209	30
139.	詩篇	*shīh-p'īen*	poems	209	32
140.	文誥	*wén-kào*	announcement	209	32
141.	商周	*Shāng Chōu*	Shang (1600–1027 B. C.) and Chou (1027–256 B. C.) Dynasties	209	33
142.	斷定	*tùan-tìng*	to make an assertion in conclusion	209	34

				P.	L.
143.	財寶	*ts'ái-pǎo*	treasure	210	1
144.	殉葬	*hsǜn-tsàng*	to bury the living with the dead	210	1
145.	祭祀	*chì-szù*	sacrifice	210	1
146.	牲畜	*shēng-ch'ù*	sacrificial animal	210	1
147.	祭品	*chì-p'ǐn*	sacrificial offering	210	2
148.	截然不同	*chíeh-ján pū-t'úng*	entirely different	210	2
149.	考古	*k'ǎo-kǔ*	archaeology	210	2
150.	墓葬	*mù-tsàng*	tomb	210	3
151.	典禮	*tiěn-lǐ*	ceremony	210	4
152.	孝道	*hsìao-tào*	filial piety	210	4
153.	祭禮	*chì-lǐ*	sacrificial ceremony	210	5
154.	葬禮	*tsàng-lǐ*	funeral ceremony	210	5
155.	斷言	*tùan-yén*	to conclude	210	13
156.	鑰匙	*yào-sh'ih*	key	210	21
157.	現存	*hsìen-ts'ún*	extant	210	21
158.	天子	*t'īen-tzǔ*	Son of Heaven — emperor	210	23
159.	采邑主	*ts'ài-ì chǔ*	feudal noble	210	23
160.	徵收	*chēng-shōu*	to collect	210	24
161.	每週	*měi-chōu*	every week	210	27
162.	家畜	*chīa-ch'ù*	domestic animal	210	28
163.	同節	*t'úng-chíeh*	in the same section	210	30
164.	引者	*yǐn-chě*	one who quotes — referring to the writer	210	31
165.	附屬物	*fù-shǔ wù*	accessory	210	33
166.	同上	*t'úng-shàng*	same as above	210	34
167.	秦漢	*Ch'ín Hàn*	Ch'in (221–207 B. C.) and Han (206 B. C. – 220) Dynasties	211	1
168.	秦始皇	*Ch'ín Shǐh-húang*	the first emperor of the Ch'in Dynasty	211	2
169.	末年	*mò-níen*	latter years	211	2
170.	混戰	*hǔn-chàn*	chaotic wars	211	3
171.	三國	*Sān Kúo*	Three Kingdoms (220–280)	211	3
172.	藩鎮	*fán-chèn*	ministers with military power in border areas in the T'ang Dynasty	211	3
173.	割據	*kō-chǜ*	to occupy a piece of territory and proclaim independence — fragmentation	211	3

				P.	L.
174.	短期	*tŭan-ch'ī*	short term	211	4
175.	變態	*pìen-t'ài*	abnormal	211	4
176.	北朝	*Pĕi-ch'áo*	the Northern Dynasties (386–581)	211	5
177.	別論	*píeh-lùn*	to treat differently	211	5
178.	穩定	*wĕn-tìng*	stable	211	7
179.	共同體	*kùng-t'úng t'ĭ*	community	211	7
180.	趨於	*ch'ǖ-yǘ*	to tend to	211	8
181.	集權	*chí-ch'ǘan*	centralization of power	211	9
182.	仍舊	*jéng-chìu*	as before	211	10
183.	暴力	*pào-lì*	violence	211	13
184.	陰謀	*yīn-móu*	conspiracy	211	14
185.	同文	*t'úng-wén*	of the same written language	211	18
186.	形體	*hsíng-t'ĭ*	form	211	18
187.	同倫	*t'úng-lún*	of the same moral principle	211	18
188.	無力	*wú-lì*	powerless	211	25
189.	無謂	*wú-wèi*	aimless	211	26
190.	駕於…之上	*chìa-yǘ...chīh-shàng*	to be above	211	27
191.	超出	*ch'āo-ch'ū*	to go beyond	211	28
192.	表達	*pĭao-tá*	to express	211	31
193.	氏族	*shìh-tsú*	clan	211	33
194.	部落	*pù-lè*	aboriginal tribe	211	33
195.	部族	*pù-tsú*	tribe	211	33
196.	逐次	*chú-tz'ù*	gradually	211	33
197.	世世相傳	*shìh-shìh hsīang-ch'úan*	to hand down from generation to generation	211	33
198.	居地	*chǖ-tì*	homeland	211	34
199.	分割	*fēn-kō*	fragmented	212	2
200.	疆域	*chīang-yǜ*	territory	212	5
201.	名稱	*míng-ch'ēng*	term	212	7
202.	初年	*ch'ū-níen*	early years	212	7
203.	稱呼	*ch'ēng-hū*	to call	212	7
204.	華夏	*Húa Hsìa*	(another name for) China	212	7
205.	左傳	*Tsŏ Chùan*	a commentary on the Spring and Autumn Annals (English by Legge)	212	8
206.	成公	*Ch'éng-kūng*	Duke of Ch'eng	212	8
207.	季文子	*Chì Wén-tzŭ*	great officer in the State of Lu during the Ch'un-ch'iu period	212	8

				P.	L.
208.	中國不振旅	*Chūng-kúo pū chèn-lǚ*	The middle states do not array their multitudes (Legge)	212	9
209.	總稱	*tsǔng-ch'ēng*	general term	212	9
210.	國境	*kúo-chìng*	national territory	212	10
211.	共稱	*kùng-ch'ēng*	common term	212	10
212.	涵義	*hán-ì*	connotation	212	10
213.	共有	*kùng-yǔ*	to possess in common	212	12
214.	族主	*tsú-chǔ*	clan chief	212	13
215.	獨有	*tú-yǔ*	to possess solely	212	13
216.	朝廷	*ch'áo-t'íng*	court	212	13
217.	公正	*kūng-chèng*	impartial	212	17
218.	故意	*kù-ì*	intentionally	212	20
219.	衰朽	*shūai-hsǐu*	decadent	212	22
220.	瘋狂	*fēng-k'úang*	madly	212	24
221.	罪人	*tsùi-jén*	criminal — traitor	212	25
222.	忠君	*chūng-chǖn*	loyal to the sovereign	212	26
223.	中途	*chūng-t'ú*	halfway	212	27
224.	動機	*tùng-chī*	motive	212	28
225.	懷才不遇	*húai-ts'ái pū-yǜ*	(one) has talent (but) has not met (a superior appreciating and employing him)	212	28
226.	仕宦失意	*shìh-hùan shīh-ì*	disappointment in one's official position	212	28
227.	本族	*pěn-tsú*	one's own race	212	31
228.	前朝	*ch'íen-ch'áo*	the previous dynasty	212	32
229.	象徵	*hsìang-chēng*	symbol	212	33
230.	大勢已去	*tà-shìh ǐ-ch'ǜ*	situation is hopeless	212	34
231.	紛紛	*fēn-fēn*	in disorderly haste	212	34
232.	忠愛	*chūng-ài*	loyalty and affection	213	1
233.	關龍逢	*Kūan Lúng-féng*	a minister put to death for his remonstrances with the tyrant king Chieh of the Hsia Dynasty about his profligacy	213	3
234.	傳說	*ch'úan-shūo*	legend	213	3
235.	比干	*Pǐ Kān*	relative of the tyrant king Chou of the Shang Dynasty, barbarously put to death for his remonstrances against the king's profligacy	213	3

				P.	L.
236.	並稱	*pìng-ch'ēng*	to mention together	213	4
237.	屈原	*Ch'ū Yüan*	a minister of the Ch'u state in the period of the Warring States, who threw himself in the river and perished because his good counsels in government were ignored	213	4
238.	敢言	*kăn-yén*	to speak courageously	213	4
239.	直諫	*chíh-chìen*	to remonstrate bluntly	213	4
240.	殺身	*shā-shēn*	to sacrifice one's life	213	4
241.	蜀漢	*Shŭ Hàn*	Minor Han Dynasty in the Epoch of the Three Kingdoms (221–263)	213	5
242.	諸葛亮	*Chū-kó Lìang*	general and prime minister of the Minor Han Dynasty	213	5
243.	魏徵	*Wèi Chēng*	a minister under Emperor T'ai-tsung of the T'ang Dynasty	213	5
244.	鞠躬盡瘁	*chǘ-kūng chìn-ts'ùi*	Humbly I exhaust my energy in service to the king	213	5
245.	犯顏	*fàn-yén*	with no regard to the (superior's) face	213	5
246.	無害	*wú-hài*	harmless	213	7
247.	國會	*kúo-hùi*	parliament	213	8
248.	投票	*t'óu-p'ìao*	to vote	213	8
249.	境況	*chìng-k'ùang*	condition	213	9
250.	災民	*tsāi-mín*	calamity-stricken people	213	9
251.	補助金	*pŭ-chù chīn*	subsidy	213	9
252.	減輕	*chĭen-ch'īng*	to alleviate	213	9
253.	評價	*p'íng-chìa*	appraisal	213	13
254.	蒙蔽	*méng-pì*	to delude	213	13
255.	法施於民	*fă shīh yǘ mín*	〔sacrifice should be offered to him〕 who had given 〔good〕 laws to the people	213	14
256.	以死勤事	*ĭ szŭ ch'ín shìh*	who had labored to the death in the discharge of his duties	213	14
257.	以勞定國	*ĭ láo tìng kúo*	who had strengthened the state by his laborious toil (*Li Ki,* Legge)	213	14

				P.	L.
258.	治國	*chìh kúo*	to govern the state well	213	15
259.	安民	*ān-mín*	to give people peace and tranquility	213	15
260.	揭示	*chīeh-shìh*	to reveal	213	18
261.	歸根	*kūei-kēn*	basically	213	20
262.	尊崇	*tsūn-ch'úng*	to respect	213	21
263.	强盛	*ch'íang-shèng*	powerful and flourishing	213	26
264.	私利	*szū-lì*	selfishness	213	27
265.	名義	*míng-ì*	name	213	28
266.	挑動	*t'ìao-tùng*	to instigate	213	28
267.	不和	*pū-hó*	disharmony	213	28
268.	從中取利	*ts'úng-chūng ch'ǚ-lì*	to gain from (disharmony of others) — to fish in troubled waters	213	28
269.	武力	*wǔ-lì*	military force	213	29
270.	有意	*yǔ-ì*	intentionally	213	35
271.	無意	*wú-ì*	unintentionally	213	35
272.	後果	*hòu-kǔo*	consequence	213	35
273.	痛心	*t'ùng-hsīn*	heartache	213	36
274.	悲劇	*pēi-chǜ*	tragedy	213	36
275.	分類	*fēn-lèi*	classification	214	1
276.	試論	*shìh-lùn*	to try to discuss	214	8
277.	爭奪	*chēng-tó*	combat	214	12
278.	譯本	*ì-pěn*	translation	214	20
279.	貫穿	*kùan-ch'ūan*	to go through	214	26
280.	整部	*chěng-pù*	whole book	214	26
281.	成熟	*ch'éng-shú*	mature	214	28
282.	史學	*shǐh-hsǘeh*	history	214	29
283.	指正	*chǐh-chèng*	correction	214	29

LESSON 8

Economic Planning

This lesson consists of two selections:

(a) The Preface to ***The First Five-Year Plan for Development of the National Economy of the People's Republic of China,*** and

(b) The Preface to ***The Revised Draft Program for Agricultural Development in the People's Republic of China.***

The first is generally referred to as the First Five-Year Plan (FFYP); the second as the Twelve-Year Plan. The First Five-Year Plan was supposed to have commenced in 1953, and since that date there have been three five-year plans. The intention was to have some correlation in time between the five-year plans and the twelve-year plan. However, there is an obvious divergence in scope, since the Twelve-Year Plan is limited to agriculture while the five-year plans cover the whole economy, including industry, agriculture, and commerce.

The First Five-Year Plan was unusual in that it commenced operation in 1953, but the plan itself was not drawn up until 1955. The original draft of the plan was reportedly drawn up under the direction of the party Central Committee and Chairman Mao. It was then presented to the National Conference of the party, which approved it on March 31, 1955, in principle but suggested some revisions. The Central Committee then revised the plan and submitted it to the State Council, which adopted it unanimously on June 18, 1955. It was finally passed and enacted into law by the Second Session of the First People's Congress on July 30, 1955. The adopting resolution of the Congress says, in part, that "the Second Session of the First National People's Congress is unanimously of the opinion that the First Five-Year Plan...is a program of decisive importance for our whole people in their effort to carry out the fundamental task of the transition period; it is a plan for peaceful economic construction and cultural development."

Concerning the history of the Twelve-Year Agricultural Plan, Liao Lu-yen, Deputy Head of the Department of Rural Work of the Central Committee of the Party, in ***Some Explanations on the Draft National Program for Agricultural Development** (1956–1967)*, had this to say: "The National

Draft Program for Agricultural Development in 1956–1967 put forward by the Political Bureau of the Central Committee of the Communist Party of China elaborates and carries forward the earlier 'seventeen points' program. On various occasions in November 1955, Chairman Mao Tse-tung exchanged views on the development of our agriculture with the secretaries of fourteen provincial Party Committees and the secretary of the Party Committee of the Inner Mongolian Autonomous Region. The 'seventeen points' were decided on as a result of these consultations. In January 1956, after further consultations with responsible comrades from various provinces, municipalities, and autonomous regions, Chairman Mao Tse-tung expanded these seventeen points into forty to make the first draft of this program." This draft was adopted by the Political Bureau on January 23, 1956. It was then immediately presented to and approved by a meeting of the Supreme State Conference on January 25, 1956. The plan was originally intended to cover the twelve-year period of 1956 to 1967. This would have made its ending coincide with that of the Third Five-Year Plan as then scheduled. However, due to setbacks following the Great Leap, the Third Five-Year Plan was delayed and did not start until 1966.

On October 25, 1957, almost two years after the announcement of the Twelve-Year Plan, the Central Committee promulgated a revised Twelve-Year Plan. A brief note added to the revised plan stated that the original plan had fulfilled a positive function in the actual life of the people and that amendments and additions had been made as a result of experience during the past two years. It was indicated that after countrywide discussion, the revised plan would be submitted in the normal way to the Party Congress and State Council for approval, and finally to the People's Congress for formal adoption and enactment into law. Up to the present, however, there is no indication that it has been passed through any of these legal stages.

The plan itself is a forty-point program itemizing the goals and targets of socialist agriculture. The primary goal is to raise output by getting higher yields, with a view to providing the material foundation for improvement of the material and cultural life of the peasants and paving the way for industrialization. Even though it has so far not been successfully implemented, the plan is significant as a reflection of the thinking of Mao Tse-tung and of the party, showing their concern with the basic problems of China's peasants and the great emphasis laid on the development of agriculture at the present stage.

第八課(A)

中華人民共和國發展國民經濟的第一個五年計劃緒言

中華人民共和國於一九五三年開始偉大的發展國民經濟的第一個五年計劃。

以工人階級爲領導的中華人民共和國的成立和經濟命脈歸國家掌握，就使得我們有可能根據建設社会主義的目標，來有計劃地發展和改造國民經濟，以便逐步地把我國由落後的農業國變成先進的社会主義的工業國。

依靠工人階級和廣大人民羣衆在勞動战綫上的高度的積極性和創造性，依靠全國人民在改革土地制度、抗美援朝、鎭压反革命、進行"三反""五反"等各個战綫上的勝利，依靠中國共產党和中央人民政府在共同綱領的基礎上所实行的正確的經濟政策的領導，同時还由於偉大的苏联和各人民民主國家的支援，我國在一九五二年底結束了國民經濟的恢復階段，工業和農業的主要產品的產量，除個別的以外，都超过了解放前的最高水平；運輸和郵電有了相应的恢復和發展。國家在平衡財政收支和穩定物價这些方面所取得的重大成就，对於國民經濟的迅速恢復和人民生活的改善，起了顯著的作用。

在一九五二年，我國工業農業的總產值(按一九五二年不變價格計算，下同)比一九四九年增長了百分之七七·五，其中現代工業增長了百分之一七八·六，農業(包括農村副業)增長了百分之四八·五。作爲國家經濟發展水平主要標誌的現代工業，在工業農業總產值中所佔的比重，由一九四九年的百分之一七上昇到一九五二年的百分之二六·七。工業總產值(包括現代工業和工場手工業的產值，不包括合作化手工業、個体手工業和農村副業的手工業的產值)中生產資料和消費資料的生產所佔的比重，由一九四九年的二九比七一變爲一九五二年的三九·七比六〇·三。在工業總產值中，國營、合作社營(一)和公私合營的工業所佔的比重，已由一九四九年的百分之三六·七上昇到一九五二年的百分之六一；私人資本主義工業的總產值雖有增加，但所佔比重則由一九四九年的百分之六三·三下降到一九五二年的百分之三九。在農業中，一九五二年參加互助組的農戶已發展到佔農戶總數的百分之四〇，並組織了三、六四四個農業

〔註一〕这個本子所說的合作社營工業都是指供銷合作社經營的工業，沒有包括手工業生產合作社在內。

生產合作社。國營商業和合作社營商業在國內商業批發中的比重達到百分之六三·二，在社会零售中的比重達到百分之三四；对外貿易已由國家管制。總的說來，社会主義經濟在國民經濟中的領導作用和領導地位，隨着我國人民民主專政的日益鞏固，已經在恢復時期大大地加强起來，因而也就爲我國实行計劃經濟開闢了道路，並需要我們着手制定發展國民經濟的長期計劃。

我國曾經是一個在帝國主義統治下的殖民地、半殖民地和半封建的國家，經濟是很落後的。在解放前，我國生鉄在歷史上的最高年產量不过一八〇多万噸，鋼不过九〇多万噸，〔一〕並且沒有製造主要生產工具的机器製造工業。一九五二年恢復階段終結的時候，雖然生鉄和鋼的產量都超过了解放前的數字，但生鉄也还只有一九〇万噸，鋼只有一三五万噸。鑒於我國經濟这种極端落後的情况，我們必須实行積極的社会主義工業化的政策，來提高我國生產力的水平。毛澤东同志說过："沒有工業，便沒有鞏固的國防，便沒有人民的福利，便沒有國家的富强。"採取積極的工業化的政策，卽優先發展重工業的政策，其目的就是在於求得建立鞏固的國防、滿足人民需要和对國民經濟实現社会主義改造的物質基礎。因此，我們把重工業的基本建設作爲制定發展國民經濟第一個五年計劃的重點，並首先集中力量進行苏联幫助我國設計的一五六個工業單位的建設〔二〕，而在这個主要基礎上來繼續利用、限制和改造國民經濟中的資本主義成份，保証不斷地鞏固和擴大國民經濟中的社会主義成份。

我國現在还存在着下列的事实：第一，小農經濟在農業經濟中还佔有絕对的優勢。这种小農經濟限制着農業生產力的發展，它是同社会主義的工業化相矛盾的，必須逐步地以合作化的農業代替分散的個体的小農業。同時，個体手工業在城市和鄉村中都有很大的數量，必須逐步地把它引向合作化的道路。第二，資本主義經濟在國民經濟中还佔有相当大的比重。这种資本主義的生產關係日益暴露出它同生產力的增長相矛盾，資本主義經濟的無政府狀態同社会主義經濟的有計劃發展是相对立的，必須逐步地以全民所有制代替資本家的所有制。因此，我國發展國民經濟的第一個五年計劃必須包括对農業、手工業和資本主義工商業逐步实行社会主義改造的計劃，在優先發展社会主義經濟的原則下，对各种經濟成份的安排採取統籌兼顧的政策。

〔註一〕这裏所指的我國解放前生鉄和鋼的最高年產量，是一九四三年的產量，其中包括了当時日本帝國主義侵佔下的东北的生鉄和鋼的產量。在國民党統治區，生鉄的產量只有二〇万噸左右，鋼的產量只有四万多噸。

〔註二〕苏联幫助我國設計的一五六個工業建設單位，其中包括黃河三門峽水力樞紐工程；这一五六個單位在第一個五年內開始建設的是一四五個單位，在第二個五年內進行建設的是一一個單位。

為着把計劃放在可靠的基礎上，在編制第一個五年計劃的过程中，根據我國的具体情况並參照苏联和各人民民主國家的經驗，曾經着重地注意以下一些問題。第一，在優先發展重工業的條件下，力求使各個經濟部門——特别是工業和農業、重工業和輕工業——之間的發展保持適当的比例，避免彼此脫節。第二，力求使建設計劃同資金積累的程度（即投資力量）相適应，並適当地估計到技術力量。第三，使地方的計劃同中央各部的計劃結合起來，在中央統一領導下，首先保証重點工程的建設，同時充分地發揮地方的積極性和創造性。第四，在建設中採取合理地利用原有的工業基地和積極地着手創設新的工業基地——这兩個方面互相結合的步驟，逐步地改變过去的經濟發展不平衡的狀態，並使經濟建設的佈局適应於國防安全的條件。第五，照顧到積累資金和改善人民生活兩個方面，既要注意擴大資金積累，保証國家建設，為不斷地提高人民的生活水平建立物質基礎；同時在發展生產和提高勞動生產率的基礎上逐步地提高人民的物質生活和文化生活的水平，減少失業現象。

第一個五年計劃期間，我國在原來生產力薄弱的基礎上進行大規模的建設工作，是不能够不遇到困难的。我們的工作將是十分緊張的。因為我國原來的技術落後，这就必須充分地估計到技術人材、設備供应同建設需要的矛盾而發生的困难。因為農業的社会主義改造的複雜任務需要長時間才能够解决，这就必須充分地估計到農業的發展落後於工業的迅速發展而發生的困难。面对着这些困难，我們必須最合理地和最有效地利用人力、物力和財力，找尋適当的办法，而加以克服。同時，由於我們的計劃工作經驗缺乏和統計資料不全，这就不能不影响到計劃的準確性。因此，在執行計劃的过程中，我們必須隨時地注意計劃工作同实際的發展情况相結合，从而根據实際的經驗，根據廣大羣衆的創造性的經驗，來不斷地使計劃能够比較準確和比較完善。認眞地学習苏联建設社会主義的先進經驗，將使我們少犯一些錯誤。苏联和各人民民主國家的支援，是我國進行有計劃的經濟建設的重要的有利條件。

实現五年計劃，是在現在環境下的一种特殊形式的階級鬥爭。人民的敌人將採取各种方法來破壞五年計劃。全國人民必須時時刻刻地提高政治的警惕性，肅清一切暗藏的反革命分子，擊破國內國外敌人对於五年計劃任何形式的破壞活動。

在工人階級及其政党——中國共產党領導下的工農联盟是我國獲得偉大人民革命勝利、建立人民民主專政的基礎，是我國繼續取得社会主義勝利的基礎。為着運用和加强人民民主專政的國家權力來有計劃地發展和改造國民經濟，建設社会主義社会，就必須不斷地鞏固工農联盟，鞏固以工農联盟為基礎的全國各民族、各民主階級、各民主党派、各人民团体的人民民主統一战綫。

VOCABULARY: 8-A

Preface to ***The First Five-Year Plan for Development of the National Economy of the People's Republic of China, 1953–1957***

				P.	L.
1.	命脈	*mìng-mài*	the pulse of life	227	6
2.	目標	*mù-piao*	aim	227	7
3.	三反	*Sān-făn*	Three-anti (movement against corruption, extravagance, and bureaucratism)	227	10
4.	五反	*Wŭ-făn*	Five-anti (movement against bribery of government workers, tax evasion, theft of state property, cheating on government contracts for material and labor, and stealing economic information)	227	11
5.	支援	*chīh-yüan*	support	227	13
6.	產品	*ch'ăn-p'in*	product	227	14
7.	產量	*ch'ăn-lìang*	output	227	14
8.	運輸	*yün-shū*	transportation	227	15
9.	郵電	*yú-tìen*	post and telecommunication	227	15
10.	相应	*hsīang-*yìng	appropriate	227	15
11.	收支	*shōu-chīh*	revenue and expenditure	227	15
12.	物價	*wù-chìa*	commodity prices	227	16
13.	總產值	*tsŭng ch'ăn-chíh*	total output value	227	18
13a.	產值	*ch'ăn-chíh*	output value	227	18
14.	不變價格	*pū-pìen chìa-kó*	constant prices	227	18
15.	增長	*tsēng-chăng*	to increase	227	19
16.	副業	*fù-yèh*	subsidiary production	227	20
17.	標誌	*pīao-chìh*	indication	227	21
18.	比重	*pĭ-chùng*	proportion	227	21
19.	工場	*kūng-ch'ăng*	workshop	227	23
20.	消費資料	*hsīao-fèi tzū-lìao*	means of consumer goods	227	24
20a.	消費	*hsīao-fèi*	to consume	227	24
21.	下降	*hsìa-chìang*	to drop	227	29
22.	互助組	*hù-chù tsŭ*	mutual-aid team	227	29
23.	農戶	*núng-hù*	peasant household	227	30
24.	批發	*p'ī-fā*	wholesale	228	1

				P.	L.
25.	零售	*líng-shòu*	retail	228	2
26.	管制	*kŭan-chìh*	control	228	2
27.	着手	chó-*shŏu*	to start	228	5
28.	生鉄	*shēng*-t'ĭeh	pig iron	228	8
29.	終結	*chūng-chíeh*	to complete	228	10
30.	數字	*shù-tzù*	figures	228	11
31.	鑒於	*chìen-yǘ*	in view of	228	11
32.	富强	*fù-ch'íang*	affluence and (military) strength	228	14
33.	重工業	*chùng kūng-yèh*	heavy industry	228	15
34.	重點	*chùng-tĭen*	point of emphasis — priority	228	17
35.	設計	*shè-chì*	to design	228	18
36.	優勢	*yū-shìh*	dominant position	228	22
37.	引向	*yĭn-hsìang*	to guide	228	24
38.	統籌兼顧	*t'ŭng-ch'ôu chīen-kù*	over-all planning, all-around consideration	228	31
39.	編制	*pīen-chìh*	to draw up	229	1
40.	参照	*ts'ān-chào*	to take account of	229	2
41.	輕工業	*ch'īng kūng-yèh*	light industry	229	4
42.	比例	*pĭ-lì*	ratio	229	4
43.	脱節	*t'ō-chíeh*	dislocation	229	5
44.	資金	*tzū-chīn*	funds	229	5
45.	合理	*hó-lĭ*	rational	229	8
46.	創設	*ch'ùang-shè*	to construct	229	9
47.	步驟	*pù-tsòu*	step	229	9
48.	佈局	*pù-chü*	(geographical) distribution	229	10
49.	生產率	*shēng-ch'ăn lü*	productivity	229	13
50.	薄弱	*pó-jò*	weak	229	15
51.	緊張	*chĭn-chāng*	tense	229	16
52.	人材	*jén-ts'ái*	personnel	229	17
53.	設備	*shè-pèi*	equipment	229	17
54.	供应	*kŭng*-yìng	supply	229	17
55.	有效	*yŭ-hsìao*	effectively	229	20
56.	人力	*jén-lì*	manpower	229	20
57.	物力	*wù-lì*	material resources	229	21
58.	找尋	*chăo-hsǘn*	to seek	229	21
59.	準確	*chŭn-ch'ǜeh*	accurate	229	22
60.	完善	*wán-shàn*	perfect	229	25
61.	時時刻刻	*shíh-shíh k'ò-k'ò*	every minute	229	29
62.	暗藏	*àn-ts'áng*	hidden	229	30

第八課(B)

一九五六年到一九六七年全国农业发展綱要(修正草案)序言

(这个綱要草案是中国共产党中央委員会在1956年1月間提出的，在实际生活中已經起了积极的作用。現在根据兩年来一些事实的变化和工作的經驗，作了一些必要的修改和补充，提交农民和全体人民展开討論，再作修改，准备提交中国共产党全国代表大会通过，然后提交国务院討論通过，最后提交全国人民代表大会討論通过，作为正式文件公布。估計到今后十年中，一定会有許多新的情况出現，还会要作某些修正的。——中共中央注，1957年10月25日)

序　　言

这个綱要是在我国第一个到第三个五年計划期間，为着迅速发展农业生产力，以便加强我国社会主义工业化、提高农民以及全体人民生活水平的一个斗争綱領。

社会主义工业是我国国民經济的領导力量。但是，发展农业在我国社会主义建設中占有极重大的地位。农业用粮食和原料供应工业，同时，有五亿以上人口的农村，給我国工业提供了世界上的最巨大的国內市場。从这些說来，沒有我国的农业，便沒有我国的工业。忽視农业方面工作的重要性是完全錯誤的。

发展农业可以有兩条道路。一条是資本主义道路：讓农民的命运掌握在地主、富农和投机商人的手里，极少数人发財而大多数人貧困和不断破产。一条是社会主义道路：讓农民在工人阶級的領导下掌握自己的命运，共同富裕和共同繁荣。这兩条道路的斗爭在我国过渡时期中將長期地存在，但是，由于农业合作化的基本完成，我国絕大多数农民已經摆脫了前一条道路，走上后一条道路。今后的任务是要尽力巩固合作化制度，同时繼續反对农村中的資本主义自发势力。

农业合作化給我国农业生产力的发展开辟了最广闊的道路。沒有农业合作化，在个体經济的条件下，关于在十二年內在全国几个主要不同地区的粮食，除掉某些例外，争取每亩平均年产量分别达到四百斤、五百斤、八百斤的要求，关于在第二个五年計划时期內爭取大多数合作社的生产和收入赶上或者超过当地富裕中农在單干时候的水平的要求，这些都是不可能实現的幻想。但是，在农业合作化以后，加上第一个五年計划中社会主义工业化的偉大成就，經过今后大家千方百計的努力，綱要所提出的这些要求，便有着实現的可能性。

由于我国一般的自然条件好，农村劳动力多，农民有勤劳节儉的优良傳統和精耕細作的丰富經驗，农业經济有很大的潛在力量。必須在合作化的基础上，采取各种积极的合理的措施，并且有准备地有步驟地适合情况地积极推广农业的机械化，充分发掘农业的这种潛在力量，反对保守主义，为着实現綱要的要求而斗爭。

农业生产水平和农民生活水平的提高，主要依靠农民自己的辛勤劳动。但是，在工人阶級和共产党領导下的人民政府总是尽可能援助农民的。綱要所規定的許多农业增产措施，今后將逐步得到人民政府的更多的必要的援助。在实际上，这是工农的互相支援，城乡的互相支援。

以工人阶級为領导的工农联盟和工农互相支援，是农民解放的保証。資产阶級右派分子和封建殘余分子为了恢复地主制度和資本主义制度的目的，极力挑撥工农关系和城乡关系。他們这种卑鄙的挑撥失敗了，并且还要繼續失敗下去。

要教育农民羣众把爱国、爱社和爱家的观念統一起来。沒有共产党領导下的中华人民共和国，农民羣众就將繼續受帝国主义者和地主、富农、投机商人的統治和剝削，就不能有自己的合作社，就將繼續出現許多家破人亡的局面。要爱家就得要爱国爱社。一切不顧国家利益和合作社集体利益的本位主义和个人主义，都是錯誤的，实际結果都將是危害自己家庭利益的。

在农业发展的道路上，因难还是会繼續出現的。但是，事在人为。对于我們解放了的人民来說，沒有什么困难不能克服。不怕困难，是我們劳动人民本来的偉大性格。

本綱要是就全国的范圍提出的。各地方以至各合作社的情况存在着許多的差别。因此，全国各省（市、自治区）、專区（自治州）、县（自治县）、区、乡（民族乡）的党政領导机关和合作社，都应当根据本綱要，按照本地方、本合作社的具体条件，实事求是，經过羣众路綫，分别拟定本地方的各項工作的分批分期发展的具体規划。同时，国家各个經济部門，各个科学、文化、教育、卫生部門和政法部門，也都应当根据本綱要，重新审訂自己的工作規划。

本綱要所述各項任务中，有一些任务，例如綠化，勤儉持家，消灭老鼠、蒼蝇、蚊子，消灭危害人民最严重的疾病，提倡有計划地生育子女等，城市居民也应当实行，并且一定要城乡配合进行才能有效地实現。

VOCABULARY: 8-B

Preface to *The Revised Draft Program for Agricultural Development in the People's Republic of China, 1956-1967*

				P.	L.
1.	綱要	*kāng-yào*	program	232	3
2.	补充	pǔ-*ch'ūng*	addition	232	6
3.	正式	*chèng-shìh*	formal	232	8
4.	发財	fā-*ts'ái*	to make a fortune	232	21
5.	破产	*p'ò*-ch'ǎn	to go bankrupt	232	21
6.	赶上	kǎn-*shàng*	to catch up	233	1
7.	單干	*tān*-kàn	to work alone (not being a member of a cooperative)	233	1
8.	幻想	*hùan-hsiang*	illusion	233	2
9.	千方百計	*ch'ien-fāng pó-chì*	all sorts of schemes and plans — by every means	233	3
10.	勤劳	*ch'ín*-láo	diligence	233	5
11.	节儉	chíeh-*chien*	thrift	233	5
12.	优良	yū-*liang*	excellent	233	5
13.	精耕細作	*chīng-kēng hsì-tsò*	careful cultivation	233	6
14.	潛在	*ch'ien-tsài*	potential	233	6
15.	辛勤	*hsīn-ch'ín*	hard and diligent	233	10
16.	增产	*tsēng*-ch'ǎn	increase of production	233	12
17.	极力	chí-*lì*	with the utmost effort	233	16
18.	挑撥	*t'iao-pō*	to foment disunity	233	16
19.	爱社	ài-*shè*	to love cooperatives	233	18
20.	爱家	ài-*chia*	to love one's family	233	18
21.	家破人亡	*chia-p'ò jén-wáng*	family broken apart and folks dead	233	20
22.	本位主义	*pěn-wèi chǔ*-ì	department-centricism (an attitude limited in outlook to or concern with the activities or interest of oneself, especially of one's own department only)	233	22
23.	事在人为	*shìh tsài jén*-wéi	(the success of) a task depends on one's efforts	233	24
24.	性格	*hsìng-kó*	character	233	26
25.	專区	*chūan*-ch'ü	administrative region	233	28

				P.	L.
26.	党政	tăng-*chèng*	party and political	233	29
27.	审訂	shĕn-*tìng*	to examine	233	33
28.	綠化	*lǜ-hùa*	greenization (to cover denuded wasteland and mountains with greenery)	233	34
29.	勤儉持家	*ch'ín-chĭen ch'íh-chīa*	to manage family affairs frugally	233	34
30.	蒼蝇	*ts'āng*-ying	fly	233	35
31.	蚊子	*wén-tzu*	mosquito	233	35
32.	疾病	*chí-pìng*	disease	233	35
33.	生育	*shēng-yǜ*	to give birth to	233	35
34.	子女	*tzŭ-nǚ*	children	233	35

LESSON 9

On Khrushchev's Phoney Communism and Its Historical Lessons for the World

It has been argued that the conflict between Communist China and the Soviet Union began in 1956 with Khrushchev's report to the Twentieth Congress of the Soviet Communist party. In the secret part of that report, Khrushchev made a bitter personal attack on Stalin and on aspects of his rule such as the purges and the personality cult. In the summary, Khrushchev put forward the thesis of peaceful transition to socialism, and declared peaceful coexistence with the capitalist powers to be the general line of USSR foreign policy. To all of these views, the Chinese Communist leaders were strongly opposed. They began to charge Khrushchev with following a revisionist line and with repudiating Marxism.

Following the jolt of Khrushchev's report, the *People's Daily* published two articles in defense of Stalin. Under the heading "The Historical Experience of the Dictatorship of the Proletariat," these appeared on April 5 and December 29, 1956. (See Lesson V in ***Readings in Chinese Communist Documents.***)

Developments over the years after 1956 having increased rather than lessened the frictions, the two parties attempted in 1963 to iron out their differences. On March 30, the CPSU Central Committee sent a letter to their Chinese counterparts which raised, in particular, the question of the general line which should be adopted by the international Communist movement. That this was the crux of the debate was shown by the Chinese reply, dated June 14, which was entitled "A Proposal Concerning the General Line of the International Communist Movement." On its part, the Soviet Central Committee attacked the Chinese views in an open letter on July 14 to "all Party members and all levels of Party organizations." To this a spokesman of the Chinese Central Committee promptly stated on July 19 that "The open letter of the Central Committee of the CPSU is an appraisal of our letter of June 14. The Central Committee of the CPC considers that the contents of the open letter do not accord with the facts, and we cannot agree with the views it expresses. At the appropriate time, the Central Committee of the CPC will clarify matters and give its comments."

Since becoming a public debate the polemic has become bitter and, at least from the Chinese side, has raged without let-up. In the ten months after July, 1963, the Chinese Central Committee, using the name of the "editorial departments of the *People's Daily* and *Red Flag*," issued a series of nine "comments" on the Soviet open letter. The present selection — *On Khrushchev's Phoney Communism and Its Historical Lessons for the World* — is the ninth of these comments. It covers most of the points of difference between the two parties and is probably the most comprehensive of the series.

第九課

关于赫魯曉夫的假共产主义及其在世界历史上的教訓

九評苏共中央的公开信

人民日报编辑部
红旗杂志编辑部

无产阶級革命和无产阶級专政的学說，是馬克思列宁主义的精髓。坚持革命还是反对革命，坚持无产阶級专政还是反对无产阶級专政，历来是馬克思列宁主义同一切修正主义斗爭的焦点，現在也是全世界的馬克思列宁主义者同赫魯曉夫修正主义集团斗爭的焦点。

在苏共第二十二次代表大会上，赫魯曉夫修正主义集团不但把他們的所謂“和平共处”、“和平竞賽”、“和平过渡”的反对革命的理論系統化，而且宣布无产阶級专政在苏联已經不必要，提出所謂“全民国家”和“全民党”的謬論，从而完成了他們的修正主义体系。

赫魯曉夫修正主义集团在苏共第二十二次代表大会上提出的苏共綱領，是一个假共产主义的綱領，是一个反对无产阶級革命、取消无产阶級专政和无产阶級政党的修正主义綱領。

赫魯曉夫修正主义集团在所謂“全民国家”的幌子下取消无产阶級专政，在所謂“全民党”的幌子下改变苏联共产党的无产阶級性质，在所謂“全面建設共产主义”的幌子下为复辟資本主义开辟道路。

中共中央在一九六三年六月十四日《关于国际共产主义运动总路綫的建議》中指出，用“全民国家”代替无产阶級专政的国家，用“全民党”代替无产阶級先鋒队的党，在理論上是十分荒謬的，在实践上是极其有害的。这是历史大倒退，根本談不上向共产主义过渡，而只能为資本主义复辟效劳。

苏共中央公开信和苏联报刊强詞夺理地为自己辯解，并且指責我們对“全民国家”和“全民党”的批評是什么“远离馬克思主义的論断”，是什么“脫离苏联人民的現实生活”，是什么要他們“向后倒退”。

好吧，我們現在就来看一看究竟是誰远离馬克思列宁主义，究竟苏联的現实生活是怎样的，究竟是誰要苏联向后倒退的吧。

社会主义社会和无产阶級专政

怎样认識社会主义社会？在整个社会主义阶段中，究竟存在不存在阶級和阶級斗爭，究竟是应当坚持无产阶級专政，把社会主义革命进行到底，还是取消无产阶級专政，为資本主义复辟开辟道路？对于这些問題，必須根据馬克思列宁主义的基本原理和无产阶級专政的历史經驗，給以正确的回答。

社会主义社会取代資本主义社会，这是人类社会发展史上的大飞跃。社会主义社会是从阶級社会向无阶級社会过渡的重要的历史时期。經过社会主义社会，人类将进入共产主义社会。

社会主义社会制度比較資本主义社会制度具有无比巨大的优越性。在社会主义社会里，无产阶級专政代替了資产阶級专政，生产資料的公有制代替了生产資料的私有制。无产阶級由被压迫被剝削的阶級变为統治阶級，劳动人民的社会地位发生了根本的变化。无产阶級专政的国家，对于广大劳动人民实行資本主义社会所不可能有的最广泛的民主，只是对于少数剝削者实行专政。工业国有化和农业集体化，为社会生产力大发展开辟了广闊的前途，保证了社会生产力以旧社会所不能比拟的速度向前发展。（下略）

毛泽东同志从唯物辯证法的观点出发，考察社会主义社会的客观規律。他指出，矛盾的統一和斗爭这个自然界和人类社会的普遍規律，同样适用于社会主义社会。在社会主义社会里，在完成生产資料所有制的社会主义改造以后，阶級矛盾仍然存在，阶級斗爭幷沒有熄灭。在整个社会主义阶段，貫穿着社会主义和資本主义这两条道路的斗爭。为了保证社会主义建設和防止資本主义复辟，必須在政治战綫、經济战綫、思想和文化战綫上，把社会主义革命进行到底。社会主义的彻底胜利，不是一代人两代人就可以解决的，而是要經过五代十代，甚至更长的时間，才能够完全解决。

毛泽东同志还特別指出：在社会主义社会里，社会矛盾分为两类，卽人民內部矛盾和敌我矛盾，而人民內部矛盾是大量的。只有分淸两类不同性质的矛盾，采取不同的办法加以正确处理，才能够团結占人口百分之九十以上的人民，战胜那些只占人口百分之几的敌人，巩固无产阶級专政。

无产阶級专政，是巩固和发展社会主义的基本保证，是无产阶級在两条道路的斗爭中战胜資产阶級，取得社会主义胜利的基本保证。

无产阶級只有解放全人类，才能最后解放自己。无产阶級专政的历史任务，包括两个方面，卽国內方面和国际方面。国內方面的任务，主要是彻底消灭一切剝削阶級，高度地发展社会主义經济，提高人民群众的共产主义觉悟，消除全民所有制和集体所有制之間、工农之間、城乡之間、脑力劳动和体力劳动之間的差別，根絕产生阶級和資本主义复辟的任何可能性，为实现“各尽所能，按需分配”的共产主义社会准备条件。国际方面的任务，主要是防止国际帝国主义的侵襲（包括武装干涉与和平瓦解），支援世界革命，直到各国人民最后結束帝国主义、資本主义和剝削制度。在这两个方面的任务完成以前，在进入完全的共产主义社会以前，无产阶級专政是絕对必要的。

从目前的实际情况来看，所有社会主义国家，都远远沒有完成无产阶級专政的任务。所有社会主义国家，都无例外地存在着阶級和阶級斗爭，存在着社会主义和資本主义这两条道路的斗爭，都还存在着把社会主义革命进行到底的問題，存在着防止資本主义复辟的問題。所有社会主义国家，离开消除全民所有制和集体所有制的差别、工农差别、城乡差别、脑力劳动和体力劳动的差别，离开消灭一切阶級和阶級差别，离开实現“各尽所能，按需分配”的共产主义社会，都还很远很远。因此，所有社会主义国家都需要坚持无产阶級专政。

在这种情况下，赫魯曉夫修正主义集团取消无产阶級专政，这就是对社会主义和共产主义的背叛。

苏联存在着敌对阶級和阶級斗爭

赫魯曉夫修正主义集团宣布在苏联取消无产阶級专政的主要根据，按照他們的說法，就是苏联已經消灭了敌对阶級，已經沒有阶級斗爭。

苏联的实际情况究竟是怎样的呢？究竟还有沒有敌对阶級和阶級斗爭呢？

伟大的十月社会主义革命胜利以后，在苏联，建立了无产阶級专政，經过工业国有化和农业集体化，摧毁了資本主义私有制，建立了社会主义的全民所有制和集体所有制，并且在几十年的社会主义建设中取得了伟大成就。这是苏联共产党和苏联人民在列宁和斯大林的领导下所取得的不可磨灭的、具有重大历史意义的胜利。

但是，在苏联，在完成了工业国有化和农业集体化以后，已被推翻、但还沒有被彻底消灭的旧的資产阶級和其他剝削阶級仍然存在着。資产阶級的政治影响和思想影响仍然存在着。在城市和乡村中，資本主义的自发势力仍然存在着。新的資产阶級分子和富农分子还在不断地产生。长时期以来，在政治、經济和思想领域中，无产阶級同資产阶級之間的阶級斗爭，社会主义同資本主义这两条道路的斗爭，始終继續着。

由于苏联是第一个而且当时也是唯一的建設社会主义的国家，沒有任何别国的經驗可以借鉴；也由于对社会主义社会的阶級斗爭規律的认識离开了馬克思列宁主义的辯证法，斯大林在苏联基本上完成农业集体化以后，就过早地宣布苏联“已經不存在彼此对抗的阶級”，①“沒有阶級冲

① 斯大林：《关于苏联宪法草案》。

突”，①片面强調社会主义社会內部的一致性而忽視它的矛盾，不依靠工人阶級和广大群众进行反对資本主义势力的斗爭，把資本主义复辟的可能性問題仅仅看成是同国际帝国主义的武装进攻相联系的問題。这无論在理論上或者在实践上都是不正确的。虽然如此，斯大林仍然是一位伟大的馬克思列宁主义者。他在領导苏联党和国家的时期，坚持了无产阶級专政和社会主义方向，实行了馬克思列宁主义的路綫，保证了苏联沿着社会主义的道路胜利前进。

赫魯曉夫掌握苏联党和国家的領导以后，推行了一系列的修正主义的政策，变本加厉地助长了資本主义势力的发展，使无产阶級和資产阶級的阶級斗爭，社会主义和資本主义这两条道路的斗爭在苏联重新尖銳起来。

仅仅翻看近年来苏联报刊的报道，人們就看到許多事例，說明在苏联社会上，不仅有許多旧的剝削阶級分子，而且大量地产生着新的資产阶級分子，阶級分化正在加剧。

让我們先看一看，在苏联的全民所有制企业中，形形色色的資产阶級分子的活动。

一些工厂領导人和他們的一伙，利用职权，动用国营工厂的設备和材料，設立“地下車間”，进行私人生产，私卖私分，大发横財。例如：

列宁格勒一个軍用品工厂的領导人，把自己的亲信安插在工厂“所有关鍵性职位”上，“把国营企业变成了私人企业”。他們私自进行非軍用品生产，三年內，仅出售自来水笔一項就貪污了一百二十万旧卢布。在这些人中，还有“一生都在盗窃”的“二十年代”的“投机商人”。②(下略)

显而易見，所有这些人，都是属于同无产阶級相敌对的阶級，属于資产阶級。他們的反社会主义活动，正是資产阶級向无产阶級进攻的阶級斗爭。

让我們再看一看集体农庄中形形色色的富农分子的活动。

有些集体农庄的領导人和他們的一伙，为所欲为地貪污盗窃，投机倒把，肆意揮霍，剝削庄員。例如：

烏兹別克一个集体农庄的主席，“使全村都处于恐怖之中”。农庄的一切重要职务，“全被他的許多姐夫、妹夫、小舅子、亲家以及其他亲友所窃据”。他“揮霍了农庄十三万二千卢布，以滿足私人的需要”。他有一辆轎車，两辆摩托，三个妻子。“她們各有一套单独的住宅”。③（下略）

显而易見，所有这些人，都是属于同无产阶級和劳动农民相敌对的阶級，属于富农阶級也就是农村資产阶級。他們的反社会主义活动，正是資产阶級向无产阶級和劳动农民进攻的阶級斗爭。

① 斯大林：《在党的第十八次代表大会上关于联共（布）中央工作的总結报告》。

② 1962年5月19日苏联《紅星报》。

③ 1962年6月26日苏联《农村生活报》。

在国营企业和集体农庄以外，苏联的城市和乡村中都还有許多資产阶級分子。（下略）

这一批私人企业主和投机倒把分子，干的是赤裸裸的資本主义剝削的勾当。他們属于同无产阶級相敌对的資产阶級，这难道不是明明白白的事情嗎？

事实上，苏联报刊自己也把上面所說的那些人叫做“苏联資本家”，“新企业家”，“私人企业主”，“新富农”，“投机商”，“剝削者”，等等。赫魯曉夫修正主义集团硬說苏联不存在敌对阶級，这不是自己打自己的嘴巴嗎？（下略）

在社会主义国家中，出現新旧資产阶級分子向社会主义进攻，这本来是不奇怪的。只要党和国家領导是馬克思列宁主义的，这是不可怕的。但是，在今天的苏联，問題的严重性在于，赫魯曉夫修正主义集团篡夺了苏联党和国家的領导，在苏联社会上出現了一个資产阶級特权阶层。

我們在下面就来論述这个問題。

苏联的特权阶层和赫魯曉夫修正主义集团

目前苏联社会上的特权阶层，是由党政机关和企业、农庄的領导干部中的蜕化变质分子和資产阶級知識分子构成的，是同苏联工人、农民、广大的知識分子和干部相对立的。

早在十月革命以后的初期，列宁就指出，資产阶級和小資产阶級的思想意識，他們的习慣势力，从各方面包围和侵染无产阶級，腐蝕无产阶級的个别阶层。这种情况，不仅使苏維埃机关职員中产生脫离群众的官僚主义分子，而且产生新的資产阶級分子。列宁还指出，对苏維埃政权留用的資产阶級技术专家实行的高額薪金制，虽然是必要的，但有着腐化的作用，影响到苏維埃政权。

因此，列宁当时非常强調对資产阶級和小資产阶級思想影响进行坚持不懈的斗爭，非常强調发动广大群众参加国家管理工作，不断揭发和清除苏維埃机关中的官僚主义分子和新資产阶級分子，并且要造成使資产阶級既不能存在也不能再产生的条件。列宁曾經尖銳地提出：“如果不进行有系統的和頑强的斗爭来改善国家机关，那我們一定会在社会主义的基础还沒有建成以前灭亡。”①

同时，列宁还非常强調，在工資政策中必須坚持巴黎公社的原則，即一切公务人員，都只应領取相当于工人工資的薪金，只对資产阶級专家付給高額的薪金。在十月革命后直到国民經济恢复时期，苏联基本上是实行

① 列宁：《〈論粮食稅〉一书綱要》。《列宁全集》第32卷，人民出版社版，第311頁。

列宁的指示，党政机关的負責人，企业負責人和专家中的共产党員，他們的薪金大体上同工人的工資相当。

当时苏联共产党和政府采取了一系列措施，从政治上、思想上以及分配制度上防止在各部門中担任領导工作的干部利用职权，腐化堕落，蛻化变质。

以斯大林为首的苏联共产党坚持了无产阶級专政和社会主义道路，同資本主义势力进行了坚决的斗爭。斯大林当时同托洛茨基分子、季諾維也夫分子、布哈林分子等的斗爭，实质上是无产阶級和資产阶級的阶級斗爭在党內的反映，也是社会主义和資本主义这两条道路的斗爭在党內的反映。这些斗爭的胜利，粉碎了資产阶級妄想在苏联实行資本主义复辟的阴謀。

不可否认，斯大林逝世以前，在苏联，已經对一部分人实行高薪制度，已經有一些干部蛻化为資产阶級分子。在一九五二年十月举行的苏共第十九次代表大会上，苏共中央的报告中指出：在一些党的組織中，出現了堕落和腐化現象。有些党組織的領导人，把党組織变成由自己人組成的小家庭，“把他們小集团的利益放在党和国家的利益之上”。有些工业企业的領导人，“忘記委托他們管理和領导的企业是国营企业，竟然企图把这些企业变为他們的世襲領地”。有些党組織、苏維埃机关和农业机关中的工作人員，“不但不保护集体农庄公有經济的利益，反而自己盗窃集体农庄財产”。在文化艺术和科学等部門中，也出現了攻击和誣蔑社会主义制度的作品，出現了科学家集团的“学閥式”的垄断現象。

赫魯曉夫篡夺苏联党和国家的領导以后，苏联的阶級斗爭形势发生了根本的变化。

赫魯曉夫实行了一系列的修正主义政策，为資产阶級的利益服务，使苏联的資本主义势力急剧地膨脹起来。

赫魯曉夫在“反对个人迷信”的幌子下，丑化无产阶級专政和社会主义制度，这实际上是为在苏联复辟資本主义开辟了道路。他全盘否定斯大林，实质上就是否定斯大林坚持的馬克思列宁主义，为修正主义思潮的泛濫打开了閘門。

赫魯曉夫用所謂“物质刺激”，来偷換社会主义的“各尽所能，按劳分配”的原則，不是縮小而是扩大极小部分人同工人、农民和一般知識分子之間的收入差距，扶植那些占据領导地位的蛻化变质分子，使他們更放肆地利用职权，侵占苏联人民的劳动果实，加剧苏联社会的阶級分化。

赫魯曉夫破坏社会主义的計划經济，实行資本主义的利潤原則，发展資本主义的自由竞爭，瓦解社会主义的全民所有制。

赫魯曉夫攻击社会主义的农业計划制度，說它是“官僚主义的”、是“不必要的”。他热中于向美国农場主学习，提倡資本主义的經营方式，扶植富农經济，瓦解社会主义集体經济。

赫鲁曉夫宣揚資产阶級的意識形态，宣揚資产阶級的自由、平等、博爱和人性論，向苏联人民灌輸資产阶級的唯心主义和形而上学以及資产阶級的个人主义、人道主义、和平主义的反动思想，敗坏社会主义的道德风气。腐朽的西方資产阶級文化成了时髦，社会主义文化受到排斥和打击。

赫鲁曉夫在所謂"和平共处"的幌子下，勾結美帝国主义，破坏社会主义陣营和国际共产主义运动，反对各国被压迫人民和被压迫民族的革命斗爭，推行大国沙文主义和民族利己主义，背叛无产阶級国际主义，这一切都是为了維护一小撮人的既得利益，把他們的利益放在苏联人民、社会主义陣营各国人民以及全世界人民的根本利益之上。

赫鲁曉夫所实行的是彻头彻尾的修正主义路綫。在这种路綫下，不仅旧的資产阶級分子猖狂地活动起来，而且在苏联党、政領导干部中，国营企业和集体农庄的負責人中，文化、艺术和科学技术等部門的高級知識分子中，产生出大批的新資产阶級分子。

目前在苏联，新資产阶級分子不仅在数量上空前地增长了，而且在社会地位上也有了根本的变化。在赫鲁曉夫上台以前，他們在苏联社会中并不占統治地位，他們的活动受到种种限制和打击。在赫鲁曉夫上台以后，随着赫鲁曉夫逐步地篡夺了党和国家的領导权，他們就在党、政、經济、文化等部門占据了統治的地位，形成苏联社会上的特权阶层。

这个特权阶层，是目前苏联資产阶級的主要組成部分，是赫鲁曉夫修正主义集团主要的社会基础。赫鲁曉夫修正主义集团，就是苏联資产阶級特别是这个阶級中的特权阶层的政治代表。

赫鲁曉夫修正主义集团在全国范围內，从中央到地方，从党政領导机关到經济、文化教育部門，进行一次又一次的清洗，撤换一批又一批的干部，把他們所不信任的人打下去，把他們的亲信安插到領导崗位上。

就拿苏共中央委員会来說，据統計，經过一九五六年苏共第二十次代表大会和一九六一年苏共第二十二次代表大会，一九五二年苏共第十九次代表大会选出的苏共中央委員，有近百分之七十被清洗了。一九五六年苏共第二十次代表大会选出的苏共中央委員，在一九六一年苏共第二十二次代表大会时也被清洗了近百分之五十。

再拿地方各級組織来說，据不完全的統計，苏共第二十二次代表大会前夕，赫鲁曉夫修正主义集团借口所謂"干部更新"，把各加盟共和国党中央、边疆区党委和州委的成員撤换了百分之四十五，市委和区委的成員撤换了百分之四十。一九六三年，赫鲁曉夫集团又借口划分所謂"工业党委"和"农业党委"，把各加盟共和国党中央和州党委会成員撤换了一半以上。

經过这一系列的变动，苏联特权阶层控制了苏联党政和其他重要部門。

这个特权阶层，把为人民服务的职权变为統治人民群众的特权，利用他們支配生产資料和生活資料的权力来謀取自己小集团的私利。

这个特权阶层，侵吞苏联人民的劳动成果，占有远比苏联一般工人和农民高几十倍甚至上百倍的收入。他們不仅通过高工資、高奖金、高稿酬以及花样繁多的个人附加津貼，得到高額收入，而且利用他們的特权地位，营私舞弊，貪污受賄，化公为私。他們在生活上完全脫离了苏联劳动人民，过着寄生的腐烂的資产阶級生活。

这个特权阶层，思想上已經完全蛻化，完全背离了布尔什維克党的革命传統，抛弃了苏联工人阶級的远大理想。他們反对馬克思列宁主义，反对社会主义。他們自己背叛革命，还不准別人革命。他們唯一的考虑，是如何巩固自己的經济地位和政治統治。他們的一切活动，都以特权阶层的私利为轉移。

赫魯曉夫集团篡夺了苏联党和国家的領导之后，正在把具有光荣革命历史的馬克思列宁主义的苏联共产党变为修正主义的党，正在把无产阶級专政的苏維埃国家变为赫魯曉夫修正主义集团专政的国家，并且正在逐步地把社会主义的全民所有制和集体所有制变为特权阶层的所有制。

人們看到，在南斯拉夫，铁托集团虽然还打着“社会主义”的旗号，但是，自从他們走上修正主义道路以后，逐步地形成了一个与南斯拉夫人民对立的官僚資产阶級，使南斯拉夫从一个无产阶級专政的国家变成官僚資产阶級专政的国家，使南斯拉夫社会主义公有經济变成国家資本主义。現在，人們又看到，赫魯曉夫集团正在走上铁托集团已經走过的道路。赫魯曉夫向貝尔格萊德朝圣，一再說要学习铁托集团的經驗，并且宣布，他同铁托集团“属于同一个思想，以同一个理論为指南”，①这是毫不奇怪的。

由于赫魯曉夫的修正主义，伟大的苏联人民用血汗創立的世界上第一个社会主义国家，正面临着空前严重的資本主义复辟的危险。

赫魯曉夫集团宣揚“苏联已經沒有敌对阶級和阶級斗爭”，这是为了掩飾他們对苏联人民进行殘酷的阶級斗爭的眞相。

赫魯曉夫修正主义集团所代表的苏联特权阶层，只占苏联人口的百分之几。他們在苏联干部队伍中，也只占极少数。他們同占苏联人口百分之九十以上的苏联人民，同苏联的广大干部和共产党員，是根本对立的。苏联人民同他們之間的矛盾，是目前苏联国內的主要矛盾，是不可調和的对抗性的阶級矛盾。

列宁締造的光荣的苏联共产党，伟大的苏联人民，在十月社会主义革命中表現了开天辟地的革命首創精神，在战胜白卫軍和十几个帝国主义国家的武装干涉中表現了艰苦奋斗的英雄气概，在工业化和农业集体化的斗爭中取得了史无前例的光輝成就，在反对德国法西斯的卫国战爭中贏得了

① 赫魯曉夫1963年8月28日在南斯拉夫布里俄尼島对外国記者的談話。

拯救人类的伟大胜利。甚至在赫魯曉夫集团的統治下，苏联共产党的广大党員和苏联人民也继承着列宁和斯大林培养起来的光荣的革命传統，坚持社会主义和向往共产主义。

广大的苏联工人、集体农民和知識分子，对于特权阶层的压迫和剝削是十分不满的。他們越来越清楚地认識到赫魯曉夫集团背叛社会主义、复辟資本主义的修正主义眞面目。在苏联的干部队伍中，有許多人仍然坚持无产阶級的革命立場，坚持走社会主义的道路，他們对赫魯曉夫的修正主义是坚决反对的。苏联广大的人民群众、共产党員和干部，正在采取各种各样的办法，抵制和反抗赫魯曉夫集团的修正主义路綫，迫使赫魯曉夫修正主义集团不能随心所欲地实現資本主义复辟。伟大的苏联人民，正在为保卫伟大十月革命的光荣传統，为保卫社会主义的伟大成果，为粉碎資本主义复辟的阴謀而斗爭。

駁所謂“全民国家”

在苏共第二十二次代表大会上，赫魯曉夫公开打出了反对无产阶級专政的旗号。他宣布用所謂“全民国家”来代替无产阶級专政的国家。苏共綱領說：“无产阶級专政在苏联已經不再是必要的了。作为无产阶級专政的国家而产生的国家，在新的阶段即現阶段上已变为全民的国家”。

稍微有一点馬克思列宁主义常識的人都知道，国家是一个阶級的概念。列宁指出，“国家的特征就是存在着把**权力**集中在自己手中的特殊阶級”。①国家是阶級斗爭的工具，是一个阶級压迫另一个阶級的机关。任何国家都是一定阶級专政的国家。只要国家还存在，就不可能是超阶級的，就不可能是全民的。（下略）

赫魯曉夫宣布取消苏联的无产阶級专政，提出所謂“全民国家”，正是表明他用資产阶級的謊言，代替馬克思列宁主义的国家学說。（下略）

在历史发展过程中，无产阶級专政，在这个国家和那个国家，在这个阶段和那个阶段，可能有不同的形式，但本質上是一样的。列宁說过：“从資本主义过渡到共产主义，当然不能不产生多种多样的政治形式，但本質必然是一个，就是**无产阶級专政**。”②

可見，认为无产阶級专政先于国家消亡而結束，在无产阶級专政結束以后，还有一个“全民国家”的阶段，根本不是馬克思和列宁的观点，而是赫魯曉夫修正主义者的捏造。（下略）

赫魯曉夫修正主义集团为了給自己的“全民国家”辯解，还竭力詆毀

① 列宁：《民粹主义的經济內容》。《列宁全集》第1卷，人民出版社版，第397頁。

② 列宁：《国家与革命》。《列宁全集》第25卷，第400頁。

无产阶級专政不民主。他們宣揚，只有用“全民国家”来代替无产阶級专政的国家，才能使民主进一步发展，才能使民主变为“眞正的全民民主”。赫魯曉夫甚至煞有介事地說，取消无产阶級专政，反映了“竭力发展民主的路綫”，“无产阶級民主正在变成全民的社会主义民主”。①

这些話，只能說明他們对馬克思列宁主义的国家学說一竅不通，幷且加以悪意的歪曲。

稍微有一点馬克思列宁主义常識的人都知道，作为一种国家形式，民主同专政一样，都是阶級的概念。只有阶級的民主，沒有什么“全民民主”。（下略）

赫魯曉夫的“全民国家”的实质究竟是什么呢？

赫魯曉夫取消了苏联的无产阶級专政，建立了一个以他为首的修正主义集团的专政，也就是苏联資产阶級特权阶层的专政。他的所謂“全民国家”，的的确确不是无产阶級专政的国家，而是赫魯曉夫修正主义集团一小撮人对苏联广大的工人、农民和革命知識分子实行专政的国家。在赫魯曉夫集团的統治下，根本沒有苏联劳动人民的民主，而只有赫魯曉夫修正主义集团一小撮人的民主，特权阶层的民主，新旧資产阶級分子的民主。赫魯曉夫的所謂“全民民主”，正是不折不扣的資产阶級民主，也就是赫魯曉夫集团对苏联人民的专制独裁。

現在，在苏联，誰要是坚持无产阶級立場，坚持馬克思列宁主义，敢于說話，敢于反抗，敢于斗爭，誰就会被监視、釘梢、传訊、以至逮捕和监禁，或者硬被說成是“精神病患者”，而被送进“瘋人院”。最近，苏联报紙公然宣称要对那些稍微流露一点不滿情緒的人“进行斗爭”，即使仅仅对赫魯曉夫的农业政策說了几句“俏皮話”，也要当作“敗类”，給予“无情打击”。②尤其駭人听聞的，赫魯曉夫修正主义集团竟然不止一次地对工人罢工和群众反抗进行了血腥的鎭压。

“取消无产阶級专政，保留全民国家”这个公式，道破了赫魯曉夫修正主义集团內心的秘密：无产阶級专政，他們是坚决反对的；国家政权，他們是死也不肯放弃的。赫魯曉夫修正主义集团懂得掌握国家政权的极端重要性。他們需要利用国家机器来压迫苏联劳动人民和馬克思列宁主义者。他們需要利用国家机器为在苏联实現資本主义复辟开辟道路。这就是赫魯曉夫打起“全民国家”、“全民民主”的旗号的眞正目的。

駁所謂“全民党”

在苏共第二十二次代表大会上，赫魯曉夫还公开打出了改变苏联共产

① 赫魯曉夫1961年10月在苏共第二十二次代表大会上《关于苏联共产党綱領》的报告和《总結报告》。

② 1964年3月10日苏联《消息报》。

党的无产阶級性质的旗号。他宣布用所謂“全民党”来代替无产阶級政党。苏共綱領說：“由于社会主义在苏联的胜利，由于苏維埃社会的一致的加强，工人阶級的共产党已經变成苏联人民的先鋒队，成了全体人民的党”。苏共中央公开信說，苏共已經“成为全民政治組織”。

这是何等的荒唐可笑！

馬克思列宁主义的常識告訴我們，政党和国家一样是阶級斗爭的工具。一切政党，都是具有阶級性的。党性是阶級性的集中表現。从来沒有什么非阶級的、超阶級的政党，从来就不存在什么不代表一定阶級利益的所謂“全民党”。（下略）

事实很清楚，赫魯曉夫修正主义集团提出所謂“全民党”，眞正的目的，就是要根本改变苏联共产党的无产阶級性质，把馬克思列宁主义的党改造成为修正主义的党。

伟大的苏联共产党，面临着从无产阶級政党蜕化成为資产阶級政党，从馬克思列宁主义政党蜕化成为修正主义政党的严重危险。

列宁說过：“一个想存在下去的政党，在它存亡的問題上是不能容許有絲毫动搖的，是不能容許同那些可能把它埋葬掉的人作任何妥协的。”①

現在，赫魯曉夫修正主义集团正是把这样一个严重的問題，重新提到伟大的苏联共产党的广大党員面前。

赫魯曉夫的假共产主义

赫魯曉夫在苏共第二十二次代表大会上說，苏联已經进入全面展开共产主义社会建設的时期。他又說，“在二十年之內我們将基本上建成共产主义社会。”②这完全是騙人的。

赫魯曉夫修正主义集团正把苏联引上資本主义复辟的道路，苏联人民面临着丧失社会主义成果的严重危险，在这种情况下，哪里还談得上什么建設共产主义呢？

赫魯曉夫挂起“建設共产主义”的招牌，他的眞实目的，就是为了掩盖他的修正主义的眞面目。可是，这种騙人的把戏是不难拆穿的。明珠不容許魚目来混杂，共产主义不容許修正主义来冒充。

科学共产主义有它确切的涵义。根据馬克思列宁主义，共产主义社会是彻底消灭了阶級和阶級差别的社会，是全体人民具有高度的共产主义思想觉悟和道德品质的社会，是全体人民具有高度的劳动积极性和自觉性的

① 列宁：《維·查苏利奇在怎样伤害取消主义》。《列宁全集》第19卷，人民出版社版，第415頁。

② 赫魯曉夫1961年10月在苏共第二十二次代表大会上《关于苏联共产党綱領》的报告。

社会，是具有极其丰富的社会产品的社会，是实行“各尽所能，按需分配”的原則的社会，是国家消亡了的社会。

馬克思說：“在共产主义社会高級阶段上，在迫使人們奴隶般地服从分工的情形已經消失，从而脑力劳动和体力劳动的对立也随之消失之后；在劳动已經不仅仅是謀生的手段，而且本身成了生活的第一需要之后；在随着个人的全面发展生产力也增长起来，而集体財富的一切源泉都充分涌流之后，——只有在那个时候，才能完全超出資产阶級法权的狹隘眼界，社会才能在自己的旗帜上写上：各尽所能，按需分配！”①

根据馬克思列宁主义的原理，在社会主义社会时期中，坚持无产阶級专政，正是为了向共产主义发展。列宁說，“向前发展，即向共产主义发展，必須經过无产阶級专政，决不能走别的道路”。②赫魯曉夫修正主义集团既然在苏联抛弃了无产阶級专政，那就不是向前发展，而是向后倒退，不是向共产主义发展，而是向資本主义倒退。

向共产主义发展，是向着消灭一切阶級和阶級差别的方向发展。絕不能設想有一个保存阶級甚至保存剝削阶級的共产主义社会。而赫魯曉夫却在苏联培植新的資产阶級，恢复和发展剝削制度，加剧阶級分化。一个同苏联人民对立的資产阶級特权阶层，已經占据党、政、經济、文化等部門的統治地位。这哪里有一点共产主义的影子呢？

向共产主义发展，是向着单一的生产資料全民所有制的方向发展。絕不能設想有一个多种生产資料所有制幷存的共产主义社会。而赫魯曉夫却正在把全民所有制的企业逐步蛻化成为資本主义性质的企业，把集体所有制的集体农庄逐步蛻化成为富农經济。这又哪里有一点共产主义的影子呢？

向共产主义发展，是向着社会产品极大丰富，实現“各尽所能，按需分配”的方向发展。絕不能設想把共产主义社会建立在一小撮人富裕而广大人民群众生活貧困的基础上。伟大的苏联人民，在社会主义制度下以史无前例的速度发展了社会生产力。但是，由于赫魯曉夫修正主义的禍害，苏联的社会主义經济遭到了严重的破坏。赫魯曉夫經常在重重矛盾中掙扎，他的經济政策經常是朝令夕改，出尔反尔，使得苏联的国民經济陷于严重的混乱。赫魯曉夫是一个不可救药的敗家子。他花光了斯大林时期的粮食儲备，給苏联人民的生活带来了严重的困难。他歪曲和破坏了“各尽所能，按劳分配”的社会主义分配原則，使一小撮人侵吞了广大苏联人民的劳动果实。从这一方面来說，赫魯曉夫所走的路，也是背向共产主义的。

向共产主义发展，是向着提高人民群众共产主义觉悟的方向发展。絕不能設想有一个資产阶級思想泛濫的共产主义社会。而赫魯曉夫却热心于

① 馬克思：《哥达綱領批判》。《馬克思恩格斯全集》第19卷，第22—23頁。
② 列宁：《国家与革命》。《列宁全集》第25卷，第448頁。

在苏联复兴資产阶級思想，并且充当美国腐朽文化的传道士。他鼓吹物质刺激，把一切人与人的关系变成为金錢的关系，发展个人主义和自私自利思想。他使体力劳动重新被看做是低賤的事情，而建筑在侵占别人劳动果实基础上的享乐重新被看做是光荣的事情。赫魯曉夫所提倡的这种社会道德和风气，离开共产主义何止十万八千里。

向共产主义发展，是向着国家消亡的方向发展。絕不能設想有一个存在着压迫人民的国家机器的共产主义社会。无产阶級专政的国家，本来已經不是原来意义上的国家，因为它已經不是少数剝削者压迫絕大多数人民群众的机器，而是絕大多数人民群众享有民主，只对极少数剝削者实行专政的机器。赫魯曉夫改变苏联国家政权的无产阶級专政性质，正在使国家重新成为一小撮資产阶級特权阶层对苏联广大的工人阶級、农民和知識分子实行专政的工具。現在，赫魯曉夫正在继續加强他的独裁专制的国家机器，加强对苏联人民的鎮压。在这种情况下，还談論什么共产主义，实在是莫大的諷刺。

只要拿科学共产主义的原理对照一下，就不难发現，无論从哪一方面来說，赫魯曉夫修正主义集团正在使苏联脫离社会主义的軌道，走上資本主义的軌道，因而距离"各尽所能，按需分配"的共产主义目标，不是越来越近，而是越来越远了。

赫魯曉夫打起共产主义的招牌，包藏着不可告人的禍心。他利用这块招牌，欺騙苏联人民，掩盖資本主义复辟。他还利用这块招牌，欺騙国际无产阶級和全世界革命人民，背叛无产阶級国际主义。在这块招牌的掩盖下，赫魯曉夫集团不仅自己抛弃无产阶級国际主义义务，追求同美帝国主义合伙瓜分世界，而且还要社会主义兄弟国家服从它的私利，不許反对帝国主义，不許支持被压迫人民和被压迫民族的革命，在政治上、經济上和軍事上听从它的摆布，实际上变成它的附属国和殖民地。赫魯曉夫集团又要全世界被压迫人民和被压迫民族服从它的私利，放弃革命斗爭，不去打扰它同帝国主义合伙瓜分世界的淸梦，听任帝国主义及其走狗的奴役和宰割。

总之，赫魯曉夫提出的在苏联"二十年基本建成共产主义"的口号，不但是虛伪的，而且是反动的。

赫魯曉夫修正主义集团說：中国人"竟然怀疑我們党、我国人民建設共产主义的权利"。①这种欺騙苏联人民、挑撥中苏两国人民友誼的手法，是十分拙劣的。我們从不怀疑，伟大的苏联人民总有一天要进入共产主义社会。但是，現在，赫魯曉夫修正主义集团正在破坏苏联人民的社会主义成果，剝夺苏联人民向共产主义前进的权利。在这种情况下，摆在苏联人民面前的問題，不是怎样建設共产主义的問題，而是怎样反对和抵制

① 苏斯洛夫1964年2月在苏共中央全会上的报告。

赫鲁曉夫实現資本主义复辟的問題。

赫鲁曉夫修正主义集团还說："中共領导人針对我們党宣布为人民爭取美好生活是自己的任务，暗示苏联社会的某种'資产阶級化'和'蜕化'。"①这种轉移苏联人民对他們不滿的手法，是愚蠢的，可悲的。我們衷心祝願苏联人民的生活能够一天比一天过得好。但是，赫鲁曉夫鼓吹的"关心人民福利"，"让每个人都过美好的生活"，完全是假的，騙人的。广大苏联人民的生活被赫鲁曉夫折磨得已經够苦了。赫鲁曉夫集团所追求的，只是苏联特权阶层分子、新旧資产阶級分子的"美好生活"。这些人侵吞了苏联人民的劳动果实，过着資产阶級老爷的生活。他們的确是不折不扣的資产阶級化了。

赫鲁曉夫的"共产主义"，实质上是資产阶級社会主义的一种变种。他不是把共产主义看作是彻底消灭阶級和阶級差別，而是把它說成是什么"所有人都可以得到的、盛滿了体力劳动和精神劳动产品的一盘餐"。②他不是把工人阶級爭取共产主义的斗爭，看作是爭取自身和全人类的彻底解放的斗爭，而是把它說成是什么为"一盘土豆烧牛肉的好菜"而斗爭。在赫鲁曉夫的心目中，科学共产主义連影子都沒有了，有的只是資产阶級的庸人社会。

赫鲁曉夫的"共产主义"，是以美国为蓝本的。他把学习美国資本主义的經营方式和資产阶級的生活方式，提高到国策的地位。他說，他对美国的成就"十分尊重"。他"为这些成就高兴，有时候也有一些羡慕"。③他大肆吹捧美国大农場主加斯特宣揚資本主义制度的信件，④实际上把这封信作为自己农业方面的綱領。他不仅要在农业方面学习美国，而且要在工业方面学习美国，特别要学习美国資本主义企业的利潤原則。他很羡慕美国的生活方式，硬說在垄断資本統治和奴役下的美国人民"生活得不坏"。⑤他还指望用美帝国主义的貸款来建設共产主义。赫鲁曉夫在訪問美国和匈牙利的时候，还一再表示願意"从魔鬼那里获得貸款"。

由此可見，赫鲁曉夫的"共产主义"，就是"土豆烧牛肉的共产主义"，就是"美国生活方式的共产主义"，就是"向魔鬼要貸款的共产主义"，难怪赫鲁曉夫常常对西方垄断資产阶級的代表人物說，一旦实現了这种"共产主义"，"不用我来号召，你們就会走向共产主义"。⑥

① 1963年7月14日苏联共产党中央委員会給苏联各級党組織和全体共产党員的公开信。

② 赫鲁曉夫1960年7月7日在奥地利的广播和电視演說。

③ 赫鲁曉夫1959年9月16日与美国国会領袖和参議院外交委員会委員的談話。

④ 赫鲁曉夫1964年2月在苏共中央全会上的讲話。

⑤ 赫鲁曉夫1959年9月24日同美国实业界和社会人士的談話。

⑥ 赫鲁曉夫1960年3月25日同法国議員的談話。

这样的“共产主义”并不稀奇。这样的“共产主义”不过是資本主义的代名詞。这样的“共产主义”，不过是一种資产阶級的商标、招牌和广告。列宁在嘲笑老修正主义政党挂着馬克思主义的招牌的时候說过：“这种‘資产阶級工人政党’，在馬克思主义受到工人欢迎的一切地方，都会拿馬克思的名字来賭咒发誓。要禁止他們这样做是不可能的，正如不能禁止一个商号使用任何一种商标、招牌和广告一样”。①

这就很容易了解，为什么赫魯曉夫的“共产主义”受到帝国主义和垄断資产阶級的賞識。美国国务卿腊斯克說：“随着‘土豆烧牛肉’和第二条褲子以及这一类問題在苏联变得更加重要，我认为在目前的舞台上已經出現了一种起温和作用的势力。”②英国首相霍姆也說：“赫魯曉夫先生还說过，俄国牌的共产主义是把教育和土豆烧牛肉放在第一位的。这很好。土豆烧牛肉共产主义比战争共产主义好，而且我高兴的是，这证实了我們的观点：肥胖和舒适的共产党人比瘦弱和饥餓的共产党人要好。”③

赫魯曉夫的修正主义，完全适应美帝国主义对苏联和其他社会主义国家推行“和平演变”政策的需要。杜勒斯說：“有迹象表明，在苏联內部有要求較大的自由主义的力量，如果这些力量坚持下去，就有可能使苏联內部发生基本的变化”。④杜勒斯所說的自由主义力量，就是資本主义力量。杜勒斯所希望的基本变化，就是从社会主义向資本主义蜕化。赫魯曉夫正在实現着杜勒斯曾經梦寐以求的“基本变化”。

可見，对于在苏联复辟資本主义，帝国主义是抱着多么大的希望喲！他們是多么兴高采烈喲！

我們奉劝帝国主义老爷們且慢高兴。尽管赫魯曉夫修正主义集团为你們服务，但是，决計挽救不了帝国主义必然灭亡的命运。修正主义統治集团和帝国主义統治集团犯着同样的病症，那就是同占人口百分之九十以上的人民群众处于势不两立的地位，因而同样是十分虛弱无力的，同样是紙老虎。赫魯曉夫修正主义集团如同泥菩薩过江，自身尚且难保，又怎么能够保祐帝国主义长寿呢？

无产阶級专政的历史教訓

赫魯曉夫修正主义，給国际共产主义运动造成了严重的損害，同时，也从反面教育了全世界的馬克思列宁主义者和革命人民。

---

① 列宁：《帝国主义和社会主义运动中的分裂》。《列宁全集》第23卷，人民出版社版，第116—117頁。

② 腊斯克1964年5月10日在英国广播公司电視节目中答記者問。

③ 霍姆1964年4月6日在英国东部諾里季的讲話。

④ 杜勒斯1956年5月15日在記者招待会上的談話。

如果說，伟大的十月革命，向各国馬克思列宁主义者提供了最重要的正面經驗，打开了无产阶級夺取政权的道路，那么，赫魯曉夫修正主义却是提供了最重要的反面經驗，使各国馬克思列宁主义者可以从中吸取防止无产阶級政党和社会主义国家蛻化变质的教訓。

世界各国历史上的革命，都曾經发生过反复和曲折。列宁說过，“如果从实质上来观察問題，难道历史上有一种新生产方式是不經过許許多多的失敗和反复的錯誤而一下子就发展起来的嗎？”①

国际无产阶級革命的历史，如果从一八七一年的巴黎公社无产阶級夺取政权的第一次英勇的尝試算起，还不到一个世紀；而从十月革命到現在，还不到半个世紀。无产阶級革命是以社会主义来代替資本主义，是以公有制来代替私有制，从根本上消灭剝削制度和剝削阶級，这是人类历史上最伟大的革命。这样翻天覆地的革命，当然更要經历严重的、激烈的阶級斗爭，不可避免地要經历长期的、反复的和曲折的过程。

在历史上，无产阶級政权由于遭受資产阶級的武装鎮压而失敗，已經有过巴黎公社的例子，有过一九一九年匈牙利苏維埃共和国的例子。在当代，也发生过一九五六年匈牙利的反革命暴乱，无产阶級政权几乎遭到覆沒。人們对于这样一种形式的資本主义复辟是容易看得到的，是比較注意的，是比較警惕的。

对于另一种形式的資本主义复辟，人們往往不容易看得到，往往不注意，往往不警惕，因而它的危险性也就更大。这就是：无产阶級专政的国家，由于党和国家的領导蛻化变质，走上修正主义的道路，走上所謂“和平演变”的道路。铁托修正主义集团使南斯拉夫从社会主义国家蛻变为資本主义国家，早已提供了这样的教訓。但是，仅仅有南斯拉夫的教訓，还不足以引起人們充分的重視。人們会說，这也許是一个偶然的事件吧。

可是，現在，在伟大的十月革命的故乡，在具有几十年建設社会主义历史的苏联，也发生了赫魯曉夫修正主义集团篡夺党和国家領导的事件，也出現了資本主义复辟的严重危险。它向所有社会主义国家，包括我們中国在內，向所有共产党和工人党，包括中国共产党在內，敲起了警钟。这就不能不引起人們极大的注意，不能不引起全世界馬克思列宁主义者和革命人民认真思考和严重警惕。

赫魯曉夫修正主义的出現，是坏事，又是好事。只要认真研究赫魯曉夫修正主义集团在苏联实行“和平演变”的教訓，并且采取相应的措施，已經胜利的社会主义国家和将来走上社会主义道路的国家，将不仅能够打敗敌人的武装进攻，而且能够防止“和平演变”。这样，无产阶級世界革命的胜利就更加有把握了。

① 列宁：《伟大的創举》。《列宁全集》第29卷，第386頁。

我們中国共产党已經有了四十三年的历史。我們党在长期的革命斗爭中，旣反对了右傾机会主义的錯誤，又反对了“左”傾机会主义的錯誤，确立了以毛泽东同志为首的党中央的馬克思列宁主义的領导。毛泽东同志把馬克思列宁主义的普遍眞理同中国革命和建設的具体实践密切地結合起来，領导中国人民取得了一个又一个的胜利。中国共产党中央和毛泽东同志，在理論上、政策上、組織上和具体工作上，都告訴我們应当怎样坚持不懈地进行反对修正主义、防止資本主义复辟的斗爭。中国人民經历过长期的革命武装斗爭，有着光荣的革命传統。中国人民解放軍是毛泽东思想武装起来的軍队，同人民群众有着血肉的联系。中国共产党的广大干部經过历次整风运动和尖銳的阶級斗爭，受到了教育和鍛炼。所有这些条件，使得資本主义要在我国复辟是很困难的。

但是，我們应当看一看，在目前我們的社会里，是不是干干凈凈的呢？不，并不那么干凈。这里仍然存在着阶級和阶級斗爭，存在着被推翻了的反动阶級阴謀复辟的活动，存在着新旧資产阶級分子的投机倒把活动，存在着貪污盜窃分子和蜕化变质分子的猖狂进攻。一小部分基层单位也发生了蜕化变质的現象，而且那些蜕化变质分子还极力向上級領导机关寻找他們的保护人和代理人。对于这些現象，我們决不应当有絲毫的麻痺大意，而必須引起充分的警惕。

在社会主义国家中，社会主义同資本主义这两条道路的斗爭，資本主义势力企图复辟同反对資本主义复辟的斗爭，是不可避免的。但是，絕不能說，在社会主义国家中，資本主义复辟，社会主义国家蜕化为資本主义国家，是不可避免的。只要我們有正确的領导，正确地认識这个問題，坚持馬克思列宁主义的革命路綫，并且采取正确的措施，进行长期的、坚持不懈的斗爭，就能够防止資本主义复辟。社会主义同資本主义两条道路的斗爭，可以成为推动社会向前发展的动力。

怎样才能防止資本主义复辟呢？在这个問題上，毛泽东同志根据馬克思列宁主义的基本原理，总結了中国无产阶級专政的实践經驗，也研究了国际的主要是苏联的正面的和反面的經驗，提出了系統的理論和政策，从而丰富了和发展了馬克思列宁主义关于无产阶級专政的学說。

毛泽东同志在这方面提出的理論和政策的主要內容是：

第一，必須用馬克思列宁主义的对立統一的規律来观察社会主义社会。事物的矛盾規律，即对立統一規律，是唯物辯证法的最根本的規律。这个規律，不論在自然界、人类社会和人們的思想中，都是普遍存在的。矛盾着的对立面又統一又斗爭，由此推动事物的运动和变化。社会主义社会也不例外。在社会主义社会中，存在着两类社会矛盾，人民內部矛盾和敌我矛盾。这两类社会矛盾性质完全不同，处理方法也应当不同。正确处理这两类社会矛盾，将使无产阶級专政日益巩固，将使社会主义社会日益巩固和发展。許多人承认对立統一的規律，但是不能应用这个規律去观察和处理社会主义社会的問題。他們不承认社会主义社会有矛盾，不承认在社会主义社会中，不仅有敌我矛盾，而且有人民內部矛盾，不懂得正确地区别和正确地处理这两类社会矛盾，这样也就不能正确地处理无产阶級专政問題。

第二，社会主义社会是一个很长的历史阶段。社会主义社会还存在着阶級和阶級斗爭，存在着社会主义和資本主义这两条道路的斗爭。单有在經济战綫上（在生产資料所有制上）的社会主义革命，是不够的，并且是不巩固的。必須还有一个政治战綫上和一个思想战綫上的彻底的社会主义革命。在政治思想領域內，社会主义同資本主义之間誰胜誰負的斗爭，需要一个很长的时間才能解决。几十年內是不行的，需要一百年到几百年的时間才能成功。在时間問題上，与其准备短些，宁可准备长些；在工作問題上，与其看得容易些，宁可看得困难些。这样想，这样做，較为有益，而較少受害。如果对于这种形势认識不足，或者根本不认識，那就要犯絕大的錯誤。在社会主义这个历史阶段中，必須坚持无产阶級专政，把社会主义革命进行到底，才能防止資本主义复辟，进行社会主义建設，为过渡到共产主义准备条件。

第三，无产阶級专政，是工人阶級領导的，是以工农联盟为基础的。无产阶級专政，就是工人阶級和在它領导下的人民，对反动阶級、反动派和反抗社会主义改造和社会主义建設的分子实行专政。在人民內部是实行民主集中制。我們的这种民主是任何資产阶級国家所不能有的最广大的民主。

第四，社会主义革命和社会主义建設，必須坚持群众路綫，放手发动群众，大搞群众运动。"从群众中来，到群众中去"的群众路綫，是我們党一切工作的根本路綫。必須坚定地相信群众的多数，首先是工农基本群众的多数。要善于同群众商量办事，任何时候也不要离开群众。反对命令主义和恩賜观点。我国人民在长期革命斗爭中創造出来的大鳴、大放、大辯論，是依靠人民群众，解决人民內部矛盾和敌我矛盾的一种重要的革命斗爭形式。

第五，不論在社会主义革命中，或者在社会主义建設中，都必須解决依靠誰、爭取誰、反对誰的問題。无产阶級和它的先鋒队必須对社会主义社会做阶級分析。依靠坚决走社会主义道路的眞正可靠的力量，爭取一切可能爭取的同盟者，团結占人口百分之九十五以上的人民群众，共同对付社会主义的敌人。在农村中，在农业集体化以后，也必須依靠貧农、下中农，才能巩固无产阶級专政，才能巩固工农联盟，才能击敗資本主义自发势力，不断地巩固和扩大社会主义陣地。

第六，必須在城市和乡村中普遍地、反复地进行社会主义教育运动。在这个不断地教育人的运动中，要善于組織革命的阶級队伍，提高他們的阶級觉悟，正确地处理人民內部矛盾，团結一切可以团結的人。在这个运动中，要向那些敌視社会主义的資本主义势力和封建势力，向那些地主、富农、反革命分子、資产阶級右派分子，向那些貪污盗窃分子和蜕化变质分子，进行尖銳的針鋒相对的斗爭，打敗他們对社会主义的进攻，把他們中間的大多数人改造成为新人。

第七，无产阶級专政的基本任务之一，就是努力发展社会主义經济。必須在以农业为基础、工业为主导的发展国民經济总方針的指导下，逐步实現工业、农业、科学技术和国防的現代化。必須在发展生产的基础上，逐步地普遍地改善人民群众的生活。

第八，全民所有制經济，同集体所有制經济，是社会主义經济的两种形式。从集体所有制过渡到全民所有制，从两种所有制过渡到单一的全民所有制，需要有一个相当长的发展过程。集体所有制本身也有一个由低級向高級、由小到大的发展过程。中国人民創造的人民公社，就是解决这个过渡問題的一种适宜的組織形式。

第九，百花齐放、百家爭鳴的方針，是促进艺术发展和科学进步的方針，是促进社会主义文化繁荣的方針。教育必須为无产阶級政治服务，必須同生产劳动相結合。劳动人民要知識化，知識分子要劳动化。在科学、文化、艺术、教育队伍中，兴无产阶級思想，灭資产阶級思想，也是长期的、激烈的阶級斗爭。我們要經过文化革命，經过阶級斗爭、生产斗爭和科学实驗的革命实践，建立一支广大的、为社会主义服务的、又紅又专的工人阶級知識分子的队伍。

第十，必須坚持干部参加集体生产劳动的制度。我們党和国家的干部是普通劳动者，而不是騎在人民头上的老爷。干部通过参加集体生产劳动，同劳动人民保持最广泛的、經常的、密切的联系。这是社会主义制度下一件带根本性的大事，它有助于克服官僚主义，防止修正主义和教条主义。

第十一，絕不要实行对少数人的高薪制度。应当合理地逐步縮小而不应当扩大党、国家、企业、人民公社的工作人員同人民群众之間的个人收入的差距。防止一切工作人員利用职权享受任何特权。

第十二，社会主义国家的人民武装部队必須永远置于无产阶級政党的領导和人民群众的监督之下，永运保持人民軍队的光荣传統，軍民一致，官兵一致。坚持軍官当兵的制度。实行軍事民主、政治民主和經济民主。同时，普遍組織和訓练民兵，实行全民皆兵的制度。枪杆子要永运掌握在党和人民手里，絕不能让它成为个人野心家的工具。

第十三，人民公安机关必須永运置于无产阶級政党的領导和人民群众的监督之下。在保卫社会主义成果和人民利益的斗爭中，要实行依靠广大人民群众和专門机关相結合的方針，不放过一个坏人，不冤枉一个好人。

有反必肃，有錯必糾。

第十四，在对外政策方面，必須堅持无产阶級国际主义，反对大国沙文主义和民族利己主义。社会主义陣营是国际无产阶級和劳动人民斗爭的产物。社会主义陣营不仅属于社会主义各国人民，而且属于国际无产阶級和劳动人民。必須眞正实行“全世界无产者联合起来”和“全世界无产者和被压迫民族联合起来”的战斗口号，坚决反对帝国主义和各国反动派的反共、反人民、反革命的政策，援助全世界被压迫阶級和被压迫民族的革命斗爭。社会主义国家之間的关系，应当建立在独立自主、完全平等和无产阶級国际主义的相互支持和相互援助的原則的基础上。每一个社会主义国家的建設事业，主要地应当依靠自力更生。如果社会主义国家在对外政策上实行民族利己主义，甚至热中于同帝国主义合伙瓜分世界，那就是蛻化变质，背叛无产阶級国际主义。

第十五，作为无产阶級先鋒队的共产党必須同无产阶級专政一起存在。共产党是无产阶級的最高組織形式。无产阶級的領导作用，就是通过共产党的領导来实現的。在一切部門中，都必須实行党委領导的制度。在无产阶級专政时期，无产阶級政党必須保持和发展它同无产阶級和广大劳动群众的密切联系，保持和发揚它的生气勃勃的革命风格，坚持馬克思列宁主义的普遍眞理同本国的具体实践相結合的原則，坚持反对修正主义、反对教条主义和反对一切机会主义的斗爭。

根据无产阶級专政的历史教訓，毛泽东同志指出：“阶級斗爭、生产斗爭和科学实驗，是建設社会主义强大国家的三項伟大革命运动，是使共产党人兎除官僚主义、避兎修正主义和教条主义，永远立于不敗之地的确实保证，是使无产阶級能够和广大劳动群众联合起来，实行民主专政的可靠保证。不然的話，让地、富、反、坏、牛鬼蛇神一齐跑了出来，而我們的干部則不聞不問，有許多人甚至敌我不分，互相勾結，被敌人腐蝕侵襲，分化瓦解，拉出去，打进来，許多工人、农民和知識分子也被敌人軟硬兼施，照此办理，那就不要很多时間，少則几年、十几年，多則几十年，就不可避兎地要出現全国性的反革命复辟，馬列主义的党就一定会变成修正主义的党，变成法西斯党，整个中国就要改变顏色了。”①

毛泽东同志提出，为了保证我們的党和国家不改变顏色，我們不仅需要正确的路綫和政策，而且需要培养和造就千百万无产阶級革命事业的接班人。

培养无产阶級革命事业接班人的問題，从根本上来說，就是老一代无产阶級革命家所开創的馬克思列宁主义的革命事业是不是后继有人的問

---

① 毛泽东：1963年5月9日对《浙江省七个关于干部参加劳动的好材料》的批語。

题，就是将来我們党和国家的領导能不能继續掌握在无产阶級革命家手中的問题，就是我們的子孙后代能不能沿着馬克思列宁主义的正确道路继續前进的問题，也就是我們能不能胜利地防止赫魯曉夫修正主义在中国重演的問题。总之，这是关系我們党和国家命运的生死存亡的极其重大的問题。这是无产阶級革命事业的百年大計，千年大計，万年大計。帝国主义的預言家們根据苏联发生的变化，也把"和平演变"的希望，寄托在中国党的第三代或者第四代身上。我們一定要使帝国主义的这种預言彻底破产。我們一定要从上到下地、普遍地、經常不断地注意培养和造就革命事业的接班人。

具备什么条件，才能够充当无产阶級革命事业的接班人呢？

他們必須是眞正的馬克思列宁主义者，而不是像赫魯曉夫那样的挂着馬克思列宁主义招牌的修正主义者。

他們必須是全心全意为中国和世界的絕大多数人服务的革命者，而不是像赫魯曉夫那样，在国內为一小撮資产阶級特权阶层的利益服务，在国际为帝国主义和反动派的利益服务。

他們必須是能够团結絕大多数人一道工作的无产阶級政治家。不但要团結和自己意見相同的人，而且要善于团結那些和自己意見不同的人，还要善于团結那些反对过自己并且已被实践证明是犯了錯誤的人。但是，要特别警惕像赫魯曉夫那样的个人野心家和阴謀家，防止这样的坏人篡夺党和国家的各級領导。

他們必須是党的民主集中制的模范执行者，必須学会"从群众中来，到群众中去"的領导方法，必須养成善于听取群众意見的民主作风。而不能像赫魯曉夫那样，破坏党的民主集中制，专横跋扈，对同志搞突然襲击，不讲道理，实行个人独裁。

他們必須謙虛謹愼，戒驕戒躁，富于自我批評精神，勇于改正自己工作中的缺点和錯誤。而絕不能像赫魯曉夫那样，文过飾非，把一切功劳归于自己，把一切錯誤归于别人。

无产阶級革命事业的接班人，是在群众斗争中产生的，是在革命大风大浪的鍛炼中成长的。应当在长期的群众斗争中，考察和識别干部，挑选和培养接班人。

上面所說的毛泽东同志提出的一系列原則，創造性地发展了馬克思列宁主义，在馬克思列宁主义的理論宝庫中增添了新的武器，这种武器对于我們防止資本主义复辟，具有决定性的意义。只要按照这些原則办事，就能够巩固无产阶級专政，使我們的党和国家永不变色，順利地进行社会主义革命和建設，援助世界各国人民打倒帝国主义及其走狗的革命运动，并且保证在将来从社会主义向共产主义过渡。

* * *

对于苏联出現赫鲁曉夫修正主义集团，我們馬克思列宁主义者的态度，同对待一切“乱子”的态度一样：第一条，反对；第二条，不怕。

尽管我們不願意，尽管我們反对，但是，赫鲁曉夫修正主义集团既然已經出現了，这也沒有什么可怕，沒有什么値得大惊小怪的。地球还是要照常轉动，历史还是要向前发展，全世界人民总是要革命的，帝国主义及其走狗总是要灭亡的。

伟大的苏联人民的历史功勋照耀千秋万代，絕不会因为赫鲁曉夫修正主义集团的背叛而失掉光彩。苏联广大的工人、农民和革命知識分子，广大的苏联共产党人，終将克服前进道路上的一切障碍而走向共产主义。

苏联人民，社会主义各国人民，全世界革命人民，必将从赫鲁曉夫修正主义集团的背叛中吸取有益的教訓。国际共产主义运动在反对赫鲁曉夫修正主义的斗爭中，已經变得并且将继續变得比过去任何时候都要强大。

馬克思列宁主义者对于无产阶級革命事业的前途，从来抱着革命乐观主义的态度。我們坚决相信，无产阶級专政的光輝，社会主义的光輝，馬克思列宁主义的光輝，必将普照苏維埃的大地。无产阶級必将赢得整个世界，共产主义必将在地球上获得完全的彻底的最后的胜利。

VOCABULARY: 9

				P.	L.
1.	赫魯曉夫	*Hò-lŭ-hsĭao-fū*	Khrushchev	239	2
2.	教訓	*chìao-hsǜn*	lesson	239	3
3.	苏共	Sū-*Kùng*	contraction of 蘇聯共產黨 C. P. S. U.	239	4
4.	公开信	*kūng*-k'āi *hsìn*	open letter	239	4
5.	编辑部	pīen-chì *pù*	editorial department	239	5
6.	焦点	*chīao*-tĭen	focus	239	9
7.	和平共处	*hó-p'íng kùng*-ch'ŭ	peaceful coexistence	239	12
8.	和平竞賽	*hó-p'íng* chìng-*sài*	peaceful competition	239	12
9.	和平过渡	*hó-p'íng* kùo-*tù*	peaceful transition	239	12
10.	全民国家	*ch'ǘan-mín* kúo-*chīa*	state of the whole people	239	13
11.	全民党	*ch'ǘan-mín* tăng	party of the whole people	239	14
12.	取消	*ch'ǚ-hsīao*	to abolish	239	16
13.	幌子	*hŭang-tzu*	a shop sign indicating by picture or symbol the nature of the goods sold	239	18
14.	荒謬	*hūang-mìu*	absurd	239	23
15.	极其	chí-*ch'í*	extremely	239	23
16.	倒退	*tào-t'ùi*	retrogression	239	24
17.	效劳	*hsìao*-láo	to serve	239	25
18.	报刊	pào-*k'ān*	newspapers and magazines	239	26
19.	强詞夺理	*ch'ĭang-tz'ú* tó-*lĭ*	strained and specious argument — sophistically	239	26
20.	辯解	*pìen-chĭeh*	to argue and justify	239	26
21.	指責	*chĭh-tsé*	to blame	239	26
22.	远离	yŭan-lí	to be far removed from	239	27
23.	取代	*ch'ǚ-tài*	to replace	240	7
24.	无比	wú-*pĭ*	incomparably	240	10
25.	优越	yū-*yǜeh*	superior	240	10
26.	比拟	*pĭ*-nĭ	comparable	240	16
27.	熄灭	*hsī*-mìeh	to die out	240	21
28.	一代	*ī-tài*	one generation	240	24
29.	根絕	*kēn-chǘeh*	to eradicate	240	36
30.	各尽所能	*kò* chìn *sŏ néng*	from each according to his ability	241	1

				P.	L.
31.	按需分配	*àn-hsǖ fēn-p'èi*	to each according to his needs	241	1
32.	侵襲	*ch'īn-hsí*	foray	241	2
33.	磨灭	*mó*-mìeh	indelible	241	25
34.	借鉴	*chìeh*-chìen	originally: viewing the bottom of a well by its reflection in a mirror, now: to profit by the experiences of others	241	33
35.	推行	*t'ūi-hsíng*	to push through	242	8
36.	变本加厉	pìen-*pĕn chīa*-lì	to change the original status and make it worse perversely and rigorously	242	9
37.	助长	*chù*-chăng	to hasten	242	9
38.	翻看	*fān-k'àn*	to scan	242	11
39.	报道	pào-*tăo*	report	242	11
40.	事例	*shìh-lì*	instance	242	11
41.	加剧	*chīa*-chǜ	to intensify	242	13
42.	形形色色	*hsíng-hsíng sè-sè*	various forms and colors — multifarious	242	14
43.	車間	*ch'ē-chīen*	workshop within a factory	242	17
44.	私卖	*szū*-mài	to sell illicitly	242	17
45.	私分	*szū-fēn*	to divide (profit) illicitly	242	17
46.	大发横財	*tà*-fā *héng-ts'ái*	to make a great fortune dishonestly	242	17
47.	列宁格勒	*Lìeh*-níng-*kó-lè*	Leningrad	242	18
48.	軍用品	*chǖn-yùng p'ĭn*	military supplies	242	18
49.	亲信	ch'īn-*hsìn*	favorite	242	18
50.	安插	*ān-ch'ā*	to place	242	18
51.	出售	*ch'ū-shòu*	to sell	242	20
52.	自来水笔	*tzù*-lái-*shŭi* pĭ	fountain pen	242	20
53.	貪汚	*t'ān-wū*	to embezzle	242	20
54.	卢布	lú-*pù*	ruble	242	20
55.	一生	*ī-shēng*	lifelong	242	21
56.	二十年代	*èrh-shíh níen-tài*	twenties (1920's)	242	21
57.	显而易見	hsĭen *érh ì-chìen*	obviously	242	22
58.	农庄	núng-chūang	farm	242	24
59.	为所欲为	wéi *sŏ yǜ*-wéi	to act without restraint	242	25
60.	倒把	*tăo-pă*	to speculate	242	25
61.	肆意揮霍	*szù-ì hūi-hùo*	to squander recklessly	242	26

				P.	L.
61a.	揮霍	*hūi-hùo*	to squander	242	26
62.	庄員	chūang-*yǘan*	member of a collective farm	242	26
63.	烏兹别克	*Wū-tzū-píeh-k'ò*	Uzbekistan	242	27
64.	姐夫	*chĭeh-fu*	husband of one's elder sister	242	28
65.	妹夫	*mèi-fu*	husband of one's younger sister	242	28
66.	小舅子	*hsĭao chìu-tzu*	younger brother of one's wife	242	28
67.	亲家	ch'ìng-*chia*	in-laws	242	28
68.	亲友	ch'īn-*yŭ*	relatives and friends	242	28
69.	窃据	ch'ìeh-chù	to gain and hold (office) without right	242	29
70.	轎車	*chìao-ch'ē*	sedan car	242	30
71.	摩托	*mó-t'ō*	motorcycle	242	30
72.	妻子	*ch'ī-tzŭ*	wife	242	30
73.	赤裸裸	*ch'ìh-lŏ-lŏ*	naked	243	3
74.	硬說	*yìng-shūo*	to assert arbitrarily	243	8
75.	嘴巴	*tsŭi-pa*	face	243	9
76.	篡夺	*ts'ùan*-tó	to usurp	243	12
77.	論述	*lùn-shù*	to deal with	243	14
78.	变质	pìen-chíh	changed in quality — degenerate	243	17
79.	侵染	*ch'īn-jăn*	to affect negatively	243	20
80.	腐蚀	*fŭ-shíh*	to corrode — corrupt	243	20
81.	留用	*líu-yùng*	to retain in employment	243	22
82.	专家	chūan-*chīa*	specialist	243	23
83.	高額	*kāo-ó*	high (in amount)	243	23
84.	薪金	*hsīn-chīn*	salary	243	23
85.	不懈	*pū-hsìeh*	untiring	243	26
86.	灭亡	mìeh-*wáng*	to perish	243	30
87.	巴黎公社	*Pā-lí Kūng-shè*	Paris Commune	243	31
88.	公务人員	*kūng*-wù *jén-yǘan*	public employee	243	32
89.	領取	*lĭng-ch'ǚ*	to draw	243	32
90.	季諾維也夫	*Chì-nò-wéi-yĕh-fū*	Zinoviev	244	7
91.	布哈林	*Pù-hā-lín*	Bukharin	244	8
92.	粉碎	*fĕn-sùi*	to smash	244	10
93.	逝世	*shìh-shìh*	death	244	11
94.	竟然	*chìng-ján*	unexpectedly	244	16
95.	世襲	*shìh-hsí*	hereditary	244	17

				P.	L.
96.	領地	*līng-tì*	domain	244	17
97.	学閥式	hsüeh-*fá shìh*	*hsüeh-fa* is intended to suggest a comparison with warlord (*chün-fa*). In Russia, the reference is to the Arakcheyev regime.	244	20
98.	急剧	*chí*-chù	rapidly	244	24
99.	膨脹	*p'éng-chàng*	to inflate	244	24
100.	个人迷信	kò-*jén mí-hsìn*	personality cult	244	25
101.	丑化	ch'ǒu *hùa*	to defame	244	25
102.	思潮	*szū-ch'áo*	current of thought	244	27
103.	閘門	*chá-mén*	floodgate	244	28
104.	偷換	*t'ōu-hùan*	to substitute underhandedly	244	29
105.	差距	*ch'ā-chǜ*	gap	244	31
106.	扶植	*fú-chíh*	to support	244	31
107.	占据	*chàn-chǜ*	to occupy	244	31
108.	放肆	*fàng-szù*	unscrupulously	244	31
109.	侵占	*ch'īn-chàn*	to appropriate	244	32
110.	果实	*kǔo*-shíh	fruits	244	32
111.	热中	jè-*chūng*	avid	244	36
112.	农場	núng-*ch'ǎng*	farm	244	36
113.	宣揚	*hsüan-yáng*	to propagate	245	1
114.	博爱	*pó*-ài	fraternity	245	1
115.	灌輸	*kùan-shū*	to inculcate	245	2
116.	败坏	*pài*-hùai	to debase	245	3
117.	道德	*tào-té*	morality	245	3
118.	时髦	shíh-*máo*	fashionable	245	4
119.	勾結	*kōu-chíeh*	to collude with	245	5
120.	大国沙文主义	*tà*-kúo *shā-wén chǔ*-ì	great-power chauvinism	245	7
120a.	沙文主义	*shā-wên chǔ*-ì	chauvinism	245	7
121.	既得利益	*chì-té lì-ì*	vested interests	245	8
122.	彻头彻尾	ch'è-t'óu ch'è-*wěi*	from head to tail — from first to last	245	10
123.	上台	*shàng*-t'ái	to come to power	245	15
124.	清洗	*ch'īng-hsǐ*	purge	245	23
125.	前夕	*ch'íen-hsì*	eve	245	31
126.	更新	*kēng-hsīn*	to renew	245	31
127.	加盟共和国	*Chīa-méng Kùng-hó* Kúo	Republics of the Union	245	31

				P.	L.
128.	边疆区党委	pīen-*chīang* ch'ü tăng-*wĕi*	Party Committee of the territories	245	32
128a.	边疆区	pīen-*chīang* ch'ü	territories	245	32
129.	州委	*chōu-wĕi*	regional party committee	245	32
130.	市委	*shìh-wĕi*	municipal party committee	245	32
131.	区委	ch'ü-*wĕi*	district party committee	245	32
132.	謀取	*móu-ch'ü̆*	to scheme to obtain	246	1
133.	侵吞	*ch'īn-t'ūn*	to appropriate	246	2
134.	奖金	chĭang-*chīn*	award	246	3
135.	稿酬	*kăo-ch'óu*	royalty	246	3
136.	花样繁多	*hūa*-yàng *fán-tō*	multifarious	246	4
137.	附加	*fù-chīa*	extra	246	4
138.	津貼	*chīn-t'īeh*	subsidy	246	4
139.	营私	yíng-*szū*	to seek personal advantage (by abusing the privileges of public office)	246	5
140.	舞弊	*wŭ-pì*	to practice malfeasance	246	5
141.	受賄	*shòu-hùi*	to accept bribes	246	5
142.	化公为私	*hùa-kūng* wéi *szū*	to change public (interest) to personal (advantage)	246	5
143.	寄生	*chì-shēng*	parasitic	246	6
144.	腐烂	*fŭ*-làn	rotten	246	6
145.	背离	*pèi*-lí	to divorce	246	7
146.	布尔什維克	*Pù*-ĕrh-*shíh wéi-k'ò*	Bolshevik	246	7
147.	旗号	*ch'í*-hào	banner	246	16
148.	貝尔格萊德	*Pèi*-ĕrh-*kó-lái-té*	Belgrade	246	21
149.	朝圣	*ch'áo*-shèng	to make a pilgrimage	246	21
150.	血汗	*hsüeh-hàn*	blood and sweat	246	23
151.	眞相	*chēn-hsìang*	real facts	246	26
152.	締造	*tì-tsào*	to build	246	32
153.	开天辟地	*k'āi-t'īen* p'ì-*tì*	to create the heaven and earth — epoch-making	246	33
154.	首創	*shŏu-ch'ùang*	initiative	246	33
155.	白卫軍	*Pái* Wèi-*chün*	White Guards	246	33
156.	气概	ch'ì-*kài*	spirit	246	34
157.	史无前例	*shĭh* wú *ch'íen-lì*	no precedent in history	246	35
158.	光輝	*kūang-hūi*	brilliant	246	35
159.	卫国战爭	Wèi-kúo Chàn-*chēng*	Patriotic War	246	35

				P.	L.
160.	贏得	*yíng-té*	to win	246	35
161.	培养	*p'éi*-yăng	to nurture	247	2
162.	向往	*hsìang-wăng*	to aspire to	247	3
163.	面目	*mìen-mù*	visage	247	6
164.	抵制	*tī-chìh*	to resist	247	9
165.	随心所欲	súi-*hsīn sŏ yǜ*	just as one wishes	247	10
166.	打出	*tă-ch'ū*	to raise	247	14
167.	常識	*ch'áng-shìh*	common sense	247	18
168.	謊言	*hŭang-yén*	lie	247	24
169.	先于	*hsīen-yǘ*	to precede	247	29
170.	消亡	*hsīao-wáng*	to wither away	247	29
171.	捏造	*nīeh-tsào*	fabrication	247	31
172.	竭力	*chíeh-lì*	to exert oneself	247	32
173.	詆毁	*tī-hŭi*	to vilify	247	32
174.	煞有介事	*shà-yŭ chìeh-shìh*	as if there were such a thing — pretentiously	248	3
175.	一窍不通	*ī*-ch'ìao *pū-t'ūng*	completely ignorant	248	5
176.	歪曲	*wāi-ch'ǖ*	to distort	248	6
177.	不折不扣	*pū-ché pū-k'òu*	without discount—hundred percent	248	17
178.	釘梢	*tīng-shāo*	to keep under secret surveillance	248	20
179.	传訊	ch'úan-*hsǜn*	to summon	248	20
180.	监禁	chīen-*chìn*	to imprison	248	21
181.	瘋人院	*fēng-jén yǜan*	mental hospital	248	21
182.	宣称	*hsǖan*-ch'ēng	to declare	248	22
183.	流露	*líu-lù*	to show	248	22
184.	俏皮話	*ch'ìao-p'i hùa*	sarcastic remark	248	23
185.	敗类	*pài*-lèi	bad element	248	23
186.	无情	wú-*ch'íng*	relentless	248	24
187.	駭人听聞	*hài-jén* t'īng-*wén*	shocking to the ear — astonishing	248	24
188.	血腥	*hsǜeh-hsīng*	bloody	248	25
189.	內心	*nèi-hsīn*	within the heart	248	27
190.	荒唐	*hūang-t'áng*	absurd	249	5
191.	可笑	*k'ŏ-hsìao*	ridiculous	249	5
192.	存亡	*ts'ún-wáng*	life or death — survival	249	15
193.	埋葬	*mái-tsàng*	to bury	249	16
194.	騙人	*p'ìen-jén*	fraudulent	249	22
195.	引上	*yĭn-shàng*	to lead on	249	23

				P.	L.
196.	挂起	*kùa-ch'ĭ*	to put up	249	26
197.	招牌	*chāo-p'ái*	signboard	249	26
198.	把戏	*pă*-hsì	legerdemain	249	27
199.	拆穿	*ch'āi-ch'ūan*	to expose	249	27
200.	明珠	*míng-chū*	bright pearl	249	27
201.	魚目	*yǘ-mù*	eyeball of a fish	249	28
202.	混杂	*hŭn*-tsá	to pass off as	249	28
203.	冒充	*mào-ch'ūng*	to pretend to be	249	28
204.	确切	ch'üeh-*ch'ìeh*	precise	249	29
205.	品质	*p'ĭn*-chíh	quality	249	31
206.	迫使	*p'ò-shĭh*	to force	250	3
207.	消失	*hsīao-shīh*	to disappear	250	4
208.	謀生	*móu-shēng*	to earn a living	250	5
209.	涌流	yŭng-*líu*	to flow abundantly	250	6
210.	眼界	*yĕn-chìeh*	horizon	250	7
211.	培植	*p'éi-chíh*	to foster	250	16
212.	影子	*yĭng-tzu*	shadow	250	18
213.	单一	tān-*ī*	unitary	250	19
214.	重重	*ch'úng-ch'úng*	innumerable	250	28
215.	挣扎	*chēng-chā*	to fight desperately against difficulties	250	28
216.	朝令夕改	*chāo-lìng hsì-kăi*	an order given in the morning and changed in the evening — frequent changes	250	29
217.	出尔反尔	*ch'ū*-ĕrh *făn*-ĕrh	to do a thing and then to contradict it	250	29
218.	救药	*chìu*-yào	curable	250	30
219.	敗家子	*pài-chīa tzŭ*	a son who impoverishes the family	250	30
220.	花光	*hūa-kūang*	to use up	250	30
221.	儲备	*ch'ú*-pèi	reserve	250	31
222.	背向	*pèi-hsìang*	contrary to	250	33
223.	热心	jè-*hsīn*	zealous	250	35
224.	传道士	ch'úan-*tào shìh*	missionary	251	1
225.	鼓吹	*kŭ-ch'ūi*	to advocate enthusiastically	251	1
226.	金錢	*chīn-ch'íen*	money	251	2
227.	低賤	*tī-chìen*	sordid	251	3
228.	别人	*píeh-jén*	other people	251	3
229.	享乐	*hsĭang*-lè	enjoyment	251	4

				P.	L.
230.	莫大	*mò-tà*	nothing could be greater — the greatest	251	14
231.	对照	tùi-*chào*	to compare	251	15
232.	軌道	*kŭei-tào*	path	251	16
233.	距离	*chǜ*-lí	to be away from	251	17
234.	包藏	*pāo-ts'áng*	to conceal	251	19
235.	禍心	*hùo-hsīn*	evil intention	251	19
236.	合伙	*hó-hŭo*	partnership	251	23
237.	瓜分	*kūa-fēn*	to cut up a melon — partition	251	23
238.	支持	*chīh-ch'íh*	to support	251	24
239.	听从	t'ìng-ts'úng	to obey	251	25
240.	摆布	păi-*pù*	"set up" — control	251	25
241.	附属国	*fù*-shŭ kúo	dependency	251	25
242.	打扰	*tă*-jăo	to disturb	251	26
243.	清梦	*chīng*-mèng	sweet dream	251	27
244.	听任	t'ìng-*jèn*	to submit to	251	27
245.	宰割	*tsăi-kō*	to cut up meat (used figuratively here)	251	27
246.	手法	*shŏu-fă*	sleight of hand	251	31
247.	拙劣	*chó-lìeh*	clumsy	251	32
248.	美好	*mĕi-hăo*	good	252	3
249.	暗示	*àn-shìh*	to hint	252	3
250.	愚蠢	*yǘ-ch'ŭn*	stupid	252	4
251.	可悲	*k'ŏ-pēi*	deplorable	252	4
252.	衷心	*chūng-hsīn*	sincerely	252	5
253.	祝願	*chù-yǜan*	to wish	252	5
254.	折磨	*ché-mó*	to torture	252	7
255.	老爷	*lăo*-yeh	gentleman	252	9
256.	变种	pìen-chŭng	variant	252	11
257.	盛滿	*ch'éng-măn*	full to the brim	252	13
258.	土豆烧牛肉	*t'ŭ-tòu* shāo *níu-jòu*	goulash	252	15
259.	好菜	*hăo-ts'ài*	delicious dish	252	15
260.	心目	*hsīn-mù*	mind	252	16
261.	庸人	*yúng-jén*	mediocrity	252	17
262.	蓝本	lán-*pĕn*	blueprint	252	18
263.	国策	kúo-*ts'è*	state policy	252	19
264.	羡慕	*hsìen-mù*	envy	252	20
265.	大肆	*tà-szù*	extravagantly	252	21

				P.	L.
266.	吹捧	*ch'ŭi-p'ĕng*	to puff	252	21
267.	加斯特	*Chīa-szū-t'è*	Roswell Garst	252	21
268.	信件	*hsìn-chìen*	letter	252	21
269.	指望	*chĭh-wàng*	to hope	252	25
270.	貸款	*tài-k'ŭan*	loan	252	25
271.	訪問	*făng-wèn*	to visit	252	25
272.	匈牙利	*Hsīung-yá-lì*	Hungary	252	26
273.	一再	*ī-tsài*	repeatedly	252	26
274.	魔鬼	*mó-kŭei*	devil	252	26
275.	难怪	nán-*kùai*	no wonder	252	29
276.	稀奇	*hsī-ch'í*	unusual	253	1
277.	代名詞	*tài-míng tz'ú*	another name	253	2
278.	商标	*shāng*-pīao	trademark	253	2
279.	广告	kŭang-*kào*	advertisement	253	2
280.	賭咒	*tŭ-chòu*	to vow	253	5
281.	发誓	fā-*shìh*	to swear	253	5
282.	商号	*shāng*-hào	trading firm	253	6
283.	賞識	*shăng-shìh*	to appreciate	253	8
284.	国务卿	kúo-wù *ch'īng*	Secretary of State	253	8
285.	腊斯克	Là-*szū-k'ò*	Dean Rusk	253	8
286.	温和	*wēn-hó*	moderating	253	10
287.	首相	*shŏu-hsìang*	Prime Minister	253	10
288.	霍姆	*Hùo-mŭ*	Douglas Home	253	10
289.	肥胖	*féi-p'àng*	fat	253	13
290.	舒适	*shū*-shìh	comfortable	253	13
291.	瘦弱	*shòu-jò*	lean	253	13
292.	饥餓	chī-*ò*	hungry	253	13
293.	演变	*yĕn*-pìen	evolution	253	15
294.	杜勒斯	*Tù-lè-szū*	John Foster Dulles	253	15
295.	迹象	*chì-hsìang*	sign	253	15
296.	梦寐以求	mèng-*mèi ī ch'íu*	to dream of	253	19
297.	兴高采烈	hsìng-*kāo ts'ăi-lìeh*	in high spirits, loud applause — rejoicing	253	21
298.	奉劝	*fèng*-ch'ùan	to venture to advise	253	22
299.	尽管	chìn-*kŭan*	although	253	22
300.	决計	*chüeh-chì*	definitely	253	23
301.	病症	*pìng-chèng*	disease	253	24
302.	势不两立	shìh *pū lĭang-lì*	impossible for both to coexist	253	25
303.	虚弱无力	*hsü̆-jò* wú-*lì*	weak and powerless	253	25

				P.	L.
304.	紙老虎	*chĭh lăo-hŭ*	paper tiger	253	25
305.	泥菩薩	*ní p'ú-sa*	clay Buddha	253	26
306.	难保	nán-*păo*	difficult to preserve (one's life)	253	26
307.	保祐	*păo-yù*	to bless	253	27
308.	长寿	ch'áng-shòu	longevity	253	27
309.	正面	*chèng-mìen*	positive	254	2
310.	曲折	*ch'ǖ-ché*	twists and turns	254	5
311.	尝試	ch'áng-*shìh*	attempt	254	9
312.	翻天覆地	*fān-t'īen fù-tì*	to overturn the sky and the earth — earth-shaking	254	12
313.	激烈	*chī-lìeh*	fierce	254	12
314.	当代	tāng-*tài*	contemporary times	254	15
315.	暴乱	*pào-lùan*	uprising	254	16
316.	覆没	*fù-mò*	to overthrow	254	16
317.	蜕变	*shùi*-pìen	to degenerate	254	22
318.	事件	*shìh-chìen*	incident	254	24
319.	故乡	*kù*-hsīang	home	254	25
320.	警钟	*chĭng*-chūng	alarm	254	28
321.	思考	*szū-k'ăo*	to ponder	254	30
322.	血肉	*hsǜeh-jòu*	blood and flesh	255	9
323.	历次	lì-*tz'ù*	repeated	255	10
324.	麻痺大意	*má-pì tà-ì*	numb, heedless — to slacken vigilance	255	17
325.	与其…宁可	yŭ-*ch'í*…níng-*k'ŏ*	it is better…rather than	256	12
326.	受害	*shòu-hài*	harmful	256	14
327.	大搞	*tà-kăo*	to do a thing on a large scale	256	23
328.	商量	*shāng-liang*	to consult	256	25
329.	大鳴	*tà-míng*	great contending	256	26
330.	大放	*tà-fàng*	great blooming	256	26
331.	大辯論	*tà pìen-lùn*	great debate	256	26
332.	下中农	*hsìa-chūng* núng	lower-middle peasant	256	33
333.	击敗	chī-*pài*	to defeat	256	34
334.	針鋒相对	*chēn-fēng hsīang*-tùi	points of needles facing each other — diametrically opposed	257	4
335.	人民公社	*jén-mín kūng-shè*	people's commune	257	13
336.	适宜	shìh-*í*	suitable	257	14
337.	又紅又专	*yù-húng yù*-chūan	both red and expert	257	20

				P.	L.
338.	有助	*yŭ-chù*	helpful to	257	25
339.	民兵	*mín-pīng*	militia	257	33
340.	全民皆兵	*ch'üan-mín chīeh-pīng*	everyone is a soldier	257	33
341.	枪杆子	chʻīang kăn-*tzu*	gun barrel — gun	257	33
342.	放过	*fàng*-kùo	to let pass	257	37
343.	冤枉	*yüan-wăng*	to wrong	257	37
344.	自力更生	*tzù-lì kēng-shēng*	regeneration by one's own efforts	258	10
345.	生气勃勃	*shēng*-ch'ì *pó-pó*	full of vitality	258	17
346.	风格	fēng-*kó*	style	258	17
347.	不败之地	*pū-pài chīh tì*	invincible position	258	22
348.	不聞不問	*pū-wén pū-wèn*	not to hear, not to ask — oblivious to	258	25
349.	軟硬兼施	*jŭan-yìng chīen-shīh*	to apply both soft and harsh (tactics)	258	26
350.	造就	*tsào-chìu*	to bring up	258	31
351.	接班人	*chīeh-pān jén*	successor	258	31
352.	开創	k'āi-*ch'ùang*	to start from scratch	258	34
353.	后继	hòu-chì	to succeed	258	34
354.	子孙	*tzŭ*-sūn	sons and grandsons	259	2
355.	后代	hòu-*tài*	descendants	259	2
356.	重演	*ch'úng-yĕn*	to repeat	259	3
357.	生死存亡	*shēng-szŭ ts'ún-wáng*	life and death	259	4
358.	百年大計	*pó-níen tà-chì*	a grand design for a hundred years	259	5
359.	預言家	*yǜ-yén chīa*	prophet	259	6
360.	寄托	*chì-t'ō*	to place hope on	259	6
361.	模范	*mó*-fàn	model	259	21
362.	听取	t'īng-*ch'ǚ*	to listen to	259	22
363.	专横跋扈	chūan-*hèng pá-hù*	arbitrary and violent	259	23
364.	突然襲击	*t'ú-ján hsí*-chī	surprise attack	259	23
365.	謙虛	*ch'īen-hsǖ*	modest	259	25
366.	謹愼	*chĭn-shèn*	prudent	259	25
367.	戒驕	*chìeh-chīao*	to guard against arrogance	259	25
368.	戒躁	*chìeh-tsào*	to guard against impetuosity	259	25
369.	勇于	*yŭng-yǘ*	courageous in	259	25
370.	文过飾非	*wén*-kùo *shìh-fēi*	to cover up errors	259	26
371.	功劳	*kūng*-láo	merit	259	26

				P.	L.
372.	成长	*ch'éng*-chăng	to grow	259	29
373.	識别	*shìh-píeh*	to know clearly	259	29
374.	挑选	*t'iao*-hsüan	to choose	259	29
375.	宝庫	păo-*k'ù*	treasury	259	32
376.	增添	*tsēng-t'iēn*	to add	259	32
377.	乱子	lùan-*tzu*	disturbance	260	2
378.	大惊小怪	*tà*-chīng *hsĭao-kùai*	to be alarmed	260	4
379.	轉动	*chŭan*-tùng	to revolve	260	5
380.	功勛	*kūng-hsǖn*	achievement	260	7
381.	千秋万代	*ch'īen-ch'īu* wàn-*tài*	thousand years, ten thousand generations — forever	260	7
382.	光彩	*kūang-ts'ăi*	brilliance	260	8
383.	普照	*p'ŭ-chào*	to shine everywhere	260	15
384.	大地	*tà-tì*	great land	260	15

LESSON 10

On The Problem of "Dividing One into Two and Combining Two into One"

A heated philosophical debate was touched off by the publication in Communist China in 1964 of two articles dealing with the dialectical concepts of "Dividing One into Two and Combining Two into One." The phrases, "Dividing One into Two" (*i fen wei erh*), and "Combining Two into One" (*ho erh erh i*), are derived from the formulation by Lenin in his *Philosophical Notebooks* (Collected Works, Vol. 38, F. L. P. H., Moscow, 1961, p. 359): "The splitting of a single whole and the cognition of its contradictory parts ... is the essence...of dialectics."

On May 29, 1964, the *Kuang-ming Daily* published an article entitled "One Dividing into Two and Two Combining into One." The coauthors, Ai Heng-wu and Lin Ch'ing-shan, are students (in the Sikiang Class) of the Higher Party School, the senior political training institution of the Communist party. The views they express in this article were purportedly based on the lectures at the school by Yang Hsien-chen, a well-known theoretician.

On July 17, the *People's Daily* carried a vigorous refutation entitled "A Discussion with Comrade Yang Hsien-chen on the Problem of Combining Two into One." This was coauthored by Wang Chung and Kuo P'ei-heng. Both articles claim to be based on the thought of Mao Tse-tung. The Ai–Lin article even uses the subtitle: "Appreciation from studying the dialectical materialism of Chairman Mao."

The reason for the controversy is that the official Chinese Communist line around 1964 put the major emphasis on "dividing one into two" rather than on "combining two into one." Because the Ai–Lin article claimed to be based on Yang's lecture, Yang himself has come under severe criticism. Since the original article in *People's Daily,* there has been a seemingly endless publication of attacks on him.

Yang (who was born either in 1894 or 1899) has had a long reputation as a Marxist philosopher and theoretician. After graduating from Peking Normal University, he first attended the University of Moscow and later studied in Germany. For a number of years he did translation work in the USSR. Returning to China after the Communist take-over, he joined the Institute of Marxism-Leninism (Ma-lieh Hsüeh-yüan), becoming vice-president in 1953 and serving as president from 1955 to 1961. He was made an alternate member of the Central Committee of the party in 1956 and was raised to full member in 1958. From 1958 to 1961, he served as principal of the Higher Party School.

On August 24–25, 1964, the editorial department of *Red Flag*, the party's theoretical journal, convened a discussion meeting with cadres and students from the Higher Party School. Following the meeting, a number of the participants were interviewed, and on August 31 *Red Flag* published a lengthy report of the meeting and interviews.

The substance of this report is that a fierce dual struggle is being waged. On one hand, there is the struggle in the international communist movement between Marxism-Leninism and modern revisionism. On the other hand, within China there is the struggle with the bourgeoisie and remaining feudal forces, and between the roads of capitalism and socialism. Under these circumstances, the Central Committee of the party and Chairman Mao place great emphasis on the concept of "dividing one into two" in order to combat modern revisionism, and the bourgeoisie and feudal remnants. Yang, however, propagates the concept of "combining two into one" or, in other words, the conciliation of contradictions. By expressing these views, the report concludes, Yang is precisely and deliberately assisting the modern revisionists abroad and the forces of the bourgeoisie and feudal remnants in China.

The debate has continued and seems not yet ended. In Communist China, the party accomodates philosophy to the political purposes of the government. Yang's Soviet connections might be a factor in making him an object of criticism. Thus it remains to be seen how the polemic will develop; this will certainly depend to a great extent on the political situations, both inside and outside of the country.

第 十 課（A）

"一分为二"与"合二而一"

—学习毛主席唯物辯証法思想的体会

艾恒武　林青山

（一）

对立面的統一和斗爭是事物发展的最根本規律。"一分为二"的两分法，是认識事物的根本方法。辯証法要求我們在观察、分析和处理問題时，既要在統一中把握对立，又要在对立中把握統一。使主观和客观、理論和实践具体的历史的統一，避免离开具体历史的"左"的或右的錯誤，正确地发揮主观能动作用。

事物是由对立的两个方面构成的，对立的两个方面是不可分割地联系在一起的。这种情况反映到人們的头脑中，中国古人是用"合二而一"（見〔明〕方以智著：《东西均》）来表达的。

物体間的作用和反作用"合二而一"成为物体的机械运动。物体內分子間的吸引和排斥"合二而一"构成物理运动。原子的化合和分解，"合二而一"构成化学运动。化学元素中的碳、氫、氧、氮等結合成的蛋白质有机体的同化和异化"合二而一"，构成新陈代謝的生命运动。生产力和生产关系、經済基础和上层建筑"合二而一"构成人类社会运动。理論和实践"合二而一"构成人类的认識运动。所以說"运动本身就是矛盾。"①"矛盾即是运动，即是事物，即是过程，也即是思想。"②从自然界的各种現象到人类社会、思維等等，沒有一种事物不是"合二而一"的。

"合二而一"正是表达了辯証法的最基本的規律——对立統一規律。毛澤东同志說："事物的矛盾法則，即对立統一的法則，是唯物辯証法的最根本的法則。"③客观世界本来是这样的，唯物辯証法的世界观要求人們把世界上的一切事物看成是"合二而一"的。所以列宁說："对立面的同一（……同一和統一这两个名詞在这里并沒有特別重大的差別。……），就是承认（发現）自然界（精神和社会都在內）的一切現象和过程具有矛盾着的、相互排斥的、对立的傾向。要认識世界上一切过程的'自己运动'、自生的发展和蓬勃的生活，就要把这些过程当作对立面的統一来认識。"④

（二）

事物本来是“合二而一”的 ， 这是不以人們的意志为轉移的客观規律，我們就要按照事物的本来面貌来认識事物。“辯証法就是研究对象的本质自身中的矛盾”。⑤究竟怎样才能认識事物自身中的矛盾呢？也就是說，用什么方法来分析、研究“合二而一”的事物呢？这个方法就是“一分为二”的两分法。“統一物之分为两个部分以及对它的矛盾着的部分的认識……是辯証法的实质。”⑥毛澤东同志在《矛盾論》中教导我們說：要认識事物发展过程的本质，“就必須暴露过程中矛盾各方面的特殊性，否則暴露过程的本质成为不可能”。⑦只有从矛盾的各方面着手研究，了解它們每一方各占何等特定的地位 ， 找出矛盾的主要方面和次要方面；矛盾双方各用何种具体形式和对方发生互相依存又互相矛盾的关系，在互相依存又互相矛盾中，以及依存破裂后，又各用何种具体方法和对方作斗爭，才能认識事物的本质。这种方法是认識事物本质、內部联系的最基本的、最科学的方法。客观事物是“合二而一”的，认識它的时候要“一分为二”。“一分为二”的方法，也就是具体地分析具体的情况。

用这个方法来分析当前整个人类世界，則暴露出以美国为首的帝国主义和各国反动派为一方，以社会主义各国人民和国际无产阶級为核心的全世界人民群众的革命勢力为另一方；全世界的革命勢力处于矛盾的主要方面，世界的形势是东風压倒西風。对全世界进行这样的分析，就认識了我們所处的时代是：帝国主义走向崩潰，社会主义走向胜利的时代。认識了世界矛盾，找到了世界人民的革命勢力是主要方面，革命的政党就应該鼓励群众、組織群众举行革命的战略进攻，而不应該战略上保守、退却。

用这个方法来分析社会主义社会，就可以看出社会主义社会存在着資本主义和社会主义、共产主义两种成分或因素，进行着两条道路的斗爭。共产主义因素逐漸壮大，資本主义成分則逐漸被削弱，直到最后被彻底消灭。因此，社会主义社会是由資本主义到共产主义的过渡性质的社会。在这个过渡时期中，存在着阶級、阶級斗爭。

不仅分析时代的性质、一个国家的社会性质是这样，就是分析我們国家的任何一个地区、部門和单位的工作，也莫不如此。一个地区、部門和单位的工作，也都是由它們本身所包含着的对立的两个方面构成的，都是“合二而一”的 。因此，在我們认識它們、分析它們的时候 ， 也必須用“一分为二”的两分法。一个地区、部門和单位的工作，不論它的成績有多么大，优点有多么多，但是，它不会是尽善尽美的，一定会有某些缺点或薄弱的环节。同样的道理，一个后进的地区、部門和单位，虽然有許多缺点甚至是錯誤，但是，它也不会是一无是处，也一定会有某些成績、优点和可取之处。

对一个同志进行分析，也是这样。一个很好的同志，虽然他的水平比别人高，优点比别人多，能力比别人强，工作成績比别人大，但是，也不会是十全十美，白璧无瑕的，也会有某些缺点或不足之处。对一个毛病較多的同志来説，他也一定会有他的优点或长处。

正是因为事物是“合二而一”的，所以认識事物的方法就是“一分为二”，这是普遍的。

和唯物辯証法相反的形而上学的特点是：孤立的、片面的和静止的观察事物，不承认統一物中包含着对立的方面，也不能把对立的方面联系起来。他們不能认識事物的本质 、内部联系 。用这种形而上学的观点和方法，来认識人类世界，就不承认世界上現实存在着的基本矛盾，不能引出革命的結論 ，而是引出相反的結論 。用这种观点和方法来看社会主义社会，他們就否认矛盾、否认阶級和阶級斗争的存在。因而认为作为无产阶級压迫剝削阶級的暴力机关——无产阶級专政的国家成为不必要了，应代之以“全民国家”；认为作为无产阶級斗爭工具的先鋒队——共产党也成为不必要的了，应代之以“全民的党”。

在我們的同志中間有一部分人，在看問題的时候，往往也不自觉地运用了形而上学的方法，只看到矛盾的一方面，看不到另一方面。观察事物时往往絕对化，好就是絕对的好，坏就是絕对的坏。不是“爱而知其恶，恶而知其美”，而是把相反的两个方面絕对地对立起来，犯了主观、片面的毛病，不能在統一中把握对立和在对立中把握統一，而是在絕对不能相容的对立中思維着 。一就是一，二就是二 ，看不見事物是“合二而一”的，也不能在分析时把事物“一分为二”。用这种形而上学的方法来看自己、本单位、本部門和本地区的工作，往往就会只是片面地看到优点、成績和长处，看不見缺点 、 錯誤和短处 。用这种方法来看别的同志、别单位、别部門和别地区，就只会看到缺点、誤錯和短处。这样就使自己的工作失去了发展、前进的动力。就必然要产生夜郎自大、驕傲自滿、固步自封的有害的情緒。

唯物辯証法不仅承认客观事物都是“合二而一”的，我們分析事物时要坚持“一分为二”的方法，而且认为統一物中对立着的两个方面所处的地位幷不是永运不变的 。 矛盾的主要方面在一定的条件下，都要互相轉化。所以，在运用“一分为二”的分析方法时，要注意找出其互相轉化的条件。例如，在資本主义社会是資产阶級掌握着生产資料和政权，剝削和压迫无产阶級，資产阶級是矛盾的主要方面。在革命斗爭中，无产阶級建立自己的政党，組織劳动群众，建立自己的武装，在斗爭中改变阶級力量对比，使无产阶級由原来的矛盾的次要方面，轉化为矛盾的主要方面，夺取全国政权、推翻旧社会，使資本主义社会向更高級形态轉化，成为社会主义社会。又例如，我們在社会主义建設工作中，用“一分为二”的方法来分析一个人、单位、部門和地区的工作，并不是找出成績和錯誤、优点和缺点的矛盾着的两个方面，就万事大吉了，而是要遵循着矛盾双方、主要方面和次要方面互相轉化的規律，找到发揚成績、优点、积极因素，克服缺点、糾正錯誤、化消极因素为积极因素，使落后的轉化为先进的，先进的更加先进的条件。这样来分析事物，不仅可以使我們认識現实存在着的对立两方面的特点，而且可以使我們认識事物的发展，认識事物的发展規律。坚持辯証法的分析方法，会使我們謙虛謹愼，虛怀若谷，永不自滿，不断前进。

只有坚持“一分为二”的两分法，才能正确认識事物內部矛盾和轉化的条件，找到变革事物的方法，才使认識由物质变精神。

（三）

我們革命者认識世界的目的在于改造世界。“馬克思主义的哲学认为十分重要的問題，不在于懂得了客观世界的規律性，因而能够解释世界，而在于拿了这种对于客观規律性的认識去能动地改造世界。”⑧我們用“一分为二”的方法来分析事物，认識了“合二而一”的事物的发展規律，就要根据客观事物本身的規律来制定改造世界、办理一切事业、处理一切問題的路綫、方針、政策、办法等等，貫彻到群众的实践活动中去，推动事物轉化、发展。

在制定路綫、方針、政策和办法的时候，要把对立着的两个方面联系起来，結合起来。

我們的党对世界的基本矛盾进行了科学的分析，找出了这种矛盾斗爭轉化的条件，向国际共产主义运动提出了总路綫的建議：“全世界无产者联合起来，全世界无产者同被压迫人民、被压迫民族联合起来，反对帝国主义和各国反动派，爭取世界和平、民族解放、人民民主和社会主义，巩固和壮大社会主义陣营，逐步实現无产阶級世界革命的完全胜利，建立一个沒有帝国主义、沒有資本主义、沒有剝削制度的新世界。”⑨这条总路綫被全世界革命政党和群众所掌握，社会主义革命必将在全世界取得胜利。

党和毛澤东同志在分析了中华人民共和国成立后的中国社会的矛盾运动的基础上，制定了“逐步实現国家的社会主义工业化，并逐步实現国家对农业、对手工业和对資本主义工商业的社会主义改造。”的过渡时期的总路綫。这条总路綫，已經基本上实現。在我国社会主义建設工作中，包含着許多互相对立的方面。首先就要找到把对立的方面联系起来、統一起来的条件，在工作中把对立的方面統一起来、結合起来。用一句形象的話来說，就是“两条腿走路”。例如鼓足干劲、力爭上游，多快好省的建設社会主义的总路綫体現着对立統一規律。多快和好省是互相对立的，又是互相联系互相制約的。多快和好省二者之間有矛盾；但多快又不能离开好省，离开好省的“多快”，实际上不能多快；好省也不能离开多快，离开多快的“好省”，实际上也不能达到好省。我們党的一系列的方針、政策，都是对“合二而一”的事物进行“一分为二”的分析，找出对立的方面統一起来、結合起来的条件的前提上制定的。例如：在分析了国民經济两大生产部門工业和农业的关系，把工业和农业两个对立的方面結合起来，提出以农业为基础，以工业为主导的发展国民經济的总方針。在我国社会主义社会里存在着敌我之間和人民内部两类社会矛盾。处理这两类社会矛盾的政权，是把对人民内部的民主方面和对反动派的专政方面互相結合起来的人民民主专政。在处理人民内部矛盾时，实行民主集中制。在民主基础上的集中，而不是片面的集中，片面集中就会变成官僚主义；民主又是在集中指导下的民主，而不是片面的民主，片面民主就会变成无政府主义。每个单位、部門和地区，无論先进的还是后进的，都有优点和缺点，所以在比学赶帮运动中，后进的不仅要向先进的学习，而且也要用自己的长处来帮助先进的克服短处；先进的不仅要帮助后进的，而且也要向后进的学习长处，以弥补自己的短处。因此，要“帮中有学，学中有帮”。我們革命队伍中的每个同志，都有优点和缺点，一般說来，优点是主要的。因此，在作思想工作时，就要把批評和表揚結合起来，以表揚为主。党的路綫、方針、政策是运用辯証法，根据事物发展規律制定的；我們执行它的时候，也必須遵照辯証法的方法，把对立的方面联系起来，“合二而一”。这样的路綫、方針、政策指导群众的实践，才能达到改造世界、处理工作、解决問題的預期目的，使精神变物质。

客观事物是“合二而一”的，认識它的时候要“一分为二”，在制定改造世界、处理工作的方針、政策时，又要“合二而一”，在对立面中把握統一，又在統一中把握对立面。这就是唯物辯証法的最根本的观点和方法。学会这个方法，对实际工作有重大的意义。

---

① 恩格斯：《反杜林論》第123頁。
② 《毛澤东选集》第2卷，第786頁。
③ 同上，第765頁。
④⑥ 《列宁全集》第38卷，第407頁。
⑤ 同上，第278頁。
⑦ 《毛澤东选集》第2卷，第778頁。
⑧ 《毛澤东选集》第1卷，第291頁。
⑨ 《关于国际共产主义运动的总路綫的建議》，見1963年6月17日《人民日报》。

VOCABULARY: 10-A

"Dividing One into Two and Combining Two into One — The Appreciation of Studying the Materialist Dialectical Thinking of Chairman Mao"

				P.	L.
1.	一分为二	*ī fēn* wéi-*èrh*	dividing one into two	275	2
2.	合二而一	*hó-èrh érh-ī*	combining two into one	275	2
3.	体会	t'ǐ-hùi	appreciation	275	3
4.	两分法	lǐang-*fēn fǎ*	dichotomy	275	6
5.	方以智	*Fāng Ǐ-chìh*	1611–1671, Ming official and scholar, member of the politico-literary group known as Fu-she, later a monk in order to avoid arrest by the Ch'ing authorities. Communist writers consider him a social reformer and materialist philosopher.	275	13
6.	东西均	Tūng-*hsī-chǖn*	unpublished manuscript by Fang, initially written in 1652 and revised in 1653	275	13
7.	物体	*wù*-t'ǐ	a body	275	14
8.	反作用	*fǎn tsò-yùng*	reaction	275	14
9.	吸引	*hsī-yǐn*	attraction	275	15
10.	原子	*yǘan-tzǔ*	atom	275	15
11.	元素	*yǘan-sù*	element	275	16
12.	蛋白质	*tàn-pái* chíh	protein	275	16
13.	同化	*t'úng-hùa*	assimilation	275	17
14.	异化	ì-*hùa*	dissimilation	275	17
15.	新陈代謝	*hsīn*-ch'én *tài-hsìeh*	metabolism	275	17
16.	經济基础	*chīng*-chì *chī*-ch'ǔ	economic base	275	18
17.	自生	*tzù-shēng*	spontaneous	275	29
18.	蓬勃	*p'éng-pó*	luxuriant	275	29
19.	破裂	*p'ò-lìeh*	to dissolve	276	12
20.	压倒	yā-*tǎo*	to prevail over	276	19
21.	壮大	chùang-*tà*	strong	276	25
22.	尽善尽美	chìn-*shàn* chìn-*měi*	perfectly good, perfectly beautiful — perfect	276	33

				P.	L.
23.	环节	húan-chíeh	link	276	34
24.	后进	hòu-chìn	newly developed	276	34
25.	一无是处	*ī* wú *shìh*-ch'ù	nothing is right	276	35
26.	可取	*k'ŏ-ch'ǚ*	having worthy qualities	276	36
27.	十全十美	*shíh-ch'üán shíh-mĕi*	hundred-percent perfection	277	3
28.	白璧无瑕	*pó-pì* wú-*hsía*	white jade without a flaw	277	3
29.	毛病	*máo-ping*	defect	277	3
30.	静止	*chìng-chĭh*	static	277	7
31.	引出	*yĭn-ch'ū*	to deduct	277	10
32.	爱而知其恶	ài *érh chīh ch'í* ò	to love yet know the bad qualities of the object of love (from *Ch'ü-li*)	277	18
33.	恶而知其美	wù *érh chīh ch'í mĕi*	to hate yet know the excellence of the object of hatred (from *Ch'ü-li*)	277	19
34.	短处	*tŭan*-ch'ù	shortcoming	277	24
35.	夜郎自大	*Yèh-láng tzù-tà*	self-importance of Yeh-lang (Yeh-lang was a small tribal state at the borber of China during the Han Dynasty. They asked the Han envoy which state was bigger, Yeh-lang or the state of Han) — conceited	277	26
36.	自满	*tzù-măn*	self-satisfied	277	26
37.	固步自封	*kù-pù tzù-fēng*	to confine oneself to his old ways (steps) — to make no progress	277	26
38.	对比	tùi-*pĭ*	ratio	277	35
39.	万事大吉	wàn-*shìh tà-chí*	everything is fine	278	2
40.	遵循	*tsūn-hsǘn*	to follow	278	2
41.	虚怀若谷	*hsṻ*-húai *jò kŭ*	a mind as open as a valley — open-mindedness	278	7
42.	形象	*hsíng-hsìang*	imagery	278	34
43.	两条腿走路	lĭang-t'íao *t'ŭi tsŏu-lù*	walking on two legs	278	35
44.	鼓足干劲	*kŭ-tsú kàn*-chìn	go all out	278	35
45.	力争上游	*lì-chēng shàng-yú*	aim high	278	35

				P.	L.
46.	多快好省	*tō k'ùai hăo shĕng*	more, faster, better, economical	278	35
47.	制約	*chìh-yüeh*	to be conditioned	279	1
48.	比学赶帮	*pĭ* hsǘeh kăn pāng	compare, learn, catch up, help	279	14
49.	弥补	mí-pŭ	to make up	279	16
50.	表揚	*pĭao-yáng*	praise	279	18
51.	遵照	*tsūn-chào*	to follow	279	20
52.	預期	*yǜ-ch'ī*	anticipated	279	22

第 十 課 (B)

就"合二而一"問題和楊献珍同志商榷

王中　郭佩衡

五月二十九日，《光明日报》的哲学专刊，登载了艾恒武、林青山的《"一分为二"与"合二而一"》的文章。这篇文章提出了以下一些见解：

"客观事物是'合二而一'的，认识它的时候要'一分为二'，在制定改造世界、处理工作的方针、政策时，又要'合二而一'，在对立面中把握统一，又在统一中把握对立面。"

什么是"合二而一"呢？艾、林二同志解释说："事物是由对立的两个方面构成的，对立的两个方面是不可分割地联系在一起的。这种情况反映到人们的头脑中，中国古人是用'合二而一'（见（明）方以智著：《东西均》）来表达的。"接着艾、林二同志从多方面"论证"了"合二而一"这个命题，他们认为："从自然界的各种现象到人类社会、思维等等，沒有一种事物不是'合二而一'的。""'合二而一'正是表达了辯证法的最基本的规律——对立统一规律"。"正是因为事物是'合二而一'的，所以认识事物的方法就是'一分为二'，这是普遍的。""我们党的一系列的方针、政策，都是对'合二而一'的事物进行'一分为二'的分析，找出对立的方面统一起来、结合起来的条件的前提上制定的。"

艾、林二同志还认为学习辯证法的目的，就在于："首先就要找到把对立的方面联系起来、统一起来的条件，在工作中把对立的方面统一起来、结合起来。"

艾、林二同志的文章，引起了学术界热烈的讨论。

我们读了艾、林二同志的文章以后，对于他们提出的上述观点，觉得非常熟悉，这就不由得使我们记起，早在一九六三年十一月间，杨献珍同志在给高级党校轮训班讲课时印发的《是——是，否——否；是——否，否——是"是什么意思》的材料中，就提出了"合二而一"这个观点。以后，杨献珍同志在今年四月间给新疆班讲《要学会掌握对立统一去做工作，在实际工作中尊重辯证法》时，又详细地讲过"合二而一"的问题。在艾、林的文章发表以后，我们又看了看杨献珍同志的讲稿和学员的笔记，越看越觉得杨献珍同志提出的"合二而一"的思想，是很值得商榷的。

现在先让我们把杨献珍同志关于"合二而一"的言论，根据他的讲课材料和学员的笔记摘录在下面：

"对立物的统一"，意即"任何事物都是由对立面构成的，或矛盾构成的，不是铁板一块。'一分为二''合二而一''二本于一'。中国语言中把物叫做'东西'，说明物本身就包含着正（东）反（西）。物叫'东西'，实即表达了'对立统一'的意思。或'合有无谓之元'的意思。日常语言中这类东西很多，如'开关'，规矩，方圆，呼吸，阴阳，生死，水火，新陈代谢，等等，可以举出很多很多。"

"任何事物是'合二而一'的，所以在观察问题的时候，要'一分为二'""要采取'一分为二'的方法"。

"什么叫对立的统一？中国有句古语。'合二而一'，这句话的意思是物是合二而一的，同'一分为二'是一个意思。"

"蓝田县志载称，吕大临著有《老子聃》一书，据晁公武说，此书大意是：'盖以老之学，合有无谓之元。以为道所由出，盖至于命矣。'"

"'合有无谓之元。''相反相成。''尽天地古今皆二也。两间无不交，则无不二而一者。''合二而一。'（来自方以智（明末人）《东西均》之第二十四页），'有一必有二，二本于一。'这些都是中国古代的关于对立统一的光辉思想。"

"'合有无谓之元'，这句话中的'有'和'无'也可当作代表统一体中的两个对立面的符号看。'一阴一阳之为道'，这句话中的'阴'和'阳'两个字也只是这样的符号。"

"'元'即'统一'的意思，而'统一'则为'不可分性'的意思。'对立面的统一'，意即对立面的两个东西本来是不可分离地联系着的。"

"什么叫对立的统一？中国有句古话叫'合二而一'。在认识论里，有'一分为二'这句话，同上句话是一个意思。这就是任何事物都是矛盾的统一"。"还有句话，'有之以为利，无之以为用'，这句话也说明'合二而一'—— 矛盾的统一这个意思。"

"'合有无谓之元'，就是'对立面的统一。'"

"'合有无谓之元'这句话与黑格尔的一些话差不多是一模一样的。"（吕大临是十一世纪时的人）

"对立面的统一思想，只是说矛盾的两个侧面是不可分离地联系的。"

"矛盾的统一，只是说矛盾双方是不可分离地联系着的意思。”

“这就要求研究对立面是怎样能够同一的。此‘同一’是指的共同要求。反对美帝国主义，反对新殖民主义，保卫世界和平，就是全世界百分之九十以上人们的共同要求。”

“辩证法就是研究对立面是怎样同一的（统一的）。求同存异。”

“‘是——否，否——是’，对立统一，相反相成，两条腿走路，善于把两种思想联系起来，这就是辩证法的思想方法的特点。”

“学习辩证法，就是要学会把两个对立的思想联系在一起的本事，就是说，要学会掌握对立统一规律来做工作，学会两条腿走路。所谓对立面的统一，就是两条腿走路。”

“学对立统一规律，就是要学会把两个对立的思想联系在一起的本事。要经常记住事物的两个侧面是不可分地联系着的，经常记住在对立面的统一中去把握对立面。这样就可以避免在实际工作中的片面性。”

“所谓统一，就是不可分地联系着的。不可分地联系着的，而硬把它分开，只抓一面，这是人为的，是违反事物本性的。多快与好省，产量与质量，是不可分地联系着的。黑格尔说：要在对立面的统一中去把握对立面。”

从以上摘引的杨献珍同志的这些论点看，杨献珍同志早已赋予了“合二而一”的命题以明白的、特定的含义，提出了一套相当系统的说法。从这里可以看到，“合二而一”的观点，不是由艾、林两同志首先提出的。

现在我们愿意提出一些粗浅的看法，就教于杨献珍同志。

第一、什么是客观事物的根本规律？杨献珍同志的回答是：“合二而一”。

杨献珍同志说：“什么叫对立的统一？中国有句古话，‘合二而一’，这句话的意思是物是合二而一的”。他不但一再说：“事物本身是‘合二而一’的”；并且把它誉为“中国古代的关于对立统一的光辉思想”。

什么是“合二而一”呢？杨献珍同志是有很确定的解释的：他硬说“合二而一”就是对立面的统一，并把对立面的统一作了不正确的解释，他只强调对立面的不可分性，而不强调它们的斗争性。他反复地说：“对立面的统一思想，只是说矛盾的两个侧面是不可分离地联系的”“矛盾的统一，只是说矛盾双方是不可分离地联系着的意思。”

显然，在杨献珍同志看来，事物的“本性”“只是”在于把对立面不可分离地联系起来，不在于对立面的斗争的开展，这就是说，事物的“本性”是“合二而一”的，而不是一分为二的。

杨献珍同志的观点，和马克思列宁主义的观点是不符合的。

马克思主义者从来都沒有把对立的统一解释成只是对立面不可分地联系着的意思。恩格斯说："所谓客观辯证法是支配着整个自然界的，而所谓主观辯证法，即辯证的思维，不过是在整个自然界中到处盛行着的由于对立而产生的运动的反映而已，这些对立以其不断的斗争，以其最后的互相转变或转变到较高形态来决定自然界的生活。"（恩格斯《自然辯证法》中文本一七四页）这是恩格斯对于对立统一规律的解释，这样的解释，难道竟可以用"合二而一"来表达吗？难道这也能解释成"对立面的统一思想，只是说矛盾的两个侧面是不可分离地联系的"吗？

列宁也曾对对立统一规律下过一个简单明了的定义，毛泽东同志的《矛盾论》，曾引用了并发挥了这个定义。毛泽东同志说："恩格斯说：'运动本身就是矛盾。'列宁对于对立统一法则所下的定义，说它就是'承认（发现）自然界（精神和社会两者也在內）的一切现象和过程都含有互相矛盾、互相排斥、互相对立的趋向'。这些意见是对的吗？是对的。一切事物中包含的矛盾方面的相互依赖和相互斗争，决定一切事物的生命，推动一切事物的发展。"（《毛泽东选集》第一卷第二九三页）

我们看，恩格斯、列宁、毛泽东同志着重指出的是一切事物中的互相矛盾、互相排斥、互相对立、以及相互依赖和相互斗争。这和杨献珍同志把对立的统一说成只是"合二而一"，说成只是"对立面不可分离地联系着"的思想，有什么相同之处呢？

唯物辯证法承认对立面的相互联系，但什么叫做辯证法的相互联系呢？辯证法的相互联系，实际上就指的矛盾关系，它包括相互依赖和相互斗争，而不是什么"只是说矛盾双方是不可分离地联系着的"。对立面的"相互依赖和相互斗争，决定一切事物的生命，推动一切事物的发展"，其中主要的是对立面的"不断的斗争"，使事物的对立面互相转变或使事物转变到较高的形态。资产阶级与无产阶级的联系是什么呢？这就是剝削者与被剝削者的联系，它们在统一的资本主义社会中有着相互依赖的关系，但更重要的是它们的相互斗争，推动着资本主义社会的发展，直到这个社会灭亡，并转变为更高的社会主义社会形态。这样的联系，这样的发展趋势和发展规律，难道不正是"一分为二"吗？难道能把资产阶级和无产阶级斗争的不断发展、激化，以至于资产阶级的消灭，说成是资产阶级和无产阶级"合二而一"吗？

当然，对立面是相互联系和相互依赖的，但是，第一，决不能说辯证法的对立统一，"只是说"的对立面不可分割地联系着，因为它还要说到对立面的相互斗争。把不断地相互斗争的对立面的联系说成是"合二而一"，是错误的。第二，列宁曾经指出，对立的统一，是相对的，有条件的，暂时的，而相互排斥的对立面之间的斗争，则是无条件的，绝对的，毛泽东同志的著作也曾多次发挥了列宁的这个思想。既然同一性是相对的，有条件的，暂时的，那就是说，所谓“不可分离地联系着”的情形，相互依赖的情形，也是相对的，有条件的，暂时的，而通过斗争所引起的相互依赖的瓦解，相互联系的分裂，就事物发展的趋势来说，则是绝对的。

例如资产阶级和无产阶级在资本主义社会中的相互依赖和联系是相对的，而资产阶级和无产阶级的斗争，以及通过这个斗争使两个阶级的相互依赖关系发生瓦解，一直到资产阶级的消灭，这个发展趋势则是绝对的。这样的发展趋势和规律，只能是一分为二，而决不能说成是“合二而一”。如果把资产阶级和无产阶级的对立统一说成是两个阶级的联系，而不强调它们之间的斗争，如果认为这两个阶级的对立统一“只是”说的这两个阶级是“不可分离地联系着的”，岂不是就意味着这两个阶级的相互依赖是无条件的，绝对的，那不是要让资产阶级永运保存下去吗？又如眞理与错误，在一定条件下是相互联系着的。但是，如果把眞理和错误的对立统一说成是“合二而一”，如果认为它们的对立统一“只是说”的它们之间的不可分的联系，那岂不是说我们就要让眞理和错误和平共处，不要和错误斗争，不要克服错误，和错误分裂，使错误走向它的反面，那我们怎样能将我们的工作和思想推动前进呢？杨献珍同志的这些思想，难道还能说和列宁、毛泽东同志的思想有什么共同点吗？难道说列宁、毛泽东同志的“一分为二”的思想倒是“人为的”“违反事物本性”的，而他的思想倒是符合客观规律的，符合事物本性的吗？眞理终究是眞理，只有“一分为二”才能表达事物发展的根本规律，即对立统一规律。杨献珍同志要用“合二而一”来代替它，终究是徒劳的。

第二、什么是学习辩证法的目的？杨献珍同志的回答是：“学习辩证法，就是要学会把两个对立的思想联系在一起的本事”。在另一处他又说“学对立统一规律，就是要学会把两个对立的思想联系在一起的本事”。

可以看出：杨献珍同志的世界观和方法论是完全一致的。既然他认为客观世界的根本规律是“合二而一”的，对立面“只是”“不可分离地联系着的”，那么，认识客观世界的方法也就是要“把两个对立的思想联系在一起”，也就是“合二而一”。尽管杨献珍同志也说过：“学习对立统一的学说，是为了学会分析方法，即所谓一分为二”。但是，他并沒有把这作为主要的方向。他的方法论的主要方向，如他所一再强调的，是要“把两个对立的思想联系在一起”。在杨献珍同志的思想体系里面，“一分为二”作为方法论，实际上也是沒有地位的。

问题是学习对立统一规律的目的是不是只是在于把“两个对立的思想”联系起来？是不是在于把资产阶级思想和无产阶级思想联系起来、马克思主义和非马克思主义联系起来、正确和错误联系起来、优点和缺点联系起来？学会这种联系的本事的意义又是什么？按照杨献珍同志上述的观点，很清楚，就是要把两种对立的思想"合二而一"。难道这就是学习辩证法的目的吗？

关于学习辩证法的目的，毛泽东同志讲得十分清楚，他说："这个辩证法的宇宙观，主要地就是教导人们要善于去观察和分析各种事物的矛盾的运动，并根据这种分析，指出解决矛盾的方法。"（《毛泽东选集》第一卷，二九二页）。毛泽东同志说的是分析矛盾和解决矛盾，这同杨献珍同志的"合二而一"的方法是完全不同的。

两个对立的思想，只能是客观事物对立面的反映，要了解两个对立思想的关系即思想领域的矛盾，首先要分析客观事物的矛盾。马克思主义既重视矛盾的普遍性，又重视矛盾的特殊性，强调对矛盾的具体分析和具体解决。毛泽东同志说："用不同的方法去解决不同的矛盾，这是马克思列宁主义者必须严格地遵守的一个原则。"（《毛泽东选集》第一卷，二九九页）毛泽东同志杰出地运用一分为二的阶级分析方法，具体地分析了中国革命和社会主义建设的不同时期的不同的阶级矛盾，根据这些矛盾的不同的发展情况，制定了不同时期解决社会矛盾的不同的路线和政策，这些政策既反映各阶级在一定历史时期的有条件的同一性，又反映了它们之间的绝对的斗争，反映了通过不同的斗争方法解决不同的阶级矛盾的道路，也指出了对立的思想如何斗争和如何解决它们之间的矛盾的道路。

我们党从来都是从实际出发，根据周密的调查研究，分析国内外的阶级情况，判明各种阶级的相互关系，得出正确的阶级估量，在这个基础上制定方针、政策的。毛泽东同志在《中国革命战争的战略问题》一文中说："历史告诉我们，正确的政治的和军事的路线，不是自然地平安地产生和发展起来的，而是从斗争中产生和发展起来的。一方面，它要同'左'倾机会主义作斗争，另一方面，它又要同右倾机会主义作斗争。不同这些危害革命和革命战争的有害的倾向作斗争，并且彻底地克服它们，正确路线的建设和革命战争的胜利，是不可能的。"（《毛泽东选集》第一卷，一七九页）我们党正是根据毛泽东同志这个思想，制定党的方针、路线，从而取得革命和建设的不断胜利的。而杨献珍同志却强调"把两个对立的思想联系起来"，不强调思想斗争和思想矛盾的解决，他甚至于给辩证法提出了这样一种解释："辩证法就是研究对立面是怎样同一的（统一的）。求同存异"。如果我们按照杨献珍同志的说法去做，那就只能是把无产阶级思想和资产阶级思想、马克思主义和非马克思主义、正确和错误，优点和缺点都"联系在一起"、"求同存异"，而不去进行斗争，不去解决矛盾。难道这种把对立面调和起来的方法是辩证法吗？难道我们党的政策就是建立在这种"合二而一"、"求同存异"的基础上的吗？

杨献珍同志的"合二而一"的言论，我们在这篇文章里不打算作全面的评述，只提出上面两点来和杨献珍同志商榷。

VOCABULARY: 10-B

"A Discussion with Comrade Yang Hsien-chen on the Problem of Combining Two into One"

				P.	L.
1.	楊献珍	*Yáng* Hsìen-*chēn*	b. 1894	283	2
2.	商榷	*shāng-ch'ùeh*	discussion	283	3
3.	专刊	chūan-*k'ān*	special supplement	283	5
4.	登载	*tēng*-tsài	to carry (an article)	283	5
5.	古人	*kŭ-jén*	the ancients	283	13
6.	论证	lùn-chèng	to prove	283	14
7.	命题	*mìng*-t'í	proposition	283	15
8.	轮训班	lún-hsùn *pān*	rotation training class	283	27
9.	讲课	chĭang-k'ò	lecture	283	27
10.	印发	*yìn*-fā	to print and issue	283	27
11.	新疆	*Hsīn-chīang*	Sinkiang	283	29
12.	详细	hsíang-hsì	in detail	283	30
13.	讲稿	chĭang-*kăo*	lecture notes	283	31
14.	学员	hsúeh-yúan	student	283	31
15.	笔记	pĭ-chì	student's notes	283	31
16.	摘彔	*ché*-lù	to excerpt	284	2
17.	铁板	t'ieh-*păn*	iron slab	284	4
18.	合有无谓之元	*hó yŭ* wú wèi *chīh yúan*	the combination of existence and nonexistence is called *yüan*	284	7
19.	日常	*jìh-ch'áng*	daily	284	7
20.	开关	k'āi-kūan	open and close, electric switch	284	8
21.	规矩	kūei-*chŭ*	compass and T-square	284	8
22.	方圆	*fāng*-yúan	square and circle	284	8
23.	呼吸	*hū-hsī*	to inhale and exhale	284	8
24.	阴阳	yīn-yáng	*yin* and *yang*	284	8
25.	水火	*shŭi-hŭo*	water and fire	284	8
26.	古语	*kŭ*-yŭ	ancient saying	284	12
27.	蓝田	Lán-*t'ien*	a county in Shensi province	284	14
28.	县志	hsìen-*chìh*	county handbook	284	14
29.	载称	tsài-ch'ēng	to contain and say (in a book)	284	14
30.	吕大临	*Lŭ Tà*-lín	scholar in the Sung Dynasty, disciple of the great Neo-Confucian pholosophers, Ch'eng I and Ch'eng Hao	284	14

				P.	L.
31.	著有	*chù yǔ*	to have written	284	14
32.	老子聃	*Lǎo-tzǔ Tān*	*On Lao-tzu*	284	14
33.	晁公武	*Ch'áo Kūng-wǔ*	scholar and official in the Sung Dynasty	284	14
34.	大意	*tà-ì*	central theme	284	15
35.	道所由出	*tào sǒ yú ch'ū*	from whence the *tao* emerges	284	15
36.	至于命矣	*chìh yǘ mìng ǐ*	(it) deals with *ming*	284	16
37.	天地古今	*t'īen-tì kǔ-chīn*	heaven and earth, ancient and present	284	17
38.	两间	lǐang-chīen	heaven and earth	284	18
39.	二本于一	*èrh pěn yǘ ī*	two originates from one	284	19
40.	符号	*fú*-hào	symbol	284	22
41.	不可分性	*pū k'ǒ-fēn hsìng*	indivisibility	284	24
42.	有之以为利	*yǔ chīh ǐ* wéi *lì*	what has a (positive) existence serves for profitable adaptation. (by Legge) By the existence of things we profit. (by Lin Yu-tang)	284	29
43.	无之以为用	wú *chīh ǐ* wéi *yùng*	and what has not that for (actual) usefulness (by Legge) by the nonexistence of things we are served (by Lin Yu-tang) from Chapter 11, *Tao-Te Ching* of Laotzu	284	29
44.	黑格尔	*Hēi-kó*-ěrh	Hegel	284	33
45.	求同存异	*ch'íu-t'úng ts'ún*-ì	to seek unity and retain differences	285	5
46.	人为	*jén*-wéi	artificial	285	18
47.	本性	*pěn-hsìng*	nature	285	18
48.	摘引	*ché-yǐn*	excerpt	285	21
49.	论点	lùn-tǐen	argument	285	21
50.	赋予	*fù-yǚ*	to endow with	285	21
51.	含义	*hán*-ì	connotation (used interchangeably with 7-212)	285	22
52.	粗浅	*ts'ū*-ch'ǐen	crude and superficial	285	24
53.	古话	*kǔ*-hùa	ancient saying	285	27
54.	盛行	*shèng-hsíng*	to prevail	286	4

				P.	L.
55.	激化	***chī-hùa***	intensification	286	31
56.	意味	***ì-wèi***	to imply	287	11
57.	徒劳	***t'ú***-láo	futile	287	22
58.	方法论	***fāng-fǎ*** lùn	methodology	287	26
59.	周密	***chōu-mì***	thorough	288	19
60.	判明	***p'àn-míng***	to determine definitely	288	20
61.	平安	***p'íng-ān***	peacefully	288	22
62.	评述	p'íng-***shù***	critique	288	37

GLOSSARIES

GLOSSARY 1

Arranged alphabetically in Wade-Giles Romanization

(The first appearance of each expression is given below by lesson and vocabulary number.)

AI		
Āi-chí	埃及	3–125
ài-chīa	愛家	8–B–20
ài érh chīh ch'í ò	愛而知其惡	10–A–32
ài-hào	愛好	4–25
ài-hù	愛護	4–238
ài-kúo	愛國	1–L–21
ài-mèi	曖昧	1–L–53
ài-shè	愛社	8–B–19
AN		
ān-ch'ā	安插	9–50
ān-chīa lè-hù	安家落戶	1–L–60
ān-chìng	安靜	1–K–150
ān-ch'ǘan	安全	4–76
ān-mín	安民	7–259
ān-p'ái	安排	5–260
ān-yǘ hsìen-chùang	安于現狀	1–K–124
àn-chào	按照	1–B–143
àn-chìen	案件	4–185
àn-hài	暗害	2–93
àn-hsǖ fēn-p'èi	按需分配	9–31
àn-shìh	暗示	9–249
àn-ts'áng	暗藏	8–A–62
CHA		
chá-mén	閘門	9–103
CH'A		
ch'ā-chǜ	差距	9–105
ch'ā-píeh	差別	1–E–62
ch'ā-tsú	插足	3–87
ch'á-shù	茶樹	7–85
CHAI		
chài-ch'ǘan jén	債權人	5–84
Chài-ch'ǘan Pīen	債權編	5–216
chài-wù jén	債務人	5–85
CH'AI		
ch'āi-ch'ūan	拆穿	9–199
CHAN		
chăn-chìn shā-chǘeh	斬盡殺絕	6–11
chăn-chŭan	輾轉	5–177
chăn-k'āi	展開	1–G–114
chàn-ch'ăng	戰場	1–B–86
chàn-chēng	戰爭	1–A–2
chàn-chǜ	占據	9–107
chàn-ch'ǖ	戰區	1–B–88
chàn-hsìen	戰綫	1–C–4b
chàn-hsíng	暫行	5–31
chàn-ì	戰役	1–A–136a
chàn-ì hsǘeh	戰役學	1–A–136
Chàn-kúo	戰國	7–77
chàn-lì	戰慄	5–124
chàn-lǐng	佔領	1–C–67a
chàn-lǐng tì	佔領地	1–C–67
chàn-lǜeh	戰略	1–A–3
chàn-shèng	戰勝	1–A–242
chàn-shíh	暫時	1–B–30
chàn-shìh	戰士	1–G–79

chàn-shù	戰術	1－A－137a
chàn-shù hsǘeh	戰術學	1－A－137
chàn-tì	戰地	1－B－87
chàn-tòu	戰鬥	1－B－78
chàn-tòu yǘan	戰鬥員	2－30
chàn-wěn	站穩	1－L－29
chàn-yŭ	佔有	3－25
chàn-yŭ-chìh	佔有制	6－116

CH'AN

ch'ăn-chíh	產值	8－A－13a
ch'ăn-ch'ú	剷除	1－I－67
ch'ăn-lìang	產量	8－A－7
ch'ăn-p'ĭn	產品	8－A－6
ch'ăn-shēng	產生	1－A－234
ch'ăn-shēng pàn-fă	產生辦法	4－84
ch'ăn-wù	產物	3－37

CHANG

chāng-ch'éng	章程	5－142
chāng-chíeh	章節	7－25
Chāng Kúo-t'āo	張國燾	1－I－74
chăng-ch'éng	長成	1－H－5
chăng-chìn	長進	3－166
chăng-wò	掌握	1－K－55
chàng-ài	障礙	1－B－155

CH'ANG

ch'āng-k'úang	猖狂	5－64
ch'áng-ch'ī	長期	1－C－68
ch'áng-chìen	常見	1－F－15
ch'áng-chĭu	長久	1－J－18
ch'áng-ch'ù	長處	1－I－92
ch'áng-p'ien tà-lùn	長篇大論	1－L－125
ch'áng-shè chī-kūan	常設機關	4－112
ch'áng-shìh	常識	9－167
ch'áng-shìh	嘗試	9－311
ch'áng-shòu	長壽	9－308
Ch'áng-wù Wěi-yǘan Hùi	常務委員會	4－88
ch'áng-yèh	腸液	1－H－83
ch'ăng-hó	場合	3－141
ch'ăng-sŏ	場所	3－32
ch'àng-hsíng wú-tsŭ	暢行無阻	1－I－69
ch'àng-kō	唱歌	1－G－83
ch'àng-t'ūng	暢通	2－109

CHAO

chāo-hún	招魂	5－71
chāo-lìng hsì-kăi	朝令夕改	9－216
chāo-p'ái	招牌	9－197
cháo-chí	著急	1－L－159
chăo-hsǘn	找尋	8－A－58
chào-ch'āo	照抄	1－A－52
chaò-chí	召集	1－K－36
chaò-chìu	照舊	1－C－22
chaò-húi	召回	4－146
chaò-k'āi	召開	1－L－178
chaò-kù	照顧	1－A－133
chaò-yaò	照耀	4－243

CH'AO

ch'āo	超	1－G－97
ch'āo-chí	抄集	5－258
ch'āo-ch'ū	超出	7－191
ch'āo-hsí	抄襲	5－197
ch'āo-kùo	超過	2－13
ch'áo-hsiào	嘲笑	1－L－134
Ch'áo-hsīen	朝鮮	3－67
Ch'áo Kūng-wŭ	晁公武	10－B－33
ch'áo-líu	潮流	1－J－38
ch'áo-shèng	朝聖	9－149
ch'áo-tài	朝代	6－43
ch'áo-t'íng	朝廷	7－216

CHE

ché-hsǘeh	哲學	1－E－99
ché-lù	摘錄	10－B－16
ché-mó	折磨	9－254
ché-yĭn	摘引	10－B－48
Chè-chīang	浙江	7－91

CH'E

ch'ē-chīen	車間	9－43

ch'ē-lièh	車裂	6–46
ch'è-hsīao	撤銷	4–114
ch'è-hùan	撤換	4–141
ch'è-tǐ	澈底	1–A–179
ch'è-t'óu ch'è-wěi	徹頭徹尾	9–122
CHEN		
chēn-chèng	眞正	1–D–19
chēn-fēng hsīang-tùi	針鋒相對	9–334
chēn-hsìang	眞相	9–151
chēn-hsīn	眞心	3–110
chēn-lǐ	眞理	1–E–102
chēn-shàn-měi	眞善美	1–L–154
chēn-shíh hsìng	眞實性	1–G–179
chēn-tùi	針對	6–6
chēn-yǘ	臻于	2–89
chèn-chǎng	鎭長	4–174
chèn-tì chàn	陣地戰	1–A–264
chèn-yā	鎭壓	1–K–111
chèn-yíng	陣營	3–50
CH'EN		
ch'én-chùng	沉重	6–78
Ch'én Tú-hsìu	陳獨秀	3–142
CHENG		
chēng-chā	掙扎	9–215
chēng-ch'íu	爭求	3–72
chēng-ch'ǚ	爭取	1–A–286
chēng-fú	征服	3–100
chēng-hsǘn	徵詢	1–K–146
chēng-ì	爭議	5–229
chēng-kòu	徵購	4–67
chēng-lùn	爭論	1–G–113
chēng-shōu	徵收	7–160
chēng-tó	爭奪	7–277
chēng-yùng	徵用	4–68
chěng-ch'í	整齊	1–I–5
chěng-chìu	拯救	1–A–110
chěng-fēng	整風	1–L–73
chěng-kò	整個	1–B–33
chěng-lǐ	整理	1–B–205
chěng-pù	整部	7–280
chěng-t'ǐ	整體	2–67
chěng-tìao	整掉	1–L–103
chěng-tùn	整頓	1–I–1
chèng-ch'áng	正常	1–L–162
chèng-chìen	政見	1–K–21
chèng-chìh	政治	1–A–32
Chèng-chìh Hsíeh-shāng Hùi-ì	政治協商會議	4–12
chèng-chǜ	證據	1–K–51
chèng-ch'üán	政權	1–D–3
chèng-ch'ǜeh	正確	1–A–194
chèng-fǎ	政法	5–55
chèng-fǔ	政府	1–A–46
chèng-ì	正義	1–A–92
chèng-kūei	正規	1–B–56
chèng-mìen	正面	9–309
chèng-míng	證明	1–A–250
chèng-p'ài	正派	1–I–9
chèng-shíh	證實	1–D–26
chèng-shìh	正式	8–B–3
chèng-tǎng	政黨	1–A–165
chèng-tàng	正當	2–90
chèng-t'ǐ	政體	1–H–29
chèng-ts'è	政策	1–A–209
Chèng-wù Yǜan	政務院	5–131
CH'ENG		
ch'ēng-hào	稱號	4–127
ch'ēng-hū	稱呼	7–203
ch'ēng-wéi	稱爲	1–F–91
ch'éng-chǎng	成長	9–372
ch'éng-chì	成績	1–G–23
ch'éng-ch'íen pì-hòu	懲前庇後	1–L–81
ch'éng-chìu	成就	4–33
ch'éng-fá	懲罰	2–84
ch'éng-fèn	成份	1–D–51
ch'éng-hsīang	城鄉	4–66
ch'éng-hsīn	誠心	1–L–88
ch'éng-hsǜ	程序	4–140

ch’éng-jèn	承認	1–A–259
ch’éng-k’ěn	誠懇	2–36
ch’éng-kūng	成功	1–C–35
Ch’éng-kūng	成公	7–206
ch’éng-kūo	城郭	1–K–77
ch’éng-kŭo	成果	4–14
ch’éng-lì	成立	1–L–74
ch’éng-măn	盛滿	9–257
ch’éng-pàn	懲辦	4–73
ch’éng-shìh	城市	1–A–183
ch’éng-shìh p’ín-mín	城市貧民	1–K–94
ch’éng-shòu	承受	5–199
ch’éng-shú	成熟	7–281
ch’éng-t’ào	成套	5–149
ch’éng-t’ien	成天	1–K–8
ch’éng-tù	程度	1–A–141
ch’éng-yǘan	成員	1–E–14

CHI

chī-chí	積極	1–A–185
chī-ch’ì	機器	1–E–72
chī-chǐng	機警	2–54
chī-ch’ŭ	基礎	1–F–42
chī-hsìao	譏笑	1–G–63
chī-hsìeh hsìng	機械性	1–F–41
chī-hū	幾乎	1–I–45
chī-hùa	激化	10–B–55
chī-hùi	機會	1–A–220a
chī-hùi chŭ-ì	機會主義	1–A–220
chī-kòu	機構	4–77
chī-kŭ	積穀	5–26
chī-kūan	機關	1–A–64
chī-k’ùei chàn	擊潰戰	1–A–266
chī-lĕi	積累	5–198
chī-lìeh	激烈	9–313
chī-ò	飢餓	9–292
chī-pài	擊敗	9–333
chī-pĕn	基本	1–A–210
chī-p’ò	擊破	1–F–106
chī-tì	基地	3–86a
chī-tì wăng	基地網	3–86
chī-yǘ	基於	1–C–40
chí-ch’í	極其	9–15
chí-chūng	集中	1–A–271
chí-chǜ	急劇	9–98
chí-ch’ǘan	集權	7–181
chí-fēng pào-yǚ	急風暴雨	1–L–175
chí-hsìng pìng	急性病	2–14
chí-hùi	集會	4–203
chí-lì	極力	8–B–17
chí-pìng	疾病	8–B–32
chí-shíh	及時	1–B–176
chí-shĭh	卽使	1–C–36
chí-t’ĭ	集體	1–L–7a
chí-t’ĭ chīng-chì	集體經濟	1–L–7
chí-tūan	極端	1–F–29
chí-t’úan	集團	1–A–33
chĭ-tìao	擠掉	3–34
chĭ-yăng	給養	1–B–202
chì-ch’éng	繼承	1–J–39
chì-hsìang	迹象	9–295
chì-hsǜ	繼續	1–C–1
chì-hùa	計劃	1–B–53
chì-ján	既然	1–G–143
chì-jèn	繼任	4–154
chì-lĭ	祭禮	7–153
chì-lù	記錄	1–K–176
chì-lǜ	紀律	1–A–279
Chì-nò-wéi-yĕh-fū	季諾維也夫	9–90
chì-p’ĭn	祭品	7–147
chì-shēng	寄生	9–143
chì-shòu fă	繼受法	5–184
chì-shù	技術	1–B–44
chì-sùan	計算	2–49
chì-szù	祭祀	7–145
chì-té lì-ì	既得利益	9–121
chì-tìng	既定	1–K–119
chì-t’ō	寄托	9–360
chì-tsài	記載	6–13
Chì Wén-tzŭ	季文子	7–207

chì-yŭ···yù-yŭ	旣有…又有	1-A-245

CH'I

ch'ī-chīen	期間	3-79
ch'ī-hsìen	期限	4-201
ch'ī-nü̆	妻女	6-89
ch'ī-p'ìen	欺騙	1-G-43
ch'ī-tzŭ	妻子	9-72
ch'í-chìh	旗幟	1-A-106
ch'í-chūng	其中	1-E-26
ch'í-hào	旗號	9-147
ch'í-kùai	奇怪	1-L-163
ch'í-shíh	其實	1-B-28
ch'í-shìh	歧視	4-38
ch'í-t'ā	其他	1-C-58
ch'í-tz'ù	其次	1-G-181
ch'í-yǘ	其餘	1-K-96
ch'ĭ-chìen	起見	3-15
ch'ĭ-chìn	起勁	1-B-136
ch'ĭ-fā	啓發	1-J-48
ch'ĭ-fēi	豈非	1-B-27
ch'ĭ-ì	起義	1-D-21
ch'ĭ-méng	啓蒙	1-H-76
ch'ĭ-méng yǜn-tùng	啓蒙運動	1-I-54
ch'ĭ-sù	起訴	5-231
ch'ì-chīn	迄今	7-35
ch'ì-kài	氣概	9-156
ch'ì-lì	氣力	1-I-50
ch'ì-t'ú	企圖	1-B-212
ch'ì-yèh	企業	1-H-39
ch'ì-yüēh	契約	5-222

CHIA

chīa-chăng chìh	家長制	3-155
chīa-ch'íang	加强	1-C-65
chīa-ch'ù	家畜	7-162
chīa-chǜ	加劇	9-41
Chīa-méng Kùng-hó Kúo	加盟共和國	9-127
chīa-p'ò jén-wáng	家破人亡	8-B-21
Chīa-szū-t'è	加斯特	9-267
chīa-t'íng	家庭	1-L-70
chīa-tsá	夾雜	7-107
chīa-tsū	加租	5-13
chīa-yā	加押	5-14
chīa-shŏu yǘ-jén	假手于人	1-K-177
chìa-tzu	架子	1-L-123
chìa-yǘ…chīh-shàng	駕於…之上	7-190

CH'IA

ch'ìa-ch'ìa	恰恰	5-47
ch'ìa-jú	恰如	3-117
ch'ìa-tàng	恰當	1-H-92

CHIANG

Chīang-hsī	江西	7-90
chīang-ī-chūn	將一軍	1-J-6
chīang-szŭ	僵死	1-L-170
chīang-yǜ	疆域	7-200
Chĭang Chìeh-shíh	蔣介石	3-134
chĭang-chīn	獎金	9-134
chĭang-kăo	講稿	10-B-13
chĭang-k'ò	講課	10-B-9
chĭang-míng	講明	7-41
chĭang-t'án	講壇	1-D-15
chìang-hsìang	將相	7-30
chìang-tī	降低	1-L-39

CH'IANG

ch'īang kăn-tzu	槍桿子	9-341
ch'īang-shā	槍殺	6-80
ch'íang-chīen	强姦	6-88
ch'íang-jò	强弱	3-38
ch'íang-lìeh	强烈	5-4
ch'íang-shèng	强盛	7-263
ch'íang-tà	强大	1-A-236
ch'íang-tìao	强調	1-G-141
ch'ĭang-chìh	强制	1-L-56
ch'ĭang-p'ò	强迫	1-E-137
ch'ĭang-tz'ú tó-lĭ	强詞奪理	9-19

CHIAO

chiāo-aò	驕傲	1—L—51
chiāo-hùan	交換	1—G—5
chiāo-tiěn	焦點	9—6
chiǎo-hsíng	絞刑	6—53
chiǎo-kēn	脚跟	1—L—30
chiǎo-nà	繳納	5—224
chìao-ch'ē	轎車	9—70
chìao-ch'éng	教程	7—32
chìao-hsǜn	教訓	9—2
chìao-ì	教義	1—H—100
chìao-shòu	教授	1—L—45
chìao-tǎo	教導	2—55
chìao-t'íao	教條	1—F—108a
chìao-t'íao chǔ-ì	教條主義	1—F—108
chìao-wán	校完	7—16
chìao-yǜ	教育	1—B—200
chìao-yǘan	教員	1—L—46

CH'IAO

ch'íao-líang	橋樑	1—A—117
ch'ìao-p'i hùa	俏皮話	9—184

CHIEH

chiēh-chí	階級	1—A—27
chiēh-chìn	接近	1—G—188
chiēh-ch'ù	接觸	1—E—39
chiēh-ch'ūan	揭穿	1—J—14
chiēh-fā	揭發	1—L—78
chiēh-jèn	接任	1—K—18
chiēh-lù	揭露	1—L—141
chiēh-pān jén	接班人	9—351
chiēh-shìh	揭示	7—260
chiēh-shòu	接受	1—A—204
chiēh-tào	街道	1—E—37
chiēh-ts'éng	階層	1—A—199
chiēh-tùan	階段	1—A—35
chíeh-ch'éng	結成	1—E—16
chíeh-chiěn	節儉	8—B—11
chíeh-chìh tzū-pěn	節制資本	1—H—51
chíeh-ch'ū	傑出	3—131
chíeh-chǘ	結局	7—48
chíeh-hó	結合	1—F—100
chíeh-ján pū-t'úng	截然不同	7—148
chíeh-kòu	結構	7—49
chíeh-kǔo	結果	1—B—120
chíeh-lì	竭力	9—172
chíeh-lǜn	結論	1—C—50
chíeh-shè	結社	4—204
chíeh-shù	結束	1—A—98
chíeh-tó	切奪	5—121
chiěh-ch'ú	解除	3—106
chiěh-chǘeh	解決	1—A—11
chiěh-fàng	解放	1—C—30
chiěh-fu	姐夫	9—64
chiěh-kù	解雇	5—234
chiěh-p'ōu	解剖	1—K—90
chiěh-shìh	解釋	1—B—21
chìeh	屆	4—2
chìeh-chiāo	戒驕	9—367
chìeh-chìen	借鑒	9—34
chìeh-hsìen	界綫	1—A—127
chìeh-hsìen	界限	3—29
chìeh-ǐ	藉以	1—G—8; 5—77
chìeh-k'ǒu	藉口	2—41; 7—113
chìeh-mǎn	屆滿	4—87
chìeh-tài	借貸	5—32
chìeh-tsào	戒躁	9—368
chìeh-yén	戒嚴	4—131

CH'IEH

ch'ìeh-chǜ	竊據	9—69
ch'ìeh-ch'ǚ	竊取	6—58
ch'ìeh-nò	怯懦	5—117
ch'ìeh-shíh	切實	1—B—208

CHIEN

chiēn-ch'íang	堅强	2—18
chiēn-ch'íh	堅持	1—A—230
chiēn-chìn	監禁	9—180
chiēn-chǜ	艱巨	1—L—102
chiēn-chǘeh	堅決	1—G—47

chien-jùi	尖銳	1－K－112
chien-k'ŭ	艱苦	1－C－94
chien-k'ŭ chō-chüeh	艱苦卓絕	1－I－7
chien-mìeh chàn	殲滅戰	1－A－267
chien-pìng	兼幷	5－89
chien-shang	肩上	1－A－197
chien-shìh	監視	6－95
chien-shōu pìng-hsü	兼收並蓄	1－H－106
chien-tìng	堅定	1－L－37
chien-tū	監督	4－56
chien-ch'á	檢查	1－B－209
chien-ch'á chăng	檢察長	4－101
chien-ch'á ch'üan	檢察權	4－196
Chien-ch'á Wĕi-yüan Hùi	檢察委員會	4－120
chien ch'á yüan	檢察員	4－119
chien-chíh	簡直	1－I－4
chien-ch'īng	減輕	7－252
chien-hsí	減息	5－18
chien-jò	減弱	1－B－114
chien-míng	簡明	7－31
chien-pien	簡編	7－2
chien-shăo	減少	1－F－16
chien-tān	簡單	1－F－40
chien-t'ăo	檢討	2－97
chien-tsū	減租	5－15
chien-yā	減押	5－16
chien-yén chīh	簡言之	7－46
chien-yèn	檢驗	1－E－113
chìen-ch'éng	建成	4－8
chìen-chieh	間接	1－D－40
chìen-chieh	見解	1－F－12
chìen-chìen	漸漸	7－111
chìen-chù	建築	2－100
chìen-ì	建議	1－L－105
chìen-k'āng	健康	1－L－11
chìen-kúo	建國	1－H－34
chìen-lì	建立	1－B－10
chìen-píeh	鑒別	1－L－157
chìen-shăng chīa	鑑賞家	1－I－44
chìen-shè	建設	1－L－3
chìen-shùi shíh-wŭ	見稅什伍	5－172
chìen-yü	鑒於	8－A－31

CH'IEN

ch'ien-ch'ā wàn-píeh	千差萬別	1－F－50
ch'ien-ch'iu wàn-tài	千秋萬代	9－381
ch'ien-chün	千鈞	5－180
ch'ien-fāng pó-chì	千方百計	8－B－9
ch'ien-hsī	遷徙	4－212
ch'ien-hsü	謙虛	9－365
ch'íen-ch'áo	前朝	7－228
ch'íen-chĕ	前者	1－B－40
ch'íen-chìn	前進	1－C－23
ch'íen-fú lì	潛伏力	1－C－76
ch'íen-hòu	前後	1－E－90
ch'íen-hsì	前夕	9－125
ch'íen-hsìen	前綫	1－C－82
ch'íen-jén	前人	1－L－66
ch'íen sŏ wèi-yŭ	前所未有	1－E－129
ch'íen-t'í	前提	5－81
ch'íen-t'ú	前途	3－116
ch'íen-tùan	前段	7－132
ch'íen-tsài	潛在	8－B－14
ch'ìen-ch'üeh	欠缺	1－K－148

CHIH

chīh-chíeh	枝節	1－K－22
chīh-ch'íh	支持	9－238
chīh-fù	支付	1－B－25
chīh hó hsíng	知和行	1－E－3
chīh-lí p'ò-sùi	支離破碎	5－251
chīh-p'èi	支配	1－F－81

chīh-pù shū-chì 支部書記 1－K－169
chīh-shìh 知識 1－E－11
chīh-shǔ 之屬 1－H－46
chīh-yǘan 支援 8－A－5
chíh 質 1－F－49
chíh-chīeh 直接 1－B－5
chíh-chìen 直諫 7－239
chíh-ch'üan 職權 4－92
chíh-hsía shìh 直轄市 4－80
chíh-hsíng 執行 1－B－45
chíh-hsíng chī-kūan 執行機關 4－156
chíh-lìang 質量 1－G－19
chíh-mín tì 殖民地 1－A－13
chíh-té 值得 2－25
chíh-tsé 職責 3－12
chíh-wèi 職位 4－155
chíh-wèn 質問 4－137
chíh-wù 職務 2－28
chíh-wù hsǘeh 植物學 7－76
chíh-yèh 職業 1－K－142
chíh-yǘan 職員 1－G－73
chǐh-chèng 指正 7－283
chǐh-ch'ū 指出 1－G－44
chǐh-hūi 指揮 1－A－138a
chǐh-hūi yǘan 指揮員 1－A－138
chǐh lǎo-hǔ 紙老虎 9－304
chǐh-nán 指南 1－E－124
chǐh-nán chēn 指南針 7－106
chǐh-shìh 指示 1－K－40
chǐh-shǒu hùa-chīao 指手劃脚 1－K－23
chǐh-tǎo 指導 1－A－10
chǐh-tsé 指責 9－21
chǐh-tz'ǔ ī-chīa 只此一家 1－G－175
chǐh-wàng 指望 9－269
chìh-ch'éng 制成 5－152
chìh-ch'ū 制出 5－144
chìh-hsǜ 秩序 2－74
chìh-kāo 至高 1－A－112
chìh-kúo 治國 7－258
chìh-lì 智力 4－226
chìh-líao 治療 1－J－65
chìh-mìng 致命 1－C－84
chìh-pìng chìu-jén 治病救人 1－L－82
chìh-shìh jén-jén 志士仁人 1－L－99
chìh-tìng 制訂 2－77
chìh-tìng 製訂 3－80
chìh-ts'ái 制裁 5－106
chìh-tsào 制造 5－135
chìh-tsùi 治罪 6－102
chìh-tù 制度 1－A－270
chìh-tz'ú 製瓷 7－82
chìh-yǘ 至於 1－G－52
chìh-yǘ 置於 3－83
chìh yǘ mìng ǐ 至于命矣 10－B－36
chìh-yǜan 志願 1－A－123
chìh-yǜeh 制約 1－A－47

CH'IH

ch'īh-mèi wǎng-lìang 魑魅魍魎 5－259
ch'íh-ch'íh 遲遲 5－156
ch'íh-chǐu 持久 1－A－243
ch'íh-chǐu chàn 持久戰 1－A－260
ch'ǐh-jù 恥辱 1－K－9
ch'ǐh-lún 齒輪 1－G－154
ch'ìh-lǒ-lǒ 赤裸裸 9－73
ch'ìh-sè 赤色 3－66
ch'ìh-tsê 斥責 3－3

CHIN

chīn-ch'íen 金錢 9－226
chīn-chīn lè-taò 津津樂道 5－182
chīn-hòu 今後 1－A－162
chīn-júng 金融 5－204
chīn-t'īeh 津貼 9－138
chǐn-chāng 緊張 8－A－51
chǐn-chí 緊急 1－A－215
chǐn-chǐn 僅僅 1－A－50

chǐn-shèn	謹愼	9—366
chìn-chǎn	進展	5—57
chìn-ch'éng	進程	1—D—60
chìn-chǐh	禁止	1—H—59
chìn-hsíng	進行	1—A—16
chìn-hùa	進化	1—F—14
chìn ī-pù	進一步	1—I—58
chìn-jù	進入	1—D—28
chìn-kǔan	盡管	9—299
chìn-kūng	進攻	1—A—253
chìn-lì	盡力	2—38
chìn-lìang	盡量	2—88
chìn-lù	進路	1—C—32
chìn-pù	進步	1—A—118
chìn-shàn chìn-měi	盡善盡美	10—A—22
chìn-tài	近代	1—A—75
chìn-yǘ	近于	1—K—135

CH'IN

ch'īn-aì	親愛	3—161
ch'īn-chàn	侵占	9—109
ch'īn-fàn	侵犯	4—129
ch'īn-hsí	侵襲	9—32
ch'īn-hsìn	親信	9—49
ch'īn-jǎn	侵染	9—79
ch'īn-jù	侵入	1—B—74
ch'īn-lǜeh	侵略	1—C—28
ch'īn-shēn ch'ū-mǎ	親身出馬	1—K—163
Ch'īn-shǔ Pīen	親屬編	5—235
ch'īn-t'ūn	侵呑	9—133
ch'īn-tzù	親自	5—248
ch'īn-yǔ	親友	9—68
ch'ín-chīen ch'íh-chīa	勤儉持家	8—B—29
Ch'ín Hàn	秦漢	7—167
ch'ín-láo	勤勞	8—B—10
Ch'ín Shǐh-húang	秦始皇	7—168
ch'ín-wù yǘan	勤務員	2—29
ch'ín-yǘ	勤於	1—B—179

CHING

chīng-ch'áng	經常	1—K—97
chīng-chì	經濟	1—A—176
chīng-chì chī-ch'ǔ	經濟基礎	10—A—16
chīng-ch'ǜeh	精確	1—L—18
chīng-húa	精華	1—H—85
chīng-kēng hsì-tsò	精耕細作	8—B—13
chīng-lì	經歷	1—G—133
chīng-p'ì	精闢	6—63
chīng-shén	精神	1—B—43
chīng-shén pìng	精神病	4—202
chīng-sǔi	精髓	1—F—68
chīng-yèn	經驗	1—A—60
chīng-yèn lùn	經驗論	1—E—101
chīng-yíng	經營	1—H—47
chǐng-ch'á	警察	5—246
chǐng-chūng	警鐘	9—320
chǐng-t'ì	警惕	2—86
chìng-chēng	競爭	3—22
chìng-chǐh	靜止	10—A—30
chìng-ján	竟然	9—94
chìng-k'uàng	境況	7—249

CH'ING

ch'īng-chù	傾注	1—C—81
ch'īng-ch'ú	淸除	2—20
ch'īng-chùng	輕重	1—G—163
ch'īng-hsǐ	淸洗	9—124
ch'īng-hsìang	傾向	1—C—19
ch'īng-hsíng	輕刑	6—41
ch'īng kūng-yèh	輕工業	8—A—41
ch'īng-lǐ	淸理	1—H—103
Ch'īng-lǜ	淸律	5—165
ch'īng-mèng	淸夢	9—243
ch'īng-níen	靑年	1—H—111
ch'īng-shìh	輕視	1—C—18
ch'īng-shùai	輕率	2—37
ch'īng-sùan	淸算	1—G—101
ch'īng-t'īng	傾聽	4—70
ch'īng-yà	傾軋	6—103

ch'íng-chǐng	情景	7–51
ch'íng-hsíng	情形	1–A–22
ch'íng-hsǜ	情緒	1–G–121
ch'íng-kǎn	情感	3–150
ch'íng-k'ùang	情況	1–A–79
Ch'íng-pào Chǘ	情報局	3–1
ch'íng pū tzù-chìn	情不自禁	3–97
ch'íng-shìh	情勢	1–K–41
ch'ǐng-ch'íu	請求	1–K–28
ch'ìng-chia	親家	9–67
ch'ìng-chù	慶祝	1–I–3

CHIU

chīu-ch'án	糾纏	3–164
chīu-chèng	糾正	1–C–20
chīu-chìng	究竟	1–E–30
chīu-fēn	糾紛	1–K–66
chǐu-yǚan	久遠	7–65
chìu	就	1–A–289
chìu-chì	救濟	4–222
chìu-chūng	就中	1–G–10
chìu-hsīng	救星	1–H–16
Chìu-Ó Tì-kúo	舊俄帝國	3–52
chìu-shìh	舊式	1–G–77
chìu-yào	救藥	9–218
chìu-yèh	就業	4–213

CH'IU

ch'íu-té	求得	1–G–6
ch'íu-t'úng ts'ún-ì	求同存異	10–B–45

CHO

chō-chù	捉住	1–F–76
chó-chùng	著重	1–F–75
chó-lìeh	拙劣	9–247
chó-shǒu	著手	8–A–27

CHOU

chōu-mì	周密	10–B–59
chōu-wěi	州委	9–129

CH'OU

ch'ōu-ch'ū	抽出	1–K–136
ch'ōu-hsìang	抽象	1–G–98
ch'óu-hèn	仇恨	3–163
ch'óu-hùa	籌劃	1–B–203
ch'óu-shìh	仇視	1–L–32
ch'óu-tùan	綢緞	1–K–162
ch'ǒu-hùa	醜化	9–101
ch'ǒu-t'ài	醜態	1–J–29

CHU

chū-jú	諸如	7–69
Chū-kó Lìang	諸葛亮	7–242
chú-chìen	逐漸	1–B–101
chú-i	主意	1–K–16
chú-pù	逐步	1–L–15
chú-tz'ù	逐次	7–196
chǔ-chāng	主張	1–G–136
chǔ-ch'íh	主持	4–91
chǔ-ch'üan	主權	4–29
chǔ-hsí	主席	1–K–166
chǔ-hsí t'úan	主席團	4–90
chǔ-ì	主義	1–A–168a
chǔ-jén	主人	7–28
chǔ-jèn	主任	4–109
chǔ-kūan	主觀	1–E–132
chǔ-kūng	主攻	1–B–105
chǔ-lì chǖn	主力軍	1–A–186
chǔ-tǎo	主導	1–F–80
chǔ-t'ǐ	主體	1–D–55
chǔ-tùng	主動	1–B–51
chǔ-yào	主要	1–A–149
chù-chái	住宅	4–211
chù-chǎng	助長	9–37
chù-chùng	注重	1–K–10
chù-ì	注意	1–B–156
chù-tsò	著作	5–252
chù-wài	駐外	4–121
chù-yǔ	著有	10–B–31
chú-yǜan	祝願	9–253

CH'U

ch'ū-ch'ǎn	出產	3–30
ch'ū-chí	初級	1–G–149
ch'ū-ch'ī	初期	1–E–71
ch'ū-ch'ǐ	初起	3–124

ch'ū-chìng	出境	5–9
ch'ū-ĕrh făn-ĕrh	出爾反爾	9–217
ch'ū-fā	出發	1–A–121
ch'ū-fā tīen	出發點	1–I–81
ch'ū-hsìen	出現	1–F–31
ch'ū-lù	出路	1–L–10
ch'ū-mài	出賣	5–206
ch'ū-níen	初年	7–202
ch'ū-păn	出版	1–A–48
ch'ū-pù	初步	5–130
ch'ū-shēn	出身	1–J–55
ch'ū-shòu	出售	9–51
ch'ū tí pū-ì	出敵不意	1–B–81
ch'ū-tz'ù	初次	1–K–172
ch'ū-yǜ	出獄	6–66
ch'ú-ch'ǜ	除去	1–F–67
ch'ú-hsíng	雛型	5–44
ch'ú-hsǜ	儲蓄	4–64
ch'ú-pèi	儲備	9–221
ch'ŭ-chìh	處置	1–B–126
ch'ŭ-fá	處罰	6–1
ch'ŭ-fèn	處分	5–212
ch'ŭ-lĭ	處理	1–L–114
ch'ŭ-tsài	處在	1–L–2
ch'ŭ-yǘ	處於	1–B–92
ch'ù-fàn	觸犯	6–10

CHUAN

chūan-chèng	專政	1–H–19
chūan-chīa	專家	9–82
chūan-chìh	專制	2–75
chūan-ch'ǖ	專區	8–B–25
chūan-hèng pá-hù	專橫跋扈	9–363
chūan-k'ān	專刊	1–B–3
chūan-mén	專門	1–G–170a
chūan-mén chīa	專門家	1–G–170
chŭan-hsìang	轉向	3–6
chŭan-hùa	轉化	1–F–95
chŭan-í	轉移	1–A–257
chŭan-jù	轉入	7–17
chŭan-pìen	轉變	1–B–139
chŭan-tùng	轉動	9–379

CH'UAN

ch'úan-hsǜn	傳訊	9–179
ch'úan-pō	傳播	1–J–51
ch'úan-shūo	傳說	7–234
ch'úan-tào shìh	傳道士	9–224
ch'úan-t'ŭng	傳統	3–152

CHUANG

chūang-ch'īang tsò-shìh	裝腔作勢	1–L–124
chūang-ch'ū	裝出	1–I–24
chūang-pèi	裝備	1–B–204
chūang-shìh	裝飾	3–42
chūang-yén	莊嚴	1–H–55
chūang-yǘan	莊員	9–62
chùang-k'ùang	狀況	1–G–105
chùang-tà	壯大	10–A–21
chùang-t'ài	狀態	2–83

CH'UANG

ch'ùang-lì	創立	1–E–118
ch'ùang-shè	創設	8–A–46
ch'ùang-tsào	創造	1–H–101
ch'ùang-tsò	創作	1–G–102

CHUI

chūi-ch'íu	追求	1–G–96
chūi-súi	追隨	1–H–3

CH'UI

ch'ūi-p'ĕng	吹捧	9–266
ch'ūi-shìh yǘan	炊事員	2–31

CHUN

chŭn-ch'ǜeh	準確	8–A–59
chŭn-pèi	準備	1–B–197
chŭn-shéng	準繩	5–92
chŭn-tsé	準則	5–93

CH'UN

ch'ún-chèng	純正	3–159
ch'ún-chíeh	純潔	5–53
ch'ŭn-jén	蠢人	1–K–13

CHUNG

chūng-aì	忠愛	7–232
chūng-ch'éng	忠誠	2–42

chūng-chí	終極	1–K–91
chūng-ch'ī	中期	7–131
chūng-chíeh	終結	8–A–29
chūng-chīen	中間	1–F–96
chūng-chīu	終久	1–A–88
chūng-chǖn	忠君	7–222
chūng-hsīn	中心	1–B–218
chūng-hsīn	衷心	9–252
Chūng-húa	中華	1–G–138
Chūng-húa Mín-kúo	中華民國	1–H–32
Chūng-kùng	中共	1–C–98
Chūng-kúo pū chèn-lǚ	中國不振旅	7–208
Chūng-Mĕi Shāng-wù Chùng-ts'ái Huì	中美商務仲裁會	5–247
Chūng-Mĕi Shāng-yǖeh	中美商約	5–243
Chūng Nán Mĕi-chōu	中南美洲	3–58
chūng-núng	中農	1–K–83
Chūng-shān	中山	1–H–63
chūng-shíh	忠實	2–52
chūng-t'ú	中途	7–223
chūng-tùan	中斷	1–I–88
Chūng-yāng	中央	1–C–99
chūng-yǘ	忠于	2–27
chūng-yǘ	終于	4–6
Chūng-yǘan	中原	5–40
chŭng-tsú	種族	4–198
chùng-chíh	種植	7–88
chùng-k'ĕn	中肯	1–L–128
chùng kūng-yèh	重工業	8–A–33
chùng-shìh	重視	1–L–177
chùng-tà	重大	1–E–127
chùng-tĭen	重點	8–A–34
chùng-yào	重要	1–A–153

CH'UNG

ch'ūng-fèn	充分	1–E–107
ch'ūng-p'ò	衝破	1–C–97
ch'ūng-tāng	充當	1–I–32
ch'ūng-tsò	充作	1–I–28
ch'ūng-t'ú	衝突	5–87
ch'úng-ch'úng	重重	9–214
ch'úng-fèng	崇奉	5–193
ch'úng-fù	重複	1–F–17
ch'úng-hsīn	重新	5–261
ch'úng-kāo	崇高	4–35
ch'úng-ts'āo chìu-yèh	重操舊業	5–62
ch'úng-yĕn	重演	9–356

CHÜ

chǖ-chù	居住	4–200
chǖ-hsīn	居心	5–157
chǖ-líu	居留	4–235
chǖ-mín	居民	1–B–146
chǖ-tì	居地	7–198
chǘ-kūng chìn-ts'ùi	鞠躬盡瘁	7–244
chǘ-mìen	局面	1–K–121
chǘ-pù	局部	1–A–135
chǚ-chǘeh	咀嚼	1–H–79
chǚ-hsíng	舉行	1–A–111
chǚ-lì	舉例	1–K–79
chǚ-pàn	舉辦	4–220
chǜ-chǖ	聚居	4–41
chǜ-chǘeh	拒絕	3–49
chǜ-lí	距離	9–233
chǜ-pèi	具備	1–F–90
chǜ-tà	巨大	7–101
chǜ-t'ĭ	具體	1–A–44
chǜ-yŭ	具有	1–A–192

CH'Ü

ch'ǖ-chăng	區長	4–172
ch'ǖ-ché	曲折	9–310
ch'ǖ-chú	驅逐	1–B–8
ch'ǖ-hsìang	趨向	1–F–37
ch'ǖ-píeh	區別	1–A–124
ch'ǖ-shĭh	驅使	6–18
ch'ǖ-shìh	趨勢	1–G–45
ch'ǖ-wĕi	區委	9–131

ch'ǔ-yǘ	趨於	7－180	
ch'ǔ-yǜ	區域	1－D－43	
Ch'ǚ-Yǘan	屈原	7－237	
ch'ǔ-ch'áng pǔ-tǔan			
	取長補短	1－I－96	
ch'ǔ-chǘeh	取決	1－A－146	
ch'ǔ-hsīao	取消	9－12	
ch'ǔ-shě	取捨	1－A－72	
ch'ǔ-tài	取代	9－23	
ch'ǔ-té	取得	1－B－185	
ch'ǔ-tì	取締	5－21	
ch'ǔ-tìao	去掉	1－G－66	

CH'ÜAN

ch'ǚan-chǘ	全局	1－A－128	
ch'ǚan-ch'ǚan tài-pǐao			
	全權代表	4－122	
ch'ǚan-hsìen	權限	4－164	
ch'ǚan-hsīn ch'ǚan-ì			
	全心全意	2－9	
ch'ǚan-ì	權益	5－105	
ch'ǚan-kúo	全國	1－C－5	
Ch'ǚan-kúo Jén-mín			
Tài-pǐao Tà-hùi			
	全國人民代表大會	4－3	
Ch'ǚan-kúo Tài-pǐao Tà-hùi			
	全國代表大會	1－H－53	
ch'ǚan-lì	權利	1－D－27	
ch'ǚan-lì	權力	2－70	
ch'ǚan-lì chī-kūan			
	權力機關	4－78	
ch'ǚan-mìen	全面	1－C－88	
ch'ǚan-mín chīeh-pīng			
	全民皆兵	9－340	
ch'ǚan-mín kúo-chīa			
	全民國家	9－10	
ch'ǚan-mín sǒ-yǔ chìh			
	全民所有制	4－43	
ch'ǚan-mín tǎng			
	全民黨	9－11	
ch'ǚan-p'án hsī-hùa			
	全盤西化	1－H－91	

ch'ǚan-pù	全部	1－B－60	
ch'ǚan-tǎng	全黨	1－I－62	
ch'ǚan-t'ǐ	全體	1－B－31	
ch'ǚan-chìh	犬彘	5－174	

CHÜEH

chǘeh-chì	決計	9－300	
chǘeh-hsīn	決心	1－C－33	
chǘeh-ì	決議	2－69	
chǘeh-sùan	決算	4－104	
chǘeh-tà	絕大	1－G－129	
chǘeh-tìng	決定	1－A－158	
chǘeh-tòu	角鬥	6－20	
chǘeh-tùi	絕對	1－A－229	
chǘeh-wù	覺悟	1－H－2	

CH'ÜEH

ch'ǖeh-fá	缺乏	1－A－177	
ch'ǖeh-shǎo	缺少	1－G－93	
ch'ǖeh-tīen	缺點	1－A－154	
ch'ǖeh-wèi	缺位	4－153	
ch'ǜeh-ch'ìeh	確切	9－204	
ch'ǜeh-lì	確立	5－239	
ch'ǜeh-shíh	確實	7－60	
ch'ǜeh-tìng	確定	1－B－198	

CHÜN

chǔn-chǔ	君主	5－168	
chǖn-fá	軍閥	1－A－280	
chǖn-jén	軍人	1－C－17	
chǖn-mín	軍民	1－C－10	
chǖn-shìh	軍事	1－A－47	
chǖn-tùi	軍隊	1－B－18	
chǖn-yùng p'ǐn	軍用品	9－48	

CH'ÜN

ch'ǘn-chùng	羣衆	1－A－182	
ch'ǘn-chùng tà-hùi			
	羣衆大會	1－E－42	

EN

Ēn-kó-szū	恩格斯	1－E－76	
ēn-tz'ù	恩賜	2－47	

ERH

érh-ǐ	而已	5－257	
érh-t'úng	兒童	4－229

ĕrh-hòu 爾後 1−E−120
èrh-chĕ 二者 1−F−97
èrh pĕn yǘ ī 二本于一 10−B−39
èrh-shìh níen-tài 二十年代 9−56
èrh-yǘan lùn 二元論 1−G−158

FA

fā-chăn 發展 1−A−8
fā-chǘeh 發掘 7−137
fā-hsìen 發現 1−E−140
fā-hūi 發揮 3−109
fā-jè 發熱 1−F−55
fā-kūang 發光 1−F−54
fā-míng 發明 5−136
fā-pĭao 發表 1−G−111
fā-pù 發布 2−102
fā-shēng 發生 1−A−249
fā-shēng 發聲 1−F−53
fā-shìh 發誓 9−281
fā-tá 發達 1−L−42
fā-ts'ái 發財 8−B−4
fā-tùng 發動 1−C−27
fā-wèn 發問 1−K−153
fā-yáng 發揚 1−B−38
fā-yén ch'ǘan 發言權 1−K−3
fá-chīn 罰金 6−75
fă-àn 法案 4−133
fă-chìh 法制 5−74
fă-ch'ǘan 法權 6−100
fă-hsī-szū 法西斯 1−D−7
fă-hsǘeh 法學 5−3
fă-jén 法人 5−76
fă-kūan 法官 6−35
fă-kūei 法規 2−76
fă-lìng 法令 4−113
fă-lǜ 法律 4−48
fă shīh yǘ mín 法施於民 7−225
fă-t'iao 法條 5−159
fă-tĭen 法典 5−155
fă-tsé 法則 1−F−1
fă-t'ŭng 法統 5−46
fă-yǜan 法院 4−98b

FAN

fān-ì 翻譯 4−192
fān-k'àn 翻看 9−38
fān-t'ien fù-tì 翻天覆地 9−312
fán-chèn 藩鎮 7−172
fán-júng 繁榮 1−L−98
fán-shŭ 凡屬 1−A−132
făn-chīh 反之 3−133
făn-chŭan 反轉 1−G−151
făn-fù 反覆 1−E−58
făn-húan 返還 5−101
făn-k'àng 反抗 1−B−76
făn kó-mìng 反革命 1−A−90
făn-kùng 反共 1−G−51
făn-mìen 反面 1−L−155
făn Sū 反蘇 3−5
făn-tăng 反黨 2−94
făn-tì 反帝 1−H−97
făn tsò-yùng 反作用 10−A−8
făn-tùi 反對 1−A−89
făn-tùng 反動 1−A−45
făn-yìng 反映 1−J−54
fàn-ch'óu 範疇 3−128
fàn-làn 泛濫 1−L−167
fàn-shìh 犯事 1−K−64
fàn-tsùi 犯罪 1−L−90
fàn-wéi 範圍 1−E−122
fàn-yén 犯顏 7−245

FANG

fāng-chēn 方針 1−B−47
fāng-fă lùn 方法論 10−B−58
fāng-hsìang 方向 1−A−252
Fāng Ĭ-chìh 方以智 10−A−5
fāng-shìh 方式 1−E−18
fāng-yǘan 方圓 10−B−22
fáng-ài 妨礙 1−I−65
fáng-chĭh 防止 1−I−97
fáng-hài 妨害 2−85

Fáng-Sū Fáng-Kùng	防蘇防共	3–91
fáng-yǜ	防禦	1–A–255
fǎng-fú	彷彿	7–38
fǎng-wèn	訪問	9–271
fàng-ch'ì	放棄	1–A–222
fàng-chìen	放箭	1–I–35
fàng-chìh	放置	7–117
fàng-kùo	放過	9–342
fàng-shǒu	放手	1–L–142
fàng-szù	放肆	9–108

FEI

fēi	非	1–A–93
fēi-ch'áng	非常	1–D–35
Fēi-chōu	非洲	3–59
fēi-fǎ	非法	4–61
Fēi-lǜ-pīn	非律賓	3–55
fēi sǒ-yǔ jén	非所有人	5–91
fēi-yǜeh	飛躍	1–E–60
féi-p'àng	肥胖	9–289
fěi-pàng	誹謗	5–65
fěi-t'ú	匪徒	6–79
fèi-ch'ú	廢除	3–120

FEN

fēn-ch'ī	分期	7–127
fēn-chīeh	分解	1–H–84
fēn-ch'īng tí-wǒ	分清敵我	1–L–131
fēn-fǎ	分法	7–129
fēn-fán	紛繁	7–120
fēn-fēn	紛紛	7–231
fēn-hsī	分析	1–F–71
fēn-hùa	分化	1–C–93
fēn-kō	分割	7–199
fēn-kó	分隔	3–148
fēn-kūng	分工	7–8
fēn kūng-szū	分公司	5–241
fēn-lèi	分類	7–275
fēn-lí	分離	4–42
fēn-lì	分立	3–39
fēn-lìeh	分裂	2–95a
fēn-lìeh chǔ-ì chě	分裂主義者	2–95
fēn-p'èi	分配	1–H–60
fēn-p'ī	分批	1–L–63
fēn-píeh	分別	3–127
fēn-sàn	分散	1–B–148
fén-shā	焚殺	6–49
fěn-sùi	粉碎	9–92
fèn-tòu	奮鬥	1–L–100
fèn-tzǔ	分子	1–G–128

FENG

fēng-ch'ì	風氣	1–L–62
fēng-chìen	封建	1–A–14
fēng-chìen chǔ	封建主	6–22
fēng-fù	豐富	1–E–94
fēng-jén yǜan	瘋人院	9–181
fēng-kó	風格	9–346
fēng-k'úang	瘋狂	7–220
fēng-làng	風浪	1–L–24a
fēng-máng	鋒芒	6–101
fēng-sú	風俗	4–39
fěng-tz'ù	諷刺	1–L–129
fèng-ch'ǜan	奉勸	9–298

FOU

fǒu-jèn	否認	1–F–62
fǒu-tìng	否定	1–L–85
fǒu-tsé	否則	1–F–105

FU

fū-ch'ien	膚淺	7–62
fū-ch'ǘan	夫權	5–236
fū-yěn	敷衍	1–L–79
fú-chíh	扶植	9–106
fú-hào	符號	10–B–40
fú-hó	符合	1–E–115
fú-ì	服役	3–33
fú-lì	福利	2–24
fú-lǔ	俘虜	1–I–27
fú-ts'úng	服從	1–G–157
fú-wù	服務	1–E–31
fǔ-chù	輔助	5–107
fǔ-hsǐu	腐朽	1–G–178

fŭ-hùa	腐化	7–55
fŭ-làn	腐爛	9–144
fŭ-shíh	腐蝕	9–80
fù-chīa	附加	9–137
fù-ch'íang	富强	8–A–32
fù-chù	附註	7–36
fù-húo	復活	3–104
fù-mò	覆没	9–316
fù-núng	富農	1–H–66
fù-pì	復辟	5–72
fù-shŭ kúo	附屬國	9–241
fù-shŭ wù	附屬物	7–165
fù-súi	附隨	1–C–43
fù-tài	附帶	5–164
fù-tān	負擔	1–G–56
fù-tsá	複雜	1–F–43
fù-tsé	負責	2–34
fù-yèh	副業	8–A–16
fù-yŭ	富有	5–116
fù-yǘ	富於	7–61
fù-yǚ	賦予	10–B–50
fù-yǜ	富裕	1–L–101

HAI

hăi-ch'úan	海船	7–100
hài-jén	害人	1–J–10
hài-jén t'īng-wén	駭人聽聞	9–187

HAN

hán-ì	涵義	7–212
hán-ì	含義	10–B–51
hán-yŭ	含有	1–F–36
hàn-chīen	漢奸	3–138
Hàn-tsú	漢族	7–115

HANG

háng-ch'úan	航船	1–H–123
háng-hăi	航海	7–105
háng-k'ūng	航空	1–H–45
háng-tūng	行東	7–44
háng-yèh	行業	1–K–89

HAO

háo-chíeh	豪傑	2–46
háo-mín	豪民	5–171
háo-wú	毫無	1–A–99
hăo-ts'ài	好菜	9–259
hào-chào	號召	1–J–30
hào jú yēn-hăi	浩如烟海	5–186

HEI

hēi-àn	黑暗	1–E–128
Hēi-kó-ĕrh	黑格爾	10–B–44

HO

hó-ch'ù	何處	1–H–1
hó-èrh érh-ī	合二而一	10–A–2
hó-fă	合法	1–D–9
hó-fēng hsì-yǚ	和風細雨	1–L–80
hó-hsīn	核心	1–F–5
hó-hū	合乎	1–E–55
hó-hŭo	合伙	9–236
hó-ĭ	何以	1–A–142
hó-lĭ	合理	8–A–45
hó-p'íng	和平	1–A–120
hó-p'íng chìng-sài	和平競賽	9–8
hó-p'íng kùng-ch'ŭ	和平共處	9–7
hó-p'íng kùo-tù	和平過渡	9–9
hó-tĕng	何等	1–H–116
hó-tsò	合作	1–A–214
hó-tsò hùa	合作化	5–143
hó-tsò shè	合作社	4–44
hó yŭ wú wèi chīh yǘan	合有無謂之元	10–B–18
hó-yùng	合用	7–12
hó-yǘ	合于	1–L–152
Hò-lŭ-hsīao-fū	赫魯曉夫	9–1

HOU

hòu-chĕ	後者	1–B–42
hòu-chì	後繼	9–353
hòu-ch'ī	後期	1–C–66
hòu-chìn	後進	10–A–24
hòu-chǘeh	後覺	2–51
hòu-fāng	後方	1–A–269
hòu-hsǚan	候選	2–80

hòu-kŭo	後果	7—272
hòu-tài	後代	9—355
hòu-tùan	後段	7—133
hòu-t'ùi	後退	1—J—35

HSI

hsī-ch'í	稀奇	9—276
Hsī-Chōu	西周	7—130
hsī-ch'ǚ	吸取	6—82
Hsī-là	希臘	3—93
hsī-mìeh	熄滅	9—27
hsī-shēng	犧牲	1—B—24
hsī-shōu	吸收	1—H—72
Hsī-t'è-lè	希特勒	3—89
hsī-wàng	希望	1—G—109
hsī-yĭn	吸引	10—A—9
hsí-chī	襲擊	1—B—80
hsí-kùan	習慣	1—C—49
hsĭ-shūa	洗刷	1—K—69
hsì-chìh	細致	1—L—148
hsì-chǜ	戲劇	1—G—130
hsì-hsīn	細心	2—16
hsì-lìeh	系列	1—B—34
hsì-mì	細密	5—154
hsì-mù	細目	1—K—157
hsì-t'ŭng	系統	2—56

HSIA

hsīa-shūo	瞎說	1—K—5
hsía-ài	狹隘	1—A—200
hsìa-chí	下級	1—I—72
hsìa-ch'í	下棋	1—A—160
hsìa-chìang	下降	8—A—21
hsìa-chìen	下賤	3—46
hsìa-chūng núng	下中農	9—332
hsìa-hu	嚇唬	1—I—26
hsìa-lìeh	下列	1—B—49
hsìa-shù	下述	1—E—131

HSIANG

hsīang-chăng	鄉長	4—173
hsīang chèng-fŭ	鄉政府	1—K—165
hsīang-chì	相繼	5—38
hsīang-făn hsīang-ch'éng	相反相成	1—B—29
hsīang-hsia jén	鄉下人	1—K—74
hsīang-hsìn	相信	1—C—95
hsīang-hù	相互	1—E—10
hsīang-júng	相容	5—48
hsīang-tāng	相當	1—B—164
hsīang-ts'ūn	鄉村	1—D—23
hsīang-tùi	相對	1—A—272
hsīang-tùi hsìng	相對性	1—F—46
hsīang-t'úng	相同	1—D—61
hsīang-yìng	相應	8—A—10
hsíang-chìn	詳盡	3—108
hsíang-hsì	詳細	10—B—12
hsĭang-fă	想法	1—B—189
hsĭang-lè	享樂	9—229
hsĭang-shòu	享受	4—209
hsĭang-yŭ	享有	4—227
hsìang-chēng	象徵	7—229
hsìang-wăng	向往	9—162

HSIAO

hsīao-chí	消極	1—J—43
hsīao-ch'ú	消除	1—L—137
hsīao-fèi	消費	8—A—20a
hsīao-fèi tzū-lìao	消費資料	8—A—20
hsīao-hào	消耗	1—C—69
hsīao-mìeh	消滅	1—A—82
hsīao-mó	消磨	1—C—73
hsīao-shīh	消失	9—207
hsīao-shŏu	梟首	6—45
hsīao-wáng	消亡	9—170
hsĭao-chìu-tzu	小舅子	9—66
hsĭao shēng-ch'ăn	小生產	1—A—187
hsĭao-tsú	小卒	3—51
hsĭao tzū-ch'ăn chīeh-chí	小資產階級	1—A—184
hsìao-chūng	效忠	4—71

hsìao-kŭo 效果 1—L—65
hsìao-láo 效勞 9—17
hsìao-lì 效力 1—J—60
hsìao-tào 孝道 7—152
hsìao-tzŭ hsíen-sūn 孝子賢孫 5—59

HSIEH

hsíeh-chù 協助 1—G—7
hsíeh-lì 協力 1—E—15
hsíeh-t'íao 協調 1—G—117
hsíeh-t'úng 協同 1—B—103
hsĭeh-chào 寫照 5—127
hsĭeh-fă 寫法 7—26
hsĭeh-tsò 寫作 1—L—138

HSIEN

hsīen-ché 先哲 1—K—52
hsīen-chìn 先進 1—A—205
hsīen-chüéh chě 先覺者 2—50
hsīen-fēng tùi 先鋒隊 1—G—41
Hsīen-ló 暹羅 3—129
hsīen-míng 鮮明 5—78
hsīen-t'óu 先頭 1—K—12
hsīen-yǘ 先于 9—169
hsíen-chí 銜級 4—125
hsĭen-chù 顯著 1—F—104
hsĭen érh ì-chìen 顯而易見 9—57
hsĭen-ján 顯然 1—K—123
hsĭen-ò 險惡 7—104
hsĭen-shìh 顯示 7—23
hsìen-chăng 縣長 4—171
hsìen-ch'éng 現成 1—I—15
hsìen-chìh 限制 1—A—190
hsìen-chìh 縣志 10—B—28
hsìen-chùang 現狀 1—J—37
hsìen-fă 憲法 4—1
hsìen-hsìang 現象 1—E—9
hsìen-jù 陷入 1—B—173
hsìen-mù 羨慕 9—264
hsìen-pīng 憲兵 5—245
hsìen-shíh 現實 1—E—67
hsìen-shíh chŭ-ì 現實主義 1—G—183
hsìen-sŏ 綫索 7—34
hsìen-tài 現代 1—L—17
hsìen-tìng 限定 7—18
hsìen-ts'ún 現存 7—157
hsìen-tù 限度 1—B—118
hsìen-yǘ 限於 1—B—133

HSIN

hsīn-ch'én tài-hsìeh 新陳代謝 10—A—15
hsīn-ch'í 新奇 1—K—75
Hsīn-chīang 新疆 10—B—11
hsīn-chīn 薪金 9—84
hsīn-ch'ín 辛勤 8—B—15
hsīn-chūng 心中 1—F—84
hsīn-hài 辛亥 1—H—4
hsīn-hsīen 新鮮 1—I—93
hsīn-húai tí-ì 心懷敵意 1—L—111
hsīn-k'ŭ 辛苦 1—G—134
hsīn-lĭ 心理 1—G—107
hsīn-mù 心目 9—260
Hsīn Szù-chǖn 新四軍 1—G—124
hsìn-chìen 信件 9—268
hsìn-fèng 信奉 1—J—26
hsìn-hsīn 信心 1—L—113
hsìn-jèn 信任 2—11
hsìn-yăng 信仰 1—H—14
hsìn-yùng hó-tsò 信用合作 4—54

HSING

hsīng-ch'ĭ 興起 1—C—54
hsīng-fēng tsò-làng 興風作浪 1—L—24
hsīng-shèng 興盛 1—H—23
hsíng-chèng 行政 1—L—160
hsíng-chèng chī-kūan 行政機關 4—157
hsíng-ch'éng 形成 1—A—228
hsíng ch'ī wú-hsíng 刑期無刑 6—111
hsíng-chīang 行將 1—C—70

hsíng-érh-shàng hsüéh 形而上學 1－F－13
hsíng-fá 刑罰 5－162
hsíng-fă 刑法 5－79
hsíng-fă tiēn 刑法典 6－27
hsíng-hsìang 形象 10－A－42
hsíng-hsíng sè-sè 形形色色 9－42
hsíng-júng 形容 3－146
hsíng-lèi 型類 7－33
hsíng-lǜ 刑律 5－163
hsíng-shīh 行使 2－72
hsíng-shìh 形式 1－A－38
hsíng-shìh 形勢 1－B－140
hsíng-t'ài 形態 1－C－47
hsíng-t'ĭ 形體 7－186
hsíng-tùng 行動 1－B－2
hsíng-wéi 行爲 1－G－169
hsìng 性 1－A－68
hsìng-chíh 性質 1－A－23
hsìng-fú 幸福 1－B－12
hsìng-kāo ts'ăi-lìeh 興高采烈 9－297
hsìng-kó 性格 8－B－24
hsìng-píeh 性別 4－199

HSIU

hsīu-chèng chŭ-ì 修正主義 1－L－169
hsīu-chìa 休假 4－217
hsīu-hsi 休息 4－216
hsīu-kăi 修改 2－4
hsīu-tìng 修訂 7－3
hsīu-yăng 休養 4－219
hsīu-yăng 修養 7－53

HSIUNG

Hsīung-yá-lì 匈牙利 9－272

HSÜ

hsǖ-chīh 須知 1－B－216
hsǖ-hsīn 虛心 1－A－203
hsǖ-húai jò kŭ 虛懷若谷 10－A－41
hsǖ-jò wú-lì 虛弱無力 9－303
hsǖ-wèi 虛僞 5－268
hsǖ-yào 需要 1－B－138
hsǚ-k'ŏ 許可 1－I－82
hsǜ-shù 敍述 6－115
hsǜ-yén 序言 4－4
hsǜ-yén 緒言 7－4

HSÜAN

hsǖan-ch'ēng 宣稱 9－182
hsǖan-ch'úan 宣傳 1－A－276a
hsǖan-ch'úan chĕ 宣傳者 1－A－276
hsǖan-pù 宣布 1－K－20
hsǖan-yáng 宣揚 9－113
hsǖan-yén 宣言 1－H－54
hsǘan-hsüéh 玄學 1－F－21
hsǚan-ch'ū 選出 4－82
hsǚan-chǚ 選舉 2－68
hsǚan-chǚ fă 選舉法 4－85
hsǚan-mín 選民 4－167
hsǚan-tsé 選擇 5－187

HSÜEH

hsüéh-fá shìh 學閥式 9－97
hsüéh-fēng 學風 1－I－10
hsüéh-hsí 學習 1－G－34
hsüéh-p'ài 學派 5－253
hsüéh-shù 學術 1－L－69
hsüéh-shūo 學說 1－E－119
hsüéh-wèn 學問 1－L－49
hsüéh-yüan 學員 10－B－14
hsüéh-yüan 學院 7－7
hsüèh-chàn 血戰 1－A－290
hsüèh-hàn 血汗 9－150
hsüèh-hsīng 血腥 9－188
hsüéh-jò 削弱 1－G－18
hsüèh-jòu 血肉 9－322
hsüèh-tsú shìh-lǚ 削足適履 1－A－56

HSÜN

hsǘn-chāng 勛章 4－126
hsǘn-chāng ché-chǜ 尋章摘句 7－138
hsǘn-ch'áng 尋常 1－C－48

hsǘn-chǎo	尋找	3-101
hsǘn-fú	馴服	6-60
hsǘn-húan	循環	1-E-141
hsǘn-míng tsé-shíh	循名責實	1-H-33
hsǘn-shìh yǘan	巡視員	1-K-17
hsǘn-tz'ǔ chì-chìn	循此繼進	1-E-63
hsǜn-lìen	訓練	1-C-64
hsǜn-sù	迅速	1-H-6
hsǜn-tsàng	殉葬	7-144

HU

hū-hsī	呼吸	10-B-23
hū-lǜeh	忽略	1-L-168
hū-shìh	忽視	1-D-37
hú-t'ú	糊塗	1-I-13
hù-chù	互助	4-19
hù-chù tsǔ	互助組	8-A-22
hù-hsīang	互相	1-A-84
hù-lì	互利	4-28
hù-wéi t'íao-chìen	互爲…條件	1-F-92

HUA

hūa-kūang	花光	9-220
hūa-yàng fán-tō	花樣繁多	9-136
húa-ch'íao	華僑	4-81
Húa-chūng	華中	1-G-71
Húa-Hsìa	華夏	7-204
Húa-pěi	華北	1-G-70
hùa-ch'īng	劃清	5-54
hùa-fēn	化分	1-F-57
hùa-fēn	劃分	4-105
hùa-hó	化合	1-F-58
hùa-hsǘeh	化學	7-73
hùa-kūng wéi szū	化公爲私	9-142

HUAI

húai-í	懷疑	1-I-8
húai-pào	懷抱	3-73
húai-ts'ái pū-yǜ	懷才不遇	7-225

HUAN

hūan-hū	歡呼	3-98
hūan-yíng	歡迎	1-H-126
húan-chíeh	環節	10-A-23
húan-chìng	環境	1-A-40
hǔan-chí	緩急	1-G-164
hǔan-hó	緩和	5-267
hǔan-màn	緩慢	7-128
hùan-chě	患者	1-J-63
hùan-ch'ǚ	換取	1-K-134
hùan-hsīang	幻想	8-B-8
hùan-hsǐng	喚醒	1-K-132
hùan-pìng chě	患病者	1-J-61
hùan-yǎng	豢養	6-94

HUANG

hūang-mìu	荒謬	9-14
hūang-tàn	荒誕	7-112
hūang-t'áng	荒唐	9-190
hūang-tì	荒地	4-51
húang-shìh	皇室	5-169
húang-tì	皇帝	1-L-107
hǔang-tzu	幌子	9-13
hǔang-yén	謊言	9-168

HUI

hūi-fù	恢復	1-B-132
hūi-hùo	揮霍	9-61a
húi-hsīang	回想	7-116
húi-ì	回憶	3-122
hùi-ch'ǎng	會場	1-K-149
hùi-chùng	會衆	1-K-154
hùi-ì	會議	1-L-1

HUN

hūn-yīn	婚姻	4-228
hǔn-chàn	混戰	7-170
hǔn-tsá	混雜	9-202
hǔn-tùn	混沌	7-40
hǔn-wéi ī-t'án	混爲一談	3-75
hǔn-yáo	混淆	1-B-221

HUNG

Húng-chǖn	紅軍	1-A-67
húng-sè chèng-ch'ǘan	紅色政權	5-30
Húng-sè ch'ǖ-yǜ	紅色區域	1-D-44

HUO

húo-p'ō	活潑	1—J—24
húo-tùng	活動	1—C—46
hŭo-lì	火力	1—B—39
hŭo-yào	火藥	7—84
hùo-hài	禍害	5—263
hùo-hsīn	禍心	9—235
hùo-kēn	禍根	1—I—68
Hùo-mŭ	霍姆	9—288
hùo-pì	貨幣	1—K—173
hùo-sè	貨色	1—L—121
hùo-té	獲得	1—A—78

I

ī-ch'ăng	一場	1—B—188
ī-chāo fēn-wăn	一朝分娩	1—K—38
ī-cháo pū-shèn	一着不愼	1—A—156
ī-chào	依照	1—B—214
ī-chèn	一陣	1—E—110
ī-ch'éng pū-pìen	一成不變	1—K—115
ī-ch'ĭ	一起	1—G—125
ī-ch'ìao pū-t'ūng	一竅不通	9—175
ī-ch'ìeh	一切	1—A—95
ī-chìh	一致	1—C—9
ī-chīng	一驚	1—J—64
ī-chǜ	依據	3—18
ī-fă	依法	5—96
ī fēn wéi-èrh	一分爲二	10—A—1
ī-fú	衣服	1—K—87
ī-hsìang	一項	1—I—79
ī-hsìang	一向	1—K—128
ī hsĭao-ts'ō	一小撮	5—58
ī-hsǘeh	醫學	7—74
ī-hŭo	一伙	5—254
ī-ján	依然	1—K—104
ī-kài	一概	1—D—5
ī-k'ào	依靠	1—G—12
ī-k'ò	一刻	1—C—16
ī-lài	依賴	1—E—6
ī líen-ch'ùan	一連串	1—G—119
ī-lǜ	一律	4—36
ī-mó ī-yàng	一模一樣	1—A—51
ī-pān	一般	1—A—18
ī-pān	一班	1—J—19
ī-păn	一版	1—G—87
ī-pèi	一倍	1—J—9
ī-pèi-tzu	一輩子	1—L—58
ī-pĭ mŏ-shā	一筆抹煞	7—108
ī-p'ī	一批	1—K—50
ī-pō	衣鉢	5—200
ī-shēn érh èrh-jèn yēn	一身而二任焉	1—H—8
ī-shēng	一生	9—55
ī-tài	一代	9—28
ī-tàn	一旦	1—L—14
ī-tào	一道	1—D—29
ī-tào	一到	1—K—19
ī-t'ào	一套	1—C—41
ī-t'ĭ	一體	5—128
ī-tìng	一定	1—A—34
ī-tsài	一再	9—273
ī-ts'ún	依存	1—F—59
ī-t'úan-tsāo	一團糟	1—L—110
ī-tūi	一堆	1—K—14
ī-tùn	一頓	1—K—6
ī-wèi	一味	1—K—43
ī wú shìh-ch'ù	一無是處	10—A—25
ī-yǚ tào-p'ò	一語道破	6—54
ī-yǘan	一員	1—E—12
í-ì	疑義	1—A—100
í-ì	移易	1—H—27
í-lòu	遺漏	7—114
ĭ-ch'íen shú-hsíng	以錢贖刑	6—30
ĭ-chìh	以至	1—B—89
ĭ-chìh	以致	1—K—99
ĭ-kūan shú-hsíng	以官贖刑	6—31
ĭ-lái	以來	1—A—28
ĭ-láo tìng-kúo	以勞定國	7—257
ĭ-lĭ fú-jén	以理服人	1—L—144
ĭ-lì fú-jén	以力服人	1—L—149

ĭ-shàng	以上	1—H—113
ĭ-szŭ ch'ín-shìh	以死勤事	7—256
ì-àn	議案	4—111
ì-ch'áng	異常	7—119
ì-ch'ēng	亦稱	1—F—20
ì-chìen	意見	1—A—42
ì-chìh	意志	5—42
ì-ch'ù	益處	1—G—115
Ì-hó T'úan	義和團	1—E—83
ì-hsĭang	臆想	5—138
ì-hùa	異化	10—A—14
ì-hùi	議會	1—D—14
ì-ì	意義	1—A—159
ì-ì	異義	1—K—47
ì-kúo	異國	1—B—98
ì-lùn	議論	1—L—64
ì mín-tsú	異民族	1—B—73
ì-pĕn	譯本	7—278
ì-shìh	意識	1—E—75
ì-shìh hsíng-t'ài	意識形態	1—L—166
ì-shìh jìh-ch'éng	議事日程	1—L—174
ì-shù	藝術	1—E—21
ì-szu	意思	1—G—90
Ì-tà-lì	意大利	3—105
ì-wèi	意味	10—B—56
ì-wù	義務	4—135
ì-yǜan	意願	4—176

JAO

jăo-lùan	擾亂	4—60

JE

jè-ài	熱愛	3—153
jè-ch'én	熱忱	1—I—89
jè-ch'íng	熱情	1—I—95
jè-chūng	熱中	9—111
jè-hsīn	熱心	9—223
jè-lìeh	熱烈	1—G—112

JEN

jén-ch'ǘan	人權	5—35
jén-hsìng	人性	1—G—99
jén-hsǚan	人選	4—96
jén-lèi	人類	1—A—83
jén-lì	人力	8—A—56
jén-mín	人民	1—C—6
jén-mín fă-yǜan	人民法院	4—98a
jén-mín kūng-shè	人民公社	9—335
jén-shēn	人身	4—210
jén-shìh	人士	1—L—75
jén-tào	人道	5—126
jén-ts'ái	人材	8—A—52
jén-wéi	人爲	10—B—46
jén-wù	人物	1—J—20
jén-yǘan	人員	1—B—68
jèn-chēn	認眞	1—I—17
jèn-ch'ī	任期	4—86
jèn-ch'īng	認淸	7—118
jèn-hó	任何	1—A—9
jèn-hsìng	任性	5—140
jèn-ì	任意	5—232
jèn-mĭen	任免	4—116
jèn-p'íng	任憑	1—K—34
jèn-shìh	認識	1—E—2
jèn-shìh lùn	認識論	1—E—98
jèn-wù	任務	1—A—134

JENG

jéng-chìu	仍舊	7—182
jéng-ján	仍然	5—82

JIH

jìh-ch'áng	日常	10—B—19
jìh-chìen	日見	4—26
jìh-ì	日益	1—B—113
Jìh-k'òu	日寇	1—B—16
Jìh-pĕn	日本	1—B—9

JO

jò-hsĭao	弱小	1—A—237
jò-kān	若干	1—J—40
jò-tĭen	弱點	1—B—96

JU

jú-hó	如何	1—A—5
jú-shàng sŏ-shù	如上所述	3—77
jú-tz'ŭ	如此	1—A—161

JUAN

jŭan-yìng chīen-shīh	軟硬兼施	9–349

JUI

jùi-lì	銳利	1–K–141
jùi-mĭn	銳敏	1–I–94

JUNG

júng-hsǚ	容許	1–B–211
júng-jĕn	容忍	7–109
júng-yǜ	榮譽	1–A–114

KAI

kăi-chèng	改正	1–I–23
kăi-ch'ǚ	改取	1–B–124
kăi-kó	改革	1–H–119
kăi-líang chŭ-ì	改良主義	1–K–108
kăi-pìen	改變	1–K–133
kăi-shàn	改善	4–55
kăi-tìng	改訂	5–29
kăi-tsào	改造	1–E–93
kài-k'ùang	概況	5–41
kài-k'ùo	概括	7–27
kài mò néng wài	概莫能外	1–F–66
kài-nìen	概念	1–E–54

K'AI

k'āi-chăn	開展	1–L–76
k'āi-ch'ùang	開創	9–352
k'āi-hùa	開化	7–63
k'āi-kūan	開關	10–B–20
k'āi-p'ì	開闢	1–L–96
k'āi-shĭh	開始	1–A–29
k'āi-t'īen p'ì-tì	開天闢地	9–153
k'āi-tūan	開端	1–J–46
k'āi wán-hsìao	開玩笑	1–B–217
K'ăi Fēng	凱豐	1–J–2

KAN

kān-hsīn	甘心	5–60
kān-shè	干涉	2–111
kăn-ch'íng	感情	1–G–94
kăn-chǘeh	感覺	1–E–45
kăn-hsìng	感性	1–E–44
kăn-kūan	感官	1–E–49
kăn-shàng	趕上	8–B–6
kăn-yén	敢言	7–238
kăn-yǘ	敢於	1–H–70
kàn-pū-hsìa	幹不下	1–K–30
kàn-pù	幹部	1–A–284

K'AN

k'ān-lùan shíh-ch'ī	戡亂時期	6–93
k'ăn-tìao	砍掉	6–74
k'àn-chùng	看重	1–E–108
k'àn-fă	看法	1–L–109
k'àn-tài	看待	1–F–73

KANG

kāng-kāng	剛剛	1–L–12
kāng-lĭng	綱領	1–B–61
kāng-mù	綱目	1–K–152
kāng-yào	綱要	8–B–1
kăng-wèi	崗位	2–33

K'ANG

K'àng-chàn	抗戰	1–C–3
k'àng-Jìh	抗日	1–A–163
K'àng-Mĕi Yǘan-Ch'áo	抗美援朝	4–9

KAO

kāo-chàng	高漲	1–C–78
kāo-chí	高級	1–G–150
kāo-hsìng	高興	1–L–22
kāo lì-tài	高利貸	5–22
kāo-míng	高明	1–L–122
kāo-ó	高額	9–83
kāo-t'ái	高擡	5–10
kāo-tù	高度	1–B–213
kăo-ch'óu	稿酬	9–135
kăo-tzu	稿子	7–11

K'AO

k'ăo-ch'á	考察	1–B–180
k'ăo-kŭ	考古	7–149
k'ăo-lǜ	考慮	1–B–184
k'ăo-tă	拷打	6–87

KEN

kēn-chǜ	根據	1–B–3

kēn-chǜ tì 根據地 1-B-58
kēn-chǘeh 根絕 9-29
kēn-pěn 根本 1-A-248
kēn-shēn tì-kù 根深蒂固 1-J-33
kēn-yǘan 根源 3-107

K'EN

k'ěn-ch'ìeh 懇切 2-6
k'ěn-tìng 肯定 1-L-84

KENG

Kēng-chě Yǔ Ch'í T'ien 耕者有其田 1-H-64
kēng-hsīn 更新 9-126
kēng-tì 耕地 5-220
kèng-chīa 更加 1-A-20

KO

kō-chǜ 割據 7-173
kō-lìeh 割裂 2-39
kō-sùng 歌頌 1-G-38
kō-tùan 割斷 1-H-108
kó-chǘeh 隔絕 1-G-76
kó-hó 隔閡 5-147
kó-kó pū-jù 格格不入 1-L-71
kó-lí 隔離 1-I-33
kó-mìng 革命 1-A-1
kó-tùan 隔斷 1-G-27
kò-chí 各級 1-H-115
kò chìn sǒ néng 各盡所能 9-30
kò-hsìang 各項 1-B-50
kò-hsìng 個性 1-F-61
kò-jén 個人 1-G-168
kò-jén mí-hsìn 個人迷信 9-100
kò-píeh 各別 1-E-47
kò-píeh 個別 1-I-47
kò-t'ǐ 個體 1-L-6a
kò-t'ǐ chīng chì 個體經濟 1-L-6
kò-tzù 各自 1-G-104

K'O

k'ō-hsǘeh 科學 1-E-20
k'ǒ-ch'ǚ 可取 10-A-26
k'ǒ-hsìao 可笑 9-191
k'ǒ-k'ǎo 可考 7-37
k'ǒ-k'ào 可靠 3-63
k'ǒ-néng 可能 1-A-241
k'ǒ-pēi 可悲 9-251
k'ǒ-wù 可惡 1-K-24
k'ò-fú 克服 1-A-206
k'ò-k'òu 剋扣 5-233
k'ò-kūan 客觀 1-B-215

KOU

kōu-chíeh 勾結 9-119
kōu-hò 溝壑 5-178
kōu-hsīn tòu-chǘeh 勾心鬥角 5-88
kǒu-jòu chàng 狗肉賬 1-K-73
kǒu nú-ts'ái 狗奴才 3-136
kòu-ch'éng 構成 1-E-121
kòu-tang 勾當 5-195

K'OU

k'ǒu-ch'īang 口腔 1-H-78
k'ǒu-hào 口號 1-H-7
k'ǒu-t'óu 口頭 1-I-59

KU

kū-chì 估計 1-B-99
kū-lì 孤立 1-A-285
kū-lìang 估量 1-K-56
kǔ-chìa 穀價 5-11
kǔ-chīn chūng-wài 古今中外 1-F-65
kǔ-ch'ūi 鼓吹 9-225
kǔ-hùa 古話 10-B-53
kǔ-jén 古人 10-B-5
kǔ-kàn 骨幹 2-22
kǔ-kùai 古怪 3-123
kǔ-kúo 古國 7-68
kǔ-lì 鼓勵 1-G-46
kǔ-mǐ 穀米 5-8
kǔ-sùi 穀穗 4-245
kǔ-tài 古代 1-H-75
kǔ-tsú kàn-chìng 鼓足幹勁 10-A-44
kǔ-tǔng 古董 1-I-43
kǔ-yǚ 古語 10-B-26

kù-ch'üan tà-chü 顧全大局 1—I—78
kù-hsiang 故鄉 9—319
kù-ì 故意 7—218
kù-ján 固然 1—A—58
kù-lü 顧慮 1—L—136
kù-núng 雇農 1—K—93
kù-pù tzù-fēng 固步自封 10—A—37
kù-shìh 故事 1—K—76
kù-tìng 固定 1—A—262
kù-yǔ fǎ 固有法 5—183
kù-yūng 僱傭 3—35

KUA

kūa-fēn 瓜分 9—237
kǔa-mín 寡民 1—B—108
kǔa-t'óu 寡頭 5—205
kùa-chàng 挂賬 1—K—72
kùa-ch'ǐ 挂起 9—196

KUAI

kùai-wù 怪物 1—A—86

KUAN

kūan-ch'á 觀察 1—E—5
kūan-chǎng 官長 1—K—63
kūan-chào 關照 1—A—152
kūan-chìen 關鍵 1—C—87
kūan-chün 官軍 7—56
kūan-hsi 關係 1—B—59
kūan-hsīn 關心 1—I—90
kūan-húai 關懷 4—224
kūan-líao 官僚 1—L—26
kūan-lían 關聯 1—A—24
Kūan Lúng-féng 關龍逢 7—233
kūan-mēn chǔ-ì 關門主義 2—60
kūan-nìen 觀念 1—G—148a
kūan-nìen hsíng-t'ài 觀念形態 1—G—148
kūan-pīng 官兵 1—C—8
kūan-tīen 觀點 1—A—274
kūan-t'óu 關頭 1—A—216
kūan-yü 關於 1—C—100
kǔan-chìh 管制 8—A—26
kǔan-lǐ 管理 1—H—48
kùan-ch'è 貫徹 1—B—42
kùan-ch'ūan 貫穿 7—279
kùan-ch'ùan 貫串 1—F—44
kùan-shū 灌輸 9—115
kùan-t'ūng 貫通 1—F—88

KUANG

kūang-hūi 光輝 9—158
kūang-júng 光榮 1—L—83
kūang-míng 光明 1—E—130
kūang-ts'ǎi 光彩 9—382
kǔang-fàn 廣泛 1—F—7
kǔang-hsía 廣狹 1—D—56
kǔang-ì 廣義 1—G—165
kǔang-kào 廣告 9—279
kǔang-k'ùo 廣濶 1—C—62
kǔang-tà 廣大 1—C—38
Kǔang-tūng 廣東 1—D—31

K'UANG

k'úang-jè hsìng 狂熱性 1—J—56
k'ùang-ch'ǎng 礦場 6—69
k'ùang-ts'áng 礦藏 4—46

KUEI

kūei-chíeh 歸結 5—264
kūei-chü 規矩 10—B—21
kūei-fàn 規範 5—5
kūei-fàn hùa 規範化 5—113
kūei-hùa 規劃 4—168
kūei-kēn 歸根 7—261
kūei-lái 歸來 1—K—35
kūei-lü 規律 1—A—7
kūei-mó 規模 1—H—41
kūei...sŏ-yǔ 歸…所有 1—H—38
kūei-tìng 規定 1—A—238
kǔei-hùa 鬼話 6—99
kǔei-tào 軌道 9—232
kùei-tsú 貴族 1—G—177

K'UN

k'ùn-nán 困難 1—A—247

KUNG

kūng-ān pù-tùi 公安部隊 4—179

kūng-ch'ăng	工廠	1－G－80
kūng-ch'ăng	工場	8－A－19
kūng-chèng	公正	7－217
kūng-ch'éng	工程	1－J－47
kūng-chī	攻擊	1－C－45
kūng-chī	功績	1－J－31
kūng-chĭ	供給	4－207
kūng-chǜ	工具	1－J－4
kūng-hsīao hó-tsò	供銷合作	4－53
kūng-hsǖn	功勛	9－380
kūng-hùi	工會	1－D－17
kūng-ján	公然	5－69
kūng-jén	工人	1－D－10
kūng-k'āi	公開	1－F－28
kūng-k'āi hsìn	公開信	9－4
kūng-kùng	公共	4－59
kūng-láo	功勞	9－371
kūng-mín	公民	4－62
kūng-núng	工農	1－D－57
kūng-p'ò	攻破	1－I－61
kūng-pù	公布	4－143
kūng-shāng yèh	工商業	1－L－5
kūng-shè	公社	7－125
kūng-shìh	公式	1－H－94
Kūng-szū Fă	公司法	5－240
kūng szū hó-yíng	公私合營	5－95
kūng-t'áng	公堂	6－86
kūng-tào	公道	1－K－7
kūng-té	公德	4－236
kūng-tí	公敵	4－20
kūng-tzū	工資	4－214
kūng-wù jén-yüan	公務人員	9－88
kūng-yèh	工業	1－F－25
kūng-yèh hùa	工業化	1－L－16
kūng-yìng	供應	8－A－54
kūng-yŭ chìh	公有制	1－L－9
kŭng-kù	鞏固	1－L－13
kùng-ch'ăn chŭ-ì	共產主義	1－E－139
Kùng-ch'ăn Tăng	共產黨	1－A－125a
Kùng-ch'ăn Tăng Hsüan-yén	共產黨宣言	6－4
Kùng-ch'ăn Tăng jén	共產黨人	1－A－125
kùng-ch'ēng	共稱	7－211
kùng-ch'ŭ	共處	1－F－93
kùng-chǖ	共居	1－F－98
kùng-hó kuó	共和國	1－H－18
kùng-hsìng	共性	1－F－60
kùng-t'ūng	共通	1－F－63
kùng-t'úng	共同	1－F－47
Kùng-t'úng Kāng-lĭng	共同綱領	4－13
kùng-t'úng t'ĭ	共同體	7－179
kùng-yŭ	共有	7－213

K'UNG

k'ūng-ch'íen	空前	1－L－97
k'ūng-chūng	空中	1－G－146
k'ūng-t'án	空談	1－E－109
k'ūng-tùng	空洞	1－K－58
K'ŭng Fū-tzŭ	孔夫子	1－J－25
k'ŭng-pù	恐怖	6－83
k'ùng-chìh	控制	3－84
k'ùng-kào	控告	4－232

KUO

Kúo-chì	國際	1－A－211
kúo-chì-kō	國際歌	2－43
kúo-chì mín-shēng	國計民生	4－57
kúo-ch'í	國旗	4－241
kúo-chīa	國家	1－A－31
kúo-chīa kūan	國家觀	5－52
kúo-chìng	國境	7－210
Kúo-fáng	國防	4－97a
Kúo-fáng Wĕi-yüan Hùi	國防委員會	4－97
Kúo-hūi	國徽	4－242
kúo-hùi	國會	7－247
kúo-k'ù	國庫	5－103

Kúo-Kùng	國共	1-D-53
kúo-mín	國民	1-D-59a
Kúo-mín Tăng	國民黨	1-D-59
kúo-nèi chàn-chēng	國內戰爭	1-A-39
kúo-t'ĭ	國體	1-H-28
kúo-ts'è	國策	9-263
kúo-tù	國度	1-A-15
kúo-wù ch'īng	國務卿	9-284
Kúo-wù Yǜan	國務院	4-94
kúo-yíng	國營	1-H-57
kúo-yŭ	國有	4-49
kŭo-shíh	果實	9-110
kùo-ch'éng	過程	1-C-42
kùo-fèn	過分	1-G-161
kùo-hsì	過細	1-B-207
kùo-kāo	過高	1-L-38
kùo-shíh	過時	1-H-22
kùo-tà	過大	1-H-42
kùo-tsăo	過早	5-153
kùo-tù	過渡	1-H-26
K'UO		
k'ùo-chāng	擴張	3-68
k'ùo-ch'īng	廓清	1-J-53
k'ùo-ch'ūng	擴充	4-218
k'ùo-tà	擴大	1-G-75
LA		
Là-szū-k'ò	臘斯克	9-285
LAI		
lái-yǘan	來源	1-E-19
LAN		
lán-pĕn	藍本	9-262
Lán-t'ien	藍田	10-B-27
LAO		
láo-kù	牢固	2-23
láo-k'ŭ	勞苦	1-H-114
láo pū k'ŏ-p'ò	牢不可破	4-23
láo-tùng	勞動	1-G-53
láo-tùng lì	勞動力	6-62
lăo-shēng ch'áng-t'án	老生常談	1-K-129

lăo-shíh	老實	1-I-56
lăo-shŭ	老鼠	1-J-8
Lăo-tzŭ Tān	老子聃	10-B-32
lăo-yeh	老爺	9-255
lào-yìn	烙印	1-E-29
LE		
lè-hòu	落後	1-G-55
lè-kūan	樂觀	1-K-116
LEI		
lèi-hsíng	類型	6-114
LI		
lí-k'āi	離開	1-B-186
lĭ-chĭeh	理解	1-E-79
lĭ-hsĭang	理想	3-160
lĭ-hsìng	理性	1-E-86
Lĭ K'úei	李逵	1-K-62
lĭ-lùn	理論	1-E-78
lĭ-yú	理由	1-A-57
lì-ch'ăng	立場	1-C-55
lì-chēng	力爭	1-B-85
lì-chēng shàng-yú	力爭上游	10-A-45
lì-chĭ	利己	3-47
lì-chìh	立志	1-L-89
lì-ch'íu	力求	1-I-22
lì-fă ch'ǘan	立法權	4-79
lì-hài	利害	5-86
lì-ì	利益	1-I-71
lì-jú	例如	1-B-7
lì-jùn	利潤	3-19
lì-lái	歷來	1-L-153
lì-lìang	力量	1-B-4
lì-shĭh	歷史	1-A-91
lì-shŭ	隸屬	1-A-145
lì-tài	歷代	5-160
lì-tzu	例子	1-E-70
lì-tz'ù	歷次	9-323
lì-wài	例外	1-G-103
lì-yù	利誘	3-140
lì-yùng	利用	1-D-13

L I A O

lĭao-chĭeh	了解	1–A–139
lĭao-pū-ch'ĭ	了不起	1–L–52

L I A N G

líang-hăo	良好	1–C–12
líang-shíh	糧食	1–K–86
lĭang-chĕ	兩者	1–F–35
lĭang-chí	兩極	1–I–21
lĭang-chĭen	兩間	10–B–38
lĭang-fēn fă	兩分法	10–A–4
lĭang-kò ch'ŭan-t'ou chŭ-ì	兩個拳頭主義	1–A–268
lĭang-mìen hsìng	兩面性	1–H–9
lĭang-t'iao t'ŭi tsŏu-lù	兩條腿走路	10–A–43

L I E H

Lìeh-níng	列寧	1–A–76
Lìeh-níng-kó-lè	列寧格勒	9–47

L I E N

líen-chìa	廉價	6–61
líen-chíeh	聯結	1–F–87
líen-hó	聯合	1–C–56
líen-hsì	聯繫	1–B–6
Líen-kùng	聯共	1–I–83
líen-lò	聯絡	1–B–163
líen-méng	聯盟	1–A–225
líen-shēng	連聲	1–I–41
lìen-kāng	煉鋼	7–80

L I N

lín-shíh	臨時	4–89

L I N G

líng-ch'íh	凌遲	6–44
líng-hún	靈魂	5–123
líng-húo	靈活	1–B–52
líng-shòu	零售	8–A–25
líng-sùi	零碎	1–E–95
líng-tān shèng-yào	靈丹聖藥	1–I–49
lĭng-ch'ŭ	領取	9–89
lĭng-hsìu	領袖	1–G–171
lĭng-hùi	領會	2–17
lĭng-tăo	領導	1–A–166
lĭng-tì	領地	9–96
lĭng-t'ŭ	領土	4–30
lĭng-yǜ	領域	1–E–24
lìng-wài	另外	3–111

L I U

líu-hsīn	留心	1–K–60
líu-hsíng	流行	1–I–14
líu-hsíng	流刑	6–21
líu-k'òu	流寇	1–A–275
líu-lìen	留戀	1–L–23
líu-lù	流露	9–183
líu-máng	流氓	1–K–110
líu-yùng	留用	9–81
Lìu-fă Ch'ŭan-shū	六法全書	5–50

L O

ló-chì	邏輯	1–E–57
ló-szū tīng	螺絲釘	1–G–155

L U

lú-pù	盧布	9–54
Lŭ Hsǜn	魯迅	1–J–15
lù-hsìen	路綫	1–A–239
lù-kŭ	露骨	1–F–30

L U A N

lùan-fàng ī-t'ūng	亂放一通	1–I–38
lùan-kàn	亂幹	1–B–187
lùan-tzu	亂子	9–377

L U N

lún-hsǜn pān	輪訓班	10–B–8
lún-k'ùo	輪廓	7–124
lùn-chèng	論証	10–B–6
lùn-lĭ	論理	1–E–56
lùn-shù	論述	9–77
lùn-tĭen	論點	10–B–49
lùn-tùan	論斷	1–D–48

L U N G

lŭng-tùan	壟斷	5–210
lŭng-t'ŭng	籠統	1–E–84

LÜ

lǚ-hsíng	履行	2—82
Lǚ Tà-lín	呂大臨	10—B—30
lǚ-tz'ù	屢次	2—5
lǜ-hùa	綠化	8—B—28

LÜEH

lǜeh-ch'ien hsíang-hòu	略前詳後	7—20
lǜeh-túo	掠奪	3—78

MA

má-pì tà-ì	痲痺大意	9—324
Mǎ-hsieh-ěrh Chì-hùa	馬歇爾計劃	3—82
mǎ-hu	馬虎	2—40
Mǎ-k'ò-szū	馬克思	1—D—4
Mǎ-lái-yà	馬來亞	3—54
mǎ-líng-shǔ	馬鈴薯	6—73

MAI

mái-tsàng	埋葬	9—193
mǎi-pàn	買辦	1—D—33
mài-k'āi	邁開	1—K—32
mài-kúo tséi	賣國賊	3—103

MAN

mǎn-ch'iang jè-ch'íng	滿腔熱情	1—L—132
mǎn-p'án chieh-shū	滿盤皆輸	1—A—157
mǎn-tsú	滿足	3—28
màn-hsìng pìng	慢性病	2—15

MANG

máng-mù	盲目	1—E—125
máng-tùng chǔ-ì	盲動主義	1—K—57

MAO

máo-ping	毛病	10—A—29
máo-tùn	矛盾	1—A—36
mào-ch'ūng	冒充	9—203
mào-hsien chǔ-ì	冒險主義	1—A—254
mào-ì	貿易	4—159

MEI

měi-chōu	每週	7—161
měi-hǎo	美好	9—248
měi shìh-wèn	每事問	1—K—33
měi-shù	美術	1—G—131
mèi-fu	妹夫	9—65

MEN

mén-lù	門路	1—K—175

MENG

méng-mèi	蒙昧	1—I—53
méng-pì	蒙蔽	7—254
méng-yá	萌芽	5—43
měng-měng tǔng-tǔng	懵懵懂懂	1—K—65
měng-shòu	猛獸	6—19
mèng-hsiang	夢想	3—115
mèng-mèi ǐ ch'íu	夢寐以求	9—296

MI

mí-hsìn	迷信	1—H—95
mí-lùan	迷亂	7—39
mí-pǔ	彌補	10—A—49
mì-ch'ìeh	密切	1—E—25
mì-mì	祕密	2—115
mì-shū chǎng	秘書長	4—110

MIAO

míao-hsieh	描寫	1—G—62

MIEH

mìeh-shìh	蔑視	5—51
mìeh-wáng	滅亡	9—86

MIEN

mien-hūa	棉花	7—87
mien-yáng	綿羊	6—67
mien-ch'iang	勉强	1—L—57
mien-ch'ú	免除	6—77
mien-shòu	免受	3—10
mien-té	免得	2—35
Mien-tien	緬甸	3—94
mìen-k'ǔng	面孔	1—I—25
mìen-lín	面臨	1—A—103
mìen-mào	面貌	1—G—106
mìen-mù	面目	9—163
mìen-tùi	面對	1—D—63

MIN

mín-chŭ	民主	1—A—281
mín-chŭ chí-chūng chìh	民主集中制	1—H—30
mín-chùng	民衆	1—B—206
mín-ch'üan chŭ-ì	民權主義	1—K—105
mín-fă	民法	5—1
mín-fă tien	民法典	5—150
mín-hsíng fă-lǜ	民刑法律	5—28
mín-pīng	民兵	9—339
mín-shìh	民事	5—33a
mín-shìh fă-kūei	民事法規	5—33
mín-tsú	民族	1—A—30
mín-tsú hsiang	民族鄉	4—165
mín-tsú kūan	民族觀	3—16
mín-tsú tzū-ch'ăn chieh-chí	民族資產階級	1—A—212

MING

míng-ch'ēng	名稱	7—201
míng-chū	明珠	9—200
míng-ch'üeh	明確	1—G—36
míng fù ch'í shíh	名副其實	1—H—31
míng-hsien	明顯	1—A—251
míng-ì	名義	7—265
míng-lăng	明朗	1—L—54
míng-liao	明瞭	1—E—32
míng-ó	名額	4—83
míng-szū k'ŭ-sŏ	冥思苦索	1—K—15
míng-tān	名單	2—81
míng-tz'ú	名詞	5—110
míng-wén	明文	6—98
míng-yén	名言	3—61
mìng-lìng	命令	1—L—161
mìng-lìng chŭ-ì	命令主義	2—12
mìng-mài	命脈	8—A—1
mìng-t'í	命題	10—B—7
mìng-yǜn	命運	1—H—17

MIU

mìu-chìen	謬見	7—57
mìu-lùn	謬論	5—73
mìu-wù	謬誤	1—L—156

MO

mó-fàn	模範	9—361
mó-făng	模仿	5—185
mó-hu	模糊	1—K—100
mó-kŭei	魔鬼	9—274
mó-mieh	磨滅	9—33
mó-nǚ	魔女	6—50
mó-t'ō	摩托	9—71
mŏ-shā	抹殺	1—L—171
mò-ch'í	末期	7—66
Mò-lè-t'ō-fū	莫洛托夫	3—118
mò-nien	末年	7—169
mò-shōu	沒收	1—H—58
Mò-só-lĭ-ní	墨索里尼	3—90
mò-tà	莫大	9—230
mò-wĕi	末尾	1—K—11

MOU

móu-ch'ǚ	謀取	9—132
móu-shēng	謀生	9—208
mŏu-chŭng	某種	1—A—140
mŏu-hsieh	某些	1—B—69

MU

mŭ-fă	母法	5—194
mù-ch'ien	目前	1—B—115
mù-piao	目標	8—A—2
mù-tì	目的	1—A—80
mù-tsàng	墓葬	7—150

NA

ná-té-wĕn	拿得穩	1—J—42
nà-shùi	納稅	4—239

NAI

năi-chìh	乃至	1—B—48
nài-hsīn	耐心	1—G—57

NAN

nán-kùai	難怪	9—275
Nán-kùng	南共	3—2
nán-mien	難免	1—L—115
nán-păo	難保	9—306
Nán-Sùng	南宋	7—89
Nán-szū-lā-fū	南斯拉夫	3—7

nán-tào	難道	1−G−135
NAO		
nǎo-hǔo	惱火	1−K−27
nǎo-lì	腦力	1−L−43
nǎo-tzu	腦子	1−E−51
nào	鬧	1−I−70
NEI		
nèi-chàn	內戰	1−A−63
nèi-chèng	內政	3−88
nèi-hsìen	內綫	1−B−54
nèi-hsīn	內心	9−189
nèi-júng	內容	1−A−55
nèi-pù	內部	1−B−100
nèi-tsài	內在	1−F−51
nèi-wài	內外	1−D−58
NENG		
néng-kàn	能幹	3−64
néng-lì	能力	1−E−133
néng-tùng	能動	1−E−106
NI		
ní-k'ēng	泥坑	3−9
ní p'ú-sa	泥菩薩	9−305
nǐ-tìng	擬定	7−19
NIEH		
nīeh-tsào	揑造	9−171
NIEN		
níen-líng	年齡	1−K−139
níen-mǎn	年滿	4−142
nìen-nìen pū-wàng	念念不忘	5−61
nìen-t'ou	念頭	1−K−53
NIU		
níu-kǔi shé-shén	牛鬼蛇神	1−L−158
NO		
nò-fū	懦夫	1−K−31
NU		
nú-ì	奴役	3−92
nú-lì	奴隸	5−167
nú-lì chǔ	奴隸主	6−8
nú-ts'ái	奴才	5−207
nǔ-lì	努力	1−B−129
NUNG		
núng-ch'ǎng	農場	9−112
núng-chūang	農庄	9−58
núng-hù	農戶	8−A−23
núng-mín	農民	1−A−181
núng-mín hsíeh-hùi	農民協會	5−7
núng-nú	農奴	6−23
núng-ts'ūn	農村	1−G−81
núng-yèh	農業	1−H−68
nùng-ch'ū	弄出	1−K−59
nùng-hùai	弄壞	1−I−39
O		
Ó-kúo	俄國	1−A−61
ò-hsí	惡習	1−J−49
ò-ì	惡意	3−70
ò-pà	惡霸	6−84
OU		
Ōu-chōu	歐洲	1−F−22
Ōu-měi	歐美	1−H−10
ōu-tǎ	毆打	6−81
ǒu-ján	偶然	1−J−44
PA		
pā-ì	八議	6−29
pā-kǔ	八股	1−J−1
Pā-lí Kūng-shè	巴黎公社	9−87
Pā-lù Chǖn	八路軍	1−G−123
pǎ-hsì	把戲	9−198
pǎ-wò	把握	7−122
pà-chàn	霸占	6−90
pà-ch'üan	霸權	3−114
pà-kūng	罷工	1−D−16
pà-mǐen	罷免	4−107
PAI		
pái-hùa wén	白話文	1−J−22
Pái Wèi-chǖn	白衛軍	9−155
pǎi-hǎo	擺好	1−G−156
pǎi-pù	擺布	9−240
pǎi-t'ō	擺脫	1−G−58
pài-chīa tzǔ	敗家子	9−219
pài-hùai	敗壞	9−116

pài-lèi	敗類	9–185
pài-pĕi	敗北	1–D–18
P'AI		
p'ái-chĭ	排擠	3–24
p'ái-ch'ìh	排斥	1–F–19
p'ái-ch'ú	排除	5–214
p'ái-hsìeh	排洩	1–H–87
p'ái-nèi hsìng	排內性	1–I–64
p'ái-wài	排外	1–E–85a
p'ái-wài chŭ-ì	排外主義	1–E–85
p'ái-wài hsìng	排外性	1–I–66
p'ài-ch'ien	派遣	4–145
PAN		
pān-fáng	班房	1–L–92
pān-pù	頒佈	1–A–65
pān-yǜn	搬運	2–58
pàn-fă	辦法	1–G–20
pàn-lĭ	辦理	2–117
pàn-shù	半數	2–98
pàn-t'ú érh fèi	半途而廢	3–144
pàn tzù-kēng núng	半自耕農	1–K–81
P'AN		
p'án-pō	盤剝	5–218
p'àn-chüéh shū	判決書	4–194
p'àn-kúo	叛國	4–72
p'àn-mài	叛賣	3–130
p'àn-míng	判明	10–B–60
p'àn-pìen	叛變	1–A–217
p'àn-tăng	叛黨	1–I–75
p'àn-tìng	判定	6–109
p'àn-t'ú	叛徒	1–K–54
p'àn-tùan	判斷	1–E–64
PANG		
pāng-chù	幫助	1–G–14
pāng-hsíen chĕ	幫閒者	1–J–28
pāng-hsiung	幫凶	5–265
pāng-kūng	幫工	7–45
PAO		
pāo-fu	包袱	1–G–60
pāo-hán	包含	1–A–66
pāo-ī pó-pìng	包醫百病	1–I–51
pāo-k'ùo	包括	1–B–107
pāo-ts'áng	包藏	9–234
pāo-wéi	包圍	1–B–82
păo-chàng	保障	1–K–117
păo-chèng	保證	1–B–219
păo-ch'íh	保持	1–B–161
păo-hsĭen	保險	4–221
păo-hù	保護	1–L–133
păo-k'ù	寶庫	9–375
păo-lĕi	堡壘	1–C–83
păo-líu	保留	1–G–54
păo-shíh chūng-jìh	飽食終日	1–K–126
păo-shŏu	保守	1–A–256a
păo-shŏu chŭ-ì	保守主義	1–A–256
păo-ts'ún	保存	1–B–1
păo-wèi	保衞	1–B–14
păo-yù	保祐	9–307
pào-chĭh	報紙	1–J–13
pào-ch'ĭng	報請	4–182
pào-fā	爆發	1–C–25
pào-k'ān	報刊	9–18
pào-kào	報告	1–I–84
pào-lì	暴力	7–183
pào-lù	暴露	1–G–39
pào-lùan	暴亂	9–315
pào-tăo	報導	9–39
pào-tùng	暴動	1–K–109
P'AO		
p'āo-ch'ì	拋棄	1–F–69
p'áo-lò	炮烙	6–17
PEI		
pēi-chǜ	悲劇	7–274
pēi-pĭ	卑鄙	3–45
Pĕi-ch'áo	北朝	7–176
Pĕi-chīng	北京	4–11
Pĕi-fá	北伐	1–D–32
Pĕi-Sùng	北宋	7–98
Pĕi-yáng	北洋	1–D–41

Pèi-ěrh-kó-lái-tê 貝爾格萊德 9-148
pèi-hsìang 背向 9-222
pèi-kào jén 被告人 4-187
pèi-lí 背離 9-145
pèi-p'àn 背叛 3-43
pèi-pī 被逼 1-B-91
pèi-shang 背上 1-G-59
pèi-tào érh ch'íh 背道而馳 1-L-118
pèi-tùng 被動 1-B-93

P'EI

p'éi-ch'áng 賠償 4-233
p'éi-chíh 培植 9-211
p'éi-shěn-yüan chìh-tù 陪審員制度 4-186
p'éi-yǎng 培養 9-161
p'èi-hó 配合 1-B-57

PEN

pēn-t'éng 奔騰 1-C-77
pěn-chíh 本質 1-E-61
pěn-hsìng 本性 10-B-47
pěn-kúo 本國 1-B-75
pěn-lái 本來 1-B-95
pěn-pěn chǔ-ì 本本主義 1-K-1
pěn-shēn 本身 1-B-19
pěn-shih 本事 1-L-87
pěn-tì 本地 1-I-99
pěn-tsú 本族 7-227
pěn-wèi chǔ-ì 本位主義 8-B-22
pěn-wén 本文 3-13
pèn-chò 笨拙 1-B-111

PENG

pēng-k'ùei 崩潰 1-C-71

P'ENG

p'éng-chàng 膨脹 9-99
p'éng-pó 蓬勃 10-A-18
p'èng-chìen 碰見 1-K-98
p'èng-tào 碰到 1-G-118

PI

pǐ-chì 筆記 10-B-15
pǐ-chìao 比較 1-A-41
pǐ-chùng 比重 8-A-18
pǐ-fù 比附 6-33
pǐ hsüeh kǎn pāng 比學趕帮 10-A-48
pǐ-jú 比如 1-G-37
Pǐ Kān 比干 7-235
pǐ-lì 比例 8-A-42
pǐ-nǐ 比擬 9-26
pǐ-tz'ǔ 彼此 1-G-184
pì-chìh 必至 1-B-172
pì-ch'ǚ ch'í-ī 必取其一 1-L-145
pì-hsǖ 必需 1-B-32
pì-hsǖ 必須 1-B-77
pì-hùi 閉會 4-115
pì-ján 必然 1-B-119
pì-kūan chǔ-ì 閉關主義 3-156
pì-mén tsào-chǖ 閉門造車 1-G-173
pì-mǐen 避免 1-F-109
pì-yào 必要 1-A-143

P'I

p'ī-chǔn 批准 4-102
p'ī-fā 批發 8-A-24
p'ī-p'àn 批判 1-H-90
p'ī-p'íng 批評 1-G-48
p'ī-pó 批駁 1-A-43

PIAO

pīao-chìh 標幟 2-8
pīao-chìh 標志 5-115
pīao-chìh 標誌 8-A-17
pīao-chǔn 標準 1-E-123
pǐao-hsìen 表現 1-B-20
pǐao-mìen 表面 1-E-81
pǐao-míng 表明 1-G-100
pǐao-shìh 表示 1-D-34
pǐao-shù 表述 5-137
pǐao-tá 表達 7-192
pǐao-yáng 表揚 10-A-50

PIEH

píeh-jén 別人 9-228
píeh-lùn 別論 7-177
píeh wú fēn-tìen 別無分店 1-G-176

PIEN

piēn-chì pù	編輯部	9–5
piēn-chiāng ch'ṻ	邊疆區	9–128a
piēn-chiāng ch'ṻ tăng-wĕi	邊疆區黨委	9–128
piēn-chìh	編制	8–A–39
piēn-ch'ṻ	邊區	1–G–69
piēn-fă	編法	7–10
piēn-hsiĕh	編寫	7–5
pìen-chèng	辯證	1–E–68
pìen-chèng fă	辯證法	1–F–3
pìen-chiĕh	辯解	9–20
pìen-chíh	變質	9–78
pìen-chŭng	變種	9–256
pìen-hù	辯護	4–188
pìen-hùa	變化	1–L–4
pìen-hùan	變換	1–B–167
pìen-kēng	變更	1–A–54
pìen-kó	變革	1–E–66
pìen-lì	便利	4–208
pìen-lùn	辯論	1–K–137
pìen-pĕn chiā-lì	變本加厲	9–36
pìen-t'ài	變態	7–175
pìen-tùng	變動	1–B–147
pìen-t'ūng	變通	2–116
pìen-yǘ	便於	1–G–144

P'IEN

p'iēn-chìen	偏見	3–158
p'iēn-hsìang	偏向	1–J–41
p'iēn-p'iēn	偏偏	1–I–57
p'iēn-yǘ	偏於	1–I–16
p'ìen-jén	騙人	9–194
p'ìen-mìen	片面	1–E–35
p'ìen-tùan	片斷	1–K–71

P'IN

p'īn-mìng	拚命	1–G–21
p'ín-k'ùn	貧困	4–7
p'ín-mín	貧民	5–173
p'ín-núng	貧農	1–K–84
p'ĭn-chíh	品質	9–205

PING

pīng-ì	兵役	4–240
pīng-lì	兵力	1–B–64
pīng-shìh	兵士	1–G–137
pīng-t'úan	兵團	1–B–193
pìng-chèng	病症	9–301
pìng-ch'ēng	並稱	7–236
pìng-hsíng	並行	1–G–153
pìng-ts'ún	並存	1–I–11

P'ING

p'íng-ān	平安	10–B–61
p'íng-ch'áng	平常	1–G–88
p'íng-chìa	評價	7–253
p'íng-chṻn	平均	1–F–72
p'íng-chṻn tì-ch'ǘan	平均地權	1–H–67
p'íng-héng	平衡	1–A–235
p'íng-mín	平民	7–43
p'íng-shù	評述	10–B–62
p'íng-téng	平等	1–C–2
p'íng-tì	平地	1–K–102

PO

pō-hsǜeh	剝削	1–A–126
Pō-szū Wān	波斯灣	7–103
pō-tó	剝奪	4–74
pō-tó tzù-yú hsíng	剝奪自由刑	6–59
pó-ài	博愛	9–114
pó-chīa chēng-míng	百家爭鳴	1–L–68
pó-hūa ch'í-fàng	百花齊放	1–L–139
pó-jò	薄弱	8–A–50
pó-níen tà-chì	百年大計	9–358
pó-pì wú-hsía	白璧無瑕	10–A–28

P'O

p'ò-ch'ăn	破產	8–B–5
p'ò-hài	迫害	4–234
p'ò-hùai	破壞	1–A–207
p'ò-lìeh	破裂	10–A–19
p'ò-lín	迫臨	1–A–105
p'ò-shĭh	迫使	9–206

P'OU

p'ōu-míng 剖明 7—123

PU

pū-ché pū-k'òu 不折不扣 9—177
pū-ch'éng 不成 1—L—55
pū-chìen 不見 1—F—85
pū-ch'ien 不淺 1—J—11
pū-ch'íu shèn-chǐeh 不求甚解 1—K—125
pū-ch'ǖ pū-náo 不屈不撓 1—L—95
pū-fǎ 不法 5—99
pū-fēn 不分 4—197
pū-fū 不敷 5—227
pū-fú 不服 1—C—39
pū-hó 不和 7—267
pū-hsī 不惜 3—21
pū-hsīao shūo 不消說 3—145
pū-hsìeh 不懈 9—85
pū-hsíng 不行 1—G—145
pū-í 不移 4—34
pū-ján 不然 1—G—120
pū-k'ǒ ch'īn-fàn 不可侵犯 5—104
pū-k'ǒ-fēn hsìng 不可分性 10—B—41
pū-k'ǒ k'àng 不可抗 1—B—127
pū-k'ǒ shǎo 不可少 1—D—36
pū-kù 不顧 3—20
pū-kǔan 不管 1—F—103
pū-lì 不利 1—B—137
pū-líang 不良 1—I—91
pū-lùn 不論 1—A—21
pū-mǐen 不免 1—B—122
pū-míng 不明 1—B—157
pū-pài chīh tì 不敗之地 9—347
pū-pìen chìa-kó 不變價格 8—A—14
pū-té-lǐao 不得了 1—L—127
pū-tìng 不定 1—C—61
pū-tsú 不足 1—B—97
pū-tú 不獨 2—19
pū-tùan 不斷 1—C—80
pū-t'úng 不同 1—B—79
pū-wèi 不謂 1—K—39
pū-wén pū-wèn 不聞不問 9—348
pǔ-chù chīn 補助金 7—251
pǔ-ch'ūng 補充 8—B—2
pǔ-hsí 補習 7—6
pù-chǎng 部長 4—108
pù-chìh 佈置 3—85
pù-chǘ 佈局 8—A—48
Pù-ěrh-shíh-wéi-k'ò 布爾什維克 9—146
pù-fen 部分 1—A—102
Pù-hā-lín 布哈林 9—91
pù-kào 布告 4—195
pù-lè 部落 7—194
pù-mén 部門 1—G—24
pù-p'ǐ 布匹 1—K—158
pù-shǔ 部署 1—B—199
pù-tìao 步調 1—I—6
pù-tsòu 步驟 8—A—47
pù-tsú 部族 7—195
pù-tùi 部隊 1—B—160

P'U

p'ǔ-chào 普照 9—383
p'ǔ-chí 普及 1—G—140
p'ǔ-pìen 普遍 1—B—125
p'ǔ-t'ūng 普通 1—G—166

SAN

Sān-fǎn 三反 8—A—3
Sān Kúo 三國 7—171
Sān-mín Chǔ-ì 三民主義 1—H—21
sān tà chèng-ts'è 三大政策 1—H—20
sàn-k'āi 散開 1—B—151

SANG

sàng-shīh 喪失 1—K—68

SAO

sǎo-ch'ú 掃除 1—C—26

SE

sè-ts'ǎi 色彩 3—17

SEN

sēn-lín 森林 4—50

SHA

shā-hài 殺害 6-96
shā-jén 殺人 6-107
shā-shēn 殺身 7-240
shā-t'óu 殺頭 1-L-91
shā-wén chŭ-ì 沙文主義 9-120a
shà-yŭ chìeh-shìh
煞有介事 9-174

SHAN

shān-hùo 煽惑 3-162
shān-t'óu 山頭 1-K-101
Shăn-Kān Níng 陝甘寧 1-G-68
shàn-fā 闡發 7-54
shàn-kūan fēng-sè
善觀風色 1-B-177
shàn-míng 闡明 1-L-140
shàn-tsé shíh-chī 善擇時機 1-B-178
shàn-tùan 擅斷 6-9
shàn-yǘ 善於 1-B-175

SHANG

Shāng Chōu 商周 7-141
shāng-ch'ǜeh 商榷 10-B-2
shāng-hài 傷害 6-108
shāng-hào 商號 9-282
shāng-jén 商人 1-K-85
shāng-liang 商量 9-328
shāng-pīao 商標 9-278
shāng-p'ĭn 商品 5-80
shāng-yèh 商業 1-H-37
shăng-shìh 賞識 9-283
shàng-chí 上級 1-I-73
Shàng-hăi 上海 1-G-72
shàng-shēng 上升 1-I-19
Shàng-shū 尙書 7-136
shàng-shù 上述 1-F-77
shàng-t'ái 上臺 9-123
shàng-ts'éng 上層 3-48
shàng-ts'éng chìen-chù
上層建築 6-112

SHAO

shāo-wéi 稍微 6-24
shăo-shù 少數 1-G-167
shăo-shù mín-tsú 少數民族 4-40
shăo-tì 少地 1-H-62

SHE

shĕ-té 舍得 1-L-106
shè-chī 射擊 1-B-36
shè-chí 涉及 1-F-6
shè-chì 設計 8-A-35
shè-hsĭang 設想 1-A-233
shè-hùi 社會 1-A-87
shè-lì 設立 4-132
shè-pèi 設備 8-A-53
shè-shīh 設施 4-223
shè-tìng 設定 5-158
shè-ts'āng 社倉 5-25

SHEN

shēn-ch'ìeh 深切 1-K-138
shēn-ch'ĭen 深淺 1-B-153
shēn-fèn 身分 6-32
shēn-hòu 深厚 3-149
shēn-hùa 深化 1-E-69
shēn-jù 深入 1-K-45
shēn-k'ò 深刻 1-E-27
shēn-shēn 深深 3-60
shēn-t'ĭ 身體 1-B-37a
shēn-t'ĭ hsíng 身體刑 6-15
shēn-tzu 身子 1-K-103
shēn-wài chīh wù
身外之物 5-122
shén-ch'ì shíh-tsú
神氣十足 1-L-120
shén-hsien 神仙 2-44
shén-mì 神祕 1-I-46
shén-shèng 神聖 4-237
shén-wù 神物 1-C-102
shĕn-ch'á 審察 1-K-42
shĕn-hsǜn 審訊 4-193
shĕn-p'àn 審判 4-117a
shĕn-p'àn ch'ǘan 審判權 4-184
Shĕn-p'àn Wĕi-yǘan Hùi
審判委員會 4-118

shĕn-p'àn yǘan 審判員 4–117
shĕn-shèn 審愼 2–79
shĕn-tìng 審訂 8–B–27
shèn-chìh 甚至 1–G–64
shèn-chùng 愼重 1–B–183
shèn-t'òu 滲透 1–F–89

SHENG

shēng-ch'ăn 生產 1–A–187a
shēng-ch'ăn kūan-hsi 生產關係 1–E–17
shēng-ch'ăn lì 生產力 1–F–23
shēng-ch'ăn lǜ 生產率 8–A–49
shēng-ch'ăn tzū lìao 生產資料 1–L–164
shēng-chăng 生長 3–126
shēng-chì 生計 1–H–50
shēng-ch'ì pó-pó 生氣勃勃 9–345
shēng-ch'ù 牲畜 7–146
shēng-hsí 生息 1–D–11
shēng-húo 生活 1–A–96
shēng-húo tzū-lìao 生活資料 4–65
shēng-kēn 生根 1–L–50
shēng-míng 聲明 1–H–56
shēng-mìng 生命 1–F–38
shēng-mìng hsíng 生命刑 6–16
shēng-szŭ ts'ún-wáng 生死存亡 9–357
shēng-t'ieh 生鐵 8–A–28
shēng-t'ūn húo-pō 生吞活剝 1–H–89
shēng-tùng 生動 1–J–23
shēng-yìng 生硬 2–57
shēng-yǜ 生育 8–B–33
shéng-t'óu 繩頭 1–B–159
shĕng-chăng 省長 4–169
shèng-hsíng 盛行 10–B–54
shèng-lì 勝利 1–A–71
shèng-pài 勝敗 1–A–148
shèng-shūai júng-jù 勝衰榮辱 1–K–78

SHIH

shīh-chíh 失職 4–231
Shīh-chīng 詩經 7–135
shīh-ch'ǜ 失去 1–B–106
shīh-hsíng fă 施行法 5–238
shīh-pài 失敗 1–A–155
shīh-p'ien 詩篇 7–139
shīh-tìao 失掉 1–B–90
shīh-yèh 失業 1–A–191
shíh-ch'áng 時常 1–B–166
shíh-chī 時機 1–A–171
shíh-chì 實際 1–E–23
shíh-ch'ī 時期 1–B–104
shíh-chíeh 時節 1–E–126
shíh-chìen 實踐 1–E–1
shíh-chíh 實質 1–E–89
shíh-ch'ǘan shíh-mĕi 十全十美 10–A–27
shíh-fēn 十分 1–B–135
shíh-hsìen 實現 1–B–210
shíh-hsíng 實行 1–B–13
shíh-kúo 十國 7–15
shíh-lì 實力 1–C–51
shíh-lìang 食糧 1–H–74
shíh-máo 時髦 9–118
shíh-ò 十惡 6–28
shíh-shīh 實施 1–B–201
shíh-shíh 時時 1–K–114
shíh-shíh k'ò-k'ò 時時刻刻 8–A–61
shíh-shìh ch'íu-shìh 實事求是 1–H–96
shíh-tài 時代 1–A–97
shíh-t'àn 石炭 7–96
shíh-tsú 十足 5–203
shíh-wù 食物 1–H–77
shíh-wù 實物 5–225
shíh-yèn 實驗 1–E–112
shíh-yú 石油 7–97

shíh-yǜeh húai-t'āi		
	十月懷胎	1－K－37
shíh-chíeh	使節	4－144
shǐh-chūng	始終	1－F－45
shǐh-hsǘeh	史學	7－282
shǐh-shū	史書	6－12
shǐh wú ch'íen-lì		
	史無前例	9－157
shǐh-yùng	使用	1－A－144
shìh-chǎng	市長	4－170
shìh-ch'ǎng	市場	3－26
shìh-chì	世紀	3－147
shìh-ch'ì	士氣	1－C－74
shìh-chìeh	世界	1－A－116
shìh-chìeh kūan	世界觀	1－L－33
shìh-chìen	事件	9－318
shìh-chǖn lì-tí	勢均力敵	1－F－79
shìh-fàn	示範	5－141
shìh-fàng	釋放	6－65
shìh-fǒu	是否	1－E－114
shìh-hó	適合	1－D－62
shìh-hsí	世襲	9－95
shìh-hsía ch'ǖ	市轄區	4－166
shìh-hsǐang	試想	1－F－83
shìh-hsīen	事先	1－B－194
shìh-hùan shīh-ì	仕宦失意	7－226
shìh-í	適宜	9－336
shìh-lì	勢力	1－A－169
shìh-lì	事例	9－40
shìh-lùn	試論	7－276
shìh-píeh	識別	9－373
shìh-p'ò	識破	1－I－30
shìh pū lǐang-lì		
	勢不兩立	9－302
shìh-shíh	事實	1－G－142
shìh-shìh	逝世	9－93
shìh-shìh hsīang-ch'úan		
	世世相傳	7－197
shìh-tài hsīang-ch'úan		
	世代相傳	3－151
shìh-tàng	適當	1－G－116

shìh té ch'í fǎn	適得其反	1－B－65
shìh tsài jén-wéi		
	事在人爲	8－B－23
shìh-tsú	氏族	7－193
shìh-t'ú	試圖	6－105
shìh-tzù	識字	1－G－82
shìh-wēi	示威	4－206
shìh-wěi	市委	9－130
shìh-wù	事物	1－E－34
shìh-wù	事務	2－73
shìh-yèh	事業	1－A－115
shìh-yìng	適應	1－G－15
shìh-yùng	適用	1－H－25

SHOU

shōu-chīao	收繳	5－226
shōu-chīh	收支	8－A－11
shōu-húi	收回	5－70
shōu-hùo	收獲	1－L－67
shōu-ì	收益	5－211
shōu-jù	收入	4－63
shōu-kūei kúo-yǔ		
	收歸國有	4－69
shōu-lǔng	收攏	1－B－152
shǒu-ch'ùang	首創	9－154
shǒu-fǎ	手法	9－246
shǒu-hsìang	首相	9－287
shǒu-hsīen	首先	1－A－150
shǒu-kūng yèh	手工業	1－K－92
shǒu-lǐng	首領	3－132
shǒu-nǎo	首腦	2－64
shǒu-tū	首都	4－10
shǒu-tùan	手段	1－B－141
shǒu-yào	首要	6－2
shòu-hài	受害	9－326
shòu-hùi	受賄	9－141
shòu-jò	瘦弱	9－291
shòu-yǔ	授予	2－71

SHU

shū-mìen	書面	1－K－171
shū-pào	書報	1－L－94
shū-shìh	舒適	9－290

shú-hsī	熟悉	1－L－28
shú-mǎi tào-tǐ	贖買到底	5－97
Shǔ Hàn	蜀漢	7－241
shǔ-yǘ	屬於	1－A－101
shù chīh kāo-kǒ	束之高閣	1－E－111
shù-fú	束縛	1－J－45
shù-hsǘeh	數學	7－71
shù-lìang	數量	1－B－71
shù-mù	數目	1－G－85
shù-tzù	數字	8－A－30
shù-yǜ	術語	5－111

SHUAI

shūai-hsǐu	衰朽	7－219
shūai-lǎo	衰老	1－I－86

SHUI

shǔi-chǔn	水準	2－61
shǔi-hǔo	水火	10－B－25
shǔi-líu	水流	4－47
shǔi-lù	水路	6－71
shǔi-p'íng	水平	1－F－24
shùi-hùa	蛻化	3－8
shùi-pìen	蛻變	9－317

SHUN

shùn-lì	順利	1－A－246

SHUO

shūo-ch'ūan	說穿	5－196
shūo-fǎ	說法	3－65
shūo-fú	說服	1－L－40
shūo-lǐ	說理	1－J－59
shūo-míng	說明	1－A－291

SO

sō-hsǐao	縮小	1－G－17
sǒ-hsing	索性	7－13
sǒ-shǔ	所屬	4－175
sǒ té érh szū	所得而私	1－H－69
sǒ-wèi	所謂	1－B－35
sǒ-yǔ chìh	所有制	1－L－165
sǒ-yǔ ch'ǘan	所有權	4－52
sǒ-yǔ jén	所有人	5－90
sǒ-yǔ wù	所有物	5－213

SU

Sū-Kùng	蘇共	9－3
Sū-lien	蘇聯	1－A－62
sū-wéi-āi	蘇維埃	4－22a
Sū-wéi-āi Shè-hùi chǔ-ì Kùng-hó Kúo Líen-méng	蘇維埃社會主義共和國聯盟	4－22
sù-ch'ēng	素稱	7－64
sù-chíh	素質	1－B－70
sù-ch'ing	肅清	1－J－50
sù-chǘeh chàn	速決戰	1－A－261
sù-shèng lùn chě	速勝論者	1－C－104
sù-sùng	訴訟	4－189
sù-tù	速度	1－B－154

SUI

súi-hsīn sǒ yǜ	隨心所欲	9－165
súi-shǒu	隨手	7－24
Súi T'áng	隋唐	6－36

SUN

sǔn-hài	損害	2－26
sǔn-shīh	損失	1－B－158

SUNG

sūng-hsìeh	鬆懈	2－92
sùng-kǔ fēi-chīn	頌古非今	1－H－109

SZU

szū-ch'ǎn	私產	1－H－65
szū-ch'áo	思潮	9－102
szū-chīh	絲織	7－79
szū-fǎ	司法	5－27
szū-fēn	私分	9－45
szū-háo	絲毫	1－A－53
szū-jén	私人	1－H－43
szū-k'ǎo	思考	9－321
szū-lì	私利	7－264
szū-mài	私賣	9－44
Szū-nò	斯諾	1－C－85
szū-shè	私設	6－85

szū-sŏ 思索 1—B—181
Szū-tà-lín 斯大林 1—A—77
szū-wéi 思維 1—F—101
szū-yŭ 私有 1—A—25
szū-yŭ chìh 私有制 1—L—8
szŭ-hsíng 死刑 6—39
szŭ-păn 死板 1—B—170
szŭ-tí 死敵 1—H—15
szŭ-wáng 死亡 1—I—87
szŭ-yìng 死硬 1—J—34
szù-hū 似乎 1—F—78
szù-ì hūi-hùo 肆意揮霍 9—61
szù-shìh érh fēi 似是而非 6—106
szù-tà chīa-tsú 四大家族 5—209
szù-yăng yǘan 飼養員 2—32

TA

tá-fù 答覆 1—L—27
tá-tào 達到 1—B—17
tă-ch'éng ī-p'ìen 打成一片 1—L—61
tă-chī 打擊 1—G—30
tă-ch'ū 打出 9—166
tă-jăo 打擾 9—242
tă k'ō-shùi 打瞌睡 1—K—127
tă-p'ò 打破 3—40
tă-săo 打掃 1—J—57
tă-sùan 打算 3—14
tă-tăo 打倒 1—G—9
tă-wăng 打網 1—B—150
tă-yǘ 打魚 1—B—165
tà-chīng hsĭao-kùai
大驚小怪 9—378
tà-chùng 大衆 1—E—88
tà-fā héng-ts'ái 大發橫財 9—46
tà-fàng 大放 9—330
tà hsíng-chèng ch'ǖ
大行政區 5—132
tà-hùi 大會 1—E—42a
tà-ì 大意 10—B—34
tà-kài 大概 1—E—52
tà-kāng 大綱 1—K—156
tà-kăo 大搞 9—327
tà-kúo shā-wén chŭ-ì
大國沙文主義 9—120
tà-lìang 大量 1—H—73
tà-lǜeh 大略 3—167
tà mín-tsú chŭ-ì
大民族主義 4—21
tà-míng 大鳴 9—329
tà-p'ī 大批 1—C—79
tà-p'ì 大辟 6—14
tà pìen-lùn 大辯論 9—331
tà-shè 大赦 4—106
tà-shēng chí-hū 大聲疾呼 1—K—131
tà-shìh ĭ-ch'ǜ 大勢已去 7—230
tà-shìh sŏ ch'ǖ 大勢所趨 1—B—117
tà-shìh tà-fēi 大是大非 5—108
tà-szù 大肆 9—265
tà t'à-pù 大踏步 1—G—61
tà-tí tāng-ch'ien 大敵當前 1—H—12
tà-tì 大地 9—384
tà-t'ĭ 大體 6—38
tà tō-shù 大多數 1—A—107
tà tùi-chăng 大隊長 1—K—167
tà-t'úng 大同 3—41
tà wú-wèi 大無畏 1—L—108
tà-yŭ chìn-pù 大有進步 1—L—48
tà-yǖeh 大約 1—L—19

TAI

tāi-chìh 呆滯 1—B—171
tài-chìa 代價 1—B—26
tài-hsíng 代行 4—152
tài-k'ŭan 貸款 9—270
tài-kūng 怠工 1—K—48
tài-lĭ jén 代理人 3—102
tài-míng tz'ú 代名詞 9—277
tài-pīao 代表 1—H—53a
tài-pŭ 逮捕 4—138
tài-t'ì 代替 2—112
tài-yén jén 代言人 3—143
tài-yǜ 待遇 4—215

T'AI

t'ài-hsī 泰西 5—188

T'ài-p'íng T'ien-kúo 太平天國 1-E-82
t'ài-tù 態度 1-G-33

TAN

tān ch'ún 單純 1-A-273
tān-fù 擔負 1-K-164
tān-hsíng t'iao-lì 單行條例 4-181
tān-ī 單一 9-213
tān-jèn 擔任 4-148
tān-kàn 單幹 8-B-7
tān-kò 單個 1-B-192
tān-tú 單獨 1-D-52
tān-wèi 單位 4-139
tǎn-shǔi 膽水 7-93
tàn-pái chíh 蛋白質 10-B-12

T'AN

t'ān-wū 貪污 9-53
t'ān-yǜ 貪慾 3-27
t'án-lùn 談論 6-110
t'àn-ch'ì 嘆氣 1-K-26

TANG

tāng-ch'ien 當前 1-C-89
tāng-ch'üan p'ài 當權派 6-104
tāng-ján 當然 1-D-54
tāng-shíh 當時 1-G-25
tāng-shìh jén 當事人 4-191
tāng-tài 當代 9-314
tāng-tì 當地 1-L-179
tǎng-chāng 黨章 2-1
tǎng-chèng 黨政 8-B-26
Tǎng-hsìao 黨校 1-I-2
tǎng-hsìng 黨性 1-G-35
tǎng-p'ài 黨派 4-16
tǎng-wěi 黨委 1-L-173

T'ANG

T'áng-lǜ 唐律 6-26
t'ǎng-jò 倘若 1-K-106

TAO

tǎo-pǎ 倒把 9-60
tǎo-yén 導言 5-2
tào-ch'ìeh 盜竊 6-113
tào-lǐ 道理 1-F-64
tào-lù 道路 1-A-180
tào sǒ yú ch'ū 道所由出 10-B-35
tào-tǐ 到底 1-A-231
tào-té 道德 9-117
tào-t'ùi 倒退 9-16

T'AO

t'áo-p'ǎo chǔ-ì 逃跑主義 1-A-258
t'ǎo-lùn 討論 1-G-152
t'ǎo shēng-húo 討生活 1-K-49

TE

té-tàng 得當 1-J-58
té-tsùi 得罪 1-L-135

T'E

t'è-chēng 特徵 5-118
t'è-ch'üan 特權 6-25
t'è-hsìng 特性 1-B-142
t'è-píeh 特別 1-A-74
t'è-píeh hsíng-fǎ 特別刑法 6-91
t'è-shè 特赦 4-128
t'è-shū 特殊 1-A-19
t'è-tǐen 特點 1-A-188
t'è-tìng 特定 4-134
t'è-wu 特務 1-I-76

TENG

tēng-tsài 登載 10-B-4
těng-yǘ 等於 1-C-21

TI

tī-chìen 低賤 9-227
tī-néng 低能 5-255
tí-ch'íng 敵情 1-B-144
tí-chǖn 敵軍 1-B-66
tí-jén 敵人 1-A-167
tí-kúo 敵國 1-C-14
tí-shìh 敵視 1-G-65
tí-tùi 敵對 1-C-44
tí-wǒ 敵我 1-B-84
tǐ-chìh 抵制 9-164

tĭ-ch'ù	抵觸	2—101
tĭ-hŭi	詆毀	9—173
tĭ-k'àng	抵抗	7—59
tĭ-lĭ	底裏	1—K—4
tĭ-tăng	抵當	7—102
tì-chíeh	締結	4—123
tì-ch'íu	地球	1—E—134
tì-chŭ	地主	1—A—224
tì-ch'ǖ	地區	2—113
tì-ch'ǘan	地權	1—H—67a
tì-fāng chŭ-ì	地方主義	3—157
tì-hsìa	地下	2—114
tì-hsíng	地形	1—B—145
tì-ī shū-chì	第一書記	1—L—176
tì-kúo	帝國	3—52a
tì-kúo chŭ-ì	帝國主義	1—A—168
tì-p'án	地盤	1—G—16
tì-p'íng hsìen	地平綫	1—H—125
tì-pù	地步	1—I—100
tì-tĭen	地點	1—B—168
tì-tsào	締造	9—152
tì-tsū	地租	5—20
tì-wáng	帝王	7—29
tì-wèi	地位	1—B—63
tì wú lì-chūi	地無立錐	5—176

T'I

t'í-ch'ú	剔除	1—H—104
t'í-ch'àng	提倡	1—B—22
t'í-ch'ĭ	提起	1—K—155
t'í-chīao	提交	4—150
t'í-ch'ĭng	提請	5—146
t'í-ch'ū	提出	1—F—70
t'í-ì	提議	2—99
t'í-kāo	提高	1—G—139
t'í-kùng	提供	4—136
t'í-lìen	提鍊	1—G—172
t'í-míng	提名	4—93
t'í-shēng	提升	6—5
t'ĭ-hsì	體系	5—49
t'ĭ-hsìen	體現	5—114
t'ĭ-hùi	體會	10—A—3
t'ĭ-lì	體力	4—225

TIAO

tìao-ch'á	調查	1—K—2
tìao-tùng	調動	1—C—63

T'IAO

t'íao-hsǖan	挑選	9—374
t'íao-chĕng	調整	5—56
t'íao-chíeh	調節	5—34
t'íao-chìen	條件	1—A—232
t'íao-hó	調和	2—21
t'íao-k'ŭan	條款	6—42
t'íao-lĭ	條理	1—I—18
t'íao-lì	條例	4—180
t'íao-lìng	條令	1—A—49
t'íao-wén	條文	2—3
t'íao-wén hùa	條文化	5—112
t'íao-yǖeh	條約	4—124
t'ĭao-pō	挑撥	8—B—18
t'ĭao-tùng	挑動	7—266

T'IEH

t'ĭeh-lù	鐵路	6—70
t'ĭeh-păn	鐵板	10—B—17
t'ĭeh-p'ìen	鐵片	7—92
t'ĭeh-tào	鐵道	1—H—44
T'ĭeh-t'ō	鐵托	3—4

TIEN

tīen-tăo	顛倒	1—G—95
tīen-tăo hēi-pái	顛倒黑白	5—134
tĭen-chí	典籍	7—134
tĭen-lĭ	典禮	7—151
tĭen-tàng	典當	5—37
tĭen-tēng	點燈	7—99
tìen-hù	佃戶	5—230
tìen-líu	電流	1—F—56
tìen-núng	佃農	1—F—86
tìen-yǘan	店員	1—G—74

T'IEN

T'īen-ān Mén	天安門	4—244
t'īen-chēn làn-màn	天眞爛漫	1—I—31
t'īen-chīng tì-ì	天經地義	6—55

t'ien-hsìng 天性 3-36
t'ien-ī wú-fèng 天衣無縫 5-191
t'ien-tì kŭ-chīn 天地古今 10-B-37
t'ien-tzŭ 天子 7-158
t'ien-wén hsüéh 天文學 7-70
t'ien-lien ch'ien-mò 田連阡陌 5-175
t'ien-yüán 田園 6-68

TING

tīng-shāo 釘梢 9-178
tìng-ch'ū 定出 1-K-70
tìng-ì 定義 1-F-34
tìng-lì 訂立 5-223

T'ING

t'īng-ch'ǚ 聽取 9-362
t'íng-chĭh 停止 1-B-116
t'íng-chìh 停滯 1-L-117
t'íng-tùn 停頓 1-A-288
t'ìng-jèn 聽任 9-244
t'ìng-ts'úng 聽從 9-239

TIU

tīu-tìao 丟掉 1-K-122

TO

tō-kùai-hăo-shĕng 多快好省 10-A-46
tō mín-tsú 多民族 4-37
tō-shíh 多時 1-G-132
tō-shù 多數 1-A-107a
tō-yüán lùn 多元論 1-G-159
tó-ch'ǚ 奪取 1-D-2
tò-lè 墮落 3-44

T'O

t'ō-chíeh 脫節 8-A-43
t'ō-ch'ū 脫出 1-B-130
t'ō-lí 脫離 1-B-131
t'ō-lò-tz'ú-chī 托洛茨基 1-G-160
t'ŏ-hsíeh 妥協 1-C-34
t'ò-yèh 唾液 1-H-81

TOU

tòu-chēng 鬥爭 1-A-37

T'OU

t'ōu-ch'ìeh 偷竊 6-57
t'ōu-hùan 偷換 9-104
t'óu-chī 投機 1-G-127
t'óu-hsíang chŭ-ì 投降主義 1-G-186
t'óu-năo 頭腦 1-J-32
t'óu-p'ìao 投票 7-248
t'óu-tzū 投資 3-31

TSA

tsá-chǖ 雜居 4-177
tsá-hùo 雜貨 1-K-159
tsá-wén 雜文 1-L-126

TSAI

tsāi-mín 災民 7-250
tsāi-nàn 災難 5-262
tsăi-kō 宰割 9-245
tsài-ch'ēng 載稱 10-B-29
tsài-jú 再如 1-D-45
tsài-tsò 在座 1-K-144
tsài-yǚ 在於 1-A-81

TS'AI

ts'ái-ch'ăn 財產 1-A-26
ts'ái-ch'ăn hsíng 財產刑 6-76
ts'ái-chèng 財政 4-178
ts'ái-ch'üán 財權 5-36
ts'ái-fù 財富 5-75
ts'ái-lì 才力 1-K-29
ts'ái-lìao 材料 1-E-92
ts'ái-păo 財寶 7-143
ts'ái-wù 財物 5-102
ts'ăi-ch'ǚ 採取 1-B-46
ts'ăi-yùng 採用 1-L-116
ts'ài-ì chŭ 采邑主 7-159

TSAN

tsàn-ch'éng 贊成 1-G-49
tsàn-t'úng 贊同 1-H-99
tsàn-yáng 讚揚 1-G-50
tsàn-yüeh 讚曰 1-I-42

TS'AN

ts'ān-chào 參照 8-A-40

ts'ān-chīa 參加 1—A—172
ts'án-fèi hsíng 殘廢刑 6—37
ts'án-hài 殘害 6—40
ts'án-k'ù 殘酷 1—A—104
ts'án-pào 殘暴 1—G—42
ts'án-shā 殘殺 1—A—85
ts'án-yǘ 殘餘 1—I—63
ts'àn-làn 燦爛 1—H—102

TSANG

tsàng-lǐ 葬禮 7—154

TS'ANG

ts'āng-ying 蒼蠅 8—B—30
ts'áng-shēn 藏身 1—J—5

TSAO

tsāo-p'ò 糟粕 1—H—86
tsāo-shòu 遭受 1—A—108
tsāo-tào 遭到 5—120
tsǎo-tào 早稻 7—86
tsào-ch'éng 造成 1—E—53
tsào-chǐh 造紙 7—81
tsào-chìu 造就 9—350

TS'AO

ts'āo-tsùng 操縱 1—H—49
Ts'áo Ts'āo 曹操 7—95
ts'ǎo-àn 草案 5—145
ts'ǎo-chìeh 草芥 1—C—103

TSE

tsé-jèn 責任 1—A—196
tsé-pèi 責備 5—139

TS'E

ts'è-lüèh 策略 1—K—44
ts'è-mìen 側面 1—F—102

TSENG

tsēng-ch'ǎn 增產 8—B—16
tsēng-chǎng 增長 8—A—15
tsēng-chīa 增加 1—B—102
tsēng-chìn 增進 4—27
tsēng-t'īen 增添 9—376

TS'ENG

ts'éng-chīng 曾經 1—D—25

TSO

tsǒ-ch'īng 左傾 1—G—187
Tsǒ Chùan 左傳 7—205
tsǒ-ì 左翼 1—L—44
tsǒ-yù 左右 1—L—20
tsò-chàn 作戰 1—A—131
tsò-chàn hsìen 作戰綫 1—A—263
tsò-chīa 作家 1—G—92
tsò-chǐng kūan-t'īen 坐井觀天 3—165
tsò-fǎ 做法 3—112
tsò-fēng 作風 1—G—182
tsò-kùai 作怪 1—K—46
tsò-p'ǐn 作品 1—G—67
tsò-t'án hùi 座談會 1—G—2
tsò-tùi 作對 1—F—82
tsò-wéi 作爲 5—119
tsò-yùng 作用 1—E—48

TS'O

ts'ō-lái ts'ō-ch'ǜ 搓來搓去 1—I—40
ts'ò-ché 挫折 1—L—104
ts'ò-chüéh 錯覺 1—I—96
ts'ò-pài 挫敗 1—C—91
ts'ò-shīh 措施 4—158
ts'ò-wù 錯誤 1—A—147

TSOU

tsǒu-kǒu 走狗 1—D—30
tsǒu-mǎ k'àn-hūa 走馬看花 1—L—59

TSU

tsū-lìn 租賃 5—221
tsū-tìen 租佃 1—K—82
tsú-chǔ 族主 7—214
tsú-ǐ 足以 7—67
tsú-kòu 足够 2—53
tsǔ-ài 阻礙 1—J—36
tsǔ-chǎng 組長 2—65
tsǔ-ch'éng 組成 1—G—29
tsǔ-chīh 組織 1—A—202
tsǔ-kúo 祖國 1—B—15
tsǔ-yǘan 組員 2—66

TS'U

ts'ū-ch'ien	粗淺	10—B—52
ts'ū-pào	粗暴	1—L—146
ts'ù-chìn	促進	1—E—135

TS'UAN

ts'uàn-tó	簒奪	9—76

TSUI

tsuǐ-pa	嘴巴	9—75
tsuì-jén	罪人	7—221
Tsuì-kāo Jén-mín Chien-ch'á Yüan	最高人民檢察院	4—100
Tsuì-kāo Jén-mín Fă-yüan	最高人民法院	4—98
Tsuì-kāo Kúo-wù Huì-ì	最高國務會議	4—149
tsuì-ò	罪惡	7—22

TS'UI

ts'uī-huǐ	摧毁	1—J—52
ts'uī-ts'án	摧殘	1—A—109

TSUN

tsūn-chào	遵照	10—A—51
tsūn-chùng	尊重	1—A—59
tsūn-ch'úng	尊崇	7—262
tsūn-hsíng	遵行	5—129
tsūn-hsün	遵循	10—A—40
tsūn-shǒu	遵守	1—K—118
tsūn-yén	尊嚴	1—H—71

TS'UN

ts'ún-tsài	存在	1—A—244
ts'ún-wáng	存亡	9—192

TSUNG

tsūng-chìao	宗教	1—H—98a
tsūng-chìao t'ú	宗教徒	1—H—98
tsūng-chǐh	宗旨	1—J—3
tsūng-chǔ kúo	宗主國	3—62
tsūng-p'ài chǔ-ì	宗派主義	1—A—283
tsŭng ch'ăn-chíh	總產值	8—A—13
tsŭng-ch'ēng	總稱	7—209
tsŭng-chíeh	總結	1—E—77
tsŭng-chīh	總之	1—E—22
tsŭng érh yén chīh	總而言之	1—L—36
tsŭng-hó	總和	2—62
tsŭng-kāng	總綱	2—2
tsŭng-lǐ	總理	4—95
tsŭng-pīen	總編	7—9
tsŭng shū-chì	總書記	1—K—170
tsŭng-shù	總數	1—K—147
tsŭng szū-lìng	總司令	1—K—168
tsŭng-tsé	總則	5—237
tsŭng tùng-yüan	總動員	4—130
tsùng-hó	綜合	1—E—91
tsùng-júng	縱容	5—217
tsùng-kūan	綜觀	7—52

TS'UNG

ts'ūng-ming	聰明	1—B—174
ts'úng-chūng	從中	1—G—26
ts'úng-chūng ch'ü-lì	從中取利	7—268
ts'úng-lái	從來	1—F—11
ts'úng-shìh	從事	1—A—12
ts'úng-shŭ	從屬	1—G—162
ts'úng-tz'ŭ	從此	1—C—86

TU

tú-chàn	獨佔	1—H—40
tú-chĕ	讀者	1—G—86
tú-lì	獨立	1—A—129
tú-sù	毒素	1—H—110
tú-yŭ	獨有	7—215
tŭ-chòu	賭咒	9—280
tù-chüeh	杜絕	5—94
Tù-lè-szū	杜勒斯	9—294
Tù-lŭ-mén Chŭ-ì	杜魯門主義	3—81
tù-tzu	肚子	6—72

T'U

t'ú-chìng	途徑	1—B—62
t'ú-ch'ū	突出	1—H—13
t'ú-ján hsí-chī	突然襲擊	9—364

t'ú-láo 徒勞 10–B–57
t'ú-pìen 突變 1–E–59
t'ǔ-ch'ì 土氣 1–J–17
t'ǔ-fěi 土匪 1–A–277
t'ǔ-pù 土布 1–K–161
t'ǔ-tì 土地 1–A–223
t'ǔ-tòu shāo níu-jòu 土豆燒牛肉 9–258

TUAN

tǔan-ch'ī 短期 7–174
tǔan-ch'ù 短處 10–A–34
tǔan-pīng hsīang-chīeh 短兵相接 1–K–113
tùan-chüéh 斷絕 1–C–31
tùan-lìen 鍛鍊 1–G–89
tùan-tìng 斷定 7–142
tùan-yén 斷言 7–155

T'UAN

t'úan-chíeh 團結 1–G–13
t'úan-t'ǐ 團體 4–17

TUI

tùi-chǎng 隊長 1–K–167a
tùi-chào 對照 9–231
tùi-chǔn 對準 1–I–36
tùi-fu 對付 1–L–130
tùi-hsìang 對象 1–D–50
tùi-k'àng 對抗 1–F–10
tùi-lì 對立 1–F–2a
tùi-lì mìen 對立面 1–L–151
tùi-lì t'ǔng-ī 對立統一 1–F–2
tùi-pǐ 對比 10–A–38
tùi-tài 對待 1–I–12
tùi-wǔ 隊伍 1–A–219
tùi-yǘ 對於 1–A–151

T'UI

t'ūi-chìn 推進 1–G–28
t'ūi érh kǔang chīh 推而廣之 1–L–150
t'ūi-fān 推翻 1–D–12
t'ūi-hsíng 推行 9–35
t'ūi-kǔang 推廣 1–L–119
t'ūi-lǐ 推理 1–E–65
t'ūi-tùng 推動 1–F–39
t'úi-mí 頹靡 1–C–75
t'ùi-ch'üèh 退却 1–C–92
t'ùi-tìen 退佃 5–17

T'UN

t'ūn-mìeh 吞滅 1–B–122
t'ūn-pìng 吞併 3–23
t'ún-chī chǖ-ch'í 囤積居奇 5–12

TUNG

Tūng-Hàn 東漢 7–94
Tūng-hsī-chǖn 東西均 10–A–6
Tūng-pěi 東北 5–39
tūng-p'īn hsī-ts'òu 東拼西湊 5–250
tùng-chī 動機 7–224
tùng-lì 動力 1–F–27
tùng-shǒu 動手 5–249
tùng-yáo 動搖 1–A–208
tùng-yùng 動用 5–244
tùng-yüán 動員 1–C–7

T'UNG

t'ūng-ch'áng 通常 1–I–85
t'ūng-hsīao 通曉 4–190
t'ūng-hsǜn 通訊 1–B–162
t'ūng-kùo 通過 1–E–136
t'ūng-lìng 通令 5–219
t'ūng-shǐh 通史 7–1
t'ūng-tào 通到 3–119
t'ūng-tìen 通電 2–107
t'ūng-tsé 通則 5–148
t'ūng-yùng 通用 4–183
t'úng-chíeh 同節 7–163
t'úng-chìh 同志 1–D–47
t'úng-ch'íng 同情 1–G–180
t'úng-chǜ 同具 1–H–11
t'úng-hsīn t'úng-té 同心同德 1–G–32
t'úng-hùa 同化 10–A–13
t'úng-ī 同一 1–B–220

t'úng-ī hsìng	同一性	1-F-9
t'úng-ì	同意	2-105
t'úng-kūei yü chìn	同歸於盡	7-50
t'úng-lún	同倫	7-187
t'úng-méng	同盟	1-A-287a
t'úng-méng chĕ	同盟者	1-A-287
t'úng-shàng	同上	7-166
t'úng-shíh	同時	1-A-218
t'úng-tĕng	同等	3-76
t'úng-wén	同文	7-185
t'úng-yàng	同樣	1-A-70
t'ŭng-chì	統計	1-K-145
t'ŭng-chìh	統治	1-D-42
t'ŭng-ch'óu chīen-kù	統籌兼顧	8-A-38
t'ŭng-ī	統一	1-C-4a
t'ŭng-ī chàn-hsìen	統一戰綫	1-C-4
t'ŭng-ī kūan	統一觀	1-E-144
t'ŭng-ī t'ĭ	統一體	1-F-94
t'ŭng-ī wù	統一物	1-F-18
t'ŭng-shùai	統率	4-147
t'ùng-hsīn	痛心	7-273
t'ùng-k'ŭ	痛苦	1-C-60

TZU

tzū-ch'ăn chīeh-chí	資產階級	1-A-170
tzū-chīn	資金	8-A-44
tzū-kó	資格	1-E-13
tzū-lìao	資料	1-L-164a
tzū-pĕn chŭ-ì	資本主義	1-D-6
Tzū-pĕn lùn	資本論	6-48
tzū-pĕn ó	資本額	5-242
tzū-t'ài	姿態	5-202
tzū-yüan	資源	1-B-109
tzŭ-hsì	仔細	2-78
tzŭ-nü	子女	8-B-34
tzŭ-sūn	子孫	9-354
tzù-chĭ jén	自己人	1-G-40
tzù-chìh	自治	1-L-172a
tzù-chìh chōu	自治州	4-162
tzù-chìh ch'ü	自治區	1-L-172
tzù-chìh hsìen	自治縣	4-163
tzù-chŭ	自主	2-110
tzù-chü	字句	1-I-48
tzù-chüeh	自覺	1-E-138
tzù-fā	自發	1-E-73
tzù-hsìn hsīn	自信心	1-H-105
tzù-ján	自然	1-E-8
tzù-kēng núng	自耕農	1-K-80
tzù-lái shŭi pĭ	自來水筆	9-52
tzù-lì	自利	1-A-175
tzù-lì kēng-shēng	自力更生	9-344
tzù-măn	自滿	10-A-36
tzù-mìng	自命	1-G-91
tzù-shēn	自身	1-F-4
tzù-shēng	自生	10-A-17
tzù-shíh ch'í lì	自食其力	4-75
tzù-shĭh chìh-chūng	自始至終	1-F-33
tzù-szū	自私	1-A-174
tzù-tà	自大	3-154
tzù-tsài ti chīeh-chí	自在的階級	1-E-74
tzù-tsò ts'ūng-míng	自作聰明	1-G-174
tzù-tùng	自動	1-A-221
tzù-wèi ti chīeh-chí	自爲的階級	1-E-80
tzù-wŏ	自我	1-L-77a
tzù-wŏ p'ī-p'íng	自我批評	1-L-77
tzù-yĕn	字眼	3-121
tzù-yú	自由	1-B-11
tzù-yú mín	自由民	7-42
tzù-yú t'īen-tì	自由天地	5-98
tzù-yüan	自願	1-D-22

TZ'U

tz'ú-chü	詞句	2-7
tz'ú-shàn chīa	慈善家	6-64
tz'ù-chī	刺激	1-J-62

tz'ù-yào	次要	1－F－74
WA		
wă-chĭeh	瓦解	1－C－11
WAI		
wāi-ch'ŭ̈	歪曲	9－176
wài-chĭao	外交	4－32
wài-háng	外行	1－B－191
wài-hsìen	外綫	1－B－55
wài-hsìen ch'ŭ̈an	外綫圈	1－B－83
wài-ī	外衣	5－215
wài-lái	外來	1－I－98
wài-pù	外部	1－D－8
wài-tsài	外在	5－125
wài-tsú	外族	7－58
WAN		
wán-chĕng	完整	4－31
wán-ch'éng	完成	1－C－52
wán-ch'ïang	頑强	5－269
wán-chíeh	完結	1－E－104
wán-ch'ŭ̈an	完全	1－B－123
wán-kù	頑固	1－L－25
wán-líang	完粮	5－228
wán-nùng	玩弄	1－B－190
wán-pèi	完備	5－45
wán-shàn	完善	8－A－60
wăn-chìu	挽救	1－L－86
wăn-hùi	晚會	1－E－41
wàn-néng	萬能	5－151
wàn-ò pū-shè	萬惡不赦	3－137
wàn-shìh tà-chí	萬事大吉	10－A－39
WANG		
Wāng Chīng-wèi	汪精衛	3－135
wáng-ch'áo	王朝	5－161
wáng-fă	王法	6－3
wáng-kúo lùn chĕ	亡國論者	1－C－101
wăng-fù	往覆	1－E－142
wăng-hòu	往後	1－K－174
wăng-wăng	往往	1－B－134
wàng-hsĭang	妄想	3－99
wàng-tùng	妄動	1－B－182
WEI		
wēi-ch'ŭ̈an	威權	1－A－282
wēi-hsíeh	威脅	3－139
wēi-hsìn	威信	1－K－67
wéi chí-ch'ìen sŏ-yā	爲積欠所壓	5－179
wéi-chĭh	爲止	1－E－105
wéi-fă	違法	4－230
wéi-făn	違反	1－F－107
wéi-hài	危害	4－58
Wéi-hài Mín-kúo Chĭn-chí Chìh-tsùi T'iao-lì	危害民國緊急治罪條例	6－92
wéi-hsĭen	危險	1－B－94
wéi-hsīn	唯心	1－E－103
wéi-hù	維護	4－161
wéi-ī	唯一	1－H－35
wéi-lĭ lùn	唯理論	1－E－100
wéi-pèi	違背	1－A－198
wéi-shŏu	爲首	3－95
wéi sŏ yǜ-wéi	爲所欲爲	9－59
wéi-tĭng	桅頂	1－H－124
wéi-wù lùn	唯物論	1－E－4
wéi-yŭ	惟有	1－A－227
wĕi-pa	尾巴	1－A－226
wĕi-tà	偉大	1－F－26
wĕi-t'ō	委托	4－151
wĕi-yŭ̈an	委員	2－104
wĕi-yŭ̈an hùi	委員會	2－106
wèi-ch'áng	胃腸	1－H－80
Wèi Chēng	魏徵	7－243
wèi-chìh	位置	1－B－169
Wèi-kúo Chàn-chēng	衛國戰爭	9－159
wèi-lái	未來	1－G－78
wèi-pì	未必	7－126
wèi-shēng	衛生	4－160

wèi-tsào	偽造	6−51
wèi-yèh	胃液	1−H−82
WEN		
wēn-hó	温和	9−286
wén-chāng	文章	1−J−27
wén-chìen	文件	1−E−43
wén-hsüeh	文學	1−G−22
wén-hùa	文化	1−C−13
wén-hùa jén	文化人	1−G−126
wén-ì	文藝	1−G−1
wén-kào	文誥	7−140
wén-kùo shìh-fēi	文過飾非	9−370
wén-tzu	蚊子	8−B−31
wén-tzù	文字	1−H−118
wén-wǔ	文武	1−G−11
wén-yén wén	文言文	1−J−21
wěn-hó	吻合	5−190
wěn-tìng	穩定	7−178
wěn-wěn	穩穩	7−121
wèn-t'í	問題	1−A−4
WO		
wǒ-chǖn	我軍	1−B−72
wǒ-tǎng	我黨	1−C−96
WU		
wū-mìeh	誣蔑	3−71
Wū-tzū-píeh-k'ò	烏茲別克	9−63
wū-yǚ	屋宇	1−E−38
wú-ch'ǎn chīeh-chí	無產階級	1−A−164
wú chèng-fǔ	無政府	1−A−193
wú-chīh	無知	1−I−55
wú chīh ǐ wéi yùng	無之以爲用	10−B−43
wú-ch'ǐh	無恥	5−192
wú-chìn	無盡	2−10
wú-ch'íng	無情	9−186
wú-ch'íung	無窮	1−E−143
wú-fǎ k'ǒ-ī	無法可依	5−66
wú-hài	無害	7−246
wú-hsìen	無限	1−H−121
wú hsìen-chǐh	無限止	1−B−121
wú-hsìen tìen	無綫電	2−108
wú-í	無疑	1−H−24
wú-ì	無益	1−I−60
wú-ì	無意	7−271
wú-kūan	無關	1−K−143
wú-lì	無力	7−188
wú-lùn	無論	1−D−49
wú-néng	無能	1−D−20
wú-pǐ	無比	9−24
wú-pīng szū-lìng	無兵司令	1−H−117
wú-pū	無不	1−E−28
wú-shàng	無上	1−A−113
wú-shén lùn chě	無神論者	1−L−35
wú-shù	無數	1−C−72
wú-sǒ pū-tsài	無所不在	1−F−99
wú-sǒ wèi-chǜ	無所畏懼	1−L−93
wú-tì	無地	1−H−61
wú-tì fàng-shǐh	無的放矢	1−I−37
wú wǎng érh pū shèng-lì	無往而不勝利	1−K−120
wú-wèi	無謂	7−189
wú-yùng	無用	2−59
wǔ-ch'ì	武器	1−B−67
wǔ-chūang	武裝	1−D−1
Wǔ-fǎn	五反	8−A−4
wǔ-lì	武力	7−269
Wǔ-níen Chì-hùa	五年計劃	1−L−41
wǔ-pì	舞弊	9−140
Wǔ-sà	五卅	1−D−39
Wǔ-szù	五四	1−D−38
Wǔ-tài	五代	7−14
wǔ-t'ái	舞台	1−A−195
wǔ-tùan	武斷	3−69
wù-chìa	物價	8−A−12
wù-chǐeh	誤解	2−91
wù-chíh	物質	1−E−7
Wù-ch'ǘan Pīen	物權編	5−208

wù érh chīh ch'í měi	惡而知其美	10—A—33
wù-jèn	誤認	1—I—20
wù-jù ch'í-t'ú	誤入歧途	3—113
wù-lǐ hsüéh	物理學	7—72
wù-lì	物力	8—A—57
wù-t'ǐ	物體	10—A—7
YA		
yā-chā	壓榨	1—E—87
yā-chìh	壓制	1—L—147
yā-fú	壓服	1—L—143
yā-lì	壓力	1—B—128
yā-p'ìen	鴉片	5—19
Yā-p'ìen Chàn-chēng	鴉片戰爭	5—181
yā-p'ò	壓迫	1—C—29
yā-tǎo	壓倒	10—A—20
yá-shāng	牙商	5—24
yá-t'īeh	牙帖	5—23
YANG		
yáng-ch'ì	洋氣	1—J—16
Yáng Hsìen-chēn	楊獻珍	10—B—1
yáng-nú	洋奴	5—201
yáng-pù	洋布	1—K—160
yǎng-ts'án	養蠶	7—78
YAO		
yāo-chǎn	腰斬	6—47
yāo-chí	邀集	1—G—4
yāo-ch'íu	要求	1—A—122
yáo-pǎi	搖擺	1—L—31
yào-chǐh	要旨	1—H—52
yào-shih	鑰匙	7—156
yào-ts'ái	藥材	1—K—88
yào-wù hsüéh	藥物學	7—75
YEH		
yěh-hsīn chīa	野心家	2—96
yěh-mán	野蠻	1—B—110
Yèh-láng tzù-tà	夜郎自大	10—A—35

YEN		
Yén-ān	延安	1—E—36
yén-ch'áng	延長	1—C—57
yén-chīu	研究	1—A—6
yén-chùng	嚴重	1—C—90
yén-fáng	嚴防	2—87
yén-hsí	沿襲	6—97
yén-hsǜ	延續	5—166
yén-kó	嚴格	5—100
yén-lì	嚴厲	6—56
yén-lùn	言論	1—I—80
yén-mì	嚴密	1—B—195
yén-sù	嚴肅	1—A—278
yén-yǚ	言語	1—H—120
yěn-chìeh	眼界	9—210
yěn-kài	掩蓋	5—266
yěn-kūang	眼光	1—A—189
yěn-pìen	演變	9—293
yèn-hùi	宴會	1—E—40
yèn-t'īng	厭聽	1—K—130
YIN		
yīn-kǔo	因果	1—K—140
yīn-móu	陰謀	7—184
yīn-sù	因素	1—C—59
yīn-tz'ǔ	因此	1—A—17
yīn-yáng	陰陽	10—B—24
yīn-yǜeh	音樂	1—G—84
yín-háng	銀行	1—H—36
yín-háng ch'ǜan	銀行券	6—52
yǐn-chě	引者	7—164
yǐn-ch'ǐ	引起	1—E—50
yǐn-ch'ū	引出	10—A—31
yǐn-hsìang	引向	8—A—37
yǐn-shàng	引上	9—195
yǐn-tǎo	引導	1—H—112
yǐn-ts'áng	隱藏	7—47
yǐn-tzu	引子	1—G—108
yǐn-yén	引言	1—G—3
yìn-fā	印發	10—B—10
yìn-hsìang	印象	1—E—46
Yìn-ní	印尼	3—56

yìn-pì shēn-t'ǐ 蔭蔽身體 1-B-37
yìn-shūa 印刷 7-83
Yìn-tù 印度 3-53

YING

yīng-hsíung 英雄 2-45
yīng-yǔng 英勇 4-5
yīng-yùng 應用 1-E-116
yíng-szū 營私 9-139
yíng-té 贏得 9-160
yǐng-hsǐang 影響 1-A-213
yǐng-tzu 影子 9-212
yìng-shēng ch'úng 應聲蟲 5-256
yìng-shūo 硬說 9-74

YU

yū-hsīen 優先 4-45
yū-hsìu 優秀 1-H-107
yū-líang 優良 8-B-12
yū-shìh 優勢 8-A-36
yū-tīen 優點 1-D-46
yū-yüeh 優越 9-25
yú-chī 游擊 1-A-130
yú-ch'í 尤其 1-F-48
yú-hsíng 游行 4-205
yú-mín 游民 1-K-95
yú-tìen 郵電 8-A-9
yú-yìn 油印 1-J-12
yú-yǘ 由於 1-A-173
yú-yǜ 猶豫 1-K-107
yǔ-aì 友愛 4-18
yǔ-ch'ǎn chě 有產者 5-83
yǔ chī-t'ǐ 有機體 2-63
yǔ chīh ǐ wéi lì 有之以爲利 10-B-42
yǔ-chù 有助 9-338
yǔ-fǎ nán-ī 有法難依 5-68
yǔ-fǎ pū-ī 有法不依 5-67
yǔ-hài 有害 1-L-112
yǔ-hǎo 友好 3-74
yǔ-hsìao 有效 8-A-55
yǔ-í 友誼 4-24
yǔ-ì 有益 1-H-88
yǔ-ì 有意 7-270
yǔ-kūan 有關 1-G-110
yǔ-lì 有利 1-B-112
yǔ-lì 有力 1-G-31
yǔ-shén lùn chě 有神論者 1-L-34
yǔ-shēng 有生 3-96
yǔ-tài 有待 1-E-97
yǔ-tì fàng-shǐh 有的放矢 1-I-34
yù-chìh 幼稚 1-I-52
yù-ch'īng 右傾 1-G-185
yù-húng yù-chūan 又紅又專 9-337
Yù-p'ài 右派 5-63
yù-yǘ chìen-wén 囿于見聞 1-K-151

YUNG

yūng-hù 擁護 1-A-94
yúng-jén 庸人 9-261
yúng-sú 庸俗 1-F-32
yǔng-chǐu 永久 1-A-119
yǔng-kǎn 勇敢 1-B-23
yǔng-líu 湧流 9-209
yǔng-yǘ 勇于 9-369
yùng-ch'ù 用處 1-H-93
yùng-jén 用人 1-I-29
yùng-kūng 用功 1-L-47

YÜ

yǘ-ch'ǔn 愚蠢 9-250
yǘ-hsǐang 愚想 7-110
yǘ-jén 漁人 1-B-149
yǘ-mù 魚目 9-201
yǘ-nùng 愚弄 3-11
yǘ-shìh 於是 1-C-24
yǘ-tì 餘地 1-A-73
yǚ-ch'í…níng-k'ǒ 與其…寧可 9-325
yǚ-chòu 宇宙 1-F-8a
yǚ-chòu kūan 宇宙觀 1-F-8
yǚ-t'ǐ 語體 7-21

yü tz'ŭ hsiang-făn 與此相反		1−D−24
yü-yén	語言	1−L−72
yü-ch'ī	預期	10−A−52
yü-chìen	遇見	1−K−61
yü-chìen	預見	2−48
yü-fáng	預防	1−I−77
yü-hsīang	預想	1−E−117
yü-hsīen	預先	1−B−196
yü-sùan	預算	4−103
yü-tào	遇到	1−K−25
yü-yén chīa	預言家	9−359

YÜN

yün-hsü	允許	1−A−69
yün-shū	運輸	8−A−8
yün-tùng	運動	1−C−53
yün-tùng chàn	運動戰	1−A−265
yün-yùng	運用	5−109

YÜAN

yüan-wăng	寃枉	9−343
yüan-chù	援助	1−C−15
yüan-ch'üan	源泉	1−H−122
yüan-hsíng pì-lù	原形畢露	1−J−7
yüan-kù	緣故	1−C−37
yüan-lái	原來	1−E−33
yüan-lĭ	原理	6−7
yüan-lìao	原料	1−G−147
yüan-shĭh	原始	5−170
yüan-sù	元素	10−A−11
yüan-tsé	原則	1−A−240
yüan-tzŭ	原子	10−A−10
yüan-yīn	原因	1−F−52
yüan-yĭn	援引	6−34
yüan-yŭ	原有	5−189
yüan-lí	遠離	9−22
yüan-tà	遠大	1−A−201
yüan-tsài	遠在	5−6
yüan-yüan	遠遠	5−133
yüan-chăng	院長	4−99
yüan-ì	願意	1−A−178
yüan-wàng	願望	4−15

YÜEH

Yüeh-nán	越南	3−57
yüeh-tsŭ tài-p'ào	越俎代庖	2−103

GLOSSARY 2

Arranged by Chinese Character Radicals

(The first appearance of each expression is given below by lesson and vocabulary number.)

RADICAL 1 【一】

— 1 —

一代	9-28
一伙	5-254
一倍	1-J-9
一再	9-273
一分爲二	10-A-1
一切	1-A-95
一刻	1-C-16
一到	1-K-19
一向	1-K-128
一味	1-K-43
一員	1-E-12
一團糟	1-L-110
一堆	1-K-14
一場	1-B-188
一套	1-C-41
一定	1-A-34
一小撮	5-58
一律	4-36
一成不變	1-K-115
一批	1-K-50
一旦	1-L-14
一朝分娩	1-K-38
一概	1-D-5
一模一樣	1-A-51
一無是處	10-A-25
一版	1-G-87
一班	1-J-19
一生	9-55
一着不愼	1-A-156
一竅不通	9-175
一筆抹煞	7-108
一致	1-C-9
一般	1-A-18
一語道破	6-54
一起	1-G-125
一身而二任焉	1-H-8
一輩子	1-L-58
一連串	1-G-119
一道	1-D-29
一陣	1-E-110
一項	1-I-79
一頓	1-K-6
一驚	1-J-64
一體	5-128

— 2 —

下中農	9-332
下列	1-B-49
下棋	1-A-160
下級	1-I-72
下賤	3-46
下述	1-E-131
下降	8-A-21
三反	8-A-3
三國	7-171
三大政策	1-H-20
三民主義	1-H-21
上升	1-I-19

上層	3－48
上層建築	6－112
上海	1－G－72
上級	1－I－73
上臺	9－123
上述	1－F－77
— 3 —	
不免	1－G－122
不分	4－197
不利	1－B－137
不可侵犯	5－104
不可分性	10－B－41
不可少	1－D－36
不可抗	1－B－127
不同	1－B－79
不和	7－267
不定	1－C－61
不屈不撓	1－L－95
不得了	1－L－127
不惜	3－21
不懈	9－85
不成	1－L－55
不折不扣	9－177
不敗之地	9－347
不敷	5－227
不斷	1－C－80
不明	1－B－157
不服	1－C－39
不求甚解	1－K－125
不法	5－99
不消說	3－145
不淺	1－J－11
不然	1－G－120
不獨	2－19
不移	4－34
不管	1－F－103
不聞不問	9－348
不良	1－I－91
不行	1－G－145
不見	1－F－85
不論	1－A－21
不謂	1－K－39
不變價格	8－A－14
不足	1－B－97
不顧	3－20
丑化	9－101
— 4 —	
世世相傳	7－197
世代相傳	3－151
世界	1－A－116
世界觀	1－L－33
世紀	3－147
世襲	9－95
— 5 —	
丢掉	1－K－122
— 6 —	
並存	1－I－11
並稱	7－236
並行	1－G－153

RADICAL 2 【丨】

— 3 —	
中共	1－C－98
中南美洲	3－58
中原	5－40
中國不振旅	7－208
中央	1－C－99
中山	1－H－63
中心	1－B－218
中斷	1－I－88
中期	7－131
中美商務仲裁會	5－247
中美商約	5－243
中肯	1－L－128
中華	1－G－138
中華民國	1－H－32
中農	1－K－83
中途	7－223
中間	1－F－96

RADICAL 3 【丶】

— 4 —	
主人	7−28
主任	4−109
主力軍	1−A−186
主動	1−B−51
主導	1−F−80
主席	1−K−166
主席團	4−90
主張	1−G−136
主意	1−K−16
主持	4−91
主攻	1−B−105
主權	4−29
主義	1−A−168a
主要	1−A−149
主觀	1−E−132
主體	1−D−55

RADICAL 4 【丿】

— 2 —	
乃至	1−B−48
久遠	7−65
— 3 —	
之屬	1−H−46

RADICAL 5 【乙】

— 12 —	
亂子	9−377
亂幹	1−B−187
亂放一通	1−I−38

RADICAL 6 【亅】

— 1 —	
了不起	1−L−52
— 7 —	
事件	9−318
事例	9−40
事先	1−B−194
事務	2−73
事在人爲	8−B−23
事實	1−G−142
事業	1−A−115
事物	1−E−34

RADICAL 7 【二】

二元論	1−G−158
二十年代	9−56
二本于一	10−B−39
二者	1−F−97
— 2 —	
互利	4−28
互助	4−19
互助組	8−A−22
互爲……條件	1−F−92
互相	1−A−84
五代	7−14
五卅	1−D−39
五反	8−A−4
五四	1−D−38
五年計劃	1−L−41

RADICAL 8 【亠】

— 1 —	
亡國論者	1−C−101
— 4 —	
交換	1−G−5
亦稱	1−F−20
— 5 —	
享受	4−209
享有	4−227
享樂	9−229

RADICAL 9 【人】

人力	8－A－56
人員	1－B－68
人士	1－L－75
人性	1－G－99
人材	8－A－52
人權	5－35
人民	1－C－6
人民公社	9－335
人民法院	4－98a
人爲	10－B－46
人物	1－J－20
人身	4－210
人道	5－126
人選	4－96
人類	1－A－83

— 2 —

仇恨	3－163
仇視	1－L－32
仍然	5－82
仍舊	7－182
今後	1－A－162

— 3 —

以上	1－H－113
以來	1－A－28
以勞定國	7－257
以力服人	1－L－149
以官贖刑	6－31
以死勤事	7－256
以理服人	1－L－144
以至	1－B－89
以致	1－K－99
以錢贖刑	6－30
仕宦失意	7－226
代價	1－B－26
代名詞	9－277
代替	2－112
代理人	3－102
代行	4－152
代表	1－H－53a
代言人	3－143
仔細	2－78

— 4 —

休假	4－217
休息	4－216
休養	4－219
任何	1－A－9
任免	4－116
任憑	1－K－34
任務	1－A－134
任性	5－140
任意	5－232
任期	4－86
企圖	1－B－212
企業	1－H－39

— 5 —

佔有	3－25
佔領	1－C－67a
佔領地	1－C－67
住宅	4－211
何以	1－A－142
何等	1－H－116
何處	1－H－1
估計	1－B－99
估量	1－K－56
佈局	8－A－48
佈置	3－85
似乎	1－F－78
似是而非	6－106
低能	5－255
低賤	9－227
佃戶	5－230
佃農	1－F－86
作品	1－G－67
作家	1－G－92
作對	1－F－82
作怪	1－K－46
作戰	1－A－131
作戰綫	1－A－263

作爲	5－119
作用	1－E－48
作風	1－G－182
位置	1－B－169
— 6 —	
依存	1－F－59
依據	3－18
依法	5－96
依然	1－K－104
依照	1－B－214
依賴	1－E－6
依靠	1－G－12
供應	8－A－54
供給	4－207
供銷合作	4－53
來源	1－E－19
例外	1－G－103
例如	1－B－7
例子	1－E－70
使用	1－A－144
使節	4－144
— 7 —	
俘虜	1－I－27
俄國	1－A－61
保存	1－B－1
保守	1－A－256a
保守主義	1－A－256
保持	1－B－161
保留	1－G－54
保祐	9－307
保衞	1－B－14
保證	1－B－219
保護	1－L－133
保障	1－K－117
保險	4－221
便利	4－208
便於	1－G－144
信任	2－11
信件	9－268
信仰	1－H－14
信奉	1－J－26
信心	1－L－113
信用合作	4－54
俏皮話	9－184
侵入	1－B－74
侵占	9－109
侵吞	9－133
侵染	9－79
侵犯	4－129
侵略	1－C－28
侵襲	9－32
促進	1－E－135
— 8 —	
值得	2－25
候選	2－80
個人	1－G－168
個人迷信	9－100
個別	1－I－47
個性	1－F－61
個體	1－L－6a
個體經濟	1－L－6
修改	2－4
修正主義	1－L－169
修訂	7－3
修養	7－53
倘若	1－K－106
倒把	9－60
倒退	9－16
借貸	5－32
借鑒	9－34
— 9 —	
假手于人	1－K－177
健康	1－L－11
偶然	1－J－44
偏偏	1－I－57
偏向	1－J－41
偏於	1－I－16
偏見	3－158
偸換	9－104
偸竊	6－57
停止	1－B－116
停滯	1－L－117

停頓	1－A－288
側面	1－F－102
做法	3－112
偉大	1－F－26
— 10 —	
傑出	3－131
— 11 —	
債務人	5－85
債權人	5－84
債權編	5－216
傳播	1－J－51
傳統	3－152
傳訊	9－179
傳說	7－234
傳道士	9－224
僅僅	1－A－50
傾向	1－C－19
傾注	1－C－81
傾聽	4－70
傾軋	6－103
傷害	6－108
— 12 —	
僱傭	3－35
僞造	6－51
— 13 —	
僵死	1－L－170
— 15 —	
優先	4－45
優勢	8－A－36
優秀	1－H－107
優良	8－B－12
優越	9－25
優點	1－D－46
— 16 —	
儲備	9－221
儲蓄	4－64

RADICAL 10 【儿】

— 2 —	
元素	10－A－11
允許	1－A－69
— 3 —	
充作	1－I－28
充分	1－E－107
充當	1－I－32
— 4 —	
光彩	9－382
光明	1－E－130
光榮	1－L－83
光輝	9－158
先于	9－169
先哲	1－K－52
先覺者	2－50
先進	1－A－205
先鋒隊	1－G－41
先頭	1－K－12
— 5 —	
克服	1－A－206
免受	3－10
免得	2－35
免除	6－77
— 6 —	
兒童	4－229

RADICAL 11 【入】

— 2 —	
內在	1－F－51
內外	1－D－58
內容	1－A－55
內心	9－189
內戰	1－A－63
內政	3－88
內綫	1－B－54
內部	1－B－100
— 4 —	
全國	1－C－5
全國人民代表大會	4－3
全國代表大會	1－H－53
全局	1－A－128

全心全意 2－9
全權代表 4－122
全民國家 9－10
全民所有制 4－43
全民皆兵 9－340
全民黨 9－11
全盤西化 1－H－91
全部 1－B－60
全面 1－C－88
全體 1－B－31
全黨 1－I－62

— 6 —

兩個拳頭主義 1－A－268
兩分法 10－A－4
兩條腿走路 10－A－43
兩極 1－I－21
兩者 1－F－35
兩間 10－B－38
兩面性 1－H－9

RADICAL 12 【八】

八股 1－J－1
八議 6－29
八路軍 1－G－123

— 2 —

公共 4－59
公務人員 9－88
公司法 5－240
公堂 6－86
公安部隊 4－179
公布 4－143
公式 1－H－94
公德 4－236
公敵 4－20
公有制 1－L－9
公正 7－217
公民 4－62
公然 5－69
公社 7－125
公私合營 5－95
公道 1－K－7
公開 1－F－28
公開信 9－4
六法全書 5－50

— 4 —

共同 1－F－47
共和國 1－H－18
共同綱領 4－13
共同體 7－179
共居 1－F－98
共性 1－F－60
共有 7－213
共產主義 1－E－139
共產黨 1－A－125a
共產黨人 1－A－125
共產黨宣言 6－4
共稱 7－211
共處 1－F－93
共通 1－F－63

— 5 —

兵力 1－B－64
兵團 1－B－193
兵士 1－G－137
兵役 4－240

— 6 —

其中 1－E－26
其他 1－C－58
其實 1－B－28
其次 1－G－181
其餘 1－K－96
具備 1－F－90
具有 1－A－192
具體 1－A－44
典當 5－37
典禮 7－151
典籍 7－134

— 8 —

兼幷 5－89
兼收並蓄 1－H－106

RADICAL 13 【冂】

— 4 —

再如 1－D－45

— 7 —

冒充 9－203

冒險主義 1－A－254

RADICAL 14 【冖】

— 8 —

冥思苦索 1－K－15

RADICAL 15 【冫】

— 8 —

凌遲 6－44

RADICAL 16 【几】

— 1 —

凡屬 1－A－132

— 10 —

凱豐 1－J－2

RADICAL 17 【凵】

— 3 —

出售 9－51

出境 5－9

出敵不意 1－B－81

出爾反爾 9－217

出版 1－A－48

出獄 6－66

出現 1－F－31

出產 3－30

出發 1－A－121

出發點 1－I－81

出賣 5－206

出路 1－L－10

出身 1－J－55

RADICAL 18 【刀】

— 2 —

分化 1－C－93

分公司 5－241

分別 3－127

分割 7－199

分子 1－G－128

分工 7－8

分批 1－L－63

分散 1－B－148

分期 7－127

分析 1－F－71

分法 7－129

分淸敵我 1－L－131

分立 3－39

分裂 2－95a

分裂主義者 2－95

分解 1－H－84

分配 1－H－60

分隔 3－148

分離 4－42

分類 7－275

切實 1－B－208

— 4 —

刑律 5－163

刑期無刑 6－111

刑法 5－79

刑法典 6－27

刑罰 5－162

RADICAL 19 【力】

加斯特 9－267
加盟共和國 9－127
加租 5－13
功勛 9－380
功勞 9－371
功績 1－J－31

— 5 —

助長 9－37
劫奪 5－121
努力 1－B－129

— 7 —

勉强 1－L－57
勇于 9－369
勇敢 1－B－23

— 9 —

動力 1－F－27
動員 1－C－7
動手 5－249
動搖 1－A－208
動機 7－224
動用 5－244

— 10 —

勛章 4－126
勞動 1－G－53
勞動力 6－62
勞苦 1－H－114
勝利 1－A－71
勝敗 1－A－148
勝衰榮辱 1－K－78

— 11 —

勤儉持家 8－B－29
勤務員 2－29
勤勞 8－B－10
勤於 1－B－179
勢不兩立 9－302
勢力 1－A－169
勢均力敵 1－F－79

RADICAL 20 【勹】

— 2 —

勾心鬥角 5－88
勾當 5－195
勾結 9－119

— 3 —

包含 1－A－66
包圍 1－B－82
包括 1－B－107
包藏 9－234
包袱 1－G－60
包醫百病 1－I－51

— 4 —

匈牙利 9－272

RADICAL 21 【匕】

— 2 —

化公爲私 9－142
化分 1－F－57
化合 1－F－58
化學 7－73

— 3 —

北京 4－11
北伐 1－D－32
北宋 7－98
北朝 7－176
北洋 1－D－41

RADICAL 22 【匚】

— 8 —

匪徒 6－79

RADICAL 23 【匸】

— 9 —

區別 1－A－124
區域 1－D－43
區委 9－131
區長 4－172

RADICAL 24 【十】

十全十美 10－A－27
十分 1－B－135
十國 7－15
十惡 6－28
十月懷胎 1－K－37
十足 5－203

— 1 —

千差萬別 1－F－50
千方百計 8－B－9
千秋萬代 9－381
千鈞 5－180

— 3 —

半數 2－98
半自耕農 1－K－81
半途而廢 3－144

— 6 —

協力 1－E－15
協助 1－G－7
協同 1－B－103
協調 1－G－117
卑鄙 3－45

— 7 —

南共 3－2
南宋 7－89
南斯拉夫 3－7

— 10 —

博愛 9－114

RADICAL 25 【卜】

— 3 —

占據 9－107
占有制 6－116

RADICAL 26 【卩】

— 4 —

印刷 7－83
印尼 3－56
印度 3－53
印發 10－B－10
印象 1－E－46
危害 4－58
危害民國緊急治罪條例 6－92
危險 1－B－94

— 7 —

即使 1－C－36

RADICAL 27 【厂】

— 8 —

原來 1－E－33
原則 1－A－240
原因 1－F－52
原始 5－170
原子 10－A－10
原形畢露 1－J－7
原料 1－G－147
原有 5－189
原理 6－7

— 12 —

厭聽 1－K－130

RADICAL 28 【ム】

— 3 —

去掉 1－G－66

— 9 —

參加 1－A－172
參照 8－A－40

RADICAL 29 【又】

又紅又專 9－337

— 2 —

反之 3－133
反作用 10－A－8
反共 1－G－51
反動 1－A－45

反對	1–A–89
反帝	1–H–97
反抗	1–B–76
反映	1–J–54
反蘇	3–5
反覆	1–E–58
反轉	1–G–151
反面	1–L–155
反革命	1–A–90
反黨	2–94
及時	1–B–176
友好	3–74
友愛	4–18
友誼	4–24

— 6 —

受害	9–326
受賄	9–141
取代	9–23
取得	1–B–185
取捨	1–A–72
取決	1–A–146
取消	9–12
取締	5–21
取長補短	1–I–96

— 7 —

叛國	4–72
叛徒	1–K–54
叛變	1–A–217
叛賣	3–130
叛黨	1–I–75

RADICAL 30 【口】

口腔	1–H–78
口號	1–H–7
口頭	1–I–59

— 2 —

召回	4–146
召開	1–L–178
召集	1–K–36
只此一家	1–G–175
可取	10–A–26
可悲	9–251
可惡	1–K–24
可笑	9–191
可考	7–37
可能	1–A–241
可靠	3–63
古人	10–B–5
古今中外	1–F–65
古代	1–H–75
古國	7–68
古怪	3–123
古董	1–I–43
古話	10–B–53
古語	10–B–26
另外	3–111
史學	7–282
史書	6–12
史無前例	9–157
司法	5–27
右傾	1–G–185
右派	5–63

— 3 —

向往	9–162
合乎	1–E–55
合二而一	10–A–2
合于	1–L–152
合伙	9–236
合作	1–A–214
合作化	5–143
合作社	4–44
合有無謂之元	10–B–18
合法	1–D–9
合理	8–A–45
合用	7–12
各別	1–E–47
各盡所能	9–30
各級	1–H–115
各自	1–G–104
各項	1–B–50

名副其實	1－H－31
名單	2－81
名稱	7－201
名義	7－265
名言	3－61
名詞	5－110
名額	4－83
同一	1－B－220
同一性	1－F－9
同上	7－166
同倫	7－187
同具	1－H－11
同化	10－A－13
同心同德	1－G－32
同志	1－D－47
同情	1－G－180
同意	2－105
同文	7－185
同時	1－A－218
同様	1－A－70
同歸於盡	7－50
同盟	1－A－287a
同盟者	1－A－287
同等	3－76
同節	7－163
— 4 —	
吹捧	9－266
否則	1－F－105
否定	1－L－85
否認	1－F－62
含有	1－F－36
含義	10－B－51
吸取	6－82
吸引	10－A－9
吸收	1－H－72
君主	5－168
呂大臨	10－B－30
吞併	3－23
吞滅	1－B－122
吻合	5－190
— 5 —	
咀嚼	1－H－79
周密	10－B－59
呼吸	10－B－23
和平	1－A－120
和平共處	9－7
和平競賽	9－8
和平過渡	9－9
和風細雨	1－L－80
命令	1－L－161
命令主義	2－12
命脈	8－A－1
命運	1－H－17
命題	10－B－7
— 6 —	
品質	9－205
— 7 —	
哲學	1－E－99
唐律	6－26
— 8 —	
唱歌	1－G－83
啓發	1－J－48
啓蒙	1－H－76
啓蒙運動	1－I－54
商人	1－K－85
商周	7－141
商品	5－80
商業	1－H－37
商權	10－B－2
商標	9－278
商號	9－282
商量	9－328
唾液	1－H－81
問題	1－A－4
唯一	1－H－35
唯心	1－E－103
唯物論	1－E－4
唯理論	1－E－100
— 9 —	
喚醒	1－K－132
喪失	1－K－68
善擇時機	1－B－178

善於 1－B－175
善觀風色 1－B－177
單一 9－213
單位 4－139
單個 1－B－192
單幹 8－B－7
單獨 1－D－52
單純 1－A－273
單行條例 4－181

—11—

嘗試 9－311
嘆氣 1－K－26

—12—

嘲笑 1－L－134
嘴巴 9－75

—14—

嚇唬 1－I－26

—17—

嚴厲 6－56
嚴密 1－B－195
嚴格 5－100
嚴肅 1－A－278
嚴重 1－C－90
嚴防 2－87

RADICAL 31 【口】

—2—

四大家族 5－209

—3—

回想 7－116
回憶 3－122
因果 1－K－140
因此 1－A－17
因素 1－C－59

—4—

困難 1－A－247
囤積居奇 5－12

—5—

固定 1－A－262
固有法 5－183
固步自封 10－A－37
固然 1－A－58

—6—

囿于見聞 1－K－151

—8—

國內戰爭 1－A－39
國共 1－D－53
國務卿 9－284
國務院 4－94
國境 7－210
國家 1－A－31
國家觀 5－52
國度 1－A－15
國庫 5－103
國徽 4－242
國旗 4－241
國會 7－247
國有 4－49
國民 1－D－59a
國民黨 1－D－59
國營 1－H－57
國策 9－263
國計民生 4－57
國防 4－97a
國防委員會 4－97
國際 1－A－211
國際歌 2－43
國體 1－H－28

—11—

團結 1－G－13
團體 4－17

RADICAL 32 【土】

土匪 1－A－277
土地 1－A－223
土布 1－K－161
土氣 1－J－17

土豆燒牛肉 9－258
— 3 —
地下 2－114
地主 1－A－224
地位 1－B－63
地區 2－113
地平綫 1－H－125
地形 1－B－145
地方主義 3－157
地權 1－H－67a
地步 1－I－100
地無立錐 5－176
地球 1－E－134
地盤 1－G－16
地租 5－20
地點 1－B－168
在座 1－K－144
在於 1－A－81
— 4 —
坐井觀天 3－165
— 6 —
型類 7－33
— 7 —
埋葬 9－193
城市 1－A－183
城市貧民 1－K－94
城郭 1－K－77
城鄉 4－66
埃及 3－125
— 8 —
執行 1－B－45
執行機關 4－156
基地 3－86a
基地網 3－86
基於 1－C－40
基本 1－A－210
基礎 1－F－42
堅定 1－L－37
堅强 2－18
堅持 1－A－230
堅決 1－G－47
培植 9－211
培養 9－161
— 9 —
場合 3－141
場所 3－32
堡壘 1－C－83
報刊 9－18
報告 1－I－84
報紙 1－J－13
報請 4－182
報導 9－39
— 11 —
境況 7－249
墓葬 7－150
— 12 —
墨索里尼 3－90
墮落 3－44
增加 1－B－102
增添 9－376
增產 8－B－16
增進 4－27
增長 8－A－15
— 14 —
壓倒 10－A－20
壓制 1－L－147
壓力 1－B－128
壓服 1－L－143
壓榨 1－E－87
壓迫 1－C－29
— 16 —
壟斷 5－210

RADICAL 33 【士】

士氣 1－C－74
— 4 —
壯大 10－A－21

RADICAL 36 【夕】

— 2 —

外交	4—32
外來	1—I—98
外在	5—125
外族	7—58
外綫	1—B—55
外綫圈	1—B—83
外行	1—B—191
外衣	5—215
外部	1—D—8

— 3 —

多元論	1—G—159
多快好省	10—A—46
多數	1—A—107a
多時	1—G—132
多民族	4—37

— 5 —

夜郎自大	10—A—35

— 11 —

夢寐以求	9—296
夢想	3—115

RADICAL 37 【大】

大勢已去	7—230
大勢所趨	1—B—117
大同	3—41
大國沙文主義	9—120
大地	9—384
大多數	1—A—107
大意	10—B—34
大批	1—C—79
大搞	9—327
大敵當前	1—H—12
大放	9—330
大是大非	5—108
大會	1—E—42a
大有進步	1—L—48
大概	1—E—52
大民族主義	4—21
大無畏	1—L—108
大略	3—167
大發橫財	9—46
大衆	1—E—88
大約	1—L—19
大綱	1—K—156
大聲疾呼	1—K—131
大肆	9—265
大行政區	5—132
大赦	4—106
大踏步	1—G—61
大辟	6—14
大辯論	9—331
大量	1—H—73
大隊長	1—K—167
大體	6—38
大驚小怪	9—378
大鳴	9—329

— 1 —

夫權	5—236
太平天國	1—E—82
天地古今	10—B—37
天子	7—158
天安門	4—244
天性	3—36
天文學	7—70
天眞爛漫	1—I—31
天經地義	6—55
天衣無縫	5—191

— 2 —

失去	1—B—106
失掉	1—B—90
失敗	1—A—155
失業	1—A—191
失職	4—231

— 4 —

夾雜	7—107

— 5 —

奉勸 9－298
奇怪 1－L－163

— 6 —

契約 5－222
奔騰 1－C－77

— 11 —

奪取 1－D－2
奬金 9－134

— 13 —

奮鬥 1－L－100

RADICAL 38 【女】

— 2 —

奴役 3－92
奴才 5－207
奴隸 5－167
奴隸主 6－8

— 3 —

好菜 9－259
如上所述 3－77
如何 1－A－5
如此 1－A－161
妄動 1－B－182
妄想 3－99

— 4 —

妨害 2－85
妨礙 1－I－65
妥協 1－C－34

— 5 —

妹夫 9－65
始終 1－F－45
妻女 6－89
妻子 9－72
姐夫 9－64
委員 2－104
委員會 2－106
委托 4－151

— 6 —

姿態 5－202
威信 1－K－67
威權 1－A－282
威脅 3－139

— 8 —

婚姻 4－228

RADICAL 39 【子】

子女 8－B－34
子孫 9－354

— 1 —

孔夫子 1－J－25

— 3 —

存亡 9－192
存在 1－A－244
字句 1－I－48
字眼 3－121

— 4 —

孝子賢孫 5－59
孝道 7－152

— 5 —

季文子 7－207
季諾維也夫 9－90
孤立 1－A－285

— 13 —

學員 10－B－14
學問 1－L－49
學派 5－253
學習 1－G－34
學術 1－L－69
學說 1－E－119
學閥式 9－97
學院 7－7
學風 1－I－10

RADICAL 40 【宀】

— 3 —

安于現狀 1－K－124
安全 4－76
安家落戶 1－L－60

安排	5－260
安插	9－50
安民	7－259
安靜	1－K－150
宇宙	1－F－8a
宇宙観	1－F－8

— 4 —

完備	5－45
完全	1－B－123
完善	8－A－60
完成	1－C－52
完整	4－31
完糧	5－228
完結	1－E－104

— 5 —

官僚	1－L－26
官兵	1－C－8
官軍	7－56
官長	1－K－63
定出	1－K－70
定義	1－F－34
宗主國	3－62
宗教	1－H－98a
宗教徒	1－H－98
宗旨	1－J－3
宗派主義	1－A－283

— 6 —

客觀	1－B－215
宣傳	1－A－276a
宣傳者	1－A－276
宣布	1－K－20
宣揚	9－113
宣稱	9－182
宣言	1－H－54

— 7 —

害人	1－J－10
家庭	1－L－70
家畜	7－162
家破人亡	8－B－21
家長制	3－155
宰割	9－245
宴會	1－E－40
容忍	7－109
容許	1－B－211

— 8 —

寄托	9－360
寄生	9－143
密切	1－E－25
冤枉	9－343

— 9 —

富强	8－A－32
富於	7－61
富有	5－116
富裕	1－L－101
富農	1－H－66

— 11 —

寡民	1－B－108
寡頭	5－205
實事求是	1－H－96
實力	1－C－51
實施	1－B－201
實物	5－225
實現	1－B－210
實行	1－B－13
實質	1－E－89
實踐	1－E－1
實際	1－E－23
實驗	1－E－112

— 12 —

審判	4－117a
審判員	4－117
審判委員會	4－118
審判權	4－184
審察	1－K－42
審愼	2－79
審訂	8－B－27
審訊	4－193
寫作	1－L－138
寫法	7－26
寫照	5－127

— 16 —

寶庫	9－375

RADICAL 41 【寸】

— 6 —

封建 1-A-14
封建主 6-22

— 7 —

射擊 1-B-36

— 8 —

專刋 10-B-3
專制 2-75
專區 8-B-25
專家 9-82
專政 1-H-19
專橫跋扈 9-363
專門 1-G-170a
專門家 1-G-170
將一軍 1-J-6
將相 7-30

— 9 —

尋常 1-C-48
尋找 3-101
尋章摘句 7-138
尊嚴 1-H-71
尊崇 7-262
尊重 1-A-59

— 11 —

對付 1-L-130
對待 1-I-12
對抗 1-F-10
對於 1-A-151
對比 10-A-38
對準 1-I-36
對照 9-231
對立 1-F-2a
對立統一 1-F-2
對立面 1-L-151
對象 1-D-50

— 13 —

導言 5-2

RADICAL 42 【小】

小卒 3-51
小生產 1-A-187
小舅子 9-66
小資產階級 1-A-184

— 1 —

少地 1-H-62
少數 1-G-167
少數民族 4-40

— 3 —

尖銳 1-K-112

— 5 —

尙書 7-136

RADICAL 43 【尢】

— 1 —

尤其 1-F-48

— 9 —

就 1-A-289
就中 1-G-10
就業 4-213

RADICAL 44 【尸】

— 4 —

局部 1-A-135
局面 1-K-121
尾巴 1-A-226

— 5 —

屆 4-2
屆滿 4-87
居住 4-200
居地 7-198
居心 5-157
居民 1-B-146
居留 4-235

屈原 7-237

— 6 —

屋宇 1-E-38

— 7 —

展開 1-G-114

— 11 —

屢次 2-5

— 12 —

履行 2-82

— 18 —

屬於 1-A-101

RADICAL 46 【山】

山頭 1-K-101

— 8 —

崇奉 5-193

崇高 4-35

崗位 2-33

崩潰 1-C-71

RADICAL 47 【巛】

— 3 —

州委 9-129

— 4 —

巡視員 1-K-17

RADICAL 48 【工】

工人 1-D-10

工具 1-J-4

工商業 1-L-5

工場 8-A-19

工廠 1-G-80

工會 1-D-17

工業 1-F-25

工業化 1-L-16

工程 1-J-47

工資 4-214

工農 1-D-57

— 2 —

左傳 7-205

左傾 1-G-187

左右 1-L-20

左翼 1-L-44

巨大 7-101

— 6 —

差別 1-E-62

差距 9-105

RADICAL 49 【己】

— 1 —

巴黎公社 9-87

RADICAL 50 【巾】

— 2 —

市場 3-26

市委 9-130

市轄區 4-166

市長 4-170

布匹 1-K-158

布告 4-195

布哈林 9-91

布爾什維克 9-146

— 4 —

希望 1-G-109

希特勒 3-89

希臘 3-93

— 6 —

帝國 3-52a

帝國主義 1-A-168

帝王 7-29

— 8 —

常務委員會 4-88

常見 1-F-15

常設機關 4−112
常識 9−167
—10—
幌子 9−13
—14—
幫凶 5−265
幫助 1−G−14
幫工 7−45
幫閒者 1−J−28

RADICAL 51 【干】

干涉 2−111
—2—
平地 1−K−102
平均 1−F−72
平均地權 1−H−67
平安 10−B−61
平常 1−G−88
平民 7−43
平等 1−C−2
平衡 1−A−235
—3—
年滿 4−142
年齡 1−K−139
—5—
幸福 1−B−12
—10—
幹不下 1−K−30
幹部 1−A−284

RADICAL 52 【幺】

—1—
幻想 8−B−8
—2—
幼稚 1−I−52
—9—
幾乎 1−I−45

RADICAL 53 【广】

—4—
序言 4−4
—5—
底裏 1−K−4
店員 1−G−74
—7—
座談會 1−G−2
—8—
庸人 9−261
庸俗 1−F−32
—10—
廉價 6—61
—11—
廓淸 1−J−53
—12—
廢除 3−120
廣告 9−279
廣大 1−C−38
廣東 1−D−31
廣泛 1−F−7
廣狹 1−D−56
廣義 1−G−165
廣闊 1−C−62

RADICAL 54 【廴】

—4—
延安 1−E−36
延續 5−166
延長 1−C−57
—6—
建國 1−H−34
建成 4−8
建立 1−B−10
建築 2−100
建設 1−L−3
建議 1−L−105

RADICAL 55 【 廾 】

— 4 —	
弄出	1-K-59
弄壞	1-I-39

RADICAL 57 【 弓 】

— 1 —	
引上	9-195
引出	10-A-31
引向	8-A-37
引子	1-G-108
引導	1-H-112
引者	7-164
引言	1-G-3
引起	1-E-50
— 7 —	
弱小	1-A-237
弱點	1-B-96
— 8 —	
張國燾	1-I-74
强制	1-L-56
强大	1-A-236
强姦	6-88
强弱	3-38
强烈	5-4
强盛	7-263
强詞奪理	9-19
强調	1-G-141
强迫	1-E-137
— 14 —	
彌補	10-A-49

RADICAL 59 【 彡 】

— 4 —	
形勢	1-B-140
形容	3-146
形式	1-A-38
形形色色	9-42
形態	1-C-47
形成	1-A-228
形而上學	1-F-13
形象	10-A-42
形體	7-186
— 12 —	
影子	9-212
影響	1-A-213

RADICAL 60 【 彳 】

— 4 —	
彷彿	7-38
— 5 —	
征服	3-100
彼此	1-G-184
往往	1-B-134
往後	1-K-174
往覆	1-E-142
— 6 —	
後代	9-355
後方	1-A-269
後期	1-C-66
後果	7-272
後段	7-133
後繼	9-353
後者	1-B-41
後覺	2-51
後退	1-J-35
後進	10-A-24
待遇	4-215
— 7 —	
徒勞	10-B-57
— 8 —	
得當	1-J-58

得罪 1－L－135
從中 1－G－26
從中取利 7－268
從事 1－A－12
從來 1－F－11
從屬 1－G－162
從此 1－C－86
— 9 —
復活 3－104
復辟 5－72
循名責實 1－H－33
循此繼進 1－E－63
循環 1－E－141
— 12 —
徹頭徹尾 9－122
徵收 7－160
徵用 4－68
徵詢 1－K－146
徵購 4－67

RADICAL 61 【心】

心中 1－F－84
心懷敵意 1－L－111
心理 1－G－107
心目 9－260
— 1 —
必取其一 1－L－145
必然 1－B－119
必至 1－B－172
必要 1－A－143
必需 1－B－32
必須 1－B－77
— 3 —
志士仁人 1－L－99
志願 1－A－123
— 4 —
忠于 2－27
忠君 7－222
忠實 2－52
忠愛 7－232
忠誠 2－42
忽略 1－L－168
忽視 1－D－37
念念不忘 5－61
念頭 1－K－53
— 5 —
怯懦 5－117
急劇 9－98
急性病 2－14
急風暴雨 1－L－175
怪物 1－A－86
性 1－A－68
性別 4－199
性格 8－B－24
性質 1－A－23
思潮 9－102
思索 1－B－181
思維 1－F－101
思考 9－321
怠工 1－K－48
— 6 —
恥辱 1－K－9
恰如 3－117
恰恰 5－47
恰當 1－H－92
恐怖 6－83
恢復 1－B－132
恩格斯 1－E－76
恩賜 2－47
— 7 —
患病者 1－J－61
患者 1－J－63
— 8 —
悲劇 7－274
情不自禁 3－97
情況 1－A－79
情勢 1－K－41
情報局 3－1
情形 1－A－22

情感	3－150
情景	7－51
情緒	1－G－121
惟有	1－A－227
惡意	3－70
惡習	1－J－49
惡而知其美	10－A－33
惡霸	6－84
— 9 —	
意味	10－B－56
意大利	3－105
意志	5－42
意思	1－G－90
意義	1－A－159
意見	1－A－42
意識	1－E－75
意識形態	1－L－166
意願	4－176
感官	1－E－49
感性	1－E－44
感情	1－G－94
感覺	1－E－45
惱火	1－K－27
愛國	1－L－21
愛好	4－25
愛家	8－B－20
愛社	8－B－19
愛而知其惡	10－A－32
愛護	4－238
想法	1－B－189
愚弄	3－11
愚想	7－110
愚蠢	9－250
— 10 —	
愼重	1－B－183
態度	1－G－33
慈善家	6－64
— 11 —	
慶祝	1－I－3
慢性病	2－15
— 12 —	
憲兵	5－245
憲法	4－1
— 13 —	
懇切	2－6
應用	1－E－116
應聲蟲	5－256
— 14 —	
懦夫	1－K－31
— 15 —	
懲前毖後	1－L－81
懲罰	2－84
懲辦	4－73
— 16 —	
懷才不遇	7－225
懷抱	3－73
懷疑	1－I－8
懵懵懂懂	1－K－65

RADICAL 62 【戈】

— 3 —	
戒嚴	4－131
戒躁	9－368
戒驕	9－367
成分	1－D－51
成公	7－206
成功	1－C－35
成員	1－E－14
成天	1－K－8
成套	5－149
成就	4－33
成果	4－14
成熟	7－281
成立	1－L－74
成績	1－G－23
成長	9－372
我軍	1－B－72
我黨	1－C－96
— 9 —	
戡亂時期	6－93

— 10 —

截然不同 7－148

— 12 —

戰勝 1－A－242
戰區 1－B－88
戰國 7－77
戰地 1－B－87
戰場 1－B－86
戰士 1－G－79
戰役 1－A－136a
戰役學 1－A－136
戰慄 5－124
戰爭 1－A－2
戰略 1－A－3
戰綫 1－C－4b
戰術 1－A－137a
戰術學 1－A－137
戰鬥 1－B－78
戰鬥員 2－30

— 13 —

戲劇 1－G－130

RADICAL 63 【戶】

— 4 —

所屬 4－175
所得而私 1－H－69
所有人 5－90
所有制 1－L－165
所有權 4－52
所有物 5－213
所謂 1－B－35

RADICAL 64 【手】

手工業 1－K－92
手段 1－B－141
手法 9－246

- 1 —

才力 1－K－29

— 2 —

打倒 1－G－9
打出 9－166
打成一片 1－L－61
打掃 1－J－57
打擊 1－G－30
打擾 9－242
打瞌睡 1－K－127
打破 3－40
打算 3－14
打網 1－B－150
打魚 1－B－165

— 3 —

托洛茨基 1－G－160

— 4 —

找尋 8－A－58
抄襲 5－197
抄集 5－258
折磨 9－254
承受 5－199
承認 1－A－259
扶植 9－106
抗戰 1－C－3
抗日 1－A－163
抗美援朝 4－9
技術 1－B－44
把戲 9－198
把握 7－122
批准 4－102
批判 1－H－90
批發 8－A－24
批評 1－G－48
批駁 1－A－43
投機 1－G－127
投票 7－248
投資 3－31
投降主義 1－G－186

— 5 —

招牌 9－197
招魂 5－71
拋棄 1－F－69

抽出	1－K－136
抽象	1－G－98
拙劣	9－247
拚命	1－G－21
拒絕	3－49
抹殺	1－L－171
抵制	9－164
抵抗	7－59
抵當	7－102
抵觸	2－101
拆穿	9－199

— 6 —

指出	1－G－44
指南	1－E－124
指南針	7－106
指導	1－A－10
指手畫腳	1－K－23
指揮	1－A－138a
指揮員	1－A－138
指望	9－269
指正	7－283
指示	1－K－40
指責	9－21
持久	1－A－243
持久戰	1－A－260
拯救	1－A－110
拷打	6－87
挂賬	1－K－72
挂起	9－196
拿得穩	1－J－42
按照	1－B－143
按需分配	9－31
挑動	7－266
挑撥	8－B－18
挑選	9－374

— 7 —

捉住	1－F－76
揑造	9－171
挫折	1－L－104
挫敗	1－C－91
挽救	1－L－86

— 8 —

掌握	1－K－55
掙扎	9－215
控制	3－84
控告	4－232
掠奪	3－78
排內性	1－I－64
排外	1－E－85a
排外主義	1－E－85
排外性	1－I－66
排擠	3－24
排斥	1－F－19
排洩	1－H－87
排除	5－214
掃除	1－C－26
授予	2－71
推動	1－F－39
推廣	1－L－119
推理	1－E－65
推翻	1－D－12
推而廣之	1－L－150
推行	9－35
推進	1－G－28
採取	1－B－46
採用	1－L－116
接任	1－K－18
接受	1－A－204
接班人	9－351
接觸	1－E－39
接近	1－G－188
措施	4－158
掩蓋	5－266

— 9 —

插足	3－87
換取	1－K－134
揮霍	9－61a
揭發	1－L－78
揭示	7－260
揭穿	1－J－14
揭露	1－L－141
描寫	1－G－62

提交	4−150
提供	4−136
提倡	1−B−22
提出	1−F−70
提升	6−5
提名	4−93
提請	5−146
提議	2−99
提起	1−K−155
提鍊	1−G−172
提高	1−G−139
援助	1−C−15
援引	6−34
—10—	
搬運	2−58
損失	1−B−158
損害	2−26
搓來搓去	1−I−40
搖擺	1−L−31
—11—	
摩托	9−71
摘引	10−B−48
摘錄	10−B−16
摧殘	1−A−109
摧毀	1−J−52
—12—	
撤換	4−141
撤銷	4−114
—13—	
擊敗	9−333
擊潰戰	1−A−266
擊破	1−F−106
擅斷	6−9
擔任	4−148
擔負	1−K−164
操縱	1−H−49
擁護	1−A−94
—14—	
擬定	7−19
擠掉	3−34
—15—	
擾亂	4−60
擴充	4−218
擴大	1−G−75
擴張	3−68
擺好	1−G−156
擺布	9−240
擺脫	1−G−58

RADICAL 65 【支】

支付	1−B−25
支持	9−238
支援	8−A−5
支部書記	1−K−169
支配	1−F−81
支離破碎	5−251

RADICAL 66 【攴】

—2—	
收入	4−63
收回	5−70
收攏	1−B−152
收支	8−A−11
收歸國有	4−69
收獲	1−L−67
收益	5−211
收繳	5−226
—3—	
改取	1−B−124
改善	4−55
改正	1−I−23
改良主義	1−K−108
改訂	5−29
改變	1−K−133
改造	1−E−93
改革	1−H−119
攻擊	1−C−45
攻破	1−I−61

— 4 —

政務院	5－131
政府	1－A－46
政權	1－D－3
政法	5－55
政治	1－A－32
政治協商會議	4－12
政策	1－A－209
政見	1－K－21
政體	1－H－29
政黨	1－A－165
放手	1－L－142
放棄	1－A－222
放箭	1－I－35
放置	7－117
放肆	9－108
放過	9－342

— 5 —

故事	1－K－76
故意	7－218
故鄉	9－319

— 6 —

效力	1－J－60
效勞	9－17
效忠	4－71
效果	1－L－65

— 7 —

教員	1－L－46
教導	2－55
教授	1－L－45
教條	1－F－108a
教條主義	1－F－108
教程	7－32
教義	1－H－100
教育	1－B－200
教訓	9－2
救星	1－H－16
救濟	4－222
救藥	9－218
敗北	1－D－18
敗壞	9－116
敗家子	9－219
敗類	9－185
敍述	6－115

— 8 —

敢於	1－H－70
敢言	7－238
散開	1－B－151

— 11 —

敷衍	1－L－79
數字	8－A－30
數學	7－71
數目	1－G－85
數量	1－B－71
敵人	1－A－167
敵國	1－C－14
敵對	1－C－44
敵情	1－B－144
敵我	1－B－84
敵視	1－G－65
敵軍	1－B－66

— 12 —

整個	1－B－33
整掉	1－L－103
整理	1－B－205
整部	7－280
整頓	1－I－1
整風	1－L－73
整體	2－67
整齊	1－I－5

RADICAL 67 【文】

文件	1－E－43
文化	1－C－13
文化人	1－G－126
文學	1－G－22
文字	1－H－118
文武	1－G－11
文章	1－J－27
文藝	1－G－1

文言文	1－J－21
文誥	7－140
文過飾非	9－370

RADICAL 69 【斤】

—1—	
斥責	3－3
—7—	
斬盡殺絕	6－11
—8—	
斯大林	1－A－77
斯諾	1－C－85
—9—	
新四軍	1－G－124
新奇	1－K－75
新疆	10－B－11
新陳代謝	10－A－15
新鮮	1－I－93
—14—	
斷定	7－142
斷絕	1－C－31
斷言	7－155

RADICAL 70 【方】

方以智	10－A－5
方向	1－A－252
方圓	10－B－22
方式	1－E－18
方法論	10－B－58
方針	1－B－47
—4—	
於是	1－C－24
—5—	
施行法	5－238
—7—	
族主	7－214
—10—	
旗幟	1－A－106
旗號	9－147

RADICAL 71 【无】

—7—	
既定	1－K－119
既得利益	9－121
既有……又有	1－A－245
既然	1－G－143

RADICAL 72 【日】

日寇	1－B－16
日常	10－B－19
日本	1－B－9
日益	1－B－113
日見	4－26
—2—	
早稻	7－86
—4—	
明文	6－98
明朗	1－L－54
明珠	9－200
明瞭	1－E－32
明確	1－G－36
明顯	1－A－251
—5—	
是否	1－E－114
—6—	
晁公武	10－B－33
時代	1－A－97
時常	1－B－166
時時	1－K－114
時時刻刻	8－A－61
時期	1－B－104
時機	1－A－171

時節	1－E－126
時髦	9－118
— 7 —	
晚會	1－E－41
— 8 —	
智力	4－226
普及	1－G－140
普照	9－383
普通	1－G－166
普遍	1－B－125
— 9 —	
暗害	2－93
暗示	9－249
暗藏	8－A－62
— 10 —	
暢行無阻	1－I－69
暢通	2－109
— 11 —	
暴亂	9－315
暴力	7－183
暴動	1－K－109
暴露	1－G－39
暫時	1－B－30
暫行	5－31
— 13 —	
曖昧	1－L－53

RADICAL 73 【日】

— 2 —	
曲折	9－310
— 3 —	
更加	1－A－20
更新	9－126
— 6 —	
書報	1－L－94
書面	1－K－171
— 7 —	
曹操	7－95
— 8 —	
曾經	1－D－25
最高人民檢察院	4－100
最高人民法院	4－98
最高國務會議	4－149
— 9 —	
會場	1－K－149
會衆	1－K－154
會議	1－L－1

RADICAL 74 【月】

— 2 —	
有之以爲利	10－B－42
有利	1－B－112
有力	1－G－31
有助	9－338
有害	1－L－112
有待	1－E－97
有意	7－270
有效	8－A－55
有機體	2－63
有法不依	5－67
有法難依	5－68
有生	3－96
有產者	5－83
有的放矢	1－I－34
有益	1－H－88
有神論者	1－L－34
有關	1－G－110
— 4 —	
服務	1－E－31
服役	3－33
服從	1－G－157
— 8 —	
朝令夕改	9－216
朝代	6－43
朝廷	7－216
朝聖	9－149
朝鮮	3－67
期間	3－79
期限	4－201

RADICAL 75 【木】

— 1 —	
末尾	1－K－11
末年	7－169
末期	7－66
本事	1－L－87
本位主義	8－B－22
本來	1－B－95
本國	1－B－75
本地	1－I－99
本性	10－B－47
本文	3－13
本族	7－227
本本主義	1－K－1
本質	1－E－61
本身	1－B－19
未來	1－G－78
未必	7－126
— 3 —	
李逵	1－K－62
束之高閣	1－E－111
束縛	1－J－45
杜勒斯	9－294
杜絕	5－94
杜魯門主義	3－81
材料	1－E－92
— 4 —	
枝節	1－K－22
果實	9－110
東北	5－39
東拚西湊	5－250
東漢	7－94
東西均	10－A－6
— 5 —	
架子	1－L－123
某些	1－B－69
某種	1－A－140
— 6 —	
核心	1－F－5
根據	1－B－3
根據地	1－B－58
根本	1－A－248
根深蒂固	1－J－33
根源	3－107
根絕	9－29
校完	7－16
格格不入	1－L－71
案件	4－185
桅頂	1－H－124
— 7 —	
梟首	6－45
條令	1－A－49
條件	1－A－232
條例	4－180
條文	2－3
條文化	5－112
條款	6－42
條理	1－I－18
條約	4－124
— 8 —	
植物學	7－76
極其	9－15
極力	8－B－17
極端	1－F－29
棉花	7－87
森林	4－50
— 9 —	
楊獻珍	10－B－1
— 10 —	
構成	1－E－121
槍桿子	9－341
槍殺	6－80
榮譽	1－A－114
— 11 —	
概況	5－41
概念	1－E－54
概括	7－27
概莫能外	1－F－66
樂觀	1－K－116

模仿	5－185
模範	9－361
模糊	1－K－100
標幟	2－8
標志	5－115
標準	1－E－123
標誌	8－A－17
— 12 —	
機器	1－E－72
機會	1－A－220a
機會主義	1－A－220
機械性	1－F－41
機構	4－77
機警	2－54
機關	1－A－64
橋樑	1－A－117
— 13 —	
檢察員	4－119
檢察委員會	4－120
檢察權	4－196
檢察長	4－101
檢査	1－B－209
檢討	2－97
檢驗	1－E－113
— 18 —	
權利	1－D－27
權力	2－70
權力機關	4－78
權益	5－105
權限	4－164

RADICAL 76 【欠】

欠缺	1－K－148
— 2 —	
次要	1－F－74
— 8 —	
欺騙	1－G－43
— 10 —	
歌頌	1－G－38
— 11 —	
歐洲	1－F－22
歐美	1－H－10
— 18 —	
歡呼	3－98
歡迎	1－H－126

RADICAL 77 【止】

— 1 —	
正常	1－L－162
正式	8－B－3
正派	1－I－9
正當	2－90
正確	1－A－194
正義	1－A－92
正規	1－B－56
正面	9－309
— 3 —	
步調	1－I－6
步驟	8－A－47
— 4 —	
歧視	4－38
武力	7－269
武器	1－B－67
武斷	3－69
武裝	1－D－1
— 5 —	
歪曲	9－176
— 12 —	
歷代	5－160
歷來	1－L－153
歷史	1－A－91
歷次	9－323
— 14 —	
歸來	1－K－35
歸……所有	1－H－38
歸根	7－261
歸結	5－264

RADICAL 78 【歹】

— 2 —

死亡 1－I－87
死刑 6－39
死敵 1－H－15
死板 1－B－170
死硬 1－J－34

— 6 —

殉葬 7－144

— 8 —

殖民地 1－A－13
殘害 6－40
殘廢刑 6－37
殘暴 1－G－42
殘殺 1－A－85
殘酷 1－A－104
殘餘 1－I－63

— 17 —

殲滅戰 1－A－267

RADICAL 79 【殳】

— 7 —

殺人 6－107
殺害 6－96
殺身 7－240
殺頭 1－L－91

— 11 —

毆打 6－81

RADICAL 80 【毋】

— 1 —

母法 5－194

— 3 —

每事問 1－K－33
每週 7－161

— 5 —

毒素 1－H－110

RADICAL 81 【比】

比例 8－A－42
比如 1－G－37
比學趕幫 10－A－48
比干 7－235
比擬 9－26
比較 1－A－41
比重 8－A－18
比附 6－33

RADICAL 82 【毛】

毛病 10－A－29

— 7 —

毫無 1－A－99

RADICAL 83 【氏】

氏族 7－193

— 1 —

民主 1－A－281
民主集中制 1－H－30
民事 5－33a
民事法規 5－33
民兵 9－339
民刑法律 5－28
民族 1－A－30
民族觀 3－16
民族資產階級 1－A－212
民族鄉 4－165
民權主義 1－K－105
民法 5－1
民法典 5－150
民衆 1－B－206

RADICAL 84 【气】

— 6 —

氣力 1－I－50
氣概 9－156

RADICAL 85 【水】

水準 2－61
水平 1－F－24
水流 4－47
水火 10－B－25
水路 6－71

— 1 —

永久 1－A－119

— 2 —

求同存異 10－B－45
求得 1－G－6

— 3 —

江西 7－90

— 4 —

沉重 6－78
決定 1－A－158
決心 1－C－33
決算 4－104
決計 9－300
決議 2－69
沒收 1－H－58
沙文主義 9－120a
汪精衛 3－135

— 5 —

注意 1－B－156
注重 1－K－10
法人 5－76
法令 4－113
法典 5－155
法制 5－74
法則 1－F－1
法學 5－3
法官 6－35
法律 4－48
法施於民 7－255
法案 4－133
法條 5－159
法權 6－100
法統 5－46
法西斯 1－D－7
法規 2－76
法院 4－98b
泛濫 1－L－167
治國 7－258
治病救人 1－L－82
治療 1－J－65
治罪 6－102
泥坑 3－9
泥菩薩 9－305
波斯灣 7－103
泰西 5－188
沿襲 6－97
油印 1－J－12

— 6 —

活動 1－C－46
活潑 1－J－24
派遣 4－145
洗刷 1－K－69
津津樂道 5－182
津貼 9－138
洋奴 5－201
洋布 1－K－160
洋氣 1－J－16

— 7 —

浙江 7－91
海船 7－100
浩如烟海 5－186
流刑 6－21
流寇 1－A－275
流氓 1－K－110
流行 1－I－14
流露 9－183
涉及 1－F－6

消亡	9－170
消失	9－207
消極	1－J－43
消滅	1－A－82
消磨	1－C－73
消耗	1－C－69
消費	8－A－20a
消費資料	8－A－20
消除	1－L－137
－8－	
涵義	7－212
混戰	7－170
混沌	7－40
混淆	1－B－221
混爲一談	3－75
混雜	9－202
深入	1－K－45
深切	1－K－138
深刻	1－E－27
深化	1－E－69
深厚	3－149
深深	3－60
深淺	1－B－153
清夢	9－243
清律	5－165
清洗	9－124
清理	1－H－103
清算	1－G－101
清除	2－20
－9－	
減少	1－F－16
減弱	1－B－114
減息	5－18
減押	5－16
減租	5－15
減輕	7－252
温和	9－286
游擊	1－A－130
游民	1－K－95
游行	4－205
湧流	9－209
－10－	
準備	1－B－197
準則	5－93
準確	8－A－59
準繩	5－92
溝壑	5－178
滅亡	9－86
源泉	1－H－122
－11－	
漢奸	3－138
漢族	7－115
滿盤皆輸	1－A－157
滿腔熱情	1－L－132
滿足	3－28
滲透	1－F－89
漸漸	7－111
演變	9－293
漁人	1－B－149
－12－	
潮流	1－J－38
澈底	1－A－179
潛伏力	1－C－76
潛在	8－B－14
－13－	
激化	10－B－55
激烈	9－313
－18－	
灌輸	9－115

RADICAL 86 【火】

火力	1－B－39
火藥	7－84
－3－	
災民	7－250
災難	5－262
－4－	
炊事員	2－31
－5－	

炮烙	6－17
— 6 —	
烙印	1－E－29
烏茲別克	9－63
— 8 —	
焚殺	6－49
焦點	9－6
無上	1－A－113
無不	1－E－28
無之以爲用	10－B－43
無兵司令	1－H－117
無力	7－188
無地	1－H－61
無害	7－246
無往而不勝利	1－K－120
無恥	5－192
無情	9－186
無意	7－271
無所不在	1－F－99
無所畏懼	1－L－93
無政府	1－A－193
無數	1－C－72
無比	9－24
無法可依	5－66
無產階級	1－A－164
無用	2－59
無疑	1－H－24
無的放矢	1－I－37
無益	1－I－60
無盡	2－10
無知	1－I－55
無神論者	1－L－35
無窮	1－E－143
無綫電	2－108
無能	1－D－20
無論	1－D－49
無謂	7－189
無關	1－K－143
無限	1－H－121
無限止	1－B－121
— 9 —	
照抄	1－A－52
照耀	4－243
照舊	1－C－22
照顧	1－A－133
煉鋼	7－80
煞有介事	9－174
— 10 —	
煽惑	3－162
熄滅	9－27
— 11 —	
熱中	9－111
熱心	9－223
熱忱	1－I－89
熱情	1－I－95
熱愛	3－153
熱烈	1－G－112
熟悉	1－L－28
— 13 —	
燦爛	1－H－102
營私	9－139
— 15 —	
爆發	1－C－25

RADICAL 87 【爪】

— 4 —	
爭取	1－A－286
爭奪	7－277
爭求	3－72
爭論	1－G－113
爭議	5－229
— 8 —	
爲所欲爲	9－59
爲止	1－E－105
爲積欠所壓	5－179
爲首	3－95

RADICAL 89 【爻】

— 10 —

爾後 1－E－120

RADICAL 91 【片】

片斷 1－K－71

片面 1－E－35

RADICAL 92 【牙】

牙商 5－24

牙帖 5－23

RADICAL 93 【牛】

牛鬼蛇神 1－L－158

— 3 —

牢不可破 4－23

牢固 2－23

— 4 —

物價 8－A－12

物力 8－A－57

物權編 5－208

物理學 7－72

物質 1－E－7

物體 10－A－7

— 5 —

牲畜 7－146

— 6 —

特別 1－A－74

特別刑法 6－91

特務 1－I－76

特定 4－134

特徵 5－118

特性 1－B－142

特權 6－25

特殊 1－A－19

特赦 4－128

特點 1－A－188

— 16 —

犧牲 1－B－24

RADICAL 94 【犬】

犬彘 5－174

— 2 —

犯事 1－K－64

犯罪 1－L－90

犯顏 7－245

— 4 —

狀況 1－G－105

狀態 2－83

狂熱性 1－J－56

— 5 —

狗奴才 3－136

狗肉賬 1－K－73

— 7 —

狹隘 1－A－200

— 8 —

猛獸 6－19

猖狂 5－64

— 9 —

猶豫 1－K－107

— 10 —

獃滯 1－B－171

— 13 —

獨佔 1－H－40

獨有 7－215

獨立 1－A－129

— 14 —

獲得 1－A－78

RADICAL 95 【玄】

玄學 1－F－21

RADICAL 96 【玉】

王朝	5－161	現成	1－I－15
王法	6－3	現狀	1－J－37
－4－		現象	1－E－9
玩弄	1－B－190	理性	1－E－86
－6－		理想	3－160
班房	1－L－92	理由	1－A－57
－7－		理解	1－E－79
現代	1－L－17	理論	1－E－78
現存	7－157	－13－	
現實	1－E－67	環境	1－A－40
現實主義	1－G－183	環節	10－A－23

RADICAL 97 【瓜】

瓜分	9－237

RADICAL 98 【瓦】

瓦解	1－C－11

RADICAL 99 【甘】

甘心	5－60	－4－	
		甚至	1－G－64

RADICAL 100 【生】

生動	1－J－23	生產關係	1－E－17
生呑活剝	1－H－89	生硬	2－57
生命	1－F－38	生育	8－B－33
生命刑	6－16	生計	1－H－50
生息	1－D－11	生鐵	8－A－28
生根	1－L－50	生長	3－126
生死存亡	9－357	－6－	
生氣勃勃	9－345	產値	8－A－13a
生活	1－A－96	產品	8－A－6
生活資料	4－65	產物	3－37
生產	1－A－187a	產生	1－A－234
生產力	1－F－23	產生辦法	4－84
生產率	8－A－49	產量	8－A－7
生產資料	1－L－164		

RADICAL 101 【用】

用人	1－I－29	用處	1－H－93
用功	1－L－47		

RADICAL 102 【田】

田園 6-68
田連阡陌 5-175
由於 1-A-173

— 4 —

界綫 1-A-127
界限 3-29

— 5 —

留心 1-K-60
留戀 1-L-23
留用 9-81

— 6 —

異化 10-A-14
異國 1-B-98
異常 7-119
異民族 1-B-73
異義 1-K-47
略前詳後 7-20

— 8 —

當事人 4-191
當代 9-314
當前 1-C-89
當地 1-L-179
當時 1-G-25
當權派 6-104
當然 1-D-54

— 14 —

疆域 7-200

RADICAL 103 【疋】

— 9 —

疑義 1-A-100

RADICAL 104 【疒】

— 5 —

病症 9-301
疾病 8-B-32

— 7 —

痛心 7-273
痛苦 1-C-60

— 9 —

瘋人院 9-181
瘋狂 7-220

— 10 —

瘦弱 9-291

RADICAL 105 【癶】

— 7 —

登載 10-B-4
發光 1-F-54
發動 1-C-27
發問 1-K-153
發展 1-A-8
發布 2-102
發掘 7-137
發揮 3-109
發揚 1-B-38
發明 5-136
發熱 1-F-55
發現 1-E-140
發生 1-A-249
發聲 1-F-53
發表 1-G-111
發言權 1-K-3
發誓 9-281
發財 8-B-4
發達 1-L-42

RADICAL 106 【白】

白璧無瑕 10-A-28
白衞軍 9-155
白話文 1-J-22

— 1 —

百家爭鳴 1-L-68
百年大計 9-358
百花齊放 1-L-139

— 4 —

皇室 5-169
皇帝 1-L-107

RADICAL 108 【皿】

— 5 —

益處 1-G-115

— 7 —

盛滿 9-257
盛行 10-B-54
盜竊 6-113

— 9 —

監督 4-56
監禁 9-180
監視 6-95
盡力 2-38
盡善盡美 10-A-22
盡管 9-299
盡量 2-88

— 10 —

盤剝 5-218

— 11 —

盧布 9-54

RADICAL 109 【目】

目前 1-B-115
目標 8-A-2
目的 1-A-80

— 3 —

直接 1-B-5
直諫 7-239
直轄市 4-80
盲動主義 1-K-57
盲目 1-E-125

— 4 —

看待 1-F-73
看法 1-L-109
看重 1-E-108
省長 4-169
相互 1-E-10
相信 1-C-95
相反相成 1-B-29
相同 1-D-61
相容 5-48
相對 1-A-272
相對性 1-F-46
相應 8-A-10
相當 1-B-164
相繼 5-38

— 5 —

眞善美 1-L-154
眞實性 1-G-179
眞心 3-110
眞正 1-D-19
眞理 1-E-102
眞相 9-151

— 6 —

眼光 1-A-189
眼界 9-210

— 10 —

瞎說 1-K-5

— 12 —

瞭解 1-A-139

RADICAL 110 【矛】

矛盾 1-A-36

RADICAL 111 【矢】

— 3 —

知和行 1-E-3
知識 1-E-11

— 7 —

短兵相接 1－K－113

短期 7－174

短處 10－A－34

RADICAL 112 【石】

石油 7－97

石炭 7－96

— 4 —

砍掉 6－74

— 5 —

破壞 1－A－207

破產 8－B－5

破裂 10－A－19

— 6 —

研究 1－A－6

— 7 —

硬說 9－74

— 9 —

碰到 1－G－118

碰見 1－K－98

— 10 —

確切 9－204

確定 1－B－198

確實 7－60

確立 5－239

— 11 —

磨滅 9－33

— 15 —

礦場 6－69

礦藏 4－46

RADICAL 113 【示】

示威 4－206

示範 5－141

— 3 —

社倉 5－25

社會 1－A－87

— 5 —

祝願 9－253

祕密 2－115

祕書長 4－110

神仙 2－44

神氣十足 1－L－120

神物 1－C－102

神祕 1－I－46

神聖 4－237

祖國 1－B－15

— 6 —

祭品 7－147

祭祀 7－145

祭禮 7－153

— 8 —

禁止 1－H－59

— 9 —

福利 2－24

禍害 5－263

禍心 9－235

禍根 1－I－68

RADICAL 115 【禾】

— 2 —

私人 1－H－43

私分 9－45

私利 7－264

私有 1－A－25

私有制 1－L－8

私產 1－H－65

私設 6－85

私賣 9－44

— 4 —

科學 1－E－20

— 5 —

秩序 2－74

秦始皇 7－168

秦漢 7-167
租佃 1-K-82
租賃 5-221

— 6 —

移易 1-H-27

— 7 —

稀奇 9-276
程序 4-140
程度 1-A-141
稍微 6-24

— 9 —

稱呼 7-203
稱爲 1-F-91
稱號 4-127
種族 4-198
種植 7-88

— 10 —

稿子 7-11
稿酬 9-135
穀價 5-11
穀穗 4-245
穀米 5-8

— 11 —

積極 1-A-185
積累 5-198
積穀 5-26

— 14 —

穩定 7-178
穩穩 7-121

RADICAL 116 【穴】

— 2 —

究竟 1-E-30

— 3 —

空中 1-G-146
空前 1-L-97
空洞 1-K-58
空談 1-E-109

— 4 —

突出 1-H-13
突然襲擊 9-364
突變 1-E-59

— 17 —

竊取 6-58
竊據 9-69

RADICAL 117 【立】

立場 1-C-55
立志 1-L-89
立法權 4-79

— 5 —

站穩 1-L-29

— 6 —

章程 5-142
章節 7-25
竟然 9-94

— 9 —

竭力 9-172

— 15 —

競爭 3-22

RADICAL 118 【竹】

— 5 —

符合 1-E-115
符號 10-B-40
笨拙 1-B-111
第一書記 1-L-176

— 6 —

筆記 10-B-15
答覆 1-L-27
等於 1-C-21
策略 1-K-44

— 8 —

管制 8-A-26
管理 1-H-48

— 9 —

範圍 1－E－122
範疇 3－128
節儉 8－B－11
節制資本 1－H－51
—10—
篡奪 9－76
—12—
簡單 1－F－40
簡明 7－31
簡直 1－I－4
簡編 7－2
簡言之 7－46
—14—
籌劃 1－B－203
—16—
籠統 1－E－84

RADICAL 119 【米】

—4—
粉碎 9－92
—5—
粗淺 10－B－52
粗暴 1－L－146
—8—
精確 1－L－18
精神 1－B－43
精神病 4－202
精耕細作 8－B－13
精華 1－H－85
精闢 6－63
精髓 1－F－68
—9—
糊塗 1－I－13
—11—
糟粕 1－H－86
—12—
糧食 1－K－86

RADICAL 120 【糸】

—1—
系列 1－B－34
系統 2－56
—2—
糾正 1－C－20
糾紛 1－K－66
糾纏 3－164
—3—
紅色區域 1－D－44
紅色政權 5－30
紅軍 1－A－67
紀律 1－A－279
—4—
紙老虎 9－304
紛紛 7－231
紛繁 7－120
納稅 4－239
純正 3－159
純潔 5－53
索性 7－13
素稱 7－64
素質 1－B－70
—5—
終久 1－A－88
終于 4－6
終極 1－K－91
終結 8－A－29
細密 5－154
細心 2－16
細目 1－K－157
細緻 1－L－148
組員 2－66
組成 1－G－29
組織 1－A－202
組長 2－65
—6—
絞刑 6－53
結合 1－F－100
結局 7－48
結成 1－E－16

結束 1－A－98
結果 1－B－120
結構 7－49
結社 4－204
結論 1－C－50
給養 1－B－202
絲毫 1－A－53
絲織 7－79
統一 1－C－4a
統一戰綫 1－C－4
統一物 1－F－18
統一觀 1－E－144
統一體 1－F－94
統治 1－D－42
統率 4－147
統籌兼顧 8－A－38
統計 1－K－145
絕大 1－G－129
絕對 1－A－229

— 7 —

經常 1－K－97
經歷 1－G－133
經濟 1－A－176
經濟基礎 10－A－16
經營 1－H－47
經驗 1－A－60
經驗論 1－E－101

— 8 —

綢緞 1－K－162
綱目 1－K－152
綱要 8－B－1
綱領 1－B－61
緊張 8－A－51
緊急 1－A－215
綠化 8－B－28
綿羊 6－67
綫索 7－34
綜合 1－E－91
綜觀 7－52
維護 4－161

— 9 —

緩和 5－267
緩急 1－G－164
緩慢 7－128
編制 8－A－39
編寫 7－5
編法 7－10
編輯部 9－5
緒言 7－4
締結 4－123
締造 9－152
緣故 1－C－37
緬甸 3－94

— 10 —

縣志 10－B－28
縣長 4－171

— 11 —

繁榮 1－L－98
縮小 1－G－17
縱容 5－217
總之 1－E－22
總則 5－237
總動員 4－130
總司令 1－K－168
總和 2－62
總數 1－K－147
總書記 1－K－170
總理 4－95
總產值 8－A－13
總稱 7－209
總結 1－E－77
總綱 2－2
總編 7－9
總而言之 1－L－36

— 13 —

繳納 5－224
繩頭 1－B－159

— 14 —

繼任 4－154
繼受法 5－184
繼承 1－J－39
繼續 1－C－1

RADICAL 121 【缶】

— 4 —

缺乏 1－A－177
缺位 4－153
缺少 1－G－93
缺點 1－A－154

RADICAL 122 【网】

— 8 —

置於 3－83
罪人 7－221
罪惡 7－22

— 9 —

罰金 6－75

— 10 —

罷免 4－107
罷工 1－D－16

RADICAL 123 【羊】

— 3 —

美好 9－248
美術 1－G－131

— 7 —

義務 4－135
義和團 1－E－83
羣衆 1－A－182
羣衆大會 1－E－42
羨慕 9－264

RADICAL 124 【羽】

— 5 —

習慣 1－C－49

— 12 —

翻天覆地 9－312
翻看 9－38
翻譯 4－192

RADICAL 125 【老】

老子耼 10－B－32
老實 1－I－56
老爺 9－255
老生常談 1－K－129
老鼠 1－J－8
考古 7－149
考察 1－B－180
考慮 1－B－184

RADICAL 126 【而】

而已 5－257

— 3 —

耐心 1－G－57

RADICAL 127 【耒】

— 4 —

耕地 5－220
耕者有其田 1－H－64

RADICAL 128 【耳】

— 8 —

聚居 4－41

— 11 —

聯共 1－I－83
聯合 1－C－56
聯盟 1－A－225
聯結 1－F－87
聯絡 1－B－163

聯繫 1－B－6
聲明 1－H－56
聰明 1－B－174

—12—

職位 4－155
職務 2－28
職員 1－G－73
職業 1－K－142
職權 4－92
職責 3－12

—16—

聽任 9－244
聽取 9－362
聽從 9－239

RADICAL 129 【聿】

—7—

肅清 1－J－50
肆意揮霍 9－61

RADICAL 130 【肉】

—3—

肚子 6－72

—4—

肥胖 9－289
肯定 1－L－84
肩上 1－A－197

—5—

背上 1－G－59
背叛 3－43
背向 9－222
背道而馳 1－L－118
背離 9－145
胃液 1－H－82
胃腸 1－H－80

—6—

能力 1－E－133
能動 1－E－106
能幹 3－64

—7—

腳跟 1－L－30
脫出 1－B－130
脫節 8－A－43
脫離 1－B－131

—8—

腐化 7－55
腐朽 1－G－178
腐爛 9－144
腐蝕 9－80

—9—

腸液 1－H－83
腦力 1－L－43
腦子 1－E－51
腰斬 6－47

—11—

膚淺 7－62

—12—

膨脹 9－99

—13—

膽水 7－93
臆想 5－138

—15—

臘斯克 9－285

RADICAL 131 【臣】

—11—

臨時 4－89

RADICAL 132 【自】

自主 2－110
自作聰明 1－G－174
自來水筆 9－52
自信心 1－H－105

自利	1－A－175	自滿	10－A－36
自力更生	9－344	自然	1－E－8
自動	1－A－221	自爲的階級	1－E－80
自命	1－G－91	自生	10－A－17
自在的階級	1－E－74	自由	1－B－11
自大	3－154	自由天地	5－98
自始至終	1－F－33	自由民	7－42
自己人	1－G－40	自發	1－E－73
自我	1－L－77a	自私	1－A－174
自我批評	1－L－77	自耕農	1－K－80
自治	1－L－172a	自覺	1－E－138
自治區	1－L－172	自身	1－F－4
自治州	4－162	自願	1－D－22
自治縣	4－163	自食其力	4－75

RADICAL 133 【至】

至于命矣	10－B－36	— 3 —	
至於	1－G－52	致命	1－C－84
至高	1－A－112	— 10 —	
		臻于	2－89

RADICAL 134 【臼】

— 7 —		— 11 —	
與其……寧可	9－325	舉例	1－K－79
與此相反	1－D－24	舉行	1－A－111
— 9 —		舉辦	4－220
興盛	1－H－23	— 12 —	
興起	1－C－54	舊俄帝國	3－52
興風作浪	1－L－24	舊式	1－G－77
興高采烈	9－297		

RADICAL 135 【舌】

— 2 —		— 6 —	
舍得	1－L－106	舒適	9－290

RADICAL 136 【舛】

— 8 —		舞台	1－A－195
舞弊	9－140		

RADICAL 137 【舟】

— 4 —		航空	1－H－45
航海	7－105	航船	1－H－123

RADICAL 138 【艮】

— 1 —

良好 1－C－12

— 11 —

艱巨 1－L－102
艱苦 1－C－94
艱苦卓絕 1－I－7

RADICAL 139 【色】

色彩 3－17

RADICAL 140 【艸】

— 4 —

花光 9－220
花樣繁多 9－136

— 5 —

若干 1－J－40
英勇 4－5
英雄 2－45

— 6 —

茶樹 7－85
荒唐 9－190
荒地 4－51
荒誕 7－112
荒謬 9－14
草案 5－145
草芥 1－C－103

— 7 —

莊員 9－62
莊嚴 1－H－55
莫大 9－230
莫洛托夫 3－118

— 8 —

菲律賓 3－55
華中 1－G－71
華僑 4－81
華北 1－G－70
華夏 7－204
萌芽 5－43

— 9 —

著作 5－252
著急 1－L－159
著手 8－A－27
著有 10－B－31
著重 1－F－75
落後 1－G－55
葬禮 7－154
萬事大吉 10－A－39
萬惡不赦 3－137
萬能 5－151

— 10 —

蒙昧 1－I－53
蒙蔽 7－254
蒼蠅 8－B－30

— 11 —

蔑視 5－51
蓬勃 10－A－18
蔣介石 3－134
蔭蔽身體 1－B－37

— 13 —

薄弱 8－A－50
薪金 9－84

— 14 —

藍本 9－262
藍田 10－B－27
藏身 1－J－5
藉以 1－G－8; 5－77
藉口 2－41; 7－113

— 15 —

藩鎮 7－172
藝術 1－E－21
藥材 1－K－88
藥物學 7－75

— 16 —

蘇共 9－3
蘇維埃 4－22a

蘇維埃社會主義共和國聯盟 4−22
蘇聯 1−A−62

RADICAL 141 【虍】

— 5 —
處分 5−212
處在 1−L−2
處於 1−B−92
處理 1−L−114
處置 1−B−126
處罰 6−1

— 6 —
虛僞 5−268
虛心 1−A−203
虛懷若谷 10−A−41
虛弱無力 9−303

— 7 —
號召 1−J−30

RADICAL 142 【虫】

— 4 —
蚊子 8−B−31

— 5 —
蛋白質 10−A−12

— 7 —
蛻化 3−8
蛻變 9−317
蜀漢 7−241

— 11 —
螺絲釘 1−G−155

— 15 —
蠢人 1−K−13

RADICAL 143 【血】

血戰 1−A−290
血汗 9−150
血肉 9−322
血腥 9−188

RADICAL 144 【行】

行使 2−72
行動 1−B−2
行將 1−C−70
行政 1−L−160
行政機關 4−157
行東 7−44
行業 1−K−89
行爲 1−G−169

— 5 —
術語 5−111

— 6 —
街道 1−E−37

— 9 —
衝破 1−C−97
衝突 5−87

— 10 —
衞國戰爭 9−159
衞生 4−160

RADICAL 145 【衣】

衣服 1−K−87
衣鉢 5−200

— 3 —
表揚 10−A−50
表明 1−G−100
表現 1−B−20
表示 1−D−34
表述 5−137
表達 7−192
表面 1−E−81

— 4 —
衷心 9−252

衰朽	7-219
衰老	1-I-86
— 5 —	
被動	1-B-93
被告人	4-187
被逼	1-B-91
— 7 —	
裝備	1-B-204
裝出	1-I-24
裝腔作勢	1-L-124
裝飾	3-42
補充	8-B-2
補助金	7-251
補習	7-6
— 8 —	
製瓷	7-82
製訂	3-80
— 9 —	
複雜	1-F-43
— 16 —	
襲擊	1-B-80

RADICAL 146 【襾】

西周	7-130
— 3 —	
要旨	1-H-52
要求	1-A-122
— 12 —	
覆沒	9-316

RADICAL 147 【見】

見稅什伍	5-172
見解	1-F-12
— 4 —	
規劃	4-168
規定	1-A-238
規律	1-A-7
規模	1-H-41
規矩	10-B-21
規範	5-5
規範化	5-113
— 9 —	
親信	9-49
親友	9-68
親家	9-67
親屬編	5-235
親愛	3-161
親自	5-248
親身出馬	1-K-163
— 13 —	
覺悟	1-H-2
— 18 —	
觀察	1-E-5
觀念	1-G-148a
觀念形態	1-G-148
觀點	1-A-274

RADICAL 148 【角】

角鬥	6-20
— 6 —	
解剖	1-K-90
解放	1-C-30
解決	1-A-11
解釋	1-B-21
解除	3-106
解雇	5-234
— 13 —	
觸犯	6-10

RADICAL 149 【言】

言語	1-H-120
言論	1-I-80
— 2 —	
計劃	1-B-53

計算 2－49
訂立 5－223

— 3 —

訓練 1－C－64
記載 6－13
記錄 1－K－176
討生活 1－K－49
討論 1－G－152

— 4 —

訪問 9－271
許可 1－I－82
設備 8－A－53
設定 5－158
設想 1－A－233
設施 4－223
設立 4－132
設計 8－A－35

— 5 —

評價 7－253
評述 10－B－62
訴訟 4－189
詆毀 9－173
詞句 2－7

— 6 —

詩篇 7－139
詩經 7－135
試圖 6－105
試論 7－276
試想 1－F－83
詳盡 3－108
詳細 10－B－12

— 7 —

誠心 1－L－88
誠懇 2－36
認清 7－118
認眞 1－I－17
認識 1－E－2
認識論 1－E－98
說明 1－A－291
說服 1－L－40
說法 3－65
說理 1－J－59
說穿 5－196
誣蔑 3－71
誤入歧途 3－113
誤解 2－91
誤認 1－I－20
語言 1－L－72
語體 7－21

— 8 —

論斷 1－D－48
論理 1－E－56
論證 10－B－6
論述 9－77
論點 10－B－49
談論 6－110
調動 1－C－63
調和 2－21
調整 5－56
調查 1－K－2
調節 5－34
請求 1－K－28
誹謗 5－65

— 9 —

諸如 7－69
諸葛亮 7－242
諷刺 1－L－129
謀取 9－132
謀生 9－208

— 10 —

謊言 9－168
講壇 1－D－15
講明 7－41
講稿 10－B－13
講課 10－B－9
謙虛 9－365

— 11 —

謹愼 9－366
謬見 7－57
謬誤 1－L－156
謬論 5－73

— 12 —

證實 1-D-26
證據 1-K-51
證明 1-A-250
譏笑 1-G-63
識別 9-373
識字 1-G-82
識破 1-I-30

— 13 —

議事日程 1-L-174
議會 1-D-14
議案 4-111
議論 1-L-64
警察 5-246
警惕 2-86
警鐘 9-320
譯本 7-278

— 15 —

讀者 1-G-86

— 16 —

變動 1-B-147
變化 1-L-4
變態 7-175
變換 1-B-167
變更 1-A-54
變本加厲 9-36
變種 9-256
變質 9-78
變通 2-116
變革 1-E-66

— 19 —

讚揚 1-G-50
讚曰 1-I-42

RADICAL 151 【豆】

— 3 —

豈非 1-B-27

— 11 —

豐富 1-E-94

RADICAL 152 【豕】

— 5 —

象徵 7-229

— 6 —

豢養 6-94

— 7 —

豪傑 2-46
豪民 5-171

RADICAL 154 【貝】

貝爾格萊德 9-148

— 2 —

負擔 1-G-56
負責 2-34

— 3 —

財富 5-75
財寶 7-143
財政 4-178
財權 5-36
財物 5-102
財產 1-A-26
財產刑 6-76

— 4 —

貨幣 1-K-173
貨色 1-L-121
貫串 1-F-44
貫徹 1-B-42
貫穿 7-279
貫通 1-F-88
貧困 4-7
貧民 5-173
貧農 1-K-84
貪慾 3-27
貪污 9-53
責任 1-A-196
責備 5-139

— 5 —

貴族 1-G-177

買辦 1−D−33
貿易 4−159
貸款 9−270
— 6 —
資料 1−L−164a
資本主義 1−D−6
資本論 6−48
資本額 5−242
資格 1−E−13
資源 1−B−109
資產階級 1−A−170
資金 8−A−44
— 8 —
質 1−F−49
質問 4−137
質量 1−G−19
賦予 10−B−50
賣國賊 3−103
賠償 4−233
賞識 9−283
— 9 —
賭咒 9−280
— 12 —
贊同 1−H−99
贊成 1−G−49
— 13 —
贏得 9−160
— 15 —
贖買到底 5−97

RADICAL 155 【赤】

赤色 3−66
赤裸裸 9−73
— 7 —
赫魯曉夫 9−1

RADICAL 156 【走】

走狗 1−D−30
走馬看花 1−L−59
— 3 —
起勁 1−B−136
起義 1−D−21
起見 3−15
起訴 5−231
— 5 —
超 1−G−97
超出 7−191
超過 2−13
越俎代庖 2−103
越南 3−57
— 7 —
趕上 8−B−6
— 10 —
趨勢 1−G−45
趨向 1−F−37
趨於 7−180

RADICAL 157 【足】

足以 7−67
足夠 2−53
— 5 —
距離 9−233
— 6 —
路綫 1−A−239

RADICAL 158 【身】

身分 6−32
身外之物 5−122
身子 1−K−103
身體 1−B−37a
身體刑 6−15

RADICAL 159 【車】

車裂 6-46
車間 9-43

— 2 —

軍事 1-A-47
軍人 1-C-17
軍民 1-C-10
軍用品 9-48
軍閥 1-A-280
軍隊 1-B-18
軌道 9-232

— 4 —

軟硬兼施 9-349

— 6 —

載稱 10-B-29

— 7 —

輔助 5-107
輕刑 6-41
輕工業 8-A-41
輕率 2-37
輕視 1-C-18
輕重 1-G-163

— 8 —

輪廓 7-124
輪訓班 10-B-8

— 10 —

輾轉 5-177

— 11 —

轉化 1-F-95
轉入 7-17
轉動 9-379
轉向 3-6
轉移 1-A-257
轉變 1-B-139

— 12 —

轎車 9-70

RADICAL 160 【辛】

辛亥 1-H-4
辛勤 8-B-15
辛苦 1-G-134

— 9 —

辦法 1-G-20
辦理 2-117

— 14 —

辯解 9-20
辯論 1-K-137
辯證 1-E-68
辯證法 1-F-3
辯護 4-188

RADICAL 161 【辰】

— 6 —

農場 9-112
農奴 6-23
農戶 8-A-23
農村 1-G-81
農業 1-H-68
農民 1-A-181
農民協會 5-7
農莊 9-58

RADICAL 162 【辵】

— 3 —

迄今 7-35
迅速 1-H-6

— 4 —

返還 5-101
近于 1-K-135
近代 1-A-75

— 5 —

迫使 9-206
迫害 4-234

追臨	1-A-105
— 6 —	
追求	1-G-96
追隨	1-H-3
迷亂	7-39
迷信	1-H-95
逃跑主義	1-A-258
退佃	5-17
退卻	1-C-92
迹象	9-295
— 7 —	
逐次	7-196
逐步	1-L-15
逐漸	1-B-101
連聲	1-I-41
逝世	9-93
速勝論者	1-C-104
速度	1-B-154
速決戰	1-A-261
途徑	1-B-62
通令	5-219
通到	3-119
通則	5-148
通史	7-1
通常	1-I-85
通曉	4-190
通用	4-183
通訊	1-B-162
通過	1-E-136
通電	2-107
造就	9-350
造成	1-E-53
造紙	7-81
— 8 —	
逮捕	4-138
進一步	1-I-58
進化	1-F-14
進入	1-D-28
進展	5-57
進攻	1-A-253
進步	1-A-118
進程	1-D-60
進行	1-A-16
進路	1-C-32
— 9 —	
過分	1-G-161
過大	1-H-42
過早	5-153
過時	1-H-22
過渡	1-H-26
過程	1-C-42
過細	1-B-207
過高	1-L-38
達到	1-B-17
道德	9-117
道所由出	10-B-35
道理	1-F-64
道路	1-A-180
違反	1-F-107
違法	4-230
違背	1-A-198
遇到	1-K-25
遇見	1-K-61
運動	1-C-53
運動戰	1-A-265
運用	5-109
運輸	8-A-8
— 10 —	
遠在	5-6
遠大	1-A-201
遠離	9-22
遠遠	5-133
— 11 —	
遲遲	5-156
適合	1-D-62
適宜	9-336
適應	1-G-15
適得其反	1-B-65
適用	1-H-25
適當	1-G-116
遭到	5-120
遭受	1-A-108

— 12 —

遺漏	7－114
暹羅	3－129
選出	4－82
選擇	5－187
選民	4－167
選舉	2－68
選舉法	4－85
遷徙	4－212
遵守	1－K－118
遵循	10－A－40
遵照	10－A－51
遵行	5－129

— 13 —

邁開	1－K－32
避免	1－F－109
邀集	1－G－4

— 15 —

邊區	1－G－69
邊疆區	9－128a
邊疆區黨委	9－128

— 19 —

邏輯	1－E－57

RADICAL 163 【邑】

— 8 —

部分	1－A－102
部族	7－195
部署	1－B－199
部落	7－194
部長	4－108
部門	1－G－24
部隊	1－B－160
郵電	8－A－9

— 10 —

鄉下人	1－K－74
鄉政府	1－K－165
鄉村	1－D－23
鄉長	4－173

RADICAL 164 【酉】

— 3 —

配合	1－B－57

— 10 —

醜態	1－J－29

— 11 —

醫學	7－74

RADICAL 165 【采】

采邑主	7－159

— 13 —

釋放	6－65

RADICAL 166 【里】

— 2 —

重大	1－E－127
重工業	8－A－33
重操舊業	5－62
重新	5－261
重演	9－356
重複	1－F－17
重要	1－A－153
重視	1－L－177
重重	9－214
重點	8－A－34

— 4 —

野心家	2－96
野蠻	1－B－110

RADICAL 167 【金】

金融	5－204
金錢	9－226

— 2 —
針對 6－6
針鋒相對 9－334
釘梢 9－178
— 6 —
銜級 4－125
銀行 1－H－36
銀行券 6－52
— 7 —
鋒芒 6－101
銳利 1－K－141
銳敏 1－I－94
— 8 —
錯覺 1－E－96
錯誤 1－A－147
— 9 —
鍛鍊 1－G－89
— 10 —
鎮壓 1－K－111
鎮長 4－174
— 13 —
鐵托 3－4
鐵板 10－B－17
鐵片 7－92
鐵路 6－70
鐵道 1－H－44
— 14 —
鑒別 1－L－157
鑒於 8－A－31
鑑賞家 1－I－44
— 17 —
鑰匙 7－156

RADICAL 168 【長】

長久 1－J－18
長壽 9－308
長成 1－H－5
長期 1－C－68
長篇大論 1－L－125
長處 1－I－92
長進 3－166

RADICAL 169 【門】

門路 1－K－175
— 3 —
閉會 4－115
閉門造車 1－G－173
閉關主義 3－156
— 4 —
開創 9－352
開化 7－63
開天闢地 9－153
開始 1－A－29
開展 1－L－76
開玩笑 1－B－217
開端 1－J－46
開關 10－B－20
開闢 1－L－96
間接 1－D－40
— 5 —
閘門 9－103
— 11 —
關係 1－B－59
關心 1－I－90
關懷 4－224
關於 1－C－100
關照 1－A－152
關聯 1－A－24
關鍵 1－C－87
關門主義 2－60
關頭 1－A－216
關龍逢 7－233
— 12 —
闡明 1－L－140
闡發 7－54

RADICAL 170 【阜】

— 4 —

防止	1－I－97
防禦	1－A－255
防蘇防共	3－91

— 5 —

阻礙	1－J－36
附加	9－137
附屬國	9－241
附屬物	7－165
附帶	5－164
附註	7－36
附隨	1－C－43

— 6 —

限制	1－A－190
限定	7－18
限度	1－B－118
限於	1－B－133
降低	1－L－39

— 7 —

陣地戰	1－A－264
陣營	3－50
除去	1－F－67
陝甘寧	1－G－68
院長	4－99

— 8 —

陳獨秀	3－142
陷入	1－B－173
陪審員制度	4－186
陰謀	7－184
陰陽	10－B－24

— 9 —

隊伍	1－A－219
隊長	1－K－167a
階層	1－A－199
階段	1－A－35
階級	1－A－27
隋唐	6－36

— 10 —

隔斷	1－G－27
隔絕	1－G－76
隔閡	5－147
隔離	1－I－33

— 11 —

障礙	1－B－155

— 13 —

險惡	7－104
隨心所欲	9－165
隨手	7－24

— 14 —

隱藏	7－47

RADICAL 171 【隶】

— 9 —

隸屬	1－A－145

RADICAL 172 【隹】

— 4 —

雇農	1－K－93
集中	1－A－271
集體	1－L－7a
集體經濟	1－L－7
集團	1－A－33
集會	4－203
集權	7－181

— 10 —

雛型	5－44
雜居	4－177
雜文	1－L－126
雜貨	1－K－159

— 11 —

離開	1－B－186
難保	9－306

難免	1－L－115
難怪	9－275
難道	1－G－135

RADICAL 173 【雨】

— 5 —

零售	8－A－25
零碎	1－E－95
電流	1－F－56

— 6 —

需要	1－B－138

— 8 —

霍姆	9－288

— 12 —

露骨	1－F－30

— 13 —

霸占	6－90
霸權	3－114

— 16 —

靈丹聖藥	1－I－49
靈活	1－B－52
靈魂	5－123

RADICAL 174 【青】

青年	1－H－111

— 8 —

靜止	10－A－30

RADICAL 175 【非】

非	1－A－93
非常	1－D－35
非所有人	5－91
非法	4－61
非洲	3－59

RADICAL 176 【面】

面孔	1－I－25
面對	1－D－63
面目	9－163
面臨	1－A－103
面貌	1－G－106

RADICAL 177 【革】

革命	1－A－1

— 6 —

鞏固	1－L－13

— 8 —

鞠躬盡瘁	7－244

RADICAL 180 【音】

音樂	1－G－84

RADICAL 181 【頁】

頌古非今	1－H－109

— 3 —

順利	1－A－246
須知	1－B－216

— 4 —

頒佈	1－A－65
頑固	1－L－25
頑强	5－269
預先	1－B－196
預想	1－E－117

預期 10－A－52
預算 4－103
預見 2－48
預言家 9－359
預防 1－I－77

— 5 —

領取 9－89
領土 4－30
領地 9－96
領域 1－E－24
領導 1－A－166
領會 2－17
領袖 1－G－171

— 7 —

頭腦 1－J－32
頹靡 1－C－75

— 10 —

類型 6－114
顛倒 1－G－95
顛倒黑白 5－134
願意 1－A－178
願望 4－15

— 12 —

顧全大局 1－I－78
顧慮 1－L－136

— 14 —

顯然 1－K－123
顯示 7－23
顯而易見 9－57
顯著 1－F－104

RADICAL 182 【風】

風俗 4－39
風格 9－346
風氣 1－L－62
風浪 1－L－24a

RADICAL 183 【飛】

飛躍 1－E－60

RADICAL 184 【食】

食物 1－H－77
食糧 1－H－74

— 2 —

飢餓 9－292

— 5 —

飽食終日 1－K－126
飼養員 2－32

— 6 —

養蠶 7－78

— 7 —

餘地 1－A－73

RADICAL 185 【首】

首先 1－A－150
首創 9－154
首相 9－287
首腦 2－64
首要 6－2
首都 4－10
首領 3－132

RADICAL 187 【馬】

馬來亞 3－54
馬克思 1－D－4
馬歇爾計劃 3－82
馬虎 2－40
馬鈴薯 6－73

— 3 —

馴服 6－60

— 5 —

駐外 4－121
駕於……之上 7－190
— 6 —
駭人聽聞 9－187
— 9 —
騙人 9－194
— 11 —
驅使 6－18
驅逐 1－B－8
— 12 —
驕傲 1－L－51

RADICAL 188 【骨】

骨幹 2－22
— 13 —
體力 4－225
體會 10－A－3
體現 5－114
體系 5－49

RADICAL 189 【高】

高利貸 5－22
高度 1－B－213
高擡 5－10
高明 1－L－122
高漲 1－C－78
高級 1－G－150
高興 1－L－22
高額 9－83

RADICAL 190 【髟】

— 8 —
鬆懈 2－92

RADICAL 191 【鬥】

鬥爭 1－A－37
— 5 —
鬧 1－I－70

RADICAL 194 【鬼】

鬼話 6－99
— 8 —
魏徵 7－243
— 11 —
魑魅魍魎 5－259
魔女 6－50
魔鬼 9－274

RADICAL 195 【魚】

魚目 9－201
— 4 —
魯迅 1－J－15
— 6 —
鮮明 5－78

RADICAL 196 【鳥】

— 4 —
鴉片 5－19
鴉片戰爭 5－181

RADICAL 200 【麻】

麻痺大意 9－324

RADICAL 203 【黑】

黑暗	1−E−128	黨性	1−G−35
黑格爾	10−B−44	黨政	8−B−26
—5—		黨校	1−I−2
點燈	7−99	黨派	4−16
—8—		黨章	2−1
黨委	1−L−173		

RADICAL 207 【鼓】

鼓勵	1−G−46	鼓足幹勁	10−A−44
鼓吹	9−225		

RADICAL 211 【齒】

齒輪	1−G−154

CONVERSION TABLE

Wade-Giles, National Romanization, Yale, and P'in-yen Systems

CONVERSION TABLE:
Wade-Giles, National Romanization, Yale and P'in-yin Systems

Wade	*Nat'l*	*Yale*	*P'in-yin*	*Wade*	*Nat'l*	*Yale*	*P'in-yin*
a	a	a	a	ch'ih	chy	chr	chi
ai	ai	ai	ai	chin	jin	jin	jin
an	an	an	an	ch'in	chin	chin	qin
ang	ang	ang	ang	ching	jing	jing	jing
ao	au	au	ao	ch'ing	ching	ching	qing
cha	ja	ja	zha	chiu	jiou	jyou	jiu
ch'a	cha	cha	cha	ch'iu	chiou	chyou	qiu
chai	jai	jai	zhai	chiung	jiong	jyung	jiong
ch'ai	chai	chai	chai	ch'iung	chiong	chyung	qiong
chan	jan	jan	zhan	cho	juo	jwo	zhuo
ch'an	chan	chan	chan	ch'o	chuo	chwo	chuo
chang	jang	jang	zhang	chou	jou	jou	zhou
ch'ang	chang	chang	chang	ch'ou	chou	chou	chou
chao	jau	jau	zhao	chu	ju	ju	zhu
ch'ao	chau	chau	chao	ch'u	chu	chu	chu
che	je	je	zhe	chua	jua	jwa	zhua
ch'e	che	che	che	ch'ua	chua	chwa	chua
chen	jen	jen	zhen	chuai	juai	jwai	zhuai
ch'en	chen	chen	chen	ch'uai	chuai	chwai	chuai
cheng	jeng	jeng	zheng	chuan	juan	jwan	zhuan
ch'eng	cheng	cheng	cheng	ch'uan	chuan	chwan	chuan
chi	ji	ji	ji	chuang	juang	jwang	zhuang
ch'i	chi	chi	qi	ch'uang	chuang	chwang	chuang
chia	jia	jya	jia	chui	juei	jwei	zhui
ch'ia	chia	chya	qia	ch'ui	chuei	chwei	chui
chiang	jiang	jyang	jiang	chun	juen	jwun	zhun
ch'iang	chiang	chyang	qiang	ch'un	chuen	chwun	chun
chiao	jiau	jyau	jiao	chung	jong	jung	zhong
ch'iao	chiau	chyau	qiao	ch'ung	chong	chung	chong
chieh	jie	jye	jie	chü	jiu	jyu	ju
ch'ieh	chie	chye	qie	ch'ü	chiu	chyu	qu
chien	jian	jyan	jian	chüan	jiuan	jywan	juan
ch'ien	chian	chyan	qian	ch'üan	chiuan	chywan	quan
chih	jy	jr	zhi	chüeh	jiue	jywe	jue

Wade	*Nat'l*	*Yale*	*P'in-yin*	*Wade*	*Nat'l*	*Yale*	*P'in-yin*
ch'üeh	chiue	chywe	que	hua	hua	hwa	hua
chün	jiun	jyun	jun	huai	huai	hwai	huai
ch'ün	chiun	chyun	qun	huan	huan	hwan	huan
en	en	en	en	huang	huang	hwang	huang
eng	eng	eng	eng	hui	huei	hwei	hui
erh	el	er	er	hun	huen	hwun	hun
fa	fa	fa	fa	hung	hong	hung	hong
fan	fan	fan	fan	huo	huo	hwo	huo
fang	fang	fang	fang	i	i	yi	yi
fei	fei	fei	fei	jan	ran	ran	ran
fen	fen	fen	fen	jang	rang	rang	rang
feng	feng	feng	feng	jao	rau	rau	rao
fo	fo	fo	fo	je	re	re	re
fou	fou	fwo	fou	jen	ren	ren	ren
fu	fu	fu	fu	jeng	reng	reng	reng
ha	ha	ha	ha	jih	ry	r	ri
hai	hai	hai	hai	jo	ruo	rwo	ruo
han	han	han	han	jou	rou	rou	rou
hang	hang	hang	hang	ju	ru	ru	ru
hao	hau	hau	hao	juan	ruan	rwan	ruan
hei	hei	hei	hei	jui	ruei	rwei	rui
hen	hen	hen	hen	jun	ruen	rwun	run
heng	heng	heng	heng	jung	rong	rung	rong
ho	he	he	he	ka	ga	ga	ga
hou	hou	hou	hou	k'a	ka	ka	ka
hsi	shi	syi	xi	kai	gai	gai	gai
hsia	shia	sya	xia	k'ai	kai	kai	kai
hsiang	shiang	syang	xiang	kan	gan	gan	gan
hsiao	shiau	syau	xiao	k'an	kan	kan	kan
hsieh	shie	sye	xie	kang	gang	gang	gang
hsien	shian	syan	xian	k'ang	kang	kang	kang
hsin	shin	syin	xin	kao	gau	gau	gao
hsing	shing	sying	xing	k'ao	kau	kau	kao
hsiu	shiou	syou	xiu	kei	gei	gei	gei
hsiung	shiong	syung	xiong	k'ei	kei	kei	
hsü	shiu	syu	xu	ken	gen	gen	gen
hsüan	shiuan	sywan	xuan	k'en	ken	ken	ken
hsüeh	shiue	sywe	xue	keng	geng	geng	geng
hsün	shiun	syun	xun	k'eng	keng	keng	keng
hu	hu	hu	hu	ko	ge	ge	ge

Wade	*Nat'l*	*Yale*	*P'in-yin*	*Wade*	*Nat'l*	*Yale*	*P'in-yin*
k'o	ke	ke	ke	lu	lu	lu	lu
kou	gou	gou	gou	luan	luan	lwan	luan
k'ou	kou	kou	kou	lun	luen	lwun	lun
ku	gu	gu	gu	lung	long	lung	long
k'u	ku	ku	ku	lü	liu	lyu	lü (lyu)
kua	gua	gwa	gua	lüan	liuan	lywan	lüan (lyuan)
k'ua	kua	kwa	kua				
kuai	guai	gwai	guai	lüeh	liue	lywe	lüe (lyue)
k'uai	kuai	kwai	kuai	ma	ma	ma	ma
kuan	guan	gwan	guan	mai	mai	mai	mai
k'uan	kuan	kwan	kuan	man	man	man	man
kuang	guang	gwang	guang	mang	mang	mang	mang
k'uang	kuang	kwang	kuang	mao	mau	mau	mao
kuei	guei	gwei	gui	mei	mei	mei	mei
k'uei	kuei	kwei	kui	men	men	men	men
kun	guen	gwun	gun	meng	meng	meng	meng
k'un	kuen	kwun	kun	mi	mi	mi	mi
kung	gong	gung	gong	miao	miau	myau	miao
k'ung	kong	kung	kong	mieh	mie	mye	mie
kuo	guo	gwo	guo	mien	mian	myan	mian
k'uo	kuo	kwo	kuo	min	min	min	min
la	la	la	la	ming	ming	ming	ming
lai	lai	lai	lai	miu	miou	myou	miu
lan	lan	lan	lan	mo	mo	mwo	mo
lang	lang	lang	lang	mou	mou	mou	mou
lao	lau	lau	lao	mu	mu	mu	mu
le	le	le	le	na	na	na	na
lei	lei	lei	lei	nai	nai	nai	nai
leng	leng	leng	leng	nan	nan	nan	nan
li	li	li	li	nang	nang	nang	nang
lia	lia	lya	lia	nao	nau	nau	nao
liang	liang	lyang	liang	nei	nei	nei	nei
liao	liau	lyau	liao	nen	nen	nen	nen
lieh	lie	lye	lie	neng	neng	neng	neng
lien	lian	lyan	lian	ni	ni	ni	ni
lin	lin	lin	lin	niang	niang	nyang	niang
ling	ling	ling	ling	niao	niau	nyau	niao
liu	liou	lyou	liu	nieh	nie	nye	nie
lo	luo	lwo	luo	nien	nian	nyan	nian
lou	lou	lou	lou	nin	nin	nin	nin

Wade	*Nat'l*	*Yale*	*P'in-yin*	*Wade*	*Nat'l*	*Yale*	*P'in-yin*
ning	ning	ning	ning	p'ing	ping	ping	ping
niu	niou	nyou	niu	po	bo	bwo	bo
no	nuo	nwo	nuo	p'o	po	pwo	po
nou	nou	nou	nou	p'ou	pou	pou	pou
nu	nu	nu	nu	pu	bu	bu	bu
nuan	nuan	nwan	nuan	p'u	pu	pu	pu
nun	nuen	nwun	nun	sa	sa	sa	sa
nung	nong	nung	nong	sai	sai	sai	sai
nü	niu	nyu	nü (nyu)	san	san	san	san
nüeh	niue	nywe	nüe	sang	sang	sang	sang
			(nyue)	sao	sau	sau	sao
o	e	e	o	se	se	se	se
ou	ou	ou	ou	sen	sen	sen	sen
pa	ba	ba	ba	seng	seng	seng	seng
p'a	pa	pa	pa	sha	sha	sha	sha
pai	bai	bai	bai	shai	shai	shai	shai
p'ai	pai	pai	pai	shan	shan	shan	shan
pan	ban	ban	ban	shang	shang	shang	shang
p'an	pan	pan	pan	shao	shau	shau	shao
pang	bang	bang	bang	she	she	she	she
p'ang	pang	pang	pang	shei	shei	shei	shei
pao	bau	bau	bao	shen	shen	shen	shen
p'ao	pau	pau	pao	sheng	sheng	sheng	sheng
pei	bei	bei	bei	shih	shy	shr	shi
p'ei	pei	pei	pei	shou	shou	shou	shou
pen	ben	ben	ben	shu	shu	shu	shu
p'en	pen	pen	pen	shua	shua	shwa	shua
peng	beng	beng	beng	shuai	shuai	shwai	shuai
p'eng	peng	peng	peng	shuan	shuan	shwan	shuan
pi	bi	bi	bi	shuang	shuang	shwang	shuang
p'i	pi	pi	pi	shui	shuei	shwei	shui
piao	biau	byau	biao	shun	shuen	shwun	shun
p'iao	piau	pyau	piao	shuo	shuo	shwo	shuo
pieh	bie	bye	bie	so	suo	swo	suo
p'ieh	pie	pye	pie	sou	sou	sou	sou
pien	bian	byan	bian	ssu (szu)	sy	sz	si
p'ien	pian	pyan	pian	su	su	su	su
pin	bin	bin	bin	suan	suan	swan	suan
p'in	pin	pin	pin	sui	suei	swei	sui
ping	bing	bing	bing	sun	suen	swun	sun

Wade	*Nat'l*	*Yale*	*P'in-yin*	*Wade*	*Nat'l*	*Yale*	*P'in-yin*
sung	song	sung	song	ts'ang	tsang	tsang	cang
szu (ssu)	sy	sz	si	tsao	tzau	dzau	zao
ta	da	da	da	ts'ao	tsau	tsau	cao
t'a	ta	ta	ta	tse	tze	dze	ze
tai	dai	dai	dai	ts'e	tse	tse	ce
t'ai	tai	tai	tai	tsei	tzei	dzei	zei
tan	dan	dan	dan	tsen	tzen	dzen	zen
t'an	tan	tan	tan	ts'en	tsen	tsen	cen
tang	dang	dang	dang	tseng	tzeng	dzeng	zeng
t'ang	tang	tang	tang	ts'eng	tseng	tseng	ceng
tao	dau	dau	dao	tso	tzuo	dzwo	zuo
t'ao	tau	tau	tao	ts'o	tsuo	tswo	cuo
te	de	de	de	tsou	tzou	dzou	zou
t'e	te	te	te	ts'ou	tsou	tsou	cou
tei	dei	dei	dei	tsu	tzu	dzu	zu
t'ei	tei	tei		ts'u	tsu	tsu	cu
teng	deng	deng	deng	tsuan	tzuan	dzwan	zuan
t'eng	teng	teng	teng	ts'uan	tsuan	tswan	cuan
ti	di	di	di	tsui	tzuei	dzwei	zui
t'i	ti	ti	ti	ts'ui	tsuei	tswei	cui
tiao	diau	dyau	diao	tsun	tzuen	dzwun	zun
t'iao	tiau	tyau	tiao	ts'un	tsuen	tswun	cun
tieh	die	dye	die	tsung	tzong	dzung	zong
t'ieh	tie	tye	tie	ts'ung	tsong	tsung	cong
tien	dian	dyan	dian	tu	du	du	du
t'ien	tian	tyan	tian	t'u	tu	tu	tu
ting	ding	ding	ding	tuan	duan	dwan	duan
t'ing	ting	ting	ting	t'uan	tuan	twan	tuan
tiu	diou	dyou	diu	tui	duei	dwei	dui
to	duo	dwo	duo	t'ui	tuei	twei	tui
t'o	tuo	two	tuo	tun	duen	dwun	dun
tou	dou	dou	dou	t'un	tuen	twun	tun
t'ou	tou	tou	tou	tung	dong	dung	dong
tsa	tza	dza	za	t'ung	tong	tung	tong
ts'a	tsa	tsa	ca	tzu	tzy	dz	zi
tsai	tzai	dzai	zai	tz'u	tsy	tsz	ci
ts'ai	tsai	tsai	cai	wa	ua	wa	wa
tsan	tzan	dzan	zan	wai	uai	wai	wai
ts'an	tsan	tsan	can	wan	uan	wan	wan
tsang	tzang	dzang	zang	wang	uang	wang	wang

Wade	*Nat'l*	*Yale*	*P'in-yin*	*Wade*	*Nat'l*	*Yale*	*P'in-yin*
wei	uei	wei	wei	yen	ian	yan	yan
wen	uen	wen	wen	yi(i)	i	yi	yi
weng	ueng	weng	weng	yin	in	yin	yin
wo	uo	wo	wo	ying	ing	ying	ying
wu	u	wu	wu	yu	iou	you	you
ya	ia	ya	ya	yung	iong	yung	yong
yai	iai	yai	yai	yü	iu	yu	yu
yang	iang	yang	yang	yüan	iuan	ywan	yuan
yao	iau	yau	yao	yüeh	iue	ywe	yue
yeh	ie	ye	ye	yün	iun	yun	yun

CONVERSION TABLE OF SIMPLIFIED CHINESE CHARACTERS

简化字总表检字

JIANHUAZI ZONGBIAO JIANZI

说　明

一、为了便利读者检查已经公布推行的简化字，我们根据《简化字总表》第二版编了这本检字。

二、本检字分三个表：A. 从拼音查汉字；B. 从简体查繁体；C. 从繁体查简体。

三、A 表是按汉语拼音字母的顺序排列的，一字异读的，互见，一音异调的只列一调。

四、B 表和 C 表是按汉字笔数排列的，同笔数的字以横、竖、撇、点、折为序。

五、凡《简化字总表》规定可作偏旁用的简化字，都用 * 号标在字前，以便同不标 * 号的，即不作偏旁用的简化字区别开来。

六、《简化字总表》第二表中的 14 个简化偏旁：讠〔言〕饣〔食〕 𠃓〔昜〕、纟〔糸〕、収〔臤〕、龷〔𦥯〕、𠂉〔臨〕、只〔戠〕、钅〔金〕、𭕄〔𦥯〕、𠬤〔睪〕、𢀖〔巠〕、亦〔䜌〕、呙〔咼〕，一般不能独立成字，本检字没有收录。

七、凡《简化字总表》中附有注释的字，都用数码标在字后，注释统一排在 C 表的后面。

八、除了 A，B，C 三表外，本检字还附有异体字整理表中 39 个习惯被看作简化字的选用字和经国务院批准更改的生僻地名用字。

文字改革出版社　1964 年 8 月

A. 从拼音查汉字

A

a

锕〔錒〕

ai

锿〔鎄〕
皑〔皚〕
霭〔靄〕
蔼〔藹〕
*爱〔愛〕
叆〔靉〕
瑷〔璦〕
嗳〔噯〕
暧〔曖〕
嫒〔嬡〕
碍〔礙〕

an

谙〔諳〕
鹌〔鵪〕
铵〔銨〕

ang

肮〔骯〕

ao

鳌〔鰲〕
骜〔驁〕
袄〔襖〕

B

ba

鲅〔鮁〕
钯〔鈀〕
坝〔壩〕
*罢〔罷〕
䎬〔䎱〕

bai

摆〔擺〕
〔襬〕
败〔敗〕

ban

颁〔頒〕
板〔闆〕
绊〔絆〕
办〔辦〕

bang

帮〔幫〕
绑〔綁〕
谤〔謗〕
镑〔鎊〕

bao

龅〔齙〕
宝〔寶〕
饱〔飽〕
鸨〔鴇〕
报〔報〕
鲍〔鮑〕

bei

惫〔憊〕
辈〔輩〕
*贝〔貝〕
钡〔鋇〕
狈〔狽〕
*备〔備〕
呗〔唄〕

ben

锛〔錛〕
贲〔賁〕

beng

绷〔繃〕
镚〔鏰〕

bi

*笔〔筆〕
铋〔鉍〕
贲〔賁〕
*毕〔畢〕
哔〔嗶〕
筚〔篳〕
荜〔蓽〕
跸〔蹕〕
滗〔潷〕
币〔幣〕
闭〔閉〕
毙〔斃〕

bian

鳊〔鯿〕
编〔編〕
*边〔邊〕
笾〔籩〕
贬〔貶〕
辩〔辯〕
辫〔辮〕
变〔變〕

biao

镳〔鑣〕
标〔標〕
骠〔驃〕
镖〔鏢〕
飙〔飆〕
表〔錶〕
鳔〔鰾〕

bie

鳖〔鱉〕
瘪〔癟〕
别〔彆〕

bin

*宾〔賓〕
滨〔濱〕

槟〔檳〕
傧〔儐〕
缤〔繽〕
镔〔鑌〕
濒〔瀕〕
鬓〔鬢〕
摈〔擯〕
殡〔殯〕
膑〔臏〕
髌〔髕〕

bing

槟〔檳〕
饼〔餅〕

bo

饽〔餑〕
钵〔鉢〕
拨〔撥〕
鹁〔鵓〕
馎〔餺〕
钹〔鈸〕
驳〔駁〕
铂〔鉑〕
卜〔蔔〕

bu

补〔補〕
钚〔鈈〕

C

cai

才〔纔〕
财〔財〕

can

*参〔參〕
骖〔驂〕
蚕〔蠶〕①
惭〔慚〕
残〔殘〕
惨〔慘〕
穇〔穇〕
灿〔燦〕

cang

*仓〔倉〕
沧〔滄〕
苍〔蒼〕
伧〔傖〕
鸧〔鶬〕
舱〔艙〕

ce

测〔測〕
恻〔惻〕
厕〔廁〕
侧〔側〕

cen

*参〔參〕

ceng

层〔層〕

cha

馇〔餷〕
锸〔鍤〕
镲〔鑔〕
诧〔詫〕

chai

钗〔釵〕
侪〔儕〕
虿〔蠆〕

chan

搀〔攙〕
掺〔摻〕
缠〔纏〕②
禅〔禪〕
蝉〔蟬〕
婵〔嬋〕
谗〔讒〕
馋〔饞〕
*产〔產〕
浐〔滻〕
铲〔鏟〕
蒇〔蕆〕
阐〔闡〕
冁〔囅〕
谄〔諂〕
颤〔顫〕
忏〔懺〕
刬〔剗〕

chang

伥〔倀〕
阊〔閶〕
锠〔錩〕
*尝〔嘗〕③
偿〔償〕
鲿〔鱨〕
*长〔長〕④
肠〔腸〕
场〔場〕
厂〔廠〕
怅〔悵〕
畅〔暢〕

chao

钞〔鈔〕

che

*车〔車〕
砗〔硨〕
彻〔徹〕

chen

谌〔諶〕
尘〔塵〕
陈〔陳〕
碜〔磣〕
榇〔櫬〕
衬〔襯〕
谶〔讖〕
称〔稱〕
龀〔齔〕

cheng

柽〔檉〕
蛏〔蟶〕
铛〔鐺〕
赪〔赬〕
称〔稱〕
枨〔棖〕
诚〔誠〕
惩〔懲〕
骋〔騁〕

chi

鸱〔鴟〕
迟〔遲〕
驰〔馳〕
*齿〔齒〕
炽〔熾〕
饬〔飭〕

chong

冲〔衝〕
*虫〔蟲〕
宠〔寵〕
铳〔銃〕

chou

䌷〔紬〕
畴〔疇〕
筹〔籌〕
踌〔躊〕
俦〔儔〕
雠〔讎〕
绸〔綢〕
丑〔醜〕

chu

出〔齣〕
锄〔鋤〕
*刍〔芻〕
雏〔雛〕
储〔儲〕
础〔礎〕
处〔處〕
绌〔絀〕
触〔觸〕

chuai

阌〔闅〕

chuan

传〔傳〕
钏〔釧〕

chuang

疮〔瘡〕
闯〔闖〕
怆〔愴〕
创〔創〕

chui

锤〔錘〕

chun

䲠〔鰆〕
鹑〔鶉〕
纯〔純〕
莼〔蒓〕

chuo

绰〔綽〕
龊〔齪〕
辍〔輟〕

ci

鹚〔鷀〕
辞〔辭〕
词〔詞〕
赐〔賜〕

cong

聪〔聰〕
骢〔驄〕
枞〔樅〕
苁〔蓯〕
*从〔從〕
丛〔叢〕

cou

辏〔輳〕

cuan

撺〔攛〕
蹿〔躥〕
镩〔鑹〕
攒〔攢〕
*窜〔竄〕

cui

缞〔縗〕

cuo

鹾〔鹺〕
错〔錯〕
锉〔銼〕

D

da

*达〔達〕
哒〔噠〕
鞑〔韃〕

dai

贷〔貸〕
绐〔紿〕
*带〔帶〕
䌫〔䌫〕

dan

*单〔單〕
担〔擔〕
殚〔殫〕
箪〔簞〕
郸〔鄲〕
掸〔撣〕
胆〔膽〕
赕〔賧〕
惮〔憚〕
瘅〔癉〕
弹〔彈〕
诞〔誕〕

dang

裆〔襠〕
铛〔鐺〕
*当〔當〕
〔噹〕
*党〔黨〕
谠〔讜〕
挡〔擋〕
档〔檔〕
砀〔碭〕
荡〔蕩〕

dao

鱽〔魛〕
祷〔禱〕
岛〔島〕
捣〔搗〕
导〔導〕

de

锝〔鍀〕

deng

灯〔燈〕
镫〔鐙〕
邓〔鄧〕

di

镝〔鏑〕
觌〔覿〕
籴〔糴〕
敌〔敵〕
涤〔滌〕
诋〔詆〕
谛〔諦〕
缔〔締〕
递〔遞〕

dian

颠〔顛〕
癫〔癲〕
巅〔巔〕
点〔點〕
淀〔澱〕
垫〔墊〕
电〔電〕
钿〔鈿〕

diao

鲷〔鯛〕
铫〔銚〕
锦〔錦〕
窎〔窵〕
钓〔釣〕
调〔調〕

die

谍〔諜〕
鲽〔鰈〕
绖〔絰〕
迭〔疊〕⑤

ding

钉〔釘〕
顶〔頂〕
订〔訂〕
锭〔錠〕

diu

铥〔銩〕

dong

*东〔東〕
鸫〔鶇〕
岽〔崬〕
冬〔鼕〕
*动〔動〕
冻〔凍〕
栋〔棟〕
胨〔腖〕

dou

钭〔鈄〕
斗〔鬥〕
窦〔竇〕

du

读〔讀〕
渎〔瀆〕
椟〔櫝〕
黩〔黷〕
犊〔犢〕
牍〔牘〕
独〔獨〕
赌〔賭〕
笃〔篤〕
镀〔鍍〕

duan

*断〔斷〕
锻〔鍛〕
缎〔緞〕
簖〔籪〕

dui

怼〔懟〕
*对〔對〕
*队〔隊〕

dun

吨〔噸〕
镦〔鐓〕
趸〔躉〕
钝〔鈍〕
顿〔頓〕

duo

夺〔奪〕
铎〔鐸〕
驮〔馱〕
堕〔墮〕
饳〔飿〕

E

e

额〔額〕
锇〔鋨〕
鹅〔鵝〕
讹〔訛〕
恶〔惡〕
〔噁〕
垩〔堊〕
轭〔軛〕
谔〔諤〕
鹗〔鶚〕
鳄〔鱷〕
锷〔鍔〕
饿〔餓〕

ê

诶〔誒〕

er

儿〔兒〕
鸸〔鴯〕
饵〔餌〕
铒〔鉺〕
*尔〔爾〕
迩〔邇〕
贰〔貳〕

F

fa

*发〔發〕
〔髮〕
罚〔罰〕
阀〔閥〕

fan

烦〔煩〕
矾〔礬〕
钒〔釩〕
贩〔販〕
饭〔飯〕
范〔範〕

fang

钫〔鈁〕
鲂〔魴〕
访〔訪〕
纺〔紡〕

fei

绯〔緋〕
鲱〔鯡〕
飞〔飛〕
诽〔誹〕
废〔廢〕
费〔費〕
镄〔鐨〕

fen

纷〔紛〕
坟〔墳〕
豮〔豶〕
粪〔糞〕
愤〔憤〕
偾〔僨〕
奋〔奮〕

feng
*丰〔豐〕⑥
沣〔灃〕
锋〔鋒〕
*风〔風〕
沨〔渢〕
疯〔瘋〕
枫〔楓〕
砜〔碸〕
冯〔馮〕
缝〔縫〕
讽〔諷〕
凤〔鳳〕
赗〔賵〕

fu
麸〔麩〕
肤〔膚〕
辐〔輻〕
韨〔韍〕
绂〔紱〕
凫〔鳧〕
绋〔紼〕
辅〔輔〕
抚〔撫〕
赋〔賦〕
赙〔賻〕
缚〔縛〕
讣〔訃〕
复〔復〕
〔複〕
〔覆〕⑦
鳆〔鰒〕
驸〔駙〕
鲋〔鮒〕
负〔負〕
妇〔婦〕

G

ga
钆〔釓〕

gai
该〔該〕
赅〔賅〕
盖〔蓋〕
钙〔鈣〕

gan
干〔乾〕⑧
〔幹〕
尴〔尷〕
赶〔趕〕
赣〔贛〕
绀〔紺〕

gang
*冈〔岡〕
刚〔剛〕
㭎〔棡〕
纲〔綱〕
钢〔鋼〕
㧏〔掆〕
岗〔崗〕

gao
镐〔鎬〕
缟〔縞〕
诰〔誥〕
锆〔鋯〕

ge
鸽〔鴿〕
搁〔擱〕
镉〔鎘〕
颌〔頜〕
阁〔閣〕
个〔個〕
铬〔鉻〕

gei
给〔給〕

geng
赓〔賡〕
鹒〔鶊〕
鲠〔鯁〕
绠〔綆〕

gong
龚〔龔〕
巩〔鞏〕
贡〔貢〕
唝〔嗊〕

gou
缑〔緱〕
沟〔溝〕
钩〔鉤〕
觏〔覯〕
诟〔詬〕
构〔構〕
购〔購〕

gu
轱〔軲〕
鸪〔鴣〕
诂〔詁〕
钴〔鈷〕
贾〔賈〕
蛊〔蠱〕
毂〔轂〕
馉〔餶〕
鹘〔鶻〕
谷〔穀〕
鹄〔鵠〕
顾〔顧〕
锢〔錮〕

gua
刮〔颳〕
鸹〔鴰〕
剐〔剮〕
诖〔詿〕

guan
关〔關〕
纶〔綸〕
鳏〔鰥〕
观〔觀〕
馆〔館〕
鹳〔鸛〕
贯〔貫〕
惯〔慣〕
掼〔摜〕

guang
*广〔廣〕
犷〔獷〕

gui
妫〔媯〕
沩〔潙〕
规〔規〕
鲑〔鮭〕
闺〔閨〕
*归〔歸〕
*龟〔龜〕
轨〔軌〕
匦〔匭〕
诡〔詭〕
鳜〔鱖〕
柜〔櫃〕
贵〔貴〕
刿〔劌〕
桧〔檜〕
刽〔劊〕

gun
辊〔輥〕
绲〔緄〕
鲧〔鯀〕

guo
涡〔渦〕
埚〔堝〕
锅〔鍋〕
蝈〔蟈〕
*国〔國〕
掴〔摑〕
帼〔幗〕
馃〔餜〕
腘〔膕〕
*过〔過〕

H

ha
铪〔鉿〕

hai
还〔還〕
骇〔駭〕

han
顸〔頇〕
韩〔韓〕
阚〔闞〕
㘎〔㘚〕
汉〔漢〕
颔〔頷〕

hang
绗〔絎〕
颃〔頏〕

hao
颢〔顥〕
灏〔灝〕
号〔號〕

he
诃〔訶〕
阂〔閡〕
阖〔闔〕
鹖〔鶡〕
颌〔頜〕
饸〔餄〕
合〔閤〕
纥〔紇〕
鹤〔鶴〕
贺〔賀〕
吓〔嚇〕

heng
鸻〔鴴〕

hong
轰〔轟〕
黉〔黌〕
鸿〔鴻〕
红〔紅〕
荭〔葒〕
讧〔訌〕

hou
后〔後〕
鲎〔鱟〕

hu
轷〔軤〕
壶〔壺〕
胡〔鬍〕
鹕〔鶘〕
鹄〔鵠〕
鹘〔鶻〕
浒〔滸〕
沪〔滬〕
护〔護〕

hua
*华〔華〕
骅〔驊〕
哗〔嘩〕
铧〔鏵〕
*画〔畫〕
婳〔嫿〕
划〔劃〕
桦〔樺〕
话〔話〕

huai•
怀〔懷〕
坏〔壞〕⑨

huan
欢〔歡〕
还〔還〕
环〔環〕
缳〔繯〕
镮〔鐶〕
锾〔鍰〕
缓〔緩〕
鲩〔鯇〕

huang
鳇〔鰉〕
谎〔謊〕

hui
挥〔揮〕
辉〔輝〕
翚〔翬〕
诙〔詼〕
回〔迴〕
*汇〔匯〕
〔彙〕
贿〔賄〕
秽〔穢〕
*会〔會〕
烩〔燴〕
荟〔薈〕
绘〔繪〕
诲〔誨〕
殨〔殨〕
讳〔諱〕

hun
荤〔葷〕
阍〔閽〕
浑〔渾〕
珲〔琿〕
馄〔餛〕
诨〔諢〕

huo
钬〔鈥〕
伙〔夥〕⑩
镬〔鑊〕
获〔獲〕
〔穫〕
祸〔禍〕
货〔貨〕

J

ji
齑〔齏〕
跻〔躋〕
击〔擊〕
赍〔賫〕
缉〔緝〕
积〔積〕
羁〔羈〕
机〔機〕
饥〔饑〕
讥〔譏〕
玑〔璣〕
矶〔磯〕
叽〔嘰〕
鸡〔鷄〕
鹡〔鶺〕
辑〔輯〕
极〔極〕
级〔級〕
挤〔擠〕
给〔給〕
*几〔幾〕
虮〔蟣〕
济〔濟〕
霁〔霽〕
荠〔薺〕
剂〔劑〕
鲚〔鱭〕
际〔際〕
绩〔績〕
计〔計〕
系〔繫〕⑪
骥〔驥〕
觊〔覬〕
蓟〔薊〕
鲫〔鯽〕
记〔記〕
纪〔紀〕
继〔繼〕

jia
家〔傢〕
镓〔鎵〕
*夹〔夾〕
浃〔浹〕
颊〔頰〕
荚〔莢〕
蛱〔蛺〕
铗〔鋏〕
郏〔郟〕
贾〔賈〕
槚〔檟〕
钾〔鉀〕
价〔價〕
驾〔駕〕

jian
鹣〔鶼〕
鳒〔鰜〕
缣〔縑〕
*戋〔戔〕
笺〔箋〕
坚〔堅〕
鲣〔鰹〕
缄〔緘〕
鞯〔韉〕
*监〔監〕
歼〔殲〕
艰〔艱〕
间〔間〕
谫〔謭〕
硷〔鹼〕
拣〔揀〕
笕〔筧〕
茧〔繭〕
检〔檢〕
捡〔撿〕
睑〔瞼〕
俭〔儉〕
裥〔襇〕
简〔簡〕
谏〔諫〕
渐〔漸〕
槛〔檻〕
贱〔賤〕
溅〔濺〕
践〔踐〕
饯〔餞〕
*荐〔薦〕
鉴〔鑒〕
*见〔見〕
枧〔梘〕
舰〔艦〕
剑〔劍〕
键〔鍵〕
涧〔澗〕
锏〔鐧〕

jiang
姜〔薑〕
*将〔將〕⑫
浆〔漿〕⑫
缰〔繮〕
讲〔講〕
桨〔槳〕⑫
奖〔獎〕⑫
蒋〔蔣〕
酱〔醬〕⑫
绛〔絳〕

jiao
胶〔膠〕
鲛〔鮫〕
䴔〔鵁〕
浇〔澆〕
骄〔驕〕
娇〔嬌〕
鹪〔鷦〕
饺〔餃〕
铰〔鉸〕
绞〔絞〕
侥〔僥〕
矫〔矯〕
搅〔攪〕
缴〔繳〕
觉〔覺〕
较〔較〕
轿〔轎〕
挢〔撟〕
峤〔嶠〕

jie
阶〔階〕
疖〔癤〕
讦〔訐〕
洁〔潔〕
诘〔詰〕
撷〔擷〕
颉〔頡〕
结〔結〕

鲒〔鮚〕
*节〔節〕
借〔藉〕⑬
诫〔誡〕

jin

谨〔謹〕
馑〔饉〕
觐〔覲〕
紧〔緊〕
锦〔錦〕
仅〔僅〕
劲〔勁〕
*进〔進〕
琎〔璡〕
缙〔縉〕
*尽〔盡〕
〔儘〕
浕〔濜〕
荩〔藎〕
赆〔贐〕
烬〔燼〕

jing

惊〔驚〕
鲸〔鯨〕
鹡〔鶺〕
泾〔涇〕
茎〔莖〕
经〔經〕
颈〔頸〕
刭〔剄〕
镜〔鏡〕
竞〔競〕
痉〔痙〕
劲〔勁〕
胫〔脛〕
径〔徑〕
靓〔靚〕

jiu

纠〔糾〕
鸠〔鳩〕
阄〔鬮〕⑭
鹫〔鷲〕
旧〔舊〕

ju

*车〔車〕
驹〔駒〕
鶋〔鶋〕
锔〔鋦〕
*举〔舉〕
龃〔齟〕
榉〔櫸〕
讵〔詎〕
惧〔懼〕
飓〔颶〕
窭〔窶〕
屦〔屨〕
据〔據〕
剧〔劇〕
锯〔鋸〕

juan

鹃〔鵑〕
镌〔鐫〕
卷〔捲〕
绢〔絹〕

jue

觉〔覺〕
镢〔鐝〕
镬〔钁〕
谲〔譎〕
诀〔訣〕
绝〔絶〕

jun

军〔軍〕
皲〔皸〕
钧〔鈞〕
骏〔駿〕

K

kai

开〔開〕
锎〔鐦〕
恺〔愷〕
垲〔塏〕
剀〔剴〕
铠〔鎧〕
凯〔凱〕
闿〔闓〕
锴〔鍇〕
忾〔愾〕

kan

龛〔龕〕
槛〔檻〕

kang

钪〔鈧〕

kao

铐〔銬〕

ke

颏〔頦〕
轲〔軻〕
钶〔鈳〕
颗〔顆〕
*壳〔殼〕⑮
缂〔緙〕
克〔剋〕
课〔課〕
骒〔騍〕
锞〔錁〕

ken

恳〔懇〕
垦〔墾〕

keng

铿〔鏗〕

kou

抠〔摳〕
眍〔瞘〕

ku

库〔庫〕
裤〔褲〕
绔〔絝〕
喾〔嚳〕

kua

夸〔誇〕

kuai

㧟〔擓〕
*会〔會〕
浍〔澮〕
哙〔噲〕
郐〔鄶〕
侩〔儈〕
脍〔膾〕
鲙〔鱠〕
狯〔獪〕
块〔塊〕

kuan

宽〔寬〕
髋〔髖〕

kuang

诓〔誆〕
诳〔誑〕
矿〔礦〕
圹〔壙〕
旷〔曠〕
纩〔纊〕
邝〔鄺〕
贶〔貺〕

kui

窥〔窺〕
亏〔虧〕
岿〔巋〕
溃〔潰〕
襀〔襀〕
愦〔憒〕
聩〔聵〕
匮〔匱〕
蒉〔蕢〕
馈〔饋〕
篑〔簣〕

kun

鲲〔鯤〕
锟〔錕〕
壸〔壼〕
阃〔閫〕
困〔睏〕

kuo

阔〔闊〕
扩〔擴〕

L

la

蜡〔蠟〕
腊〔臘〕
镴〔鑞〕

lai

*来〔來〕
涞〔淶〕
莱〔萊〕
崃〔崍〕
铼〔錸〕
徕〔徠〕
赖〔賴〕
濑〔瀨〕
癞〔癩〕
籁〔籟〕
睐〔睞〕
赉〔賚〕

lan

兰〔蘭〕
栏〔欄〕
拦〔攔〕
阑〔闌〕
澜〔瀾〕
谰〔讕〕
斓〔斕〕
镧〔鑭〕
褴〔襤〕
蓝〔藍〕
篮〔籃〕
岚〔嵐〕
懒〔懶〕
览〔覽〕
榄〔欖〕
揽〔攬〕
缆〔纜〕
烂〔爛〕
滥〔濫〕

lang

锒〔鋃〕
阆〔閬〕

lao

捞〔撈〕
劳〔勞〕
崂〔嶗〕
痨〔癆〕
铹〔鐒〕
铑〔銠〕
涝〔澇〕
唠〔嘮〕
耢〔耮〕

le

鳓〔鰳〕
*乐〔樂〕
饹〔餎〕

lei

镭〔鐳〕
累〔纍〕
缧〔縲〕
诔〔誄〕
垒〔壘〕
类〔類〕⑯

li

*离〔離〕
漓〔灕〕
篱〔籬〕
缡〔縭〕
骊〔驪〕
鹂〔鸝〕
鲡〔鱺〕
礼〔禮〕
逦〔邐〕
里〔裏〕
锂〔鋰〕
鲤〔鯉〕
鳢〔鱧〕
*丽〔麗〕⑰
俪〔儷〕
郦〔酈〕
厉〔厲〕
励〔勵〕
砾〔礫〕
*历〔歷〕
〔曆〕
沥〔瀝〕
坜〔壢〕
疬〔癧〕
雳〔靂〕
枥〔櫪〕
苈〔藶〕
呖〔嚦〕
疠〔癘〕
粝〔糲〕
砺〔礪〕
蛎〔蠣〕
栎〔櫟〕
轹〔轢〕
隶〔隸〕

lia

俩〔倆〕

lian

帘〔簾〕
镰〔鐮〕
联〔聯〕
连〔連〕
涟〔漣〕
莲〔蓮〕
鲢〔鰱〕
琏〔璉〕
奁〔奩〕
怜〔憐〕
敛〔斂〕
蔹〔蘞〕
脸〔臉〕
恋〔戀〕
链〔鏈〕
炼〔煉〕
练〔練〕
潋〔瀲〕
殓〔殮〕
裣〔襝〕
裢〔褳〕

liang

粮〔糧〕
*两〔兩〕
俩〔倆〕
唡〔啢〕
魉〔魎〕
谅〔諒〕
辆〔輛〕

liao

鹩〔鷯〕
缭〔繚〕
疗〔療〕
辽〔遼〕
了〔瞭〕
钌〔釕〕
镣〔鐐〕

lie

猎〔獵〕
䴕〔鴷〕

lin

辚〔轔〕
鳞〔鱗〕
临〔臨〕⑱
邻〔鄰〕
蔺〔藺〕
躏〔躪〕
赁〔賃〕

ling

鲮〔鯪〕
绫〔綾〕
龄〔齡〕
铃〔鈴〕
鸰〔鴒〕
*灵〔靈〕
棂〔欞〕
领〔領〕
岭〔嶺〕⑲

liu

飗〔飀〕
*刘〔劉〕
浏〔瀏〕
骝〔騮〕
镏〔鎦〕
绺〔綹〕
馏〔餾〕
鹨〔鷚〕
陆〔陸〕

long

*龙〔龍〕
泷〔瀧〕
珑〔瓏〕
聋〔聾〕
栊〔櫳〕
砻〔礱〕
笼〔籠〕
茏〔蘢〕
咙〔嚨〕
昽〔曨〕
胧〔朧〕
垄〔壟〕
拢〔攏〕
陇〔隴〕

lou

瞜〔瞜〕
*娄〔婁〕
偻〔僂〕
喽〔嘍〕
楼〔樓〕
溇〔漊〕
蒌〔蔞〕
髅〔髏〕
蝼〔螻〕
耧〔耬〕
搂〔摟〕
嵝〔嶁〕
篓〔簍〕
瘘〔瘻〕
镂〔鏤〕

lu

噜〔嚕〕
庐〔廬〕
炉〔爐〕
芦〔蘆〕
*卢〔盧〕
泸〔瀘〕
垆〔壚〕
栌〔櫨〕
颅〔顱〕
鸬〔鸕〕
胪〔臚〕
鲈〔鱸〕
舻〔艫〕
*卤〔鹵〕
〔滷〕
*虏〔虜〕
掳〔擄〕
鲁〔魯〕
橹〔櫓〕
镥〔鑥〕
辘〔轆〕
辂〔輅〕
赂〔賂〕
鹭〔鷺〕
陆〔陸〕
*录〔録〕
箓〔籙〕
绿〔綠〕
轳〔轤〕
氇〔氌〕

lü

驴〔驢〕
闾〔閭〕
榈〔櫚〕
屡〔屢〕
偻〔僂〕
褛〔褸〕
缕〔縷〕

铝〔鋁〕
*虑〔慮〕
滤〔濾〕
绿〔綠〕

luan

娈〔孌〕
栾〔欒〕
滦〔灤〕
峦〔巒〕
脔〔臠〕
銮〔鑾〕
挛〔攣〕
鸾〔鸞〕
孪〔孿〕
乱〔亂〕

lun

抡〔掄〕
*仑〔侖〕
沦〔淪〕
轮〔輪〕
囵〔圇〕
纶〔綸〕
伦〔倫〕
论〔論〕

luo

骡〔騾〕
脶〔腡〕
*罗〔羅〕
〔囉〕
逻〔邏〕
萝〔蘿〕
锣〔鑼〕
箩〔籮〕
椤〔欏〕
猡〔玀〕
荦〔犖〕
泺〔濼〕
骆〔駱〕
络〔絡〕

M

m

呒〔嘸〕

ma

妈〔媽〕
*马〔馬〕⑳
蚂〔螞〕
玛〔瑪〕
码〔碼〕
犸〔獁〕
骂〔駡〕
吗〔嗎〕
唛〔嘜〕

mai

*买〔買〕
*麦〔麥〕
*卖〔賣〕㉑
迈〔邁〕
荬〔蕒〕

man

颟〔顢〕
馒〔饅〕
鳗〔鰻〕
蛮〔蠻〕
瞒〔瞞〕
满〔滿〕
螨〔蟎〕
谩〔謾〕
缦〔縵〕
镘〔鏝〕

mang

铓〔鋩〕

mao

锚〔錨〕
铆〔鉚〕
贸〔貿〕

me

么〔麽〕㉒

mei

霉〔黴〕
镅〔鎇〕
鹛〔鶥〕
镁〔鎂〕

men

*门〔門〕
扪〔捫〕
钔〔鍆〕
懑〔懣〕
闷〔悶〕
焖〔燜〕
们〔們〕

meng

蒙〔矇〕
〔濛〕
〔懞〕
锰〔錳〕
梦〔夢〕

mi

谜〔謎〕
祢〔禰〕
弥〔彌〕
〔瀰〕
猕〔獼〕
谧〔謐〕
觅〔覓〕

mian

绵〔綿〕
渑〔澠〕
缅〔緬〕
面〔麵〕

miao

鹋〔鶓〕
缈〔緲〕
缪〔繆〕
庙〔廟〕

mie

灭〔滅〕
蔑〔衊〕

min

缗〔緡〕
闵〔閔〕
悯〔憫〕
闽〔閩〕
*黾〔黽〕㉓
鳘〔鰵〕

ming

鸣〔鳴〕
铭〔銘〕

miu

谬〔謬〕
缪〔繆〕

mo

谟〔謨〕
馍〔饃〕
蓦〔驀〕

mou

谋〔謀〕
缪〔繆〕

mu

亩〔畝〕
钼〔鉬〕

N

na

镎〔鎿〕
钠〔鈉〕
纳〔納〕

nan

*难〔難〕

nang

馕〔饢〕

nao

挠〔撓〕
蛲〔蟯〕
铙〔鐃〕
恼〔惱〕
脑〔腦〕
闹〔鬧〕⑭

ne

讷〔訥〕

nei

馁〔餒〕

neng

泞〔濘〕

ni

鲵〔鯢〕
铌〔鈮〕
拟〔擬〕
腻〔膩〕

nian

鲇〔鮎〕
鲶〔鯰〕
辇〔輦〕
撵〔攆〕

niang

酿〔釀〕

niao

*鸟〔鳥〕㉔
茑〔蔦〕
袅〔裊〕

nie

*聂〔聶〕
颞〔顳〕
嗫〔囁〕
蹑〔躡〕
镊〔鑷〕
啮〔嚙〕
镍〔鎳〕

ning

*宁〔寧〕㉕
柠〔檸〕
咛〔嚀〕
狞〔獰〕
聍〔聹〕
拧〔擰〕
泞〔濘〕

niu

钮〔鈕〕
纽〔紐〕

nong

*农〔農〕
浓〔濃〕
侬〔儂〕
脓〔膿〕
哝〔噥〕

nu

驽〔駑〕

nü

钕〔釹〕

nüe

疟〔瘧〕

nuo

傩〔儺〕
诺〔諾〕
锘〔鍩〕

O

ou

*区〔區〕㉖
讴〔謳〕
瓯〔甌〕
鸥〔鷗〕
殴〔毆〕
欧〔歐〕
呕〔嘔〕
沤〔漚〕
怄〔慪〕

P

pan

蹒〔蹣〕
盘〔盤〕

pang

鳑〔鰟〕
庞〔龐〕

pei

赔〔賠〕
锫〔錇〕
辔〔轡〕

pen

喷〔噴〕

peng

鹏〔鵬〕

pi

纰〔紕〕
罴〔羆〕
鲏〔鮍〕
铍〔鈹〕
辟〔闢〕
䴙〔鸊〕

pian

骈〔駢〕
谝〔諞〕
骗〔騙〕

piao

飘〔飄〕
缥〔縹〕
骠〔驃〕

pin

嫔〔嬪〕
频〔頻〕
颦〔顰〕
贫〔貧〕

ping

评〔評〕
苹〔蘋〕
鲆〔鮃〕
凭〔憑〕

po

钋〔釙〕
颇〔頗〕
泼〔潑〕
钹〔鏺〕
钷〔鉕〕

pu

铺〔鋪〕
扑〔撲〕
仆〔僕〕㉗
镤〔鏷〕
谱〔譜〕
镨〔鐠〕
朴〔樸〕

Q

qi

缉〔緝〕
桤〔榿〕
*齐〔齊〕
蛴〔蠐〕
脐〔臍〕
骑〔騎〕
骐〔騏〕
鳍〔鰭〕
颀〔頎〕
蕲〔蘄〕
启〔啓〕
绮〔綺〕
*岂〔豈〕
碛〔磧〕
*气〔氣〕
讫〔訖〕
荠〔薺〕

qian

骞〔騫〕
谦〔謙〕
悭〔慳〕
牵〔牽〕
*佥〔僉〕
签〔簽〕
〔籤〕
千〔韆〕
*迁〔遷〕
钎〔釺〕
铅〔鉛〕
鹐〔鵮〕
荨〔蕁〕
钳〔鉗〕
钱〔錢〕
钤〔鈐〕
浅〔淺〕
谴〔譴〕
缱〔繾〕
堑〔塹〕
椠〔槧〕
纤〔縴〕

qiang

玱〔瑲〕
枪〔槍〕
锵〔鏘〕
墙〔墻〕
蔷〔薔〕
樯〔檣〕
嫱〔嬙〕
镪〔鏹〕
羟〔羥〕
抢〔搶〕
炝〔熗〕
戗〔戧〕
跄〔蹌〕
呛〔嗆〕

qiao

硗〔磽〕
跷〔蹺〕
锹〔鍬〕
缲〔繰〕
翘〔翹〕
*乔〔喬〕
桥〔橋〕
硚〔礄〕
侨〔僑〕
鞒〔鞽〕
荞〔蕎〕
谯〔譙〕
*壳〔殼〕⑮
窍〔竅〕
诮〔誚〕

qie

锲〔鍥〕
惬〔愜〕
箧〔篋〕
窃〔竊〕

qin

*亲〔親〕
钦〔欽〕
嵚〔嶔〕
骎〔駸〕
寝〔寢〕
锓〔鋟〕
揿〔撳〕

qing

鲭〔鯖〕
轻〔輕〕
氢〔氫〕
倾〔傾〕
䞍〔䝼〕
请〔請〕
顷〔頃〕
庼〔廎〕
庆〔慶〕㉘

qiong

*穷〔窮〕
䓖〔藭〕
琼〔瓊〕
茕〔煢〕

qiu

秋〔鞦〕
鹙〔鶖〕
鳅〔鰍〕
䲡〔鰌〕
巯〔巰〕

qu

曲〔麯〕
*区〔區〕㉖
驱〔驅〕
岖〔嶇〕
躯〔軀〕
诎〔詘〕
趋〔趨〕
鸲〔鴝〕

龋〔齲〕
觑〔覷〕
阒〔闃〕
quan
权〔權〕
颧〔顴〕
铨〔銓〕
诠〔詮〕
绻〔綣〕
劝〔勸〕
que
悫〔愨〕
鹊〔鵲〕
阙〔闕〕
确〔確〕
阕〔闋〕

R

rang
让〔讓〕
rao
桡〔橈〕
荛〔蕘〕
饶〔饒〕
娆〔嬈〕
扰〔擾〕
绕〔繞〕
re
热〔熱〕
ren
认〔認〕
饪〔飪〕
纴〔紝〕
轫〔軔〕
纫〔紉〕
韧〔韌〕
rong
荣〔榮〕
蝾〔蠑〕
嵘〔嶸〕
绒〔絨〕
ru
铷〔銣〕
颥〔顬〕
缛〔縟〕
ruan
软〔軟〕
rui
锐〔銳〕
run
闰〔閏〕
润〔潤〕

S

sa
洒〔灑〕
飒〔颯〕
萨〔薩〕
sai
鳃〔鰓〕
赛〔賽〕
san
毵〔毿〕
馓〔饊〕
伞〔傘〕
sang
丧〔喪〕
颡〔顙〕
sao
骚〔騷〕
缫〔繅〕
扫〔掃〕
se
涩〔澀〕
*啬〔嗇〕
穑〔穡〕
铯〔銫〕
sha
鲨〔鯊〕
纱〔紗〕
*杀〔殺〕
铩〔鎩〕
shai
筛〔篩〕
晒〔曬〕
shan
钐〔釤〕
陕〔陝〕
闪〔閃〕
镨〔鐥〕
鳝〔鱔〕
缮〔繕〕
掸〔撣〕
骟〔騸〕
[illegible]
禅〔禪〕
讪〔訕〕
赡〔贍〕
shang
殇〔殤〕
觞〔觴〕
伤〔傷〕
赏〔賞〕㉙
shao
烧〔燒〕
绍〔紹〕
she
赊〔賒〕
舍〔捨〕
设〔設〕
滠〔灄〕
慑〔懾〕
摄〔攝〕
厍〔厙〕
shei
谁〔誰〕
shen
绅〔紳〕
*参〔參〕
糁〔糝〕
*审〔審〕
谉〔讅〕
婶〔嬸〕
沈〔瀋〕
谂〔諗〕
肾〔腎〕
渗〔滲〕
瘆〔瘮〕
sheng
声〔聲〕
渑〔澠〕
绳〔繩〕
胜〔勝〕
*圣〔聖〕
shi
湿〔濕〕
诗〔詩〕
*师〔師〕
浉〔溮〕
狮〔獅〕
鸤〔鳲〕
实〔實〕
埘〔塒〕
鲥〔鰣〕
识〔識〕
*时〔時〕
蚀〔蝕〕
驶〔駛〕
铈〔鈰〕
视〔視〕
谥〔謚〕
试〔試〕
轼〔軾〕
势〔勢〕
莳〔蒔〕
贳〔貰〕
释〔釋〕
饰〔飾〕
适〔適〕㉚
shou
兽〔獸〕
*寿〔壽〕
绶〔綬〕
shu
枢〔樞〕
摅〔攄〕
输〔輸〕
纾〔紓〕
书〔書〕
赎〔贖〕
*属〔屬〕
数〔數〕
树〔樹〕
术〔術〕㉛
竖〔豎〕
shuai
帅〔帥〕
shuan
闩〔閂〕
shuang
*双〔雙〕
泷〔瀧〕
shui
谁〔誰〕
shun
顺〔順〕
shuo
说〔說〕
硕〔碩〕
烁〔爍〕
铄〔鑠〕
si
锶〔鍶〕
飔〔颸〕
酾〔釃〕
缌〔緦〕
丝〔絲〕
咝〔噝〕
鸶〔鷥〕
蛳〔螄〕
驷〔駟〕
饲〔飼〕
song
松〔鬆〕
怂〔慫〕
耸〔聳〕
㧐〔㩳〕
讼〔訟〕
颂〔頌〕
诵〔誦〕
sou
馊〔餿〕
锼〔鎪〕
飕〔颼〕
薮〔藪〕
擞〔擻〕
su
苏〔蘇〕
稣〔穌〕
谡〔謖〕
诉〔訴〕
*肃〔肅〕㉜
sui
虽〔雖〕
随〔隨〕
绥〔綏〕
*岁〔歲〕
谇〔誶〕
sun
*孙〔孫〕
荪〔蓀〕
狲〔猻〕
损〔損〕
suo
缩〔縮〕
琐〔瑣〕
唢〔嗩〕
锁〔鎖〕
苏〔囌〕

T

ta
铊〔鉈〕
鳎〔鰨〕
獭〔獺〕
㳠〔澾〕
挞〔撻〕
闼〔闥〕
tai
台〔臺〕
〔檯〕
〔颱〕
骀〔駘〕
鲐〔鮐〕
态〔態〕
钛〔鈦〕
tan
滩〔灘〕
瘫〔癱〕
摊〔攤〕
贪〔貪〕
谈〔談〕
坛〔壇〕
〔罎〕
谭〔譚〕
昙〔曇〕
弹〔彈〕
钽〔鉭〕
叹〔嘆〕
tang
镗〔鏜〕
汤〔湯〕
傥〔儻〕
镋〔钂〕
烫〔燙〕
tao
涛〔濤〕
韬〔韜〕
绦〔縧〕
焘〔燾〕
讨〔討〕
te
铽〔鋱〕
teng
誊〔謄〕
腾〔騰〕
䲢〔鰧〕
ti
锑〔銻〕
鹈〔鵜〕
䴘〔鷉〕
绨〔綈〕
缇〔緹〕
题〔題〕
体〔體〕
tian
阗〔闐〕
tiao
*条〔條〕㉝
鲦〔鰷〕
龆〔齠〕
调〔調〕
粜〔糶〕
tie
贴〔貼〕
铁〔鐵〕
ting
厅〔廳〕㉞
烃〔烴〕
听〔聽〕
颋〔頲〕
铤〔鋌〕
tong
铜〔銅〕
鲖〔鮦〕
统〔統〕
恸〔慟〕
tou
头〔頭〕
tu
图〔圖〕
涂〔塗〕
钍〔釷〕
tuan
抟〔摶〕
团〔團〕
〔糰〕
tui
颓〔頹〕
tun
饨〔飩〕
tuo
饦〔飥〕
驼〔駝〕
鸵〔鴕〕
驮〔馱〕
鼍〔鼉〕
椭〔橢〕
萚〔蘀〕
箨〔籜〕

W

wa
娲〔媧〕
洼〔窪〕
袜〔襪〕㉟
wai
㖞〔喎〕
wan
弯〔彎〕
湾〔灣〕
纨〔紈〕
顽〔頑〕
绾〔綰〕
*万〔萬〕
wang
网〔網〕
辋〔輞〕
wei
*为〔爲〕
维〔維〕
潍〔濰〕
*韦〔韋〕
违〔違〕
围〔圍〕
涠〔潿〕
帏〔幃〕
闱〔闈〕
伪〔僞〕
鲔〔鮪〕
诿〔諉〕
炜〔煒〕
玮〔瑋〕
苇〔葦〕
韪〔韙〕
伟〔偉〕
纬〔緯〕
硙〔磑〕
谓〔謂〕
卫〔衛〕
wen
鳁〔鰮〕
纹〔紋〕
闻〔聞〕
阌〔閿〕
稳〔穩〕
问〔問〕
wo
涡〔渦〕
窝〔窩〕

莴〔萵〕
蜗〔蝸〕
挝〔撾〕
龌〔齷〕

wu

诬〔誣〕
*乌〔烏〕㊱
呜〔嗚〕
钨〔鎢〕
邬〔鄔〕
*无〔無〕㊲
芜〔蕪〕
妩〔嫵〕
怃〔憮〕
庑〔廡〕
鹉〔鵡〕
坞〔塢〕
务〔務〕
雾〔霧〕
骛〔騖〕
鹜〔鶩〕
误〔誤〕

X

xi

牺〔犧〕
饻〔餏〕
锡〔錫〕
袭〔襲〕
觋〔覡〕
习〔習〕
鳛〔鰼〕
玺〔璽〕
铣〔銑〕
系〔係〕
〔繫〕⑪
细〔細〕
阋〔鬩〕⑭
戏〔戲〕
饩〔餼〕

xia

虾〔蝦〕
辖〔轄〕
硖〔硤〕
峡〔峽〕
侠〔俠〕
狭〔狹〕
吓〔嚇〕㊳

xian

鲜〔鮮〕
纤〔纖〕㊴
跹〔躚〕
锨〔鍁〕
莶〔薟〕
贤〔賢〕
咸〔鹹〕
衔〔銜〕
挦〔撏〕
闲〔閑〕
鹇〔鷳〕
娴〔嫻〕
痫〔癇〕
藓〔蘚〕
蚬〔蜆〕
显〔顯〕
险〔險〕
猃〔獫〕
铣〔銑〕
*献〔獻〕
线〔綫〕
现〔現〕
苋〔莧〕
岘〔峴〕
县〔縣〕㊵
宪〔憲〕
馅〔餡〕

xiang

骧〔驤〕
镶〔鑲〕
*乡〔鄉〕
芗〔薌〕
缃〔緗〕
详〔詳〕
鲞〔鮝〕
响〔響〕
饷〔餉〕
飨〔饗〕
向〔嚮〕
象〔像〕㊶
项〔項〕

xiao

骁〔驍〕
哓〔嘵〕
销〔銷〕
绡〔綃〕
嚣〔囂〕
枭〔梟〕
鸮〔鴞〕
萧〔蕭〕
潇〔瀟〕
蟏〔蠨〕
箫〔簫〕
晓〔曉〕
啸〔嘯〕

xie

颉〔頡〕
撷〔擷〕
缬〔纈〕
协〔協〕
挟〔挾〕
胁〔脅〕
谐〔諧〕
*写〔寫〕㊷
亵〔褻〕
泻〔瀉〕
绁〔紲〕
谢〔謝〕

xin

锌〔鋅〕
䜣〔訢〕
衅〔釁〕

xing

兴〔興〕
荥〔滎〕
钘〔鈃〕
铏〔鉶〕
陉〔陘〕
饧〔餳〕

xiong

讻〔訩〕
诇〔詗〕

xiu

馐〔饈〕
鸺〔鵂〕
绣〔綉〕
锈〔銹〕

xu

须〔須〕
〔鬚〕
谞〔諝〕
许〔許〕
诩〔詡〕
顼〔頊〕
续〔續〕
绪〔緒〕

xuan

轩〔軒〕
谖〔諼〕
悬〔懸〕
选〔選〕
癣〔癬〕
旋〔鏇〕
铉〔鉉〕
绚〔絢〕

xue

学〔學〕
峃〔嶨〕
鳕〔鱈〕
谑〔謔〕

xun

勋〔勛〕
埙〔塤〕
驯〔馴〕
询〔詢〕
*寻〔尋〕
浔〔潯〕
鲟〔鱘〕
训〔訓〕
讯〔訊〕
逊〔遜〕

Y

ya

压〔壓〕㊸
鸦〔鴉〕
鸭〔鴨〕
铔〔錏〕
哑〔啞〕
氩〔氬〕
*亚〔亞〕
垭〔埡〕
挜〔掗〕
娅〔婭〕
讶〔訝〕
轧〔軋〕

yan

阏〔閼〕
阉〔閹〕
恹〔懨〕
颜〔顏〕
盐〔鹽〕
*严〔嚴〕
阎〔閻〕
厣〔厴〕
黡〔黶〕
魇〔魘〕
俨〔儼〕
龑〔龑〕
谚〔諺〕
谳〔讞〕
*厌〔厭〕
餍〔饜〕
赝〔贗〕
艳〔艷〕
滟〔灧〕
谳〔讞〕
砚〔硯〕
觃〔覎〕
酽〔釅〕
验〔驗〕

yang

鸯〔鴦〕
疡〔瘍〕
炀〔煬〕
杨〔楊〕
扬〔揚〕
旸〔暘〕
钖〔鍚〕
阳〔陽〕
痒〔癢〕
养〔養〕
样〔樣〕

yao

*尧〔堯〕㊹
峣〔嶢〕
谣〔謠〕
铫〔銚〕
轺〔軺〕
疟〔瘧〕
鹞〔鷂〕
钥〔鑰〕
药〔藥〕

ye

爷〔爺〕
靥〔靨〕
*页〔頁〕
烨〔燁〕
晔〔曄〕
*业〔業〕
邺〔鄴〕
叶〔葉〕㊺
谒〔謁〕

yi

铱〔銥〕
医〔醫〕
鹥〔鷖〕
袆〔褘〕
颐〔頤〕
遗〔遺〕
仪〔儀〕
诒〔詒〕
贻〔貽〕
饴〔飴〕
蚁〔蟻〕
钇〔釔〕
谊〔誼〕
瘗〔瘞〕
镒〔鎰〕
缢〔縊〕
勚〔勩〕
怿〔懌〕
译〔譯〕
驿〔驛〕
峄〔嶧〕
绎〔繹〕
*义〔義〕㊻
议〔議〕
轶〔軼〕
*艺〔藝〕
呓〔囈〕
亿〔億〕
忆〔憶〕
诣〔詣〕
镱〔鐿〕

yin

铟〔銦〕
*阴〔陰〕
荫〔蔭〕
龈〔齦〕
银〔銀〕
饮〔飲〕
*隐〔隱〕
瘾〔癮〕
䲟〔鮣〕

ying

应〔應〕
鹰〔鷹〕
莺〔鶯〕
罂〔罌〕
婴〔嬰〕
璎〔瓔〕
樱〔櫻〕
撄〔攖〕
嘤〔嚶〕
鹦〔鸚〕
缨〔纓〕
荧〔熒〕
莹〔瑩〕
茔〔塋〕
萤〔螢〕
萦〔縈〕
营〔營〕
赢〔贏〕
蝇〔蠅〕
瘿〔癭〕
颖〔穎〕
颍〔潁〕

yo

哟〔喲〕

yong

痈〔癰〕
拥〔擁〕
佣〔傭〕
镛〔鏞〕
鳙〔鱅〕
颙〔顒〕
踊〔踴〕

you

忧〔憂〕
优〔優〕
鱿〔魷〕
*犹〔猶〕
莸〔蕕〕
铀〔鈾〕
邮〔郵〕
铕〔銪〕
诱〔誘〕

yu

纡〔紆〕
舆〔輿〕
欤〔歟〕
余〔餘〕㊼
觎〔覦〕
谀〔諛〕
*鱼〔魚〕
渔〔漁〕
觑〔覷〕
*与〔與〕
语〔語〕
龉〔齬〕
伛〔傴〕
屿〔嶼〕
誉〔譽〕
钰〔鈺〕
吁〔籲〕㊽
御〔禦〕
驭〔馭〕
阈〔閾〕
妪〔嫗〕
郁〔鬱〕
谕〔諭〕
鹆〔鵒〕
饫〔飫〕
狱〔獄〕
预〔預〕
滪〔澦〕
蓣〔蕷〕
鹬〔鷸〕

yuan

渊〔淵〕
鸢〔鳶〕
鸳〔鴛〕
鼋〔黿〕
园〔園〕
辕〔轅〕
员〔員〕
圆〔圓〕
缘〔緣〕
橼〔櫞〕
远〔遠〕
愿〔願〕

yue

约〔約〕
哕〔噦〕
阅〔閱〕
钺〔鉞〕
跃〔躍〕
*乐〔樂〕
钥〔鑰〕

yun

*云〔雲〕
芸〔蕓〕
纭〔紜〕
涢〔溳〕
郧〔鄖〕
殒〔殞〕
陨〔隕〕
恽〔惲〕
晕〔暈〕
郓〔鄆〕
运〔運〕
酝〔醞〕
韫〔韞〕
缊〔緼〕
蕴〔蘊〕

Z

za

臜〔臢〕
杂〔雜〕

zai
载〔載〕
zan
趱〔趲〕
攒〔攢〕
錾〔鏨〕
暂〔暫〕
赞〔贊〕
瓒〔瓚〕
zang
赃〔贜〕
脏〔臟〕
〔髒〕
驵〔駔〕
zao
凿〔鑿〕
枣〔棗〕
灶〔竈〕
ze
责〔責〕
赜〔賾〕
啧〔嘖〕
帻〔幘〕
箦〔簀〕
则〔則〕
鲗〔鰂〕
泽〔澤〕
择〔擇〕
zei
贼〔賊〕
zen
谮〔譖〕
zeng
缯〔繒〕
赠〔贈〕
锃〔鋥〕
zha
铡〔鍘〕
闸〔閘〕
轧〔軋〕
鲝〔鮺〕
鲊〔鮓〕
诈〔詐〕
zhai
斋〔齋〕
债〔債〕
zhan
鹯〔鸇〕
鳣〔鱣〕
毡〔氈〕
觇〔覘〕
谵〔譫〕
斩〔斬〕
崭〔嶄〕
盏〔盞〕
辗〔輾〕
绽〔綻〕
颤〔顫〕
栈〔棧〕
战〔戰〕
zhang
张〔張〕
*长〔長〕④
涨〔漲〕
帐〔帳〕
账〔賬〕
胀〔脹〕
zhao
钊〔釗〕
赵〔趙〕
诏〔詔〕
zhe
谪〔謫〕
辙〔轍〕
蛰〔蟄〕
辄〔輒〕
詟〔讋〕
折〔摺〕㊾
锗〔鍺〕
这〔這〕
鹧〔鷓〕
zhen
针〔針〕
贞〔貞〕
浈〔湞〕
祯〔禎〕
桢〔楨〕
侦〔偵〕
缜〔縝〕
诊〔診〕
轸〔軫〕
鸩〔鴆〕
赈〔賑〕
镇〔鎮〕
纼〔紖〕
阵〔陣〕
zheng
钲〔鉦〕
征〔徵〕㊿
铮〔錚〕
症〔癥〕
*郑〔鄭〕
证〔證〕
帧〔幀〕
诤〔諍〕
𬮱〔䦛〕
zhi
只〔隻〕
〔祇〕
织〔織〕
职〔職〕
踯〔躑〕
*执〔執〕
絷〔縶〕
纸〔紙〕
挚〔摯〕
贽〔贄〕
鸷〔鷙〕
掷〔擲〕
滞〔滯〕
栉〔櫛〕
轾〔輊〕
致〔緻〕
帜〔幟〕
制〔製〕
*质〔質〕
踬〔躓〕
锧〔鑕〕
骘〔騭〕
zhong
终〔終〕
钟〔鐘〕
〔鍾〕
种〔種〕
肿〔腫〕
众〔衆〕
zhou
诌〔謅〕
赒〔賙〕
鸼〔鵃〕
轴〔軸〕
纣〔紂〕
荮〔葤〕
骤〔驟〕
皱〔皺〕
绉〔縐〕
㤘〔㥮〕
㑇〔㑳〕
昼〔晝〕
zhu
诸〔諸〕
槠〔櫧〕
朱〔硃〕
诛〔誅〕
铢〔銖〕
烛〔燭〕
嘱〔囑〕
瞩〔矚〕
贮〔貯〕
驻〔駐〕
铸〔鑄〕
筑〔築〕
zhua
挝〔撾〕
zhuan
*专〔專〕
砖〔磚〕
䏝〔膞〕
颛〔顓〕
转〔轉〕
啭〔囀〕
赚〔賺〕
传〔傳〕
馔〔饌〕
zhuang
妆〔妝〕
装〔裝〕
庄〔莊〕(51)
桩〔樁〕
戆〔戇〕
壮〔壯〕
状〔狀〕
zhui
骓〔騅〕
锥〔錐〕
赘〔贅〕
缒〔縋〕
缀〔綴〕
坠〔墜〕
zhun
谆〔諄〕
准〔準〕
zhuo
𬭤〔鐯〕
浊〔濁〕
诼〔諑〕
镯〔鐲〕
zi
谘〔諮〕
资〔資〕
镃〔鎡〕
龇〔齜〕
辎〔輜〕
锱〔錙〕
缁〔緇〕
鲻〔鯔〕
渍〔漬〕
zong
综〔綜〕
枞〔樅〕
总〔總〕
纵〔縱〕
zou
诹〔諏〕
鲰〔鯫〕
驺〔騶〕
邹〔鄒〕
zu
镞〔鏃〕
诅〔詛〕
组〔組〕
zuan
钻〔鑽〕
躜〔躦〕
缵〔纘〕
赚〔賺〕
zun
鳟〔鱒〕
zuo
凿〔鑿〕

B. 从简体查繁体

2 笔
厂〔廠〕
卜〔蔔〕
儿〔兒〕
*几〔幾〕
了〔瞭〕

3 笔
干〔乾〕⑧
〔幹〕
亏〔虧〕
才〔纔〕
*万〔萬〕
*与〔與〕
千〔韆〕
亿〔億〕
个〔個〕
么〔麼〕㉒
*广〔廣〕
*门〔門〕
*义〔義〕㊻
卫〔衛〕
飞〔飛〕
习〔習〕
*马〔馬〕⑳
*乡〔鄉〕

4 笔
【一】
*丰〔豐〕⑥
开〔開〕
*无〔無〕㊲
*韦〔韋〕
*专〔專〕
*云〔雲〕
*艺〔藝〕
厅〔廳〕㉞
*历〔歷〕
〔曆〕
*区〔區〕㉖
*车〔車〕
【丨】
*冈〔岡〕
*贝〔貝〕
*见〔見〕
【丿】
*气〔氣〕
*长〔長〕④
仆〔僕〕㉗
币〔幣〕
*从〔從〕
*仑〔侖〕
*仓〔倉〕
*风〔風〕
仅〔僅〕
凤〔鳳〕
*乌〔烏〕㉟
【丶】
闩〔閂〕
*为〔爲〕
斗〔鬥〕
忆〔憶〕
订〔訂〕
计〔計〕
讣〔訃〕
认〔認〕
讥〔譏〕
【乛】
丑〔醜〕
*队〔隊〕
办〔辦〕
邓〔鄧〕
劝〔勸〕
*双〔雙〕
书〔書〕

5 笔
【一】
击〔擊〕
*戋〔戔〕
扑〔撲〕
*节〔節〕
术〔術〕㉛
*龙〔龍〕
厉〔厲〕
灭〔滅〕
*东〔東〕
轧〔軋〕
【丨】
*卢〔盧〕
*业〔業〕
旧〔舊〕
帅〔帥〕
*归〔歸〕
叶〔葉〕㊺
号〔號〕
电〔電〕
只〔隻〕
〔祇〕
叽〔嘰〕
叹〔嘆〕
【丿】
们〔們〕
仪〔儀〕
丛〔叢〕
*尔〔爾〕
*乐〔樂〕
处〔處〕
冬〔鼕〕
*鸟〔鳥〕㉔
务〔務〕
*刍〔芻〕
饥〔饑〕
【丶】
邝〔鄺〕
冯〔馮〕
闪〔閃〕
兰〔蘭〕

*汇〔匯〕
〔彙〕
头〔頭〕
汉〔漢〕
*宁〔寧〕㉕
讦〔訐〕
讧〔訌〕
讨〔討〕
*写〔寫〕㊷
让〔讓〕
礼〔禮〕
讪〔訕〕
讫〔訖〕
训〔訓〕
议〔議〕
讯〔訊〕
记〔記〕

【乛】

辽〔遼〕
*边〔邊〕
出〔齣〕
*发〔發〕
〔髮〕
*圣〔聖〕
*对〔對〕
台〔臺〕
〔檯〕
〔颱〕
纠〔糾〕
驭〔馭〕
丝〔絲〕

6 笔

【一】

玑〔璣〕
*动〔動〕
*执〔執〕
巩〔鞏〕
圹〔壙〕
扩〔擴〕
扪〔捫〕
扫〔掃〕
扬〔揚〕
场〔場〕
*亚〔亞〕
芗〔薌〕
朴〔樸〕
机〔機〕
权〔權〕
*过〔過〕
协〔協〕
压〔壓〕㊸
*厌〔厭〕
厍〔厙〕
*页〔頁〕
夸〔誇〕
夺〔奪〕
*达〔達〕
*夹〔夾〕
轨〔軌〕
*尧〔堯〕㊹
划〔劃〕
迈〔邁〕
*毕〔畢〕

【丨】

贞〔貞〕
*师〔師〕
*当〔當〕
〔噹〕
尘〔塵〕
吁〔籲〕㊽
吓〔嚇〕㊳
*虫〔蟲〕
曲〔麯〕
团〔團〕
〔糰〕
吗〔嗎〕
屿〔嶼〕
*岁〔歲〕
回〔迴〕
*岂〔豈〕
则〔則〕
刚〔剛〕
网〔網〕

【丿】

钆〔釓〕
钇〔釔〕
朱〔硃〕
*迁〔遷〕
*乔〔喬〕
伟〔偉〕
传〔傳〕
伛〔傴〕
优〔優〕
伤〔傷〕
伥〔倀〕
价〔價〕
伦〔倫〕
伧〔傖〕
*华〔華〕
伙〔夥〕⑩
伪〔僞〕
向〔嚮〕
后〔後〕
*会〔會〕
*杀〔殺〕
合〔閤〕
众〔衆〕
爷〔爺〕
伞〔傘〕
创〔創〕
杂〔雜〕
负〔負〕
犷〔獷〕
犸〔獁〕
凫〔鳧〕
邬〔鄔〕
饦〔飥〕
饧〔餳〕

【丶】

壮〔壯〕
冲〔衝〕
妆〔妝〕
庄〔莊〕㊿
庆〔慶〕㉘
*刘〔劉〕
*齐〔齊〕
*产〔産〕
闭〔閉〕
问〔問〕
闯〔闖〕
关〔關〕
灯〔燈〕
汤〔湯〕
忏〔懺〕
兴〔興〕
讲〔講〕
讳〔諱〕
讴〔謳〕
军〔軍〕
讵〔詎〕
讶〔訝〕
讷〔訥〕
许〔許〕
讹〔訛〕
䜣〔訢〕
论〔論〕
讻〔訩〕
讼〔訟〕
讽〔諷〕
*农〔農〕
设〔設〕
访〔訪〕
诀〔訣〕

【乛】

*寻〔尋〕
*尽〔盡〕
〔儘〕
导〔導〕
*孙〔孫〕
阵〔陣〕
阳〔陽〕
阶〔階〕
*阴〔陰〕
妇〔婦〕
妈〔媽〕
戏〔戲〕
观〔觀〕
欢〔歡〕
*买〔買〕
纡〔紆〕
红〔紅〕
纣〔紂〕
驮〔馱〕
纤〔縴〕
〔纖〕㊴
纥〔紇〕
驯〔馴〕
纨〔紈〕
约〔約〕
级〔級〕
纩〔纊〕
纪〔紀〕
驰〔馳〕
纫〔紉〕

7 笔

【一】

*寿〔壽〕
*麦〔麥〕
玛〔瑪〕
*进〔進〕
远〔遠〕
违〔違〕
韧〔韌〕
刬〔剗〕
运〔運〕
抚〔撫〕
坛〔壇〕
〔罎〕
抟〔摶〕
坏〔壞〕⑨
抠〔摳〕
坜〔壢〕
扰〔擾〕
坝〔壩〕
贡〔貢〕
㧐〔㩳〕
折〔摺〕㊾
抡〔掄〕
抢〔搶〕
坞〔塢〕
坟〔墳〕
护〔護〕
*壳〔殼〕⑮
块〔塊〕
声〔聲〕
报〔報〕
拟〔擬〕
扨〔擻〕
芜〔蕪〕
苇〔葦〕
芸〔蕓〕
苈〔藶〕
苋〔莧〕
苁〔蓯〕
苍〔蒼〕
*严〔嚴〕
芦〔蘆〕
劳〔勞〕
克〔剋〕
苏〔蘇〕
〔囌〕
极〔極〕
杨〔楊〕
*两〔兩〕
*丽〔麗〕⑰
医〔醫〕
励〔勵〕
还〔還〕
矶〔磯〕
奁〔奩〕
歼〔殲〕
*来〔來〕
欤〔歟〕
轩〔軒〕
连〔連〕
轫〔軔〕

【丨】

*卤〔鹵〕
〔滷〕
邺〔鄴〕
坚〔堅〕
*时〔時〕
呒〔嘸〕
县〔縣〕㊵
里〔裏〕
呓〔囈〕
呕〔嘔〕
园〔園〕
呖〔嚦〕
旷〔曠〕
围〔圍〕
吨〔噸〕
旸〔暘〕
邮〔郵〕
困〔睏〕
员〔員〕
呗〔唄〕
听〔聽〕
呛〔嗆〕
呜〔嗚〕
别〔彆〕
财〔財〕
囵〔圇〕
觃〔覎〕
帏〔幃〕
岖〔嶇〕
岗〔崗〕
岘〔峴〕
帐〔帳〕
岚〔嵐〕

【丿】

针〔針〕
钉〔釘〕
钊〔釗〕
钋〔釙〕
钌〔釕〕
乱〔亂〕
体〔體〕
佣〔傭〕
㑇〔㑳〕
彻〔徹〕
余〔餘〕㊼
*佥〔僉〕
谷〔穀〕
邻〔鄰〕
肠〔腸〕
*龟〔龜〕
*犹〔猶〕
狈〔狽〕
鸠〔鳩〕
*条〔條〕㉝
岛〔島〕
邹〔鄒〕
饨〔飩〕
饩〔餼〕
饪〔飪〕
饫〔飫〕
饬〔飭〕
饭〔飯〕
饮〔飲〕
系〔係〕
〔繫〕⑪

【丶】

冻〔凍〕
状〔狀〕
亩〔畝〕
庑〔廡〕
库〔庫〕
疖〔癤〕
疗〔療〕
应〔應〕
这〔這〕
庐〔廬〕
闰〔閏〕
闱〔闈〕
闲〔閑〕
间〔間〕
闵〔閔〕
闷〔悶〕
灿〔燦〕
灶〔竈〕
炀〔煬〕
沣〔灃〕
沤〔漚〕
沥〔瀝〕
沦〔淪〕
沧〔滄〕
沨〔渢〕
沟〔溝〕
沩〔潙〕
沪〔滬〕
沈〔瀋〕
怃〔憮〕
怀〔懷〕
怄〔慪〕
忧〔憂〕
忾〔愾〕
怅〔悵〕
怆〔愴〕
*穷〔窮〕
证〔證〕
诂〔詁〕
诃〔訶〕
启〔啓〕
评〔評〕
补〔補〕
诅〔詛〕
识〔識〕
诇〔詗〕
诈〔詐〕
诉〔訴〕
诊〔診〕
诋〔詆〕
诌〔謅〕
词〔詞〕
诎〔詘〕
诏〔詔〕
译〔譯〕
诒〔詒〕

【乛】

*灵〔靈〕
层〔層〕
迟〔遲〕
张〔張〕
际〔際〕
陆〔陸〕
陇〔隴〕
陈〔陳〕
坠〔墜〕
陉〔陘〕
妪〔嫗〕
妩〔嫵〕
妫〔媯〕
刭〔剄〕
劲〔勁〕
鸡〔鷄〕
纬〔緯〕
纭〔紜〕
驱〔驅〕
纯〔純〕
纰〔紕〕
纱〔紗〕
纲〔綱〕
纳〔納〕
纴〔紝〕
驳〔駁〕
纵〔縱〕
纶〔綸〕
纷〔紛〕
纸〔紙〕
纹〔紋〕

纺〔紡〕
驴〔驢〕
纼〔紖〕
纽〔紐〕
纾〔紓〕

8 笔

【一】

玮〔瑋〕
环〔環〕
责〔責〕
现〔現〕
表〔錶〕
玱〔瑲〕
规〔規〕
匦〔匭〕
拢〔攏〕
拣〔揀〕
垆〔壚〕
担〔擔〕
顶〔頂〕
拥〔擁〕
势〔勢〕
拦〔攔〕
扻〔攊〕
拧〔擰〕
拨〔撥〕
择〔擇〕
茏〔蘢〕
苹〔蘋〕
茑〔蔦〕
范〔範〕
茔〔塋〕
茕〔煢〕
茎〔莖〕
枢〔樞〕
枥〔櫪〕
柜〔櫃〕
㭎〔棡〕
枧〔梘〕
枨〔棖〕
板〔闆〕
枞〔樅〕
松〔鬆〕
枪〔槍〕
枫〔楓〕
构〔構〕
丧〔喪〕
*画〔畫〕
枣〔棗〕
*卖〔賣〕㉑
郁〔鬱〕
矾〔礬〕
矿〔礦〕
砀〔碭〕
码〔碼〕
厕〔厠〕
奋〔奮〕
态〔態〕
瓯〔甌〕
欧〔歐〕
殴〔毆〕
垄〔壟〕
郏〔郟〕
轰〔轟〕
顷〔頃〕
转〔轉〕
轭〔軛〕
斩〔斬〕
轮〔輪〕
软〔軟〕
鸢〔鳶〕

【丨】

*齿〔齒〕
*虏〔虜〕
肾〔腎〕
贤〔賢〕
昙〔曇〕
*国〔國〕
畅〔暢〕
咙〔嚨〕
虮〔蟣〕
*黾〔黽〕㉓
鸣〔鳴〕
咛〔嚀〕
咝〔噝〕
*罗〔羅〕
〔囉〕
岽〔崬〕
岿〔巋〕
帜〔幟〕
岭〔嶺〕⑲
刿〔劌〕
剀〔剴〕
凯〔凱〕
峄〔嶧〕
败〔敗〕
账〔賬〕
贩〔販〕
贬〔貶〕
贮〔貯〕
图〔圖〕
购〔購〕

【丿】

钍〔釷〕
钎〔釺〕
钏〔釧〕
钐〔釤〕
钓〔釣〕
钒〔釩〕
钔〔鍆〕
钕〔釹〕
钖〔錫〕
钗〔釵〕
制〔製〕
迭〔疊〕⑤
刮〔颳〕
侠〔俠〕
侥〔僥〕
侦〔偵〕
侧〔側〕
凭〔憑〕
侨〔僑〕
侩〔儈〕
货〔貨〕
侪〔儕〕
侬〔儂〕
*质〔質〕
征〔徵〕㊿
径〔徑〕
舍〔捨〕
刽〔劊〕
郐〔鄶〕
怂〔慫〕
籴〔糴〕
觅〔覓〕
贪〔貪〕
贫〔貧〕
戗〔戧〕
肤〔膚〕
肟〔膞〕
肿〔腫〕
胀〔脹〕
肮〔骯〕
胁〔脅〕
迩〔邇〕
*鱼〔魚〕
狞〔獰〕
*备〔備〕
枭〔梟〕
饯〔餞〕
饰〔飾〕
饱〔飽〕
饲〔飼〕
饳〔飿〕
饴〔飴〕

【丶】

变〔變〕
庞〔龐〕
庙〔廟〕
疟〔瘧〕
疠〔癘〕
疡〔瘍〕
剂〔劑〕
废〔廢〕
闸〔閘〕
闹〔鬧〕⑭
*郑〔鄭〕
卷〔捲〕
*单〔單〕
炜〔煒〕
炝〔熗〕
炉〔爐〕
浅〔淺〕
泷〔瀧〕
泸〔瀘〕
泺〔濼〕
泞〔濘〕
泻〔瀉〕
泼〔潑〕
泽〔澤〕
泾〔涇〕
怜〔憐〕
㤘〔㥮〕
怿〔懌〕
峃〔嶨〕
学〔學〕
宝〔寶〕
宠〔寵〕
*审〔審〕
帘〔簾〕
实〔實〕
诓〔誆〕
诔〔誄〕
试〔試〕
诖〔詿〕
诗〔詩〕
诘〔詰〕
诙〔詼〕
诚〔誠〕
郓〔鄆〕
衬〔襯〕
祎〔禕〕
视〔視〕
诛〔誅〕
话〔話〕
诞〔誕〕
诟〔詬〕
诠〔詮〕
诡〔詭〕
询〔詢〕
诣〔詣〕
诤〔諍〕
该〔該〕
详〔詳〕
诧〔詫〕
诨〔諢〕
诩〔詡〕

【乛】

*肃〔肅〕㉜
隶〔隸〕
*录〔録〕
弥〔彌〕
〔瀰〕
陕〔陝〕
驽〔駑〕
驾〔駕〕
*参〔參〕
艰〔艱〕
线〔綫〕
绀〔紺〕
绁〔紲〕
绂〔紱〕
练〔練〕
组〔組〕
驵〔駔〕
绅〔紳〕
䌷〔紬〕
细〔細〕
驶〔駛〕
驸〔駙〕
驷〔駟〕
驹〔駒〕
终〔終〕
织〔織〕
驺〔騶〕
绉〔縐〕
驻〔駐〕
绊〔絆〕
驼〔駝〕
绋〔紼〕
绌〔絀〕
绍〔紹〕
驿〔驛〕
绎〔繹〕
经〔經〕
骀〔駘〕
绐〔紿〕
贯〔貫〕

9 笔

【一】

贰〔貳〕
帮〔幫〕
珑〔瓏〕
顸〔頇〕
韨〔韍〕
垭〔埡〕
挜〔掗〕
挝〔撾〕
项〔項〕
挞〔撻〕
挟〔挾〕
挠〔撓〕
赵〔趙〕
贲〔賁〕
挡〔擋〕
垲〔塏〕
挢〔撟〕
垫〔墊〕
挤〔擠〕
挥〔揮〕
挦〔撏〕
*荐〔薦〕
荚〔莢〕
贳〔貰〕
荛〔蕘〕
荜〔蓽〕
*带〔帶〕
茧〔繭〕
荞〔蕎〕
荟〔薈〕
荠〔薺〕
荡〔蕩〕
垩〔堊〕
荣〔榮〕
荤〔葷〕
荥〔滎〕
荦〔犖〕
荧〔熒〕
荨〔蕁〕
胡〔鬍〕
荩〔藎〕
荪〔蓀〕
荫〔蔭〕
荬〔蕒〕
荭〔葒〕
荮〔葤〕
药〔藥〕
标〔標〕
栈〔棧〕
栉〔櫛〕
栊〔櫳〕
栋〔棟〕
栌〔櫨〕
栎〔櫟〕
栏〔欄〕
柠〔檸〕
柽〔檉〕
树〔樹〕
䴓〔鳾〕
郦〔酈〕
咸〔鹹〕
砖〔磚〕
砗〔硨〕
砚〔硯〕
砜〔碸〕
面〔麵〕
牵〔牽〕
鸥〔鷗〕
䶮〔龑〕
残〔殘〕
殇〔殤〕
轱〔軲〕
轲〔軻〕
轳〔轤〕
轴〔軸〕
轶〔軼〕
轷〔軤〕
轸〔軫〕
轹〔轢〕
轺〔軺〕
轻〔輕〕
鸦〔鴉〕
虿〔蠆〕

【丨】

战〔戰〕
觇〔覘〕
点〔點〕
临〔臨〕⑱
览〔覽〕
竖〔豎〕
*尝〔嘗〕③
眍〔瞘〕
昽〔曨〕
哑〔啞〕
显〔顯〕
哒〔噠〕
哓〔嘵〕
哔〔嗶〕
贵〔貴〕
虾〔蝦〕
蚁〔蟻〕
蚂〔螞〕
虽〔雖〕
骂〔罵〕
哕〔噦〕
剐〔剮〕
郧〔鄖〕
勋〔勛〕
哗〔嘩〕
响〔響〕
哙〔噲〕
哝〔噥〕
哟〔喲〕
峡〔峽〕
峣〔嶢〕
帧〔幀〕
罚〔罰〕
峤〔嶠〕
贱〔賤〕
贴〔貼〕
贶〔貺〕
贻〔貽〕

【丿】

钘〔鈃〕
钙〔鈣〕
钚〔鈈〕
钛〔鈦〕
钘〔鈃〕
钝〔鈍〕
钞〔鈔〕
钟〔鐘〕
〔鍾〕
钡〔鋇〕
钢〔鋼〕
钠〔鈉〕
钥〔鑰〕
钦〔欽〕

钧〔鈞〕
钤〔鈐〕
钨〔鎢〕
钩〔鉤〕
钪〔鈧〕
钫〔鈁〕
钬〔鈥〕
钭〔鈄〕
钮〔鈕〕
钯〔鈀〕
毡〔氈〕
氢〔氫〕
选〔選〕
适〔適〕㉚
种〔種〕
秋〔鞦〕
复〔復〕
〔複〕
〔覆〕⑦
笃〔篤〕
俦〔儔〕
俨〔儼〕
俩〔倆〕
俪〔儷〕
贷〔貸〕
顺〔順〕
俭〔儉〕
剑〔劍〕
鸧〔鶬〕
须〔須〕
〔鬚〕
胧〔朧〕
胨〔腖〕
胪〔臚〕
胆〔膽〕
胜〔勝〕
胫〔脛〕
鸨〔鴇〕
狭〔狹〕
狮〔獅〕
独〔獨〕
狯〔獪〕
狱〔獄〕
狲〔猻〕
贸〔貿〕
饵〔餌〕
饶〔饒〕
蚀〔蝕〕
饷〔餉〕
饸〔餄〕
饹〔餎〕
饺〔餃〕
饻〔餏〕
饼〔餅〕

【丶】

峦〔巒〕
弯〔彎〕
孪〔孿〕
娈〔孌〕
*将〔將〕⑬
奖〔獎〕⑫
疬〔癧〕
疮〔瘡〕
疯〔瘋〕
*亲〔親〕
飒〔颯〕
闺〔閨〕
闻〔聞〕
闼〔闥〕
闽〔閩〕
闾〔閭〕
闿〔闓〕
阀〔閥〕
阁〔閣〕
阂〔閡〕
阅〔閱〕
养〔養〕
姜〔薑〕
类〔類〕⑯
*娄〔婁〕
总〔總〕
炼〔煉〕
炽〔熾〕
烁〔爍〕
烂〔爛〕
烃〔烴〕
洼〔窪〕
洁〔潔〕
洒〔灑〕
汏〔澾〕
浃〔浹〕
浇〔澆〕
浈〔湞〕
浉〔溮〕
浊〔濁〕
测〔測〕
浍〔澮〕
浏〔瀏〕
济〔濟〕
浐〔滻〕
浑〔渾〕
浒〔滸〕
浓〔濃〕
浔〔潯〕
浕〔濜〕
恸〔慟〕
恹〔懨〕
恺〔愷〕
恻〔惻〕
恼〔惱〕
恽〔惲〕
*举〔舉〕
觉〔覺〕
宪〔憲〕
窃〔竊〕
诫〔誡〕
诬〔誣〕
语〔語〕
袄〔襖〕
诮〔誚〕
祢〔禰〕
误〔誤〕
诰〔誥〕
诱〔誘〕
诲〔誨〕
诳〔誑〕
鸩〔鴆〕
说〔說〕
诵〔誦〕
诶〔誒〕

【乛】

垦〔墾〕
昼〔晝〕
费〔費〕
逊〔遜〕
陨〔隕〕
险〔險〕
贺〔賀〕
怼〔懟〕
垒〔壘〕
娅〔婭〕
娆〔嬈〕
娇〔嬌〕
绑〔綁〕
绒〔絨〕
结〔結〕
绔〔絝〕
骁〔驍〕
绕〔繞〕
绖〔絰〕
骄〔驕〕
骅〔驊〕
绘〔繪〕
骆〔駱〕
骈〔駢〕
绞〔絞〕
骇〔駭〕
统〔統〕
绗〔絎〕
给〔給〕
绚〔絢〕
绛〔絳〕
络〔絡〕
绝〔絕〕

10 笔

【一】

艳〔艷〕
项〔項〕
珲〔琿〕
蚕〔蠶〕①
顽〔頑〕
盏〔盞〕
捞〔撈〕
载〔載〕
赶〔趕〕
盐〔鹽〕
埘〔塒〕
损〔損〕
埙〔塤〕
埚〔堝〕
捡〔撿〕
贽〔贄〕
挚〔摯〕
热〔熱〕
捣〔搗〕
壶〔壺〕
*聂〔聶〕
莱〔萊〕
莲〔蓮〕
莳〔蒔〕
莴〔萵〕
获〔獲〕
〔穫〕
莸〔蕕〕
恶〔惡〕
〔噁〕
䓖〔藭〕
莹〔瑩〕
莺〔鶯〕
鸪〔鴣〕
莼〔蒓〕
桡〔橈〕
桢〔楨〕
档〔檔〕
桤〔榿〕
桥〔橋〕
桦〔樺〕
桧〔檜〕
桩〔樁〕
样〔樣〕
贾〔賈〕
逦〔邐〕
砺〔礪〕
砾〔礫〕
础〔礎〕
砻〔礱〕
顾〔顧〕
轼〔軾〕
轾〔輊〕
轿〔轎〕
辂〔輅〕
较〔較〕
鸫〔鶇〕
顿〔頓〕
趸〔躉〕
毙〔斃〕
致〔緻〕

【丨】

龀〔齔〕
鸬〔鸕〕
*虑〔慮〕
*监〔監〕
紧〔緊〕
*党〔黨〕
唛〔嘜〕
晒〔曬〕
晓〔曉〕
唝〔嗊〕
唠〔嘮〕
鸭〔鴨〕
唡〔啢〕
晔〔曄〕
晕〔暈〕
鸮〔鴞〕
唢〔嗩〕
㖞〔喎〕
蚬〔蜆〕
鸯〔鴦〕
崂〔嶗〕
崃〔崍〕
*罢〔罷〕
圆〔圓〕
觊〔覬〕
贼〔賊〕
贿〔賄〕
赂〔賂〕
赃〔贓〕
赅〔賅〕
赆〔贐〕

【丿】

钰〔鈺〕
钱〔錢〕
钲〔鉦〕
钳〔鉗〕
钴〔鈷〕
钵〔缽〕
钶〔鈳〕
钷〔鉕〕
钹〔鈸〕
钺〔鉞〕
钻〔鑽〕
钼〔鉬〕
钽〔鉭〕
钾〔鉀〕
铀〔鈾〕
钿〔鈿〕
铁〔鐵〕
铂〔鉑〕
铃〔鈴〕
铄〔鑠〕
铅〔鉛〕
铆〔鉚〕
铈〔鈰〕
铉〔鉉〕
铊〔鉈〕
铋〔鉍〕
铌〔鈮〕
铍〔鈹〕
䥽〔鏺〕
铎〔鐸〕
氩〔氬〕
牺〔犧〕
敌〔敵〕
积〔積〕
称〔稱〕
笕〔筧〕
*笔〔筆〕
债〔債〕
借〔藉〕⑬
倾〔傾〕
赁〔賃〕
颀〔頎〕
徕〔徠〕
舰〔艦〕
舱〔艙〕
耸〔聳〕
*爱〔愛〕
鸰〔鴒〕
颁〔頒〕
颂〔頌〕
脍〔膾〕
脏〔臟〕
〔髒〕
脐〔臍〕
脑〔腦〕
胶〔膠〕
脓〔膿〕
鸱〔鴟〕
玺〔璽〕
鱽〔魛〕
鸲〔鴝〕
猃〔獫〕
鸵〔鴕〕
袅〔裊〕
鸳〔鴛〕
皱〔皺〕
饽〔餑〕
饿〔餓〕
馁〔餒〕

【丶】

栾〔欒〕
挛〔攣〕
恋〔戀〕
桨〔槳〕⑫
浆〔漿〕⑫
症〔癥〕
痈〔癰〕
斋〔齋〕
痉〔痙〕
准〔準〕
*离〔離〕
颃〔頏〕
资〔資〕
竞〔競〕
阃〔閫〕
阄〔鬮〕
阉〔閹〕⑭
阅〔閱〕
阆〔閬〕
郸〔鄲〕
烦〔煩〕
烧〔燒〕
烛〔燭〕
烨〔燁〕
烩〔燴〕
烬〔燼〕
递〔遞〕
涛〔濤〕
涝〔澇〕
涞〔淶〕
涟〔漣〕
涠〔潿〕
涢〔溳〕
涡〔渦〕
涂〔塗〕
涤〔滌〕
润〔潤〕
涧〔澗〕
涨〔漲〕
烫〔燙〕
涩〔澀〕
悭〔慳〕
悯〔憫〕
宽〔寬〕
家〔傢〕
*宾〔賓〕
窍〔竅〕
鸾〔鸞〕
请〔請〕
诸〔諸〕
诹〔諏〕
诺〔諾〕
诼〔諑〕
读〔讀〕
诽〔誹〕
袜〔襪〕㉟
祯〔禎〕
课〔課〕
诿〔諉〕
谀〔諛〕
谁〔誰〕
谂〔諗〕
调〔調〕
谄〔諂〕
谅〔諒〕
谆〔諄〕
谇〔誶〕
谈〔談〕
谊〔誼〕
谉〔讅〕

【乛】

恳〔懇〕
剧〔劇〕
娲〔媧〕
娴〔嫻〕

*难〔難〕
预〔預〕
绠〔綆〕
骊〔驪〕
绡〔綃〕
骋〔騁〕
绢〔絹〕
绣〔綉〕
验〔驗〕
绥〔綏〕
绦〔縧〕
继〔繼〕
绨〔綈〕
骎〔駸〕
骏〔駿〕
鸶〔鷥〕

11 笔

【一】
焘〔燾〕
琎〔璡〕
琏〔璉〕
琐〔瑣〕
麸〔麩〕
掳〔擄〕
掴〔摑〕
鸷〔鷙〕
掷〔擲〕
掸〔撣〕
壶〔壺〕
悫〔慤〕
据〔據〕
掺〔摻〕
掼〔摜〕
职〔職〕
聍〔聹〕
萚〔蘀〕
勚〔勩〕
萝〔蘿〕
萤〔螢〕
营〔營〕
萦〔縈〕
萧〔蕭〕
萨〔薩〕
梦〔夢〕
觋〔覡〕
检〔檢〕
棂〔欞〕
*啬〔嗇〕
匮〔匱〕
酝〔醞〕
厣〔厴〕
硕〔碩〕
硖〔硤〕
硗〔磽〕
硙〔磑〕
硚〔礄〕
鸸〔鴯〕
聋〔聾〕
龚〔龔〕
袭〔襲〕
䴕〔鴷〕
殒〔殞〕
殓〔殮〕
赉〔賚〕
辄〔輒〕
辅〔輔〕
辆〔輛〕
堑〔塹〕

【丨】
颅〔顱〕
啧〔嘖〕
悬〔懸〕
啭〔囀〕
跃〔躍〕
啮〔嚙〕
跄〔蹌〕
蛎〔蠣〕
蛊〔蠱〕
蛏〔蟶〕
累〔纍〕
啸〔嘯〕
帻〔幘〕
崭〔嶄〕
逻〔邏〕
帼〔幗〕
赈〔賑〕
婴〔嬰〕
赊〔賒〕

【丿】
铏〔鉶〕
铐〔銬〕
铑〔銠〕
铒〔鉺〕
铓〔鋩〕
铕〔銪〕
铗〔鋏〕
铙〔鐃〕
铛〔鐺〕
铝〔鋁〕
铜〔銅〕
铞〔銱〕
铟〔銦〕
铠〔鎧〕
铡〔鍘〕
铢〔銖〕
铣〔銑〕
铥〔銩〕
铤〔鋌〕
铧〔鏵〕
铨〔銓〕
铩〔鎩〕
铪〔鉿〕
铫〔銚〕
铭〔銘〕
铬〔鉻〕
铮〔錚〕
铯〔銫〕
铰〔鉸〕
铱〔銥〕
铲〔鏟〕
铳〔銃〕
铵〔銨〕
银〔銀〕
铷〔銣〕
矫〔矯〕
鸹〔鴰〕
秽〔穢〕
笺〔箋〕
笼〔籠〕
笾〔籩〕
偾〔僨〕
鸺〔鵂〕
偿〔償〕
偻〔僂〕
躯〔軀〕
皑〔皚〕
衅〔釁〕
鸻〔鴴〕
衔〔銜〕
舻〔艫〕
盘〔盤〕
鸼〔鵃〕
龛〔龕〕
鸽〔鴿〕
敛〔斂〕
领〔領〕
脶〔腡〕
脸〔臉〕
象〔像〕㊶
猎〔獵〕
猡〔玀〕
猕〔獼〕
馃〔餜〕
馄〔餛〕
馅〔餡〕
馆〔館〕

【丶】
鸾〔鸞〕
庼〔廎〕
痒〔癢〕
鸡〔鵁〕
旋〔鏇〕
阈〔閾〕
阉〔閹〕
阊〔閶〕
阋〔鬩〕⑭
阌〔閿〕
阍〔閽〕
阎〔閻〕
阏〔閼〕
阐〔闡〕
羟〔羥〕
盖〔蓋〕
粝〔糲〕
*断〔斷〕
兽〔獸〕
焖〔燜〕
渍〔漬〕
鸿〔鴻〕
渎〔瀆〕
渐〔漸〕
渑〔澠〕
渊〔淵〕
渔〔漁〕
淀〔澱〕
渗〔滲〕
惬〔愜〕
惭〔慚〕
惧〔懼〕
惊〔驚〕
惮〔憚〕
惨〔慘〕
惯〔慣〕
祷〔禱〕
谌〔諶〕
谋〔謀〕
谍〔諜〕
谎〔謊〕
谏〔諫〕
皲〔皸〕
谐〔諧〕
谑〔謔〕
裆〔襠〕
祸〔禍〕
谒〔謁〕
谓〔謂〕
谔〔諤〕
谕〔諭〕
谖〔諼〕
谗〔讒〕
谘〔諮〕
谙〔諳〕
谚〔諺〕
谛〔諦〕
谜〔謎〕
谝〔諞〕
谞〔諝〕

【乛】
弹〔彈〕
堕〔墮〕
随〔隨〕
粜〔糶〕
*隐〔隱〕
婳〔嫿〕
婵〔嬋〕
婶〔嬸〕
颇〔頗〕
颈〔頸〕
绩〔績〕
绪〔緒〕
绫〔綾〕
骐〔騏〕
续〔續〕
绮〔綺〕
骑〔騎〕
绯〔緋〕
绰〔綽〕
骒〔騍〕
绲〔緄〕
绳〔繩〕
骓〔騅〕
维〔維〕
绵〔綿〕
绶〔綬〕
绷〔繃〕
绸〔綢〕
绺〔綹〕
绻〔綣〕
综〔綜〕
绽〔綻〕
绾〔綰〕
绿〔綠〕
骖〔驂〕
缀〔綴〕
缁〔緇〕

12 笔

【一】
靓〔靚〕
琼〔瓊〕
辇〔輦〕
鼋〔黿〕
趋〔趨〕
揽〔攬〕
颉〔頡〕
揿〔撳〕
搀〔攙〕
蛰〔蟄〕
絷〔縶〕
搁〔擱〕
搂〔摟〕
搅〔攪〕
联〔聯〕
蒇〔蕆〕
蒉〔蕢〕
蒋〔蔣〕
蒌〔蔞〕
韩〔韓〕
椟〔櫝〕
椤〔欏〕
赍〔賫〕
椭〔橢〕
鹁〔鵓〕
鹂〔鸝〕
觌〔覿〕
硷〔鹼〕
确〔確〕
詟〔讋〕
殚〔殫〕
颊〔頰〕
雳〔靂〕
辊〔輥〕
辋〔輞〕
椠〔槧〕
暂〔暫〕
辍〔輟〕
辎〔輜〕
翘〔翹〕

【丨】
辈〔輩〕
凿〔鑿〕
辉〔輝〕
赏〔賞〕㉙
睐〔睞〕
睑〔瞼〕
喷〔噴〕
畴〔疇〕
践〔踐〕
遗〔遺〕
蛱〔蛺〕
蛲〔蟯〕
蛳〔螄〕
蛴〔蠐〕
鹃〔鵑〕
喽〔嘍〕
嵘〔嶸〕
嵚〔嶔〕
嵝〔嶁〕
赋〔賦〕
婧〔婧〕
赌〔賭〕
赎〔贖〕
赐〔賜〕
赒〔賙〕
赔〔賠〕
赕〔賧〕

【丿】
铸〔鑄〕
铹〔鐒〕
铺〔鋪〕
铼〔錸〕
铽〔鋱〕
链〔鏈〕
铿〔鏗〕
销〔銷〕
锁〔鎖〕
锃〔鋥〕
锄〔鋤〕
锂〔鋰〕
锅〔鍋〕
锆〔鋯〕
锇〔鋨〕
锈〔銹〕
锉〔銼〕
锋〔鋒〕
锌〔鋅〕
锎〔鐦〕
锏〔鐧〕
锐〔銳〕
锑〔銻〕
锒〔鋃〕
锓〔鋟〕
锔〔鋦〕
锕〔錒〕
犊〔犢〕
鹄〔鵠〕
鹅〔鵝〕
颋〔頲〕
筑〔築〕
筚〔篳〕
筛〔篩〕
牍〔牘〕
傥〔儻〕
傧〔儐〕
储〔儲〕
傩〔儺〕
惩〔懲〕
御〔禦〕
颌〔頜〕
释〔釋〕
鹆〔鵒〕
腊〔臘〕
腘〔膕〕
鱿〔魷〕
鲁〔魯〕
鲂〔魴〕
颍〔潁〕
飓〔颶〕
觞〔觴〕
惫〔憊〕
馇〔餷〕
馈〔饋〕
馉〔餶〕
馊〔餿〕
馋〔饞〕

【丶】
亵〔褻〕
装〔裝〕
蛮〔蠻〕
脔〔臠〕
痨〔癆〕
痫〔癇〕
赓〔賡〕
颏〔頦〕
鹇〔鷳〕
阑〔闌〕
阒〔闃〕
阔〔闊〕
阕〔闋〕
粪〔糞〕
鹈〔鵜〕
*窜〔竄〕
窝〔窩〕
喾〔嚳〕
愤〔憤〕
愦〔憒〕

滞〔滯〕
湿〔濕〕
溃〔潰〕
溅〔濺〕
溇〔漊〕
湾〔灣〕
谟〔謨〕
裢〔褳〕
裣〔襝〕
裤〔褲〕
裥〔襇〕
禅〔禪〕
谠〔讜〕
谡〔謖〕
谢〔謝〕
谣〔謡〕
谤〔謗〕
谥〔謚〕
谦〔謙〕
谧〔謐〕
【乛】
*属〔屬〕
屡〔屢〕
骘〔騭〕
巯〔巰〕
毵〔毿〕
翚〔翬〕
骛〔騖〕
缂〔緙〕
缃〔緗〕
缄〔緘〕
缅〔緬〕
缆〔纜〕
缇〔緹〕
缈〔緲〕
缉〔緝〕
缊〔緼〕
缌〔緦〕
缎〔緞〕
缑〔緱〕
缓〔緩〕
缒〔縋〕
缔〔締〕
缕〔縷〕
骗〔騙〕
编〔編〕
缗〔緡〕
骚〔騷〕
缘〔緣〕
飨〔饗〕

13 笔

【一】
耢〔耮〕
鹉〔鵡〕
䴖〔鶄〕
韫〔韞〕
骜〔驁〕
摄〔攝〕
摅〔攄〕
摆〔擺〕
〔襬〕
赪〔赬〕
摈〔擯〕
毂〔轂〕
摊〔攤〕
鹋〔鶓〕
蓝〔藍〕
蓦〔驀〕
鹊〔鵲〕
蓟〔薊〕
蒙〔矇〕
〔濛〕
〔懞〕
颐〔頤〕
*献〔獻〕
蓣〔蕷〕
榄〔欖〕
榇〔櫬〕
榈〔櫚〕
楼〔樓〕
榉〔櫸〕
赖〔賴〕
碛〔磧〕
碍〔礙〕
碜〔磣〕
鹌〔鵪〕
尴〔尷〕
殨〔殨〕
雾〔霧〕
辏〔輳〕
辐〔輻〕
辑〔輯〕
输〔輸〕
【丨】
频〔頻〕
龃〔齟〕
龄〔齡〕
龅〔齙〕
龆〔齠〕
鉴〔鑒〕
韪〔韙〕
嗫〔囁〕
跷〔蹺〕
跸〔蹕〕
跻〔躋〕
跹〔躚〕
蜗〔蝸〕
嗳〔噯〕
赗〔賵〕
【丿】
锗〔鍺〕
错〔錯〕
锘〔鍩〕
锚〔錨〕
锛〔錛〕
锝〔鍀〕
锞〔錁〕
锟〔錕〕
锡〔錫〕
锢〔錮〕
锣〔鑼〕
锤〔錘〕
锥〔錐〕
锦〔錦〕
锧〔鑕〕
锨〔鍁〕
锫〔錇〕
锭〔錠〕
键〔鍵〕
锯〔鋸〕
锰〔錳〕
锱〔錙〕
辞〔辭〕
颓〔頽〕
䅟〔穇〕
筹〔籌〕
签〔簽〕
〔籤〕
简〔簡〕
觎〔覦〕
颔〔頷〕
腻〔膩〕
鹏〔鵬〕
腾〔騰〕
鲅〔鮁〕
鲆〔鮃〕
鲇〔鮎〕
鲈〔鱸〕
鲊〔鮓〕
稣〔穌〕
鲋〔鮒〕
䲟〔鮣〕
鲍〔鮑〕
鲏〔鮍〕
鲐〔鮐〕
颖〔穎〕
鸧〔鶬〕
飔〔颸〕
飕〔颼〕
触〔觸〕
雏〔雛〕
馎〔餺〕
馍〔饃〕
馏〔餾〕
馐〔饈〕
【丶】
酱〔醬〕⑫
鹑〔鶉〕
瘅〔癉〕
瘆〔瘮〕
鹒〔鶊〕
阖〔闔〕
阗〔闐〕
阙〔闕〕
誊〔謄〕
粮〔糧〕
数〔數〕
滟〔灧〕
滠〔灄〕
满〔滿〕
滤〔濾〕
滥〔濫〕
滗〔潷〕
滦〔灤〕
漓〔灕〕
滨〔濱〕
滩〔灘〕
滪〔澦〕
慑〔懾〕
誉〔譽〕
鲎〔鱟〕
骞〔騫〕
寝〔寢〕
窥〔窺〕
窦〔竇〕
谨〔謹〕
谩〔謾〕
谪〔謫〕
谫〔譾〕
谬〔謬〕
【乛】
辟〔闢〕
嫒〔嬡〕
嫔〔嬪〕
缙〔縉〕
缜〔縝〕
缚〔縛〕
缛〔縟〕
辔〔轡〕
缝〔縫〕
骝〔騮〕
缞〔縗〕
缟〔縞〕
缠〔纏〕②
缡〔縭〕
缢〔縊〕
缣〔縑〕
缤〔繽〕
骟〔騸〕

14 笔

【一】
瑷〔璦〕
赘〔贅〕
觏〔覯〕
韬〔韜〕
叆〔靉〕
墙〔墻〕
撄〔攖〕
蔷〔薔〕
蔑〔衊〕
蔹〔蘞〕
蔺〔藺〕
蔼〔藹〕
鹕〔鶘〕
槚〔檟〕
槛〔檻〕
槟〔檳〕
槠〔櫧〕
酽〔釅〕
酾〔釃〕
酿〔釀〕
霁〔霽〕
愿〔願〕
殡〔殯〕
辕〔轅〕
辖〔轄〕
辗〔輾〕
【丨】
龇〔齜〕
龈〔齦〕
䴗〔鶪〕
颗〔顆〕
䁖〔瞜〕
暧〔曖〕
鹖〔鶡〕
踌〔躊〕
踊〔踴〕
蜡〔蠟〕
蝈〔蟈〕
蝇〔蠅〕
蝉〔蟬〕
鹗〔鶚〕
嘤〔嚶〕
罴〔羆〕
赙〔賻〕
罂〔罌〕
赚〔賺〕
鹘〔鶻〕
【丿】
锲〔鍥〕
锴〔鍇〕
锶〔鍶〕
锷〔鍔〕
锹〔鍬〕
锸〔鍤〕
锻〔鍛〕
锼〔鎪〕
锾〔鍰〕
锵〔鏘〕
锿〔鎄〕
镀〔鍍〕
镁〔鎂〕
镂〔鏤〕
镃〔鎡〕
镄〔鐨〕
镅〔鎇〕
鹙〔鶖〕
稳〔穩〕
箦〔簀〕
箧〔篋〕
箨〔籜〕
箩〔籮〕
箪〔簞〕
箓〔籙〕
箫〔簫〕
舆〔輿〕
膑〔臏〕
鲑〔鮭〕
鲒〔鮚〕
鲔〔鮪〕
鲖〔鮦〕
鲗〔鰂〕
鲙〔鱠〕
鲚〔鱭〕
鲛〔鮫〕
鲜〔鮮〕
鲟〔鱘〕
飗〔飀〕
馑〔饉〕
馒〔饅〕
【丶】
銮〔鑾〕
瘗〔瘞〕
瘘〔瘻〕
阚〔闞〕
鲞〔鯗〕
鲝〔鮺〕
糁〔糝〕
鹚〔鷀〕
潇〔瀟〕
潋〔瀲〕
潍〔濰〕
赛〔賽〕
窭〔窶〕
谭〔譚〕
谮〔譖〕
䙌〔襀〕
褛〔褸〕
谯〔譙〕
谰〔讕〕
谱〔譜〕
谲〔譎〕
【乛】
鹛〔鶥〕
嫱〔嬙〕
鹜〔鶩〕
缥〔縹〕
骠〔驃〕
缦〔縵〕
骡〔騾〕
缧〔縲〕
缨〔纓〕
骢〔驄〕
缩〔縮〕
缪〔繆〕
缫〔繅〕

15 笔

【一】
耧〔耬〕
璎〔瓔〕
叇〔靆〕
撵〔攆〕
撷〔擷〕
撺〔攛〕
聩〔聵〕
聪〔聰〕
觐〔覲〕
鞑〔韃〕
鞒〔鞽〕
蕲〔蘄〕
赜〔賾〕
蕴〔藴〕
樯〔檣〕
樱〔櫻〕
飘〔飄〕
靥〔靨〕
魇〔魘〕
餍〔饜〕
霉〔黴〕
辘〔轆〕
【丨】
龉〔齬〕
龊〔齪〕
觑〔覷〕
瞒〔瞞〕
题〔題〕
颙〔顒〕
踬〔躓〕
踯〔躑〕
蝾〔蠑〕
蝼〔螻〕
噜〔嚕〕
嘱〔囑〕
颛〔顓〕
【丿】
镊〔鑷〕
镇〔鎮〕
镉〔鎘〕
镋〔钂〕
镌〔鎸〕
镍〔鎳〕
镎〔鎿〕
镏〔鎦〕
镐〔鎬〕
镑〔鎊〕

镃〔鎡〕
镓〔鎵〕
镔〔鑌〕
𬭤〔鎆〕
篑〔簣〕
篓〔簍〕
鹛〔鶥〕
鹡〔鶺〕
鹞〔鷂〕
鲠〔鯁〕
鲡〔鱺〕
鲢〔鰱〕
鲣〔鰹〕
鲥〔鰣〕
鲤〔鯉〕
鲦〔鰷〕
鲧〔鯀〕
鲩〔鯇〕
鲫〔鯽〕
馓〔饊〕
馔〔饌〕

【丶】

瘪〔癟〕
瘫〔癱〕
齑〔齏〕
颜〔顏〕
鹈〔鵜〕
鲨〔鯊〕
澜〔瀾〕
额〔額〕
谳〔讞〕
褴〔襤〕
谴〔譴〕
鹤〔鶴〕
谵〔譫〕

【乛】

屦〔屨〕
缬〔纈〕
缭〔繚〕
缮〔繕〕
缯〔繒〕

16 笔

【一】

䎬〔䎱〕
擞〔擻〕
颞〔顳〕
颟〔顢〕
薮〔藪〕
颠〔顛〕
橹〔櫓〕
橼〔櫞〕
鹥〔鷖〕
赝〔贗〕
飙〔飆〕
豮〔豶〕
錾〔鏨〕
辙〔轍〕
辚〔轔〕

【丨】

鹾〔鹺〕
螨〔蟎〕
鹦〔鸚〕
赠〔贈〕

【丿】

𫔶〔鐯〕
镖〔鏢〕
镗〔鏜〕
镘〔鏝〕
镚〔鏰〕
镛〔鏞〕
镜〔鏡〕
镝〔鏑〕
镞〔鏃〕
氇〔氌〕
赞〔贊〕
穑〔穡〕
篮〔籃〕
篱〔籬〕
魉〔魎〕
鲭〔鯖〕
鲮〔鯪〕
鲰〔鯫〕
鲱〔鯡〕
鲲〔鯤〕
鲳〔鯧〕
鲵〔鯢〕
鲶〔鯰〕
鲷〔鯛〕
鲸〔鯨〕
鲻〔鯔〕
獭〔獺〕

【丶】

鹧〔鷓〕
瘿〔癭〕
瘾〔癮〕
斓〔斕〕
辩〔辯〕
濑〔瀨〕
濒〔瀕〕
懒〔懶〕
黉〔黌〕

【乛】

鹨〔鷚〕
颡〔顙〕
缰〔繮〕
缱〔繾〕
缲〔繰〕
缳〔繯〕
缴〔繳〕

17 笔

【一】

藓〔蘚〕
鹩〔鷯〕

【丨】

龋〔齲〕
龌〔齷〕
瞩〔矚〕
蹒〔蹣〕
蹑〔躡〕
蟏〔蠨〕
㘎〔嚂〕
羁〔羈〕
赡〔贍〕

【丿】

镢〔鐝〕
镣〔鐐〕
镤〔鏷〕
镥〔鑥〕
镦〔鐓〕
镧〔鑭〕
𫔵〔鐥〕
镨〔鐠〕
镩〔鑹〕
镪〔鏹〕
镫〔鐙〕
簖〔籪〕
鹪〔鷦〕
䲠〔鰆〕
鲽〔鰈〕
鲿〔鱨〕
鳃〔鰓〕
鳁〔鰮〕
鳄〔鰐〕
鳅〔鰍〕
鳆〔鰒〕
鳇〔鰉〕
鳍〔鰭〕
鳊〔鯿〕

【丶】

鹫〔鷲〕
辫〔辮〕
赢〔贏〕
懑〔懣〕

【乛】

鹬〔鷸〕
骤〔驟〕

18 笔

【一】

鳌〔鰲〕
鞯〔韉〕
黡〔黶〕

【丨】

歔〔歔〕
颢〔顥〕
鹭〔鷺〕
嚣〔囂〕
髅〔髏〕

【丿】

镬〔鑊〕
镭〔鐳〕
镮〔鐶〕
镯〔鐲〕
镰〔鐮〕
镱〔鐿〕
雠〔讎〕
䲢〔鰧〕
鳍〔鰭〕
鳎〔鰨〕
鳏〔鰥〕
鳑〔鰟〕
鳒〔鰜〕

【丶】

鹯〔鸇〕
鹰〔鷹〕
𬌗〔𤢻〕
辗〔輾〕
䜩〔讌〕

【乛】

䴙〔鸊〕

19 笔

【一】

攒〔攢〕
霭〔靄〕

【丨】

鳖〔鱉〕
蹿〔躥〕
巅〔巔〕
髋〔髖〕
髌〔髕〕

【丿】

镲〔鑔〕
籁〔籟〕
鳘〔鰵〕
鳓〔鰳〕
鳔〔鰾〕
鳕〔鱈〕
鳗〔鰻〕
鳙〔鱅〕
鳛〔鰼〕

【丶】

颤〔顫〕
癣〔癬〕
谶〔讖〕

【乛】

骥〔驥〕
缵〔纘〕

20 笔

【一】

瓒〔瓚〕
鬓〔鬢〕
颥〔顬〕

【丨】

鼍〔鼉〕
黩〔黷〕

【丿】

镳〔鑣〕
镴〔鑞〕
臜〔臢〕
鳜〔鱖〕
鳝〔鱔〕
鳞〔鱗〕
鳟〔鱒〕

【乛】

骧〔驤〕

21 笔

颦〔顰〕
躏〔躪〕
鳢〔鱧〕
鳣〔鱣〕
癫〔癲〕
赣〔贛〕
灏〔灝〕

22 笔

鹳〔鸛〕
镶〔鑲〕

23 笔

趱〔趲〕
颧〔顴〕
躜〔躦〕

25 笔

𫓩〔钁〕
馕〔饢〕
戆〔戇〕

C. 从繁体查简体

7 笔

*〔車〕车
*〔夾〕夹
*〔貝〕贝
*〔見〕见
〔壯〕壮
〔妝〕妆

8 笔

【一】

*〔長〕长④
*〔亞〕亚
〔軋〕轧
*〔東〕东
*〔兩〕两
〔協〕协
*〔來〕来
*〔戔〕戋

【丨】

*〔門〕门
*〔岡〕冈

【丿】

*〔侖〕仑
〔兒〕儿

【乛】

〔狀〕状
〔糾〕纠

9 笔

【一】

〔剋〕克
〔軌〕轨
〔厙〕厍
*〔頁〕页
〔郟〕郏
〔剄〕刭
〔勁〕劲

【丨】

〔貞〕贞
〔則〕则
〔閂〕闩
〔迴〕回

【丿】

〔俠〕侠
〔係〕系
〔鳧〕凫
〔帥〕帅
〔後〕后
〔釓〕钆
〔釔〕钇
〔負〕负
*〔風〕风

【丶】

〔訂〕订
〔計〕计
〔訃〕讣
〔軍〕军
〔祇〕只

【乛】

〔陣〕阵
*〔韋〕韦
〔陝〕陕
〔陘〕陉
〔飛〕飞
〔紆〕纡
〔紅〕红
〔紂〕纣
〔紈〕纨
〔級〕级
〔約〕约
〔紇〕纥
〔紀〕纪
〔紉〕纫

10 笔

【一】

*〔馬〕马⑳
〔挾〕挟
〔貢〕贡
*〔華〕华
〔莢〕荚
〔莖〕茎
〔莧〕苋
〔莊〕庄(51)
〔軒〕轩
〔連〕连
〔軔〕轫
〔剗〕刬

【丨】

〔鬥〕斗
*〔時〕时

*〔畢〕毕
〔財〕财
〔貶〕贬
〔閃〕闪
〔唄〕呗
〔員〕员
*〔豈〕岂
〔峽〕峡
〔峴〕岘
〔剛〕刚
〔剮〕剐

【丿】

*〔氣〕气
〔郵〕邮
〔倀〕伥
〔倆〕俩
*〔條〕条㉝
〔們〕们
〔個〕个
〔倫〕伦
〔隻〕只
〔島〕岛
*〔烏〕乌㊱
*〔師〕师
〔徑〕径
〔釘〕钉
〔針〕针
〔釗〕钊
〔釙〕钋
〔釕〕钌
*〔殺〕杀
*〔倉〕仓
〔脅〕胁
〔狹〕狭
〔狽〕狈
*〔芻〕刍

【丶】

〔訐〕讦
〔訌〕讧
〔討〕讨
〔訕〕讪
〔訖〕讫
〔訓〕训
〔這〕这
〔訊〕讯
〔記〕记
〔凍〕冻
〔畝〕亩
〔庫〕库
〔浹〕浃
〔涇〕泾

【乛】

〔書〕书
〔陸〕陆
〔陳〕陈
*〔孫〕孙
*〔陰〕阴
〔務〕务
〔紜〕纭
〔純〕纯
〔紕〕纰
〔紗〕纱
〔納〕纳
〔紝〕纴
〔紛〕纷
〔紙〕纸
〔紋〕纹
〔紡〕纺
〔紖〕纼
〔紐〕纽
〔紓〕纾

11 笔

【一】

〔責〕责
〔現〕现
〔匭〕匦
〔規〕规
*〔殼〕壳⑮
〔埡〕垭
〔掗〕挜
〔捨〕舍
〔捫〕扪
〔掆〕㧏
〔堝〕埚
〔頂〕顶
〔掄〕抡
*〔執〕执
〔捲〕卷
〔掃〕扫
〔堊〕垩
〔萊〕莱
〔萵〕莴
〔乾〕干⑧
〔梘〕枧
〔軛〕轭
〔斬〕斩
〔軟〕软
*〔專〕专
*〔區〕区㉖
〔堅〕坚
*〔帶〕带
〔厠〕厕
〔硃〕朱
*〔麥〕麦
〔頃〕顷

【丨】

*〔鹵〕卤
〔處〕处
〔敗〕败
〔販〕贩
〔貶〕贬
〔啞〕哑
〔閉〕闭
〔問〕问
*〔婁〕娄
〔啢〕唡
*〔國〕国
〔喎〕㖞
〔帳〕帐
〔崬〕岽
〔崍〕崃
〔崗〕岗
〔圇〕囵
*〔過〕过

【丿】

〔氫〕氢
*〔動〕动
〔偵〕侦
〔側〕侧
〔貨〕货
*〔進〕进
〔梟〕枭
*〔鳥〕鸟㉔
〔偉〕伟
〔徠〕徕
〔術〕术㉛
*〔從〕从
〔釷〕钍
〔釺〕钎
〔釧〕钏
〔釤〕钐
〔釣〕钓
〔釩〕钒
〔鈙〕钕
〔釵〕钗
〔貪〕贪
〔覓〕觅
〔飥〕饦
〔貧〕贫
〔脛〕胫
*〔魚〕鱼

【丶】

〔詎〕讵
〔訝〕讶
〔訥〕讷
〔許〕许
〔訛〕讹
〔訢〕䜣
〔訩〕讻
〔訟〕讼
〔設〕设
〔訪〕访
〔訣〕诀
*〔產〕产
〔牽〕牵
〔烴〕烃
〔淶〕涞
〔淺〕浅
〔渦〕涡
〔淪〕沦
〔悵〕怅
〔鄆〕郓
〔啓〕启
〔視〕视

【乛】

*〔將〕将⑫
〔晝〕昼
〔張〕张
〔階〕阶
〔陽〕阳
*〔隊〕队
〔婭〕娅
〔媧〕娲
〔婦〕妇
〔習〕习
*〔參〕参
〔紺〕绀
〔紲〕绁
〔紱〕绂
〔組〕组
〔紳〕绅
〔紬〕䌷
〔細〕细
〔終〕终
〔絆〕绊
〔紼〕绋
〔絀〕绌
〔紹〕绍
〔紿〕绐
〔貫〕贯
*〔鄉〕乡

12 笔

【一】

〔貳〕贰
〔預〕预
*〔堯〕尧㊹
〔揀〕拣
〔馭〕驭
〔項〕项
〔賁〕贲
〔場〕场
〔揚〕扬
〔塊〕块
*〔達〕达
〔報〕报
〔揮〕挥
〔壺〕壶
〔惡〕恶
〔葉〕叶㊺
〔貰〕贳
*〔萬〕万
〔葷〕荤
〔喪〕丧
〔葦〕苇
〔葒〕荭
〔葤〕荮
〔棖〕枨
〔棟〕栋
〔棧〕栈
〔棡〕㭎
〔極〕极
〔軲〕轱
〔軻〕轲
〔軸〕轴
〔軼〕轶
〔軤〕轷
〔軫〕轸
〔軺〕轺
*〔畫〕画
〔腎〕肾
〔棗〕枣
〔硨〕砗
〔硤〕硖
〔硯〕砚
〔殘〕残
*〔雲〕云

【丨】

〔覘〕觇
〔睏〕困
〔貼〕贴
〔貺〕贶
〔貯〕贮
〔貽〕贻
〔閏〕闰
〔開〕开
〔閑〕闲
〔間〕间
〔閔〕闵
〔悶〕闷
〔貴〕贵
〔鄖〕郧
〔勛〕勋
*〔單〕单
〔喲〕哟
*〔買〕买
〔剴〕剀
〔凱〕凯
〔幀〕帧
〔嵐〕岚
〔幃〕帏
〔圍〕围

【丿】

*〔無〕无㊲
〔氬〕氩
*〔喬〕乔
*〔筆〕笔
*〔備〕备
〔貸〕贷
〔順〕顺
〔傖〕伧
〔傷〕㑇
〔傢〕家
〔鄔〕邬
〔衆〕众
〔復〕复
〔須〕须
〔鈃〕钘
〔鈣〕钙
〔鈈〕钚
〔鈦〕钛
〔鈁〕钘
〔鈍〕钝
〔鈔〕钞
〔鈉〕钠
〔鈐〕钤
〔欽〕钦
〔鈞〕钧
〔鈎〕钩
〔鈧〕钪
〔鈁〕钫
〔鈥〕钬
〔鈄〕钭
〔鈕〕钮
〔鈀〕钯
〔傘〕伞
〔爺〕爷
〔創〕创
〔飩〕饨
〔飪〕饪
〔飫〕饫
〔飭〕饬
〔飯〕饭
〔飲〕饮
*〔爲〕为
〔脹〕胀
〔腖〕胨
〔腡〕脶
〔勝〕胜
*〔猶〕犹
〔貿〕贸
〔鄒〕邹

【丶】

〔詁〕诂
〔訶〕诃
〔評〕评
〔詛〕诅
〔詗〕诇
〔詐〕诈
〔訴〕诉
〔診〕诊
〔詆〕诋
〔詞〕词
〔詘〕诎
〔詔〕诏
〔詒〕诒
〔馮〕冯
〔痙〕痉
〔勞〕劳
〔湞〕浈
〔測〕测
〔湯〕汤
〔淵〕渊
〔渢〕沨
〔渾〕浑
〔愜〕惬
〔惻〕恻
〔惲〕恽
〔惱〕恼
〔運〕运
〔補〕补
〔禍〕祸

【乛】

*〔尋〕寻
〔費〕费
〔違〕违
〔韌〕韧
〔隕〕陨
〔賀〕贺
*〔發〕发
〔綁〕绑
〔絨〕绒
〔結〕结
〔絝〕绔
〔經〕经
〔絎〕绗
〔給〕给
〔絢〕绚
〔絳〕绛
〔絡〕络
〔絞〕绞
〔統〕统
〔絕〕绝
〔絲〕丝
*〔幾〕几

13 笔

【一】

〔頊〕顼
〔琿〕珲
〔瑋〕玮
〔頑〕顽
〔載〕载
〔馱〕驮
〔馴〕驯
〔馳〕驰
〔塒〕埘
〔塤〕埙
〔損〕损
〔遠〕远
〔塏〕垲
〔勢〕势
〔搶〕抢
〔搗〕捣
〔塢〕坞
〔壼〕壸
*〔聖〕圣
〔蓋〕盖
〔蓮〕莲

〔蒔〕莳
〔蓽〕荜
〔夢〕梦
〔蒼〕苍
〔幹〕干
〔蓀〕荪
〔蔭〕荫
〔蒓〕莼
〔楨〕桢
〔楊〕杨
*〔嗇〕啬
〔楓〕枫
〔軾〕轼
〔輊〕轾
〔輅〕辂
〔較〕较
〔竪〕竖
〔賈〕贾
*〔匯〕汇
〔電〕电
〔頓〕顿
〔盞〕盏

【丨】

*〔歲〕岁
*〔虜〕虏
*〔業〕业
*〔當〕当
〔睞〕睐
〔賊〕贼
〔賄〕贿
〔賂〕赂
〔賅〕赅
〔嗎〕吗
〔嘩〕哗
〔嗊〕唝
〔暘〕旸
〔閘〕闸
*〔黽〕黾㉓
〔暈〕晕
〔號〕号
〔園〕园
〔蛺〕蛱
〔蜆〕蚬
*〔農〕农
〔嗩〕唢
〔嗶〕哔
〔嗚〕呜
〔嗆〕呛
〔圓〕圆
〔骯〕肮

【丿】

〔筧〕笕
*〔節〕节
*〔與〕与
〔債〕债
〔僅〕仅
〔傳〕传
〔傴〕伛
〔傾〕倾
〔僂〕偻
〔賃〕赁
〔傷〕伤
〔傭〕佣
〔梟〕枭
〔頎〕颀
〔鈺〕钰
〔鉦〕钲
〔鉗〕钳
〔鈷〕钴
〔鉢〕钵
〔鉅〕钜
〔鈳〕钶
〔鈸〕钹
〔鉞〕钺
〔鉬〕钼
〔鉏〕钽
〔鉀〕钾
〔鈾〕铀
〔鈿〕钿
〔鉑〕铂
〔鈴〕铃
〔鉛〕铅
〔鉚〕铆
〔鈰〕铈
〔鉉〕铉
〔鉈〕铊
〔鉍〕铋
〔鈮〕铌
〔鈹〕铍
*〔僉〕佥
*〔會〕会
〔亂〕乱
*〔愛〕爱
〔飾〕饰
〔飽〕饱
〔飼〕饲
〔飿〕饳
〔飴〕饴
〔頒〕颁
〔頌〕颂
〔腸〕肠
〔腫〕肿
〔腦〕脑
〔魛〕鱽
〔像〕象㊶
〔獁〕犸
〔鳩〕鸠
〔獅〕狮
〔猻〕狲

【丶】

〔誆〕诓
〔誄〕诔
〔試〕试
〔詿〕诖
〔詩〕诗
〔詰〕诘
〔誇〕夸
〔詼〕诙
〔誠〕诚
〔誅〕诛
〔話〕话
〔誕〕诞
〔詬〕诟
〔詮〕诠
〔詭〕诡
〔詢〕询
〔詣〕诣
〔諍〕诤
〔該〕该
〔詳〕详
〔詫〕诧
〔詡〕诩
〔裏〕里
〔準〕准
〔頏〕颃
〔資〕资
〔羥〕羟
*〔義〕义㊻
〔煉〕炼
〔煩〕烦
〔煬〕炀
〔塋〕茔
〔煢〕茕
〔煒〕炜
〔遞〕递
〔溝〕沟
〔漣〕涟
〔滅〕灭
〔溳〕涢
〔滌〕涤
〔溮〕浉
〔塗〕涂
〔滄〕沧
〔愷〕恺
〔愾〕忾
〔愴〕怆
〔㥮〕㤘
〔窩〕窝
〔禎〕祯
〔禕〕祎

【乛】

*〔肅〕肃㉜
〔裝〕装
〔遜〕逊
〔際〕际
〔媽〕妈
〔預〕预
〔疊〕迭⑤
〔綆〕绠
〔經〕经
〔綃〕绡
〔絹〕绢
〔綉〕绣
〔綏〕绥
〔綈〕绨
〔彙〕汇

14 笔

【一】

〔瑪〕玛
〔璉〕琏
〔瑣〕琐
〔瑲〕玱
〔駁〕驳
〔摶〕抟
〔摳〕抠
〔趙〕赵
〔趕〕赶
〔摟〕搂
〔摑〕掴
〔臺〕台
〔撾〕挝
〔摯〕挚
*〔壽〕寿
〔摺〕折㊾
〔摻〕掺
〔摜〕掼
〔勩〕勚
〔蔞〕蒌
〔蔦〕茑
〔蓯〕苁
〔蔔〕卜
〔蔣〕蒋
〔薌〕芗
〔構〕构
〔樺〕桦
〔榿〕桤
〔覡〕觋
〔槍〕枪
〔輒〕辄
〔輔〕辅
〔輕〕轻
〔塹〕堑
〔匱〕匮
*〔監〕监
〔緊〕紧
〔厲〕厉
*〔厭〕厌
〔碩〕硕
〔碭〕砀
〔磠〕硵
〔奩〕奁
*〔爾〕尔
〔奪〕夺
〔殞〕殒
〔鳶〕鸢
〔巰〕巯

【丨】

*〔對〕对
〔幣〕币
〔彆〕别
*〔嘗〕尝③
〔嘖〕啧
〔曄〕晔
〔夥〕伙⑩
〔賑〕赈
〔賒〕赊
〔嘆〕叹
〔暢〕畅
〔嘍〕喽
〔閨〕闺
〔聞〕闻
〔閩〕闽
〔閭〕闾
〔閥〕阀
〔閤〕合
〔閣〕阁
〔閡〕阂
〔閿〕阌
〔嘔〕呕
〔蝸〕蜗
〔團〕团
〔嘍〕喽
〔鄲〕郸
〔鳴〕鸣
〔幘〕帻
〔嶄〕崭
〔嶇〕岖
〔罰〕罚
〔嶁〕嵝
〔幗〕帼
〔圖〕图

【丿】

〔製〕制
〔種〕种
〔稱〕称
〔箋〕笺
〔僥〕侥
〔僨〕偾
〔僕〕仆㉗
〔僑〕侨
〔僞〕伪
〔銜〕衔
〔鍘〕铡
〔銬〕铐
〔銠〕铑
〔鉺〕铒
〔鋩〕铓
〔銪〕铕
〔鋁〕铝
〔銅〕铜
〔銱〕铞
〔銦〕铟
〔銖〕铢
〔銑〕铣
〔銩〕铥
〔鋌〕铤
〔銓〕铨
〔鉿〕铪
〔銚〕铫
〔銘〕铭
〔鉻〕铬
〔錚〕铮
〔銫〕铯
〔鉸〕铰
〔銥〕铱
〔銃〕铳
〔銨〕铵
〔銀〕银
〔銣〕铷
〔戧〕戗
〔餌〕饵
〔蝕〕蚀
〔餉〕饷
〔餄〕饸
〔餎〕饹
〔餃〕饺
〔餏〕饻
〔餅〕饼
〔領〕领
〔鳳〕凤
〔颱〕台
〔獄〕狱

【丶】

〔誡〕诫
〔誣〕诬
〔語〕语
〔誚〕诮
〔誤〕误
〔誥〕诰
〔誘〕诱
〔誨〕诲
〔誑〕诳
〔說〕说
〔認〕认
〔誦〕诵
〔誒〕诶
*〔廣〕广
〔麼〕么㉒
〔廎〕庼
〔瘧〕疟
〔瘍〕疡
〔瘋〕疯
〔塵〕尘
〔颯〕飒
〔適〕适㊿
*〔齊〕齐
〔養〕养
〔鄰〕邻
*〔鄭〕郑
〔燁〕烨
〔熗〕炝
〔榮〕荣
〔滎〕荥
〔犖〕荦
〔熒〕荧
〔漬〕渍
〔漢〕汉
〔滿〕满
〔漸〕渐
〔漚〕沤
〔滯〕滞
〔滷〕卤
〔漊〕溇
〔漁〕渔
〔滸〕浒
〔滻〕浐
〔滬〕沪
〔漲〕涨
〔滲〕渗
〔慚〕惭
〔慪〕怄
〔慳〕悭
〔慟〕恸
〔慘〕惨
〔慣〕惯
〔寬〕宽
*〔賓〕宾
〔窪〕洼
*〔寧〕宁㉕
〔寢〕寝
〔實〕实
〔皸〕皲
〔複〕复

【乛】

〔劃〕划
*〔盡〕尽
〔屢〕屡
〔奬〕奖⑫
〔墮〕堕
〔隨〕随
〔韍〕韨
〔墜〕坠
〔嫗〕妪
〔頗〕颇
〔態〕态
〔鄧〕邓
〔緒〕绪
〔綾〕绫
〔綺〕绮
〔綫〕线
〔緋〕绯
〔綽〕绰
〔緄〕绲
〔綱〕纲
〔網〕网
〔維〕维
〔綿〕绵

〔綸〕纶
〔綬〕绶
〔綳〕绷
〔綢〕绸
〔綹〕绺
〔綣〕绻
〔綜〕综
〔綻〕绽
〔綰〕绾
〔緑〕绿
〔綴〕缀
〔緇〕缁

15 笔

【一】

〔鬧〕闹⑭
〔璡〕琎
〔靚〕靓
〔輦〕辇
〔髮〕发
〔撓〕挠
〔墳〕坟
〔撻〕挞
〔駔〕驵
〔駛〕驶
〔駟〕驷
〔駙〕驸
〔駒〕驹
〔駐〕驻
〔駝〕驼
〔駘〕骀
〔撲〕扑
〔頡〕颉
〔撣〕掸
*〔賣〕卖㉑
〔撫〕抚
〔撟〕挢
〔撳〕揿
〔熱〕热
〔鞏〕巩
〔摯〕挚
〔撈〕捞
〔穀〕谷
〔慤〕悫
〔撏〕挦
〔撥〕拨
〔蕘〕荛
〔蕆〕蒇
〔蕓〕芸
〔邁〕迈
〔蕢〕蒉
〔蕒〕荬
〔蕪〕芜
〔蕎〕荞
〔蕕〕莸
〔蕩〕荡
〔蕁〕荨
〔樁〕桩
〔樞〕枢
〔標〕标
〔樓〕楼
〔樅〕枞
〔麩〕麸
〔賫〕赍
〔樣〕样
〔橢〕椭
〔輛〕辆
〔輥〕辊
〔輞〕辋
〔槧〕椠
〔暫〕暂
〔輪〕轮
〔輟〕辍
〔輜〕辎
〔甌〕瓯
〔歐〕欧
〔毆〕殴
〔賢〕贤
*〔遷〕迁
〔鴯〕鸸
〔憂〕忧
〔碼〕码
〔磑〕硙
〔確〕确
〔賚〕赉
〔遼〕辽
〔殤〕殇
〔鴉〕鸦

【丨】

〔輩〕辈
〔劌〕刿
*〔齒〕齿
〔劇〕剧
〔膚〕肤
*〔慮〕虑
〔鄴〕邺
〔輝〕辉
〔賞〕赏㉙
〔賦〕赋
〔睛〕睛
〔賬〕账
〔賭〕赌
〔賤〕贱
〔賜〕赐
〔賙〕赒
〔賠〕赔
〔賧〕赕
〔曉〕晓
〔噴〕喷
〔噠〕哒
〔噁〕恶
〔閫〕阃
〔閩〕闽
〔閱〕阅
〔閬〕阆
〔數〕数
〔踐〕践
〔遺〕遗
〔蝦〕虾
〔嘸〕呒
〔嘮〕唠
〔噝〕咝
〔嘰〕叽
〔嶢〕峣
*〔罷〕罢
〔嶠〕峤
〔嶔〕嵚
〔幟〕帜
〔嶗〕崂

【丿】

〔頲〕颋
〔篋〕箧
〔範〕范
〔價〕价
〔儂〕侬
〔儉〕俭
〔儈〕侩
〔億〕亿
〔儀〕仪
〔皚〕皑
*〔樂〕乐
*〔質〕质
〔徵〕征㊿
〔衝〕冲
〔慫〕怂
〔徹〕彻
〔衛〕卫
〔盤〕盘
〔鋪〕铺
〔鋏〕铗
〔鋱〕铽
〔銷〕销
〔鋥〕锃
〔鋰〕锂
〔鋇〕钡
〔鋤〕锄
〔鋯〕锆
〔鋨〕锇
〔銹〕锈
〔銼〕锉
〔鋒〕锋
〔鋅〕锌
〔鋭〕锐
〔銻〕锑
〔鋃〕锒
〔鋟〕锓
〔鋦〕锔
〔鋦〕锔
〔頜〕颌
〔劍〕剑
〔劊〕刽
〔鄶〕郐
〔餑〕饽
〔餓〕饿
〔餘〕余㊼
〔餒〕馁
〔膞〕䏝
〔膕〕腘
〔膠〕胶
〔鴇〕鸨
〔魷〕鱿
〔魯〕鲁
〔魴〕鲂
〔潁〕颍
〔颳〕刮
*〔劉〕刘
〔皺〕皱

【丶】

〔請〕请
〔諸〕诸
〔諏〕诹
〔諾〕诺
〔諑〕诼
〔誹〕诽
〔課〕课
〔諉〕诿
〔諛〕谀
〔誰〕谁
〔論〕论
〔諗〕谂
〔調〕调
〔諂〕谄
〔諒〕谅
〔諄〕谆
〔誶〕谇
〔談〕谈
〔誼〕谊
〔廟〕庙
〔廠〕厂
〔廡〕庑
〔瘞〕瘗
〔瘡〕疮
〔賡〕赓
〔慶〕庆㉘
〔廢〕废
〔敵〕敌
〔頦〕颏
〔導〕导
〔瑩〕莹
〔潔〕洁
〔澆〕浇
〔澾〕汰
〔潤〕润
〔澗〕涧
〔潰〕溃
〔潿〕涠
〔潷〕滗
〔潙〕沩
〔澇〕涝
〔潯〕浔
〔潑〕泼
〔憤〕愤
〔憫〕悯
〔憒〕愦
〔憚〕惮
〔憮〕怃
〔憐〕怜
*〔寫〕写㊷
*〔審〕审
*〔窮〕穷
〔褳〕裢
〔褲〕裤
〔鴆〕鸩

【乛】

〔遲〕迟
〔層〕层
〔彈〕弹
〔選〕选
〔槳〕桨⑫
〔漿〕浆⑫
〔險〕险
〔嬈〕娆
〔嫻〕娴
〔駕〕驾
〔嬋〕婵
〔嫵〕妩
〔嬌〕娇
〔媯〕妫
〔嫿〕婳
〔駑〕驽
〔翬〕翚
〔毿〕毵
〔緙〕缂
〔緗〕缃
〔練〕练
〔緘〕缄
〔緬〕缅
〔緹〕缇
〔緲〕缈
〔緝〕缉
〔縕〕缊
〔緦〕缌
〔緞〕缎
〔緱〕缑
〔縋〕缒
〔緩〕缓
〔締〕缔
〔編〕编
〔緡〕缗
〔緯〕纬
〔緣〕缘

16 笔

【一】

〔璣〕玑
〔墻〕墙
〔駱〕骆
〔駭〕骇
〔駢〕骈
〔擓〕㧟
〔擄〕掳
〔擋〕挡
〔擇〕择
〔赬〕赪
〔撿〕捡
〔擔〕担
〔壇〕坛
〔擁〕拥
〔據〕据
〔薔〕蔷
〔薑〕姜
〔薈〕荟
〔薊〕蓟
*〔薦〕荐
〔蕭〕萧
〔頤〕颐
〔鴣〕鸪
〔薩〕萨
〔蕷〕蓣
〔橈〕桡
〔樹〕树
〔樸〕朴
〔橋〕桥
〔機〕机
〔輳〕辏
〔輻〕辐
〔輯〕辑
〔輸〕输
〔賴〕赖
〔頭〕头
〔醞〕酝
〔醜〕丑
〔勵〕励
〔磧〕碛
〔磚〕砖
〔磣〕碜
*〔歷〕历
〔曆〕历
〔奮〕奋
〔頰〕颊
〔殨〕殨
〔殫〕殚
〔頸〕颈

【丨】

〔頻〕频
*〔盧〕卢
〔曉〕晓
〔瞞〕瞒
〔縣〕县㊵
〔瞘〕眍
〔瞜〕瞜
〔賵〕赗
〔鴨〕鸭
〔閾〕阈
〔閹〕阉
〔閶〕阊
〔閿〕阌
〔閽〕阍
〔閻〕阎
〔閼〕阏
〔曇〕昙
〔噸〕吨
〔鴞〕鸮
〔噦〕哕
〔踴〕踊
〔螞〕蚂
〔螄〕蛳
〔噹〕当
〔罵〕骂
〔噥〕哝
〔戰〕战
〔噲〕哙
〔鴦〕鸯
〔噯〕嗳
〔嘯〕啸
〔還〕还
〔嶧〕峄
〔嶼〕屿

【丿】

〔積〕积
〔頹〕颓
〔穇〕䅟
〔篤〕笃
〔築〕筑
〔篳〕筚
〔篩〕筛
*〔舉〕举
〔興〕兴
〔嚳〕喾
〔學〕学
〔儔〕俦
〔憊〕惫
〔儕〕侪
〔儐〕傧
〔儘〕尽
〔鴕〕鸵
〔艙〕舱
〔錶〕表
〔鍺〕锗
〔錯〕错
〔鍩〕锘
〔錨〕锚
〔錛〕锛
〔錸〕铼
〔錢〕钱
〔鍀〕锝
〔錁〕锞
〔錕〕锟
〔鍆〕钔
〔錫〕锡

〔錮〕锢
〔鋼〕钢
〔鍋〕锅
〔錘〕锤
〔錐〕锥
〔錦〕锦
〔鍁〕锨
〔錇〕锫
〔錠〕锭
〔鍵〕键
*〔錄〕录
〔鋸〕锯
〔錳〕锰
〔錙〕锱
〔覦〕觎
〔墾〕垦
〔餞〕饯
〔餜〕馃
〔餛〕馄
〔餡〕馅
〔館〕馆
〔頷〕颔
〔鴒〕鸰
〔膩〕腻
〔鴟〕鸱
〔鮁〕鲅
〔鮃〕鲆
〔鮎〕鲇
〔鮓〕鲊
〔穌〕稣
〔鮒〕鲋
〔鮣〕䲟
〔鮑〕鲍
〔鮍〕鲏
〔鮐〕鲐
〔鴝〕鸲
〔獲〕获
〔穎〕颖
〔獨〕独
〔獫〕猃
〔獪〕狯
〔鴛〕鸳

【丶】

〔謀〕谋
〔諶〕谌
〔諜〕谍
〔謊〕谎
〔諫〕谏
〔諧〕谐
〔謔〕谑
〔謁〕谒
〔謂〕谓
〔諤〕谔
〔諭〕谕
〔諼〕谖
〔諷〕讽
〔諮〕谘
〔諳〕谙
〔諺〕谚
〔諦〕谛
〔謎〕谜
〔諢〕诨
〔諞〕谝
〔諱〕讳
〔諝〕谞
〔憑〕凭
〔鄺〕邝
〔瘻〕瘘
〔瘮〕瘆
*〔親〕亲
〔辦〕办
*〔龍〕龙
〔劑〕剂
〔燒〕烧
〔燜〕焖
〔熾〕炽
〔螢〕萤
〔營〕营
〔縈〕萦
〔燈〕灯
〔濛〕蒙
〔燙〕烫
〔澠〕渑
〔濃〕浓
〔澤〕泽
〔濁〕浊
〔澮〕浍
〔澱〕淀
〔澦〕滪
〔懞〕蒙
〔懌〕怿
〔憶〕忆
〔憲〕宪
〔窺〕窥
〔窶〕窭
〔窵〕窎
〔褸〕褛
〔禪〕禅

【乛】

*〔隱〕隐
〔嬙〕嫱
〔嬡〕嫒
〔縉〕缙
〔縝〕缜
〔縛〕缚
〔縟〕缛
〔緻〕致
〔縧〕绦
〔縫〕缝
〔縐〕绉
〔縗〕缞
〔縞〕缟
〔縭〕缡
〔縑〕缣
〔縊〕缢

17 笔

【一】

〔耬〕耧
〔環〕环
〔贅〕赘
〔璦〕瑷
〔覯〕觏
〔黿〕鼋
〔幫〕帮
〔騁〕骋
〔駸〕骎
〔駿〕骏
〔趨〕趋
〔擱〕搁
〔擬〕拟
〔擴〕扩
〔壙〕圹
〔擠〕挤
〔蟄〕蛰
〔縶〕絷
〔擲〕掷
〔擯〕摈
〔擰〕拧
〔轂〕毂
〔聲〕声
〔藉〕借⑬
〔聰〕聪
〔聯〕联
〔艱〕艰
〔藍〕蓝
〔舊〕旧
〔薺〕荠
〔藎〕荩
〔韓〕韩
〔隸〕隶
〔檉〕柽
〔檣〕樯
〔檟〕槚
〔檔〕档
〔櫛〕栉
〔檢〕检
〔檜〕桧
〔麯〕曲
〔轅〕辕
〔轄〕辖
〔輾〕辗
〔擊〕击
〔臨〕临⑱
〔磽〕硗
〔壓〕压㊸
〔礄〕硚
〔磯〕矶
〔鴯〕鸸
〔邇〕迩
〔尷〕尴
〔鷙〕鸷
〔殮〕殓

【丨】

〔齔〕龀
〔戲〕戏
〔虧〕亏
〔斃〕毙
〔瞭〕了
〔顆〕颗
〔購〕购
〔賻〕赙
〔嬰〕婴
〔賺〕赚
〔嚇〕吓㊳
〔闌〕阑
〔闃〕阒
〔闆〕板
〔闊〕阔
〔闈〕闱
〔闋〕阕
〔曖〕暧
〔蹕〕跸
〔蹌〕跄
〔蟎〕螨
〔螻〕蝼
〔蟈〕蝈
〔雖〕虽
〔嚀〕咛
〔覬〕觊
〔嶺〕岭⑲
〔嶸〕嵘
〔點〕点

【丿】

〔矯〕矫
〔鴰〕鸹
〔簀〕箦
〔簍〕篓
〔輿〕舆
〔歟〕欤
〔鵂〕鸺
*〔龜〕龟
〔優〕优
〔償〕偿
〔儲〕储
〔魎〕魉
〔鴴〕鸻
〔禦〕御
〔聳〕耸
〔鵃〕鸼
〔鍥〕锲
〔鍇〕锴
〔鍘〕铡
〔鍚〕钖
〔鍶〕锶
〔鍔〕锷
〔鍤〕锸
〔鍾〕钟
〔鍛〕锻
〔鎪〕锼
〔鍬〕锹
〔鍰〕锾
〔鎄〕锿
〔鍍〕镀
〔鎂〕镁
〔鎡〕镃
〔鎇〕镅
〔懇〕恳
〔餷〕馇
〔餳〕饧
〔餶〕馉
〔餿〕馊
〔斂〕敛
〔鴿〕鸽
〔膿〕脓
〔臉〕脸
〔膾〕脍
〔膽〕胆
〔謄〕誊
〔鮭〕鲑
〔鮚〕鲒
〔鮪〕鲔
〔鮦〕鲖
〔鮫〕鲛
〔鮮〕鲜
〔颸〕飔
〔獷〕犷
〔獰〕狞

【丶】

〔講〕讲
〔謨〕谟
〔謖〕谡
〔謝〕谢
〔謠〕谣
〔謅〕诌
〔謗〕谤
〔謚〕谥
〔謙〕谦
〔謐〕谧
〔褻〕亵
〔氈〕毡
〔應〕应
〔癘〕疠
〔療〕疗
〔癇〕痫
〔癉〕瘅
〔癆〕痨
〔鵁〕䴔
〔齋〕斋
〔鯗〕鲞
〔鮺〕鲝
〔糞〕粪
〔糝〕糁
〔燦〕灿
〔燭〕烛
〔燴〕烩
〔鴻〕鸿
〔濤〕涛
〔濫〕滥
〔濕〕湿
〔濟〕济
〔濱〕滨
〔濘〕泞
〔濜〕浕
〔澀〕涩
〔濰〕潍
〔懨〕恹
〔賽〕赛
〔襇〕裥
〔襀〕䙌
〔襖〕袄
〔禮〕礼

【乛】

〔屨〕屦
〔彌〕弥
〔嬪〕嫔
〔績〕绩
〔縹〕缥
〔縷〕缕
〔縵〕缦
〔縲〕缧
〔總〕总
〔縱〕纵
〔縴〕纤
〔縮〕缩
〔繆〕缪
〔繅〕缫
〔嚮〕向

18 笔

【一】

〔耮〕耢
〔鬩〕阋⑭
〔瓊〕琼
〔攆〕撵
〔鬆〕松
〔翹〕翘
〔擷〕撷
〔擾〕扰
〔騏〕骐
〔騎〕骑
〔騍〕骒
〔騅〕骓
〔攄〕摅
〔擻〕擞
〔鼕〕冬
〔擺〕摆
〔贄〕贽
〔燾〕焘
*〔聶〕聂
〔聵〕聩
〔職〕职
*〔藝〕艺
〔覲〕觐
〔鞦〕秋
〔藪〕薮
〔蠆〕虿
〔繭〕茧
〔藥〕药
〔藭〕䓖
〔賾〕赜
〔蘊〕蕴
〔檯〕台
〔櫃〕柜
〔檻〕槛
〔櫚〕榈
〔檳〕槟
〔檸〕柠
〔鵓〕鹁
〔轉〕转
〔轆〕辘
〔覆〕复⑦
〔醫〕医
〔礎〕础
〔殯〕殡
〔霧〕雾

【丨】

*〔豐〕丰⑥
〔覷〕觑
〔懟〕怼
〔叢〕丛
〔矇〕蒙
〔題〕题
〔韙〕韪
〔瞼〕睑
〔闖〕闯
〔闔〕阖
〔闐〕阗
〔闓〕闿
〔闕〕阙
〔顒〕颙
〔曠〕旷
〔蹣〕蹒
〔嚙〕啮
〔壘〕垒
〔蟯〕蛲
*〔蟲〕虫
〔蟬〕蝉
〔蟣〕虮
〔鵑〕鹃
〔嚕〕噜
〔顓〕颛

【丿】

〔鵠〕鹄
〔鵝〕鹅
〔穫〕获
〔穡〕穑
〔穢〕秽
〔簡〕简
〔簣〕篑
〔簞〕箪
*〔雙〕双
〔軀〕躯
*〔邊〕边
*〔歸〕归
〔鏵〕铧

〔鎮〕镇
〔鏈〕链
〔鎘〕镉
〔鎖〕锁
〔鎧〕铠
〔鎸〕镌
〔鎳〕镍
〔鎢〕钨
〔鎩〕铩
〔鎿〕镎
〔鎦〕镏
〔鎬〕镐
〔鎊〕镑
〔鎰〕镒
〔鎵〕镓
〔鎓〕𬭩
〔鶬〕鸧
〔饃〕馍
〔餺〕馎
〔餼〕饩
〔餾〕馏
〔饈〕馐
〔臍〕脐
〔鯁〕鲠
〔鯉〕鲤
〔鯀〕鲧
〔鯇〕鲩
〔鯽〕鲫
〔颸〕飔
〔颼〕飕
〔觴〕觞
〔獵〕猎
〔雛〕雏
〔臏〕膑

【、】
〔謹〕谨
〔謳〕讴
〔謾〕谩
〔謫〕谪
〔謭〕谫
〔謬〕谬
〔癤〕疖
〔雜〕杂
*〔離〕离
〔顏〕颜
〔糧〕粮
〔燼〕烬
〔鵜〕鹈
〔瀆〕渎
〔[illegible]〕[illegible]
〔濾〕滤
〔鯊〕鲨
〔濺〕溅
〔瀏〕浏
〔濼〕泺
〔瀉〕泻
〔瀋〕沈
*〔竄〕窜
〔竅〕窍
〔額〕额
〔禰〕祢
〔襠〕裆
〔襝〕裣
〔禱〕祷

【乛】
〔醬〕酱⑫
〔韞〕韫
〔隴〕陇
〔嬸〕婶
〔繞〕绕
〔繚〕缭
〔織〕织
〔繕〕缮
〔繒〕缯
*〔斷〕断

19 笔

【一】
〔鵡〕鹉
〔鶓〕鹋
〔鬍〕胡
〔騙〕骗
〔騷〕骚
〔壢〕坜
〔壚〕垆
〔壞〕坏⑨
〔攏〕拢
〔攆〕撵
*〔難〕难
〔鵲〕鹊
〔藶〕苈
〔蘋〕苹
〔蘆〕芦
〔鶘〕鹕
〔藺〕蔺
〔躉〕趸
〔蘄〕蕲
〔勸〕劝
〔蘇〕苏
〔藹〕蔼
〔龍〕龙
〔顛〕颠
〔櫝〕椟
〔櫟〕栎
〔櫓〕橹
〔櫧〕槠
〔櫞〕橼
〔轎〕轿
〔鏨〕錾
〔轍〕辙
〔轔〕辚
〔繫〕系⑪
〔鶇〕鸫
*〔麗〕丽⑰
〔厴〕厣
〔礪〕砺
〔礙〕碍
〔礦〕矿
〔贋〕赝
〔願〕愿
〔鵪〕鹌
〔璽〕玺
〔豶〕豮

【丨】
〔贈〕赠
〔闞〕阚
〔關〕关
〔嚦〕呖
〔疇〕畴
〔蹺〕跷
〔蟶〕蛏
〔蠅〕蝇
〔蟻〕蚁
*〔嚴〕严
〔獸〕兽
〔嚨〕咙
〔羆〕罴
*〔羅〕罗

【丿】
〔氌〕氇
〔犢〕犊
〔贊〕赞
〔穩〕稳
〔簽〕签
〔簾〕帘
〔簫〕箫
〔牘〕牍
〔懲〕惩
〔鐯〕𫓹
〔鏗〕铿
〔鏢〕镖
〔鏜〕镗
〔鏤〕镂
〔鏝〕镘
〔鏰〕镚
〔鏞〕镛
〔鏡〕镜
〔鏟〕铲
〔鏑〕镝
〔鏃〕镞
〔鏇〕旋
〔鏘〕锵
〔辭〕辞
〔饉〕馑
〔饅〕馒
〔鵬〕鹏
〔臘〕腊
〔鯖〕鲭
〔鯪〕鲮
〔鯫〕鲰
〔鯡〕鲱
〔鯤〕鲲
〔鯧〕鲳
〔鯢〕鲵
〔鯰〕鲶
〔鯛〕鲷
〔鯨〕鲸
〔鯔〕鲻
〔獺〕獭
〔鵮〕鹐
〔飀〕飗

【、】
〔譚〕谭
〔譖〕谮
〔譙〕谯
〔識〕识
〔譜〕谱
〔證〕证
〔譎〕谲
〔譏〕讥
〔鶉〕鹑
〔廬〕庐
〔癟〕瘪
〔癢〕痒
〔龐〕庞
〔壟〕垄
〔鶊〕鹒
〔類〕类⑯
〔爍〕烁
〔瀟〕潇
〔瀨〕濑
〔瀝〕沥
〔瀕〕濒
〔瀘〕泸
〔瀧〕泷
〔懶〕懒
〔懷〕怀
〔寵〕宠
〔襪〕袜㉟
〔襤〕褴

【乛】
〔韜〕韬
〔騭〕骘
〔騖〕骛
〔顙〕颡
〔繮〕缰
〔繩〕绳
〔繾〕缱
〔繰〕缲
〔繹〕绎
〔繯〕缳
〔繳〕缴
〔繪〕绘

20 笔

【一】
〔瓏〕珑
〔鶩〕鹜
〔驊〕骅
〔騮〕骝
〔騶〕驺
〔騸〕骟
〔攖〕撄
〔攔〕拦
〔攙〕搀
〔聹〕聍
〔顢〕颟
〔驀〕蓦
〔蘭〕兰
〔蘞〕蔹
〔蘚〕藓
〔鶘〕鹕
〔飄〕飘
〔櫪〕枥
〔櫨〕栌
〔櫸〕榉
〔礬〕矾
〔麵〕面
〔櫬〕榇
〔櫳〕栊
〔礫〕砾

【丨】
〔鹹〕咸
〔鹺〕鹾
〔齟〕龃
〔齡〕龄
〔齣〕出
〔齙〕龅
〔齠〕龆
*〔獻〕献
*〔黨〕党
〔懸〕悬
〔鶪〕䴗
〔罌〕罂
〔贍〕赡
〔闥〕闼
〔闡〕阐
〔鶡〕鹖
〔曨〕昽
〔蠣〕蛎
〔蠐〕蛴
〔蠑〕蝾
〔嚶〕嘤
〔鶚〕鹗
〔髏〕髅
〔鶻〕鹘

【丿】
〔犧〕牺
〔鶖〕鹙
〔籌〕筹
〔籃〕篮
〔譽〕誉
〔覺〕觉
〔嚳〕喾
〔衊〕蔑
〔艦〕舰
〔鐃〕铙
〔鐝〕镢
〔鐐〕镣
〔鏷〕镤
〔鐦〕锎
〔鐧〕锏
〔鐓〕镦
〔鐘〕钟
〔鐥〕𫓧
〔鐠〕镨
〔鐒〕铹
〔鐋〕铴
〔鐨〕镄
〔鐙〕镫
〔鏺〕钹
〔釋〕释
〔饒〕饶
〔饊〕馓
〔饋〕馈
〔饌〕馔
〔饑〕饥
〔臚〕胪
〔朧〕胧
〔騰〕腾
〔鰆〕䲠
〔鰈〕鲽
〔鰂〕鲗
〔鰛〕鳁
〔鰓〕鳃
〔鰐〕鳄
〔鰍〕鳅
〔鰒〕鳆
〔鰉〕鳇
〔鰌〕䲡
〔鯿〕鳊
〔獼〕猕
〔觸〕触

【、】
〔護〕护
〔譴〕谴
〔譯〕译
〔譫〕谵
〔議〕议
〔癥〕症
〔辮〕辫
〔龔〕龚
〔競〕竞
〔贏〕赢
〔糲〕粝
〔糰〕团
〔鷀〕鹚
〔爐〕炉
〔瀾〕澜
〔瀲〕潋
〔瀰〕弥
〔懺〕忏
〔寶〕宝
〔騫〕骞
〔竇〕窦
〔襬〕摆

【乛】
〔鶥〕鹛
〔鶩〕鹜
〔纊〕纩
〔繽〕缤
〔繼〕继
〔饗〕飨
〔響〕响

21 笔

【一】
〔耮〕耢
〔瓔〕璎
〔鰲〕鳌
〔攝〕摄
〔騾〕骡
〔驅〕驱
〔驃〕骠
〔驄〕骢
〔驂〕骖
〔擻〕擞
〔攛〕撺
〔韃〕鞑
〔鞽〕鞒
〔歡〕欢
〔權〕权
〔櫻〕樱
〔欄〕栏
〔轟〕轰
〔覽〕览
〔酈〕郦
〔飆〕飙
〔殲〕歼

【丨】
〔齜〕龇
〔齦〕龈
〔[illegible]〕[illegible]
〔贐〕赆
〔囁〕嗫
〔囈〕呓
〔闢〕辟
〔囀〕啭
〔顥〕颢
〔躊〕踌
〔躋〕跻
〔躑〕踯
〔躍〕跃
〔纍〕累
〔蠟〕蜡
〔囂〕嚣
〔巋〕岿
〔髒〕脏

【丿】
〔儺〕傩
〔儷〕俪
〔儼〕俨

〔鷊〕鹝
〔鐵〕铁
〔鑊〕镬
〔鐳〕镭
〔鐺〕铛
〔鐸〕铎
〔鐶〕镮
〔鐲〕镯
〔鐮〕镰
〔鐿〕镱
〔鶺〕鹡
〔鷂〕鹞
〔鷄〕鸡
〔鶬〕鸧
〔臟〕脏
〔臕〕臕
〔鰭〕鳍
〔鰱〕鲢
〔鰣〕鲥
〔鰨〕鳎
〔鰥〕鳏
〔鰷〕鲦
〔鰟〕鳑
〔鰜〕鳒
【丶】
〔癩〕癞
〔癧〕疬
〔癮〕瘾
〔斕〕斓
〔辯〕辩
〔礱〕砻
〔鶿〕鹚
〔爛〕烂
〔鶯〕莺
〔灄〕滠
〔灃〕沣
〔灕〕漓
〔懾〕慑
〔懼〕惧
〔竈〕灶
〔顧〕顾
〔襯〕衬
〔鶴〕鹤
【乛】
*〔屬〕属
〔纈〕缬
〔續〕续
〔纏〕缠②

22 笔

【一】
〔鬚〕须
〔驍〕骁
〔驕〕骄
〔攤〕摊
〔覿〕觌
〔攢〕攒
〔鷙〕鸷
〔聽〕听
〔蘿〕萝
〔驚〕惊
〔轢〕轹
〔鷗〕鸥
〔鑒〕鉴
〔邐〕逦
〔鷖〕鹥
〔霽〕霁
【丨】
〔齬〕龉
〔齪〕龊
〔鼈〕鳖
〔贖〕赎
〔躚〕跹
〔躓〕踬
〔蠨〕蟏
〔囌〕苏
〔囉〕罗
〔囑〕嘱
〔囅〕冁
〔巔〕巅
〔邏〕逻
〔體〕体
【丿】
〔罎〕坛
〔籜〕箨
〔籟〕籁
〔籙〕箓
〔籠〕笼
〔鰵〕鳘
〔儻〕傥
〔艫〕舻
〔鑄〕铸
〔鑌〕镔
〔鑔〕镲
〔龕〕龛
〔糴〕籴
〔鰳〕鳓
〔鰹〕鲣
〔鰾〕鳔
〔鱈〕鳕
〔鰻〕鳗
〔鱅〕鳙
〔鰼〕鳛
〔玀〕猡
【丶】
〔讀〕读
〔讅〕谉
〔巒〕峦
〔彎〕弯
〔孿〕孪
〔孌〕娈
〔顫〕颤
〔鷓〕鹧
〔癭〕瘿
〔癬〕癣
〔聾〕聋
〔龔〕龚
〔襲〕袭
〔灘〕滩
〔灑〕洒
〔竊〕窃
【乛】
〔鷚〕鹨
〔轡〕辔

23 笔

【一】
〔瓚〕瓒
〔驛〕驿
〔驗〕验
〔攪〕搅
〔欏〕椤
〔轤〕轳
〔靨〕靥
〔魘〕魇
〔饜〕餍
〔鷯〕鹩
〔靆〕叇
〔顬〕颥
【丨】
〔曬〕晒
〔鷳〕鹇
〔顯〕显
〔蠱〕蛊
〔髖〕髋
〔髕〕髌
【丿】
〔籤〕签
〔讎〕雠
〔鷦〕鹪
〔黴〕霉
〔鑠〕铄
〔鑕〕锧
〔鑥〕镥
〔鑣〕镳
〔鑞〕镴
〔臢〕臜
〔鱖〕鳜
〔鱔〕鳝
〔鱗〕鳞
〔鱒〕鳟
〔鱘〕鲟
【丶】
〔讌〕䜩
〔欒〕栾
〔攣〕挛
〔變〕变
〔戀〕恋
〔鷲〕鹫
〔癰〕痈
〔齏〕齑
〔讋〕詟
【乛】
〔鷸〕鹬
〔纓〕缨
〔纖〕纤㊴
〔纔〕才
〔鷥〕鸶

24 笔

【一】
〔鬢〕鬓
〔攬〕揽
〔驟〕骤
〔壩〕坝
〔韆〕千
〔觀〕观
〔鹽〕盐
〔釀〕酿
〔靂〕雳
*〔靈〕灵
〔靄〕霭
〔蠶〕蚕①
【丨】
〔艷〕艳
〔顰〕颦
〔齲〕龋
〔齷〕龌
〔鹼〕硷
〔贓〕赃
〔鷺〕鹭
〔囑〕嘱
〔羈〕羁
【丿】
〔籩〕笾
〔籬〕篱
〔籪〕簖
〔黌〕黉
〔鱟〕鲎
〔鱧〕鳢
〔鱠〕鲙
〔鱣〕鳣
【丶】
〔讕〕谰
〔讖〕谶
〔讒〕谗
〔讓〕让
〔鸇〕鹯
〔鷹〕鹰
〔癱〕瘫
〔癲〕癫
〔贛〕赣
〔灝〕灏
【乛】
〔鸊〕䴙

25 笔

【一】
〔韉〕鞯
〔欖〕榄
〔靉〕叆
【丨】
〔顱〕颅
〔躡〕蹑
〔躥〕蹿
〔鼉〕鼍
【丿】
〔籮〕箩
〔鑭〕镧
〔鑰〕钥
〔鑲〕镶
〔饞〕馋
〔鱨〕鲿
〔鱭〕鲚
【丶】
〔蠻〕蛮
〔臠〕脔
〔廳〕厅㉞
〔灣〕湾
【乛】
〔糶〕粜
〔纘〕缵

26 笔

【一】
〔驥〕骥
〔驢〕驴
〔趲〕趱
〔顴〕颧
〔黶〕黡
〔釃〕酾
〔釅〕酽
【丨】
〔矚〕瞩
〔躪〕躏
〔躦〕躜
【丿】
〔釁〕衅
〔鑷〕镊
〔鑹〕镩
【丶】
〔灤〕滦

27 笔

【一】
〔鬮〕阄⑭
〔驤〕骧
〔顳〕颞
【丨】
〔鸕〕鸬
〔黷〕黩
【丿】
〔鑼〕锣
〔鑽〕钻
〔鱸〕鲈
【丶】
〔讞〕谳
〔讜〕谠
〔鑾〕銮
〔灩〕滟
【乛】
〔纜〕缆

28 笔

〔鸛〕鹳
〔欞〕棂
〔鑿〕凿
〔鸚〕鹦
〔钂〕镋
〔钁〕镢
〔戇〕戆

29 笔

〔驪〕骊
〔鬱〕郁

30 笔

〔鸝〕鹂
〔饢〕馕
〔鱺〕鲡
〔鸞〕鸾

32 笔

〔籲〕吁㊽

注　释

① 蚕:上从天,不从夭。
② 缠:右从㢆,不从厘。
③ 尝:不是賞的简化字。賞的简化字是赏(见 shang)。
④ 长:四笔。笔顺是:丿 𠂉 ⻓ 长。
⑤ 在迭和叠意义可能混淆时,叠仍用叠。
⑥ 四川省酆都县已改丰都县。姓酆的酆不简化作邦。
⑦ 答覆、反覆的覆简化作复,覆盖、颠覆仍用覆。
⑧ 乾坤、乾隆的乾读 qián(前),不简化。
⑨ 不作坯。坯是砖坯的坯,读 pī(批),坏坯二字不可互混。
⑩ 作多解的夥不简化。
⑪ 系带子的系读 jì(计)。
⑫ 将、浆、桨、奖、酱:右上角从夕,不从夕或爫。
⑬ 藉口、凭藉的藉简化作借,慰藉、狼藉等的藉仍用藉。
⑭ 鬥字头的字,一般也写作門字头,如鬧、鬮、鬩写作閙、鬪、閲。因此,这些門字头的字可简化作门字头。但鬥争的鬥应简作斗(见 dou)。
⑮ 壳:几上没有一小横。
⑯ 类:下从大,不从犬。
⑰ 丽:七笔。上边一横,不作两小横。
⑱ 临:左从一短竖一长竖,不从刂。
⑲ 岭:不作岺,免与岑混。
⑳ 马:三笔。笔顺是:㇇马马。上部向左稍斜,左上角开口,末笔作左偏旁时改作平挑。
㉑ 卖:从十从买,上不从士或土。
㉒ 读 me 轻声。读 yāo(夭)的么应作幺(么本字)。吆应作吆。麽读 mó(摩)时不简化,如幺麽小丑。
㉓ 黾:从口从电。
㉔ 鸟:五笔。
㉕ 作门屏之间解的宁(古字罕用)读 zhù(柱)。为避免此宁字与寧的简化字混淆,原读 zhù 的宁作𡨦。
㉖ 区:不作区。
㉗ 前仆后继的仆读 pū(扑)。
㉘ 庆:从大,不从犬。
㉙ 赏:不可误作尝。尝是嘗的简化字(见 chang)。
㉚ 古人南宫适、洪适的适(古字罕用)读 kuò(括)。此适字本作适,为了避免混淆,可恢复本字适。
㉛ 中药苍术、白术的术读 zhú(竹)。
㉜ 肃:中间一竖下面的两边从八,下半中间不从米。
㉝ 条:上从夂,三笔,不从攵。
㉞ 厅:从厂,不从广。
㉟ 秫:从禾,不从禾。
㊱ 乌:四笔。
㊲ 无:四笔。上从二,不可误作旡。
㊳ 恐吓的吓读 hè(赫)。
㊴ 纤维的纤读 xiān(先)。
㊵ 县:七笔。上从且。
㊶ 在象和像意义可能混淆时,像仍用像。
㊷ 写:上从冖,不从宀。
㊸ 压:六笔。土的右旁有一点。
㊹ 尧:六笔。右上角无点,不可误作尧。
㊺ 叶韵的叶读 xié(协)。
㊻ 义:从乂(读 yì)加点,不可误作叉(读 chā)。
㊼ 在余和馀意义可能混淆时,馀仍用馀。
㊽ 喘吁吁,长吁短叹的吁读 xū(虚)。
㊾ 在折和摺意义可能混淆时,摺仍用摺。
㊿ 宫商角徵羽的徵读 zhǐ(止),不简化。
51 庄:六笔。土的右旁无点。

附 录

以下39个字是从《第一批异体字整理表》摘录出来的。这些字习惯被看作简化字，附此以便检查。括弧里的字是停止使用的异体字。

呆〔獃騃〕	迹〔跡蹟〕	麻〔蔴〕	席〔蓆〕	韵〔韻〕
布〔佈〕	秸〔稭〕	脉〔脈〕	凶〔兇〕	灾〔災〕
痴〔癡〕	杰〔傑〕①	猫〔貓〕	绣〔繡〕	札〔剳劄〕
床〔牀〕	巨〔鉅〕	栖〔棲〕	锈〔鏽〕	扎〔紥紮〕
唇〔脣〕	昆〔崑崐〕	弃〔棄〕	岩〔巖〕	占〔佔〕
雇〔僱〕	捆〔綑〕	升〔陞昇〕	异〔異〕	周〔週〕
挂〔掛〕	泪〔淚〕	笋〔筍〕	涌〔湧〕	注〔註〕
哄〔閧鬨〕	匣〔鼇〕	它〔牠〕	岳〔嶽〕	

① 杰：从木，不从术。

下列地名用字，因为生僻难认，已经国务院批准更改，录后以备检查。

黑龙江 铁骊县改铁力县
瑷珲县改爱辉县

青 海 亹源回族自治县改门源回族自治县

新 疆 和闐专区改和田专区
和闐县改和田县
于闐县改于田县
婼羌县改若羌县

江 西 雩都县改于都县
大庾县改大余县
虔南县改全南县
新淦县改新干县
新喻县改新余县
鄱阳县改波阳县
寻邬县改寻乌县

广 西 鬱林县改玉林县

四 川 酆都县改丰都县
石砫县改石柱县
越巂县改越西县
呷咯县改甘洛县

贵 州 婺川县改务川县
鰼水县改习水县

陕 西 商雒专区改商洛专区
盩厔县改周至县
郿县改眉县
醴泉县改礼泉县
郃阳县改合阳县
鄠县改户县
雒南县改洛南县
邠县改彬县
鄜县改富县
葭县改佳县
沔县改勉县
栒邑县改旬邑县
洵阳县改旬阳县
汧阳县改千阳县

此外，还有以下两种更改地名用字的情况：(1)由于汉字简化，例如辽宁省瀋阳市改为沈阳市；(2)由于异体字整理，例如河南省濬县改为浚县。